D0493789

ANDREAS FRANZ

Andreas Franz' große Leidenschaft war von jeher das Schreiben. Bereits mit seinem ersten Erfolgsroman »Jung, blond, tot« gelang es ihm, unzählige Krimileser in seinen Bann zu ziehen. Seitdem folgte Bestseller auf Bestseller, die ihn zu Deutschlands erfolgreichstem Krimiautor machten. Seinen ausgezeichneten Kontakten zu Polizei und anderen Dienststellen ist die große Authentizität seiner Kriminalromane zu verdanken.

Andreas Franz starb im März 2011. Er war verheiratet und hatte fünf Kinder.

Im Knaur Taschenbuch Verlag sind bereits
folgende Bücher des Autors erschienen:

Die Julia-Durant-Reihe: *Die Peter-Brandt-Reihe:*
Jung, blond, tot   Tod eines Lehrers
Das achte Opfer   Mord auf Raten
Letale Dosis   Schrei der Nachtigall
Der Jäger   Teufelsleib
Das Syndikat der Spinne
Kaltes Blut
Das Verlies
Teuflische Versprechen
Tödliches Lachen   *Die Sören-Henning-Reihe:*
Das Todeskreuz   Unsichtbare Spuren
Mörderische Tage   Spiel der Teufel

Über den Autor:
Andreas Franz' große Leidenschaft war von jeher das Schreiben.
Bereits mit seinem ersten Erfolgsroman »Jung, blond, tot«
gelang es ihm, unzählige Krimileser in seinen Bann zu ziehen.
Seitdem folgte Bestseller auf Bestseller, die ihn zu Deutschlands
erfolgreichstem Krimiautor machten. Seinen ausgezeichneten
Kontakten zu Polizei und anderen Dienststellen ist die große
Authentizität seiner Kriminalromane zu verdanken.
Andreas Franz starb im März 2011. Er war verheiratet und hatte
fünf Kinder.

Mehr über Andreas Franz erfahren Sie auch auf seiner
Homepage: www.andreas-franz.org

ANDREAS FRANZ

Eisige Nähe

Kriminalroman

KNAUR TASCHENBUCH VERLAG

Besuchen Sie uns im Internet:
www.knaur.de
www.andreas-franz.org

Vollständige Taschenbuchausgabe August 2011
Knaur Taschenbuch
Copyright © 2010 bei Knaur Verlag.
Ein Unternehmen der Droemerschen Verlagsanstalt
Th. Knaur Nachf. GmbH & Co. KG, München.

Umschlaggestaltung: ZERO Werbeagentur, München
Umschlagabbildung: Gettyimages/Flickr/laura a. watt;
FinePic®, München
Satz: Adobe InDesign im Verlag
Druck und Bindung: CPI – Clausen & Bosse, Leck
Printed in Germany
ISBN 978-3-426-63941-2

2   4   5   3   1

Das scheinbar Gute ist nicht immer gut,
das scheinbar Böse nicht immer böse.
Es ist der Mensch mit vielen Masken,
die vieles verdecken.
Beides wohnt im Menschen,
das Gute und das Böse.

SAMSTAG

SAMSTAG, 7. MÄRZ 2009

Hans Schmidt war pünktlich am frühen Nachmittag in Hamburg gelandet. Er holte den für ihn reservierten BMW bei der Autovermietung ab und fuhr nach Kiel. Es war kalt, viel kälter als in Lissabon, die Temperatur lag kaum über null Grad, während es in Portugal in den letzten Tagen beinahe zwanzig Grad gewesen waren, nur die Nächte waren kühl, aber immer noch wärmer als die Tage hier in Norddeutschland.

Der Verkehr war fließend, und er brauchte kaum eine Stunde, bis er sein Haus in dem vornehmen Kieler Stadtteil Düsternbrook erreichte.

Es gab zwei Gründe, weshalb er nach Kiel gereist war: Der erste und offizielle betraf das Erstellen von Expertisen für ein paar sehr alte und vermutlich sehr wertvolle Handschriften, eine davon angeblich aus dem elften Jahrhundert, und zwei Bücher von Niccolò Machiavelli, *Il Principe* und *Discorsi*, beide mit handschriftlichen Anmerkungen versehen. Woher der Klient die Bücher hatte, interessierte Schmidt nicht, obwohl es heutzutage fast unmöglich war, an solche nahezu unbezahlbare Originalausgaben zu gelangen, ohne kriminelle Wege zu beschreiten.

Der zweite und hauptsächliche Grund war – er war gekommen, um zu töten.

Nicht viel, und er hätte seine Lebensgefährtin Maria mitgebracht, aber sie war glücklicherweise unabkömmlich, die Handwerker wollten am Montag den neuen Kamin einsetzen, den Maria sich schon so lange gewünscht hatte, ein Wunsch, den er ihr nicht hatte abschlagen können. Dabei war es in Lissabon selten so kühl, dass man einen Kamin benötigte, aber sie hatte immer wieder betont, wie schön es doch aussehen würde, wenn … Er hatte es sich ein paarmal geduldig angehört und ihr schließlich vorgeschlagen, ein Unternehmen damit zu beauftragen, was sie sich natürlich nicht zweimal sagen ließ.

Vielleicht war es auch ganz gut so, dass sie in Lissabon geblieben war, denn die vor ihm liegende Mission erforderte seine vollste Konzentration, obwohl Maria ihn nicht gestört hätte, sie war eine zwar stets präsente, aber sich doch immer im Hintergrund haltende Frau, die keine unnötigen Fragen stellte. Sie fragte nicht, wohin er ging, wie lange er blieb, wann sie ihn zurückerwarten könne. Nichts von alledem, keine Klette wie viele oder die meisten anderen Frauen, die er im Laufe seines Lebens kennengelernt hatte. Sie war eine Perle, wie man sie nur unter Tausenden fand, schön, unprätentiös, fleißig, sie las ihm beinahe jeden Wunsch von den Augen ab, und manchmal war es ihm sogar unangenehm, wenn sie in seine Gedankenwelt einzutauchen schien, auch wenn dies eigentlich unmöglich war, denn wäre es ihr möglich gewesen, sie hätte Dinge erblickt, die sie nie hätte sehen wollen, die kaum ein Mensch hätte sehen wollen. Entweder hätte sie ihn oder sich längst umgebracht, oder sie wäre einfach gegangen, ohne ein Wort zu verlieren, denn sie war eine stolze und höchst verschwiegene Frau. Und sie war, neben einer anderen, die einzige Person, von der er meinte, sie sei ihm ebenbürtig, auch wenn sie zeitweise in zwei völlig verschiedenen Welten lebten.

Sie war wie ein Hurrikan in sein Leben getreten, und das nur, weil er eine Haushälterin gesucht hatte. So stand sie mit einem Mal vor ihm, diese aparte, anfangs unnahbare Frau, die ihn von der ersten Sekunde an in ihren Bann gezogen hatte. Halblange, fast schwarze Haare, hellbrauner Teint, eine markante Stirn und noch markantere Wangenknochen, eine fast porenlose Haut und Augen, wie er sie noch bei keiner anderen Frau gesehen hatte, ein tiefes Blau, das einen beinahe unnatürlichen Kontrast zu den Braun- und Schwarztönen bildete. Zarte, fragile Hände und eine Figur, die in jedem Mann unweigerlich ein Feuer entfachen musste. Das Schönste an ihr war jedoch der Mund, diese feingeschwungenen, nicht zu vollen Lippen, die sich perfekt diesem ohnehin perfekten Gesicht anpassten. Er hatte sie gesehen und sich in sie verliebt, obwohl er nie vorgehabt hatte, sich jemals in eine Frau zu verlieben. Aber sie stand vor ihm, und er wusste, er würde nie wieder eine andere Frau ansehen, vorausgesetzt, Maria erwiderte seine Gefühle. Er hatte nie nach ihr gesucht, er hatte überhaupt nie nach einer Frau gesucht, sondern immer nur die sich ihm bietenden Gelegenheiten genutzt, doch in all den Jahren hatte es keine Frau gegeben, mit der er sein Leben hätte verbringen wollen. Vielleicht war es Bestimmung – oder weil er nie nach ihr gesucht hatte. Sein Motto lautete: Versuche nie, etwas zu erzwingen, lass alles auf dich zukommen. Dies betraf aber nur den privaten und den offiziellen Teil seines geschäftlichen Lebens.

Sie war die Nummer zwölf der Bewerberinnen gewesen, ein Volltreffer, mehr wert als ein Sechser im Lotto. Er konnte sich an nichts in seinem Leben erinnern, das der ersten Begegnung mit Maria auch nur im Ansatz gleichkam.

Außer einer Sache, aber das war etwas anderes gewesen, so unterschiedlich wie Sonne und Mond. Und doch auf eine gewisse Weise prickelnd, erregend, sinnlich.

Sein erster Mord.

In Auftrag gegeben von einer von Eifersucht zerfressenen Frau, die es leid war, dass ihr Mann sich ständig mit jungen Mädchen vergnügte. Dabei war diese Frau erst Mitte dreißig, aber für ihren damaligen Mann schon zu alt, obwohl er selbst bereits neunundvierzig war. Ein schwerreicher Immobilienmogul aus Frankfurt, der nie der Pubertät entwachsen war. Einer, der sich in allen Betten rumtrieb, nur kaum einmal in seinem eigenen. Der aber seine Frau und die beiden Kinder wie in einem goldenen Käfig gefangen hielt, aus dem sie sich und die Kinder unbedingt befreien wollte. Nicht nur aus dem Käfig, sondern auch von ihrem Mann, den sie zu hassen gelernt hatte, wie nur Frauen hassen können. Was wirklich hinter diesem Auftrag stand, das sollte Schmidt erst später erfahren.

Hans Schmidt war damals gerade zweiundzwanzig, doch er hatte die Lebenserfahrung eines Mittvierzigers. Er lebte in Kiel, hatte aber vor, baldmöglichst seine Zelte dort abzubrechen und sich irgendwo anders niederzulassen, einen gutbezahlten Job anzunehmen und Karriere zu machen. Er, zu dem Zeitpunkt ein von der Hand in den Mund lebender Student, schaltete mehrere Anzeigen in regionalen und überregionalen Zeitungen, und auf eine davon meldete sich diese Frau. Sie suchte einen Gärtner für das Anwesen, und da Schmidt angegeben hatte, auch Gartenarbeiten auszuführen, dachte er, dies könnte die Gelegenheit sein, aus seiner Heimatstadt herauszukommen. Ihre erste Begegnung fand in Kiel statt, wo die Frau angeblich zu tun hatte, doch ihm war klar, dass sie nur seinetwegen gekommen war. Er würde diese erste Begegnung nie vergessen, sollte sie doch sein Leben von Grund auf verändern. Es war in einem Café in Düsternbrook, dem Viertel, in das er später ziehen sollte. Ein Viertel, das zum größten Teil jenen vorbehalten war, die es sich leisten konnten, dort zu wohnen.

Bei dem Treffen merkte er, wie diese unglaublich schöne und elegante Dame ihn zwar unauffällig und doch unentwegt musterte und begutachtete, obwohl sie anfangs nur über den Job als Gärtner für das Anwesen in Hofheim, einer kleinen Stadt an der Peripherie Frankfurts, sprachen. Allein, wie sie sich die Zigarette anzündete, wie sie dezent und doch mit überwältigender Erotik die Beine übereinanderschlug, war es wert gewesen, mit ihr diesen Nachmittag zu verbringen. Mit Sarah Schumann, so hatte sie sich ihm vorgestellt.

Er solle nach Hofheim ziehen, Kost und Logis seien frei, dazu werde er einen guten Lohn erhalten, und außerdem könne er in Frankfurt weiterstudieren, mit ein wenig Planung ließe sich alles unter einen Hut bringen. Es klang wie Musik in seinen Ohren, seine noch verschwommenen Pläne erhielten zum ersten Mal klare Konturen. Schließlich lud sie ihn noch für denselben Abend zu sich in ihr Kieler Haus ein, um, wie sie wörtlich sagte, die Details zu fixieren.

Der Abend verlief jedoch völlig anders, als er erwartet hatte. Nie hätte er für möglich gehalten, dass durch die Annonce sein Leben in eine Bahn gelenkt werden würde, an die er nicht einmal in seinen kühnsten Träumen zu denken gewagt hätte. Sarah Schumann fragte ihn wie beiläufig, ob er ganz langsam wenig Geld verdienen wolle oder lieber ganz viel in kurzer Zeit. Er wusste nicht, was er mit dieser Frage anfangen sollte, doch er antwortete, dass wohl jeder am liebsten schnell viel Geld verdienen möge.

Mit einem Mal stand sie splitternackt vor ihm, sie verbrachten die Nacht zusammen, und es war ein großartiges Gefühl, mit einer Frau zu schlafen, die zwölf oder dreizehn Jahre älter war. Sie hatte nicht nur einen Traumkörper, sondern auch Intellekt und Charisma und Charme, dem er sich nicht zu entziehen vermochte. Unmittelbar nach dem Sex rauchte sie schweigend eine Zigarette und trank ein Glas Rotwein, beobachtete Hans Schmidt eine Weile, als wollte sie seine Gedanken lesen oder in sein Innerstes eintauchen, dorthin, wo bisher nur er zu schauen imstande war, bis sie sagte, was sie wirklich von ihm wollte.

Sie berichtete von ihrem Mann, seinen permanenten Seitensprüngen mit jungen Frauen, manchmal sogar Minderjährigen, seiner aktuellen Affäre mit einer Fünfzehnjährigen und dass sie es mit diesem pädophilen Hurensohn nicht länger aushalte. Vor allem hatte sie Angst, dass er sich an den gemeinsamen zehn und zwölf Jahre alten Töchtern vergehen könnte.

Schließlich rückte sie mit der vollen Wahrheit heraus, die Worte kamen kühl und emotionslos über ihre Lippen, sie legte ein Foto ihres Mannes auf den Tisch und sagte, sie suche jemanden, der sie von ihm befreie. Und zwar für immer. Ob er, Hans Schmidt, dazu bereit sei, es solle nicht zu seinem Schaden sein. Dabei zeigte sich außer einem Aufblitzen in den Augen keinerlei Regung, während sie im Gegenzug jede noch so winzige Reaktion von Schmidt registrierte und analysierte.

Er tat verwirrt und erschrocken (obwohl das nicht ganz richtig ist, denn anfangs, ganz am Anfang, direkt nachdem sie ihr Anliegen vorgebracht hatte, war er tatsächlich verwirrt und erschrocken gewesen, aber nur für ein paar Sekunden) und sagte, er habe so etwas noch nie gemacht, aber sie antwortete gelassen und beinahe klischeehaft, es gäbe für alles ein erstes Mal. Die ersten Schritte, das erste Hinfallen, der erste Schultag, die erste große Liebe … Sie könne sich vorstellen, es sei wie der erste Sex, man hat Angst und verspürt gleichzeitig dieses unbeschreibliche Kribbeln, das durch den ganzen Körper zieht, man will es und ziert sich doch, aber schließlich tut man es, weil die Lust auf die Erforschung des Unbekannten übermächtig wird. So oder ähnlich müsse es wohl mit dem ersten Mord sein. Sie erklärte, und es klang aufrichtig, wie oft sie den Mord an ihrem Mann durchgespielt hatte, wie sie ihren untreuen Gatten erschoss, wie er langsam zu Boden sank und seine Augen sie flehend und bettelnd ansahen und sie breitbeinig über ihm stand und ihn kalt anlächelte, während allmählich der letzte Hauch Leben aus seinem Körper wich.

»Ich hasse ihn abgrundtief für das, was er mir und den Kindern angetan hat. Ich könnte jetzt noch viel mehr über ihn sagen, aber das würde zu lange dauern und tut auch nichts zur Sache. Vielleicht erzähle ich dir eines Tages die ganze Geschichte.«

Auf Schmidts Frage, warum sie es denn nicht selbst in die Hand nähme, antwortete sie mit einem unvergleichlichen Lächeln (etwas kühl und doch irgendwie entrückt), sie würde es ja liebend gerne, aber der Verdacht würde natürlich sofort auf sie fallen. Sie brauche für diese Aufgabe jemanden, den niemand in ihrem Umfeld kenne, der kommen und wieder gehen würde. Lautlos, spurlos, wie ein Phantom. Sie habe sofort gespürt, schon nach der nur Sekunden dauernden Begrüßung im Café, er sei der richtige Mann dafür, denn wenn sie eines sei, dann eine hervorragende Menschenkennerin, die vom ersten Eindruck noch nie getäuscht worden war. Eine Ausnahme allerdings hatte es gegeben, die Begegnung mit ihrem Mann, einem Schauspieler allererster Güte.

Er fühlte sich geschmeichelt, und er sagte nicht nein, auch wenn er sich fragte, wie er es anstellen sollte, einen Menschen zu töten, den er nur auf einem Foto gesehen hatte und von dem er nichts wusste als das, was seine Frau ihm erzählt hatte – ganz abgesehen davon, dass er keine Gewähr dafür hatte, ob ihre Geschichte überhaupt der Wahrheit entsprach. Er fragte auch nicht danach, denn es war ihm gleich. Seltsamerweise empfand er keine Angst bei dem Gedanken, einen Menschen zu töten, was vielleicht daran lag, dass er noch nie in seinem Leben wirklich Angst vor irgendetwas gehabt hatte, denn er hatte schon früh lernen müssen, auf eigenen Beinen zu stehen und sich durchzusetzen.

Hatte er Skrupel empfunden? Vielleicht. Ein schlechtes Gewissen? Möglicherweise. Letztlich wusste er nicht mehr, was damals in ihm vorgegangen war, weil alles fast surreal gewirkt hatte. Aber – und das war das Entscheidende – sie hatte ihm hunderttausend Mark geboten, wenn er bereit wäre, ihren Mann zu beseitigen oder, wie sie es ausdrückte, zu liquidieren und somit aus ihrem Leben ein für alle Mal zu entfernen. Und weitere hunderttausend, sobald der Auftrag erledigt war. Vorausgesetzt, niemand könne die Spur zu ihm und ihr zurückverfolgen.

Er hatte nicht lange überlegt, ihr Angebot war ein Vermögen für jemanden, der sich bis dahin mit wenig lukrativen Gelegenheitsjobs neben seinem Studium über Wasser gehalten hatte. Sie besprachen den genauen Ablauf: Wenn sie ihn in den nächsten Tagen kontaktieren würde, müsse er umgehend nach Frankfurt kommen, wo er in einem First-Class-Hotel unterkommen würde. In einem Schließfach im Hauptbahnhof wäre eine Waffe hinterlegt, und er bekäme den Schlüssel per Kurier in sein Hotel geliefert.

Sie hatte an alles gedacht. Sie selbst würde sich in diesen Tagen bei einer Freundin im Ausland aufhalten und erst zurückkehren, sobald sie vom Tod ihres Mannes durch die Polizei oder jemanden aus der Familie erfahren würde. Den Rest des Geldes würde er ein paar Tage später wieder in einem Schließfach finden, der Schlüssel dazu würde im Hotel abgegeben werden.

Zweihunderttausend Mark, ein Vermögen für Hans Schmidt, der bis dahin neben seinem Studium der Germanistik und Romanistik mit Ach und Krach über die Runden gekommen war. Zweihunderttausend Mark für einen Mord an einem untreuen Ehemann. Er hatte so etwas schon im Kino gesehen, aber dass er selbst eines Tages einen Auftragsmord ausführen würde, hätte er bis zu jenem Abend des 12. Oktober 1984 niemals für möglich gehalten.

In seiner damals noch vorhandenen Naivität hatte er Sarah gefragt, wann er denn die Stelle als Gärtner antreten solle, worauf sie lachend geantwortet hatte: »Glaubst du ernsthaft, ich würde mich wegen eines Gärtners auf den langen Weg nach Kiel machen? Bei uns im Rhein-Main-Gebiet gibt es so viele Gärtner, da brauche ich keinen von hier oben. Ich bin nur aus einem einzigen Grund gekommen, und den habe ich dir genannt. Mich hat deine Annonce angesprochen, ich wusste sofort, du bist der richtige Mann für diese Aufgabe. Bis jetzt hast du mich keines Besseren belehrt. Oder sollte ich mich doch getäuscht haben?«

»Nein, natürlich nicht. Ich bin der Richtige«, hatte er geantwortet.

»Gut. Es wird dein Schaden nicht sein.«

Nur drei Tage später rief Sarah Schumann ihn an und teilte ihm mit, der Zeitpunkt sei gekommen. Er fuhr nach Frankfurt und checkte in einem First-Class-Hotel ein, wo ein Umschlag mit zweitausend Mark für ihn hinterlegt worden war. Die Luxussuite im Herzen von Frankfurt war für eine Woche im Voraus bezahlt. Zwei Tage verbrachte er fast ausschließlich in seinem Zimmer und wartete, bis Sarah endlich anrief und ihm mitteilte, dass ihr Mann den nächsten Tag in seiner Jagdhütte im Taunus verbringe. Angeblich, um sich vom Stress der vergangenen Wochen zu erholen. Noch am selben Abend wurde ihm von einem Kurier ein wattierter Umschlag mit einer Karte, auf der die Hütte eingezeichnet war, sowie dem Schlüssel für das Bahnhofsschließfach übergeben. Dort fand er eine Sporttasche vor, in der sich eine großkalibrige Pistole mit Schalldämpfer und die versprochene Anzahlung von hunderttausend Mark befanden.

Hans Schmidt mietete sich einen Wagen und fuhr zu einem Waldparkplatz, der etwa fünfhundert Meter von der Jagdhütte entfernt war. Neben der Hütte parkte ein Range Rover, wie es ihm von Sarah Schumann beschrieben worden war. Schmidt ging durch das angelehnte Tor, nicht ohne sich vorher vergewissert zu haben, dass niemand ihn beobachtete. Weit und breit war kein Mensch zu sehen. Er klopfte mehrfach gegen die Tür, bis ein hochgewachsener, bulliger Mann in Unterhemd und Shorts öffnete – unverkennbar Sarahs Gatte. Hans Schmidt behauptete, er habe sich verlaufen und wisse nicht mehr, wie er zur Hauptstraße käme. Der mürrische

Hausherr wollte ihn so schnell wie möglich loswerden, deutete mit der Hand Richtung Westen und murmelte ein paar kaum verständliche Worte.

Dann ging alles sehr schnell, Schumann bekam kaum mit, wie mit einem Mal die große Pistole mit dem Schalldämpfer gegen seine Brust gedrückt und er in die Hütte gedrängt wurde, wie Schmidt einen Finger auf den Mund legte und meinte, dass er keinen Mucks von sich geben sollte. Dann erst sah er das Mädchen, das splitternackt auf dem Bett saß und ihn mit weit aufgerissenen Augen anstarrte. Ein sehr junges und sehr hübsches Mädchen, eine sich mitten in der Pubertät befindende Schönheit mit slawischen Gesichtszügen. Blond, blaue Augen und eine Figur, die erst in ein oder zwei Jahren ausgereift wäre. Vielleicht dreizehn, vielleicht auch schon vierzehn oder fünfzehn Jahre alt. Ein Mädchen, das Sarah Schumann nicht erwähnt hatte, von dem sie vermutlich nicht einmal etwas wusste. Er würde später mit ihr darüber sprechen. Eines aber stand fest: Er konnte, er durfte das Mädchen nicht am Leben lassen, es wäre zu gefährlich gewesen. Sie hätte ihn identifizieren können.

Eine Flasche Champagner und zwei Gläser standen auf dem Tisch, leise Musik spielte. An all das erinnerte sich Hans Schmidt, als wäre es gestern gewesen. Im Gesicht des Mannes hatte blanke Todesangst gestanden, er stammelte wirres Zeug, das Schmidt nicht interessierte. Er kickte die Tür mit dem Absatz hinter sich zu, runzelte die Stirn und drückte zweimal ab. Der erste Schuss traf den Mann in die Brust, der zweite in den Kopf, so hatte es Schmidt in einem Mafiathriller gesehen. Das Mädchen hielt sich ein Kissen vor das Gesicht, die Augen weit aufgerissen, kein Laut kam über ihre Lippen, doch es dauerte nur wenige Sekunden, bis auch ihre Augen brachen.

Was Sarah erzählt hatte, war die Wahrheit gewesen: ein alternder Mann, der es am liebsten mit jungen Mädchen trieb. Ein Mann, der das Geld hatte, sich alles leisten zu können, kleine Mädchen inklusive. Und doch war Schmidt selbstverständlich davon ausgegangen, Schumann alleine anzutreffen.

Es war ein einfacher Job gewesen, Schmidt hatte auf die beiden Toten herabgesehen, als wären sie Puppen, hatte die Hütte verlassen und war gemäßigten Schrittes zu seinem Wagen gegangen. Wieder war er niemandem begegnet. Auf der Fahrt zurück nach Frankfurt hatte er überlegt, die Waffe wegzuwerfen, aber dann doch beschlossen, sie zu behalten. Ein Souvenir vom ersten Mal, sozusagen. Die Waffe besaß er noch immer, sie war auch mehrfach benutzt worden, zuletzt vor einem halben Jahr.

Später im Hotel ließ er die Tat Revue passieren. Dabei dachte er mehr und mehr über das Mädchen nach, dessen Leben beendet war, bevor es richtig begonnen hatte. Für eine kurze Zeit hatte er ein schlechtes Gewissen, auch wenn er davon überzeugt war, dass sie so oder so bald gestorben wäre, denn die Zwangsprostituierten, vor allem junge Mädchen, überlebten selten die ersten drei Jahre, so hatte er einmal gelesen. Entweder starben sie an einer Überdosis Heroin oder an einer Kombination aus Drogen und Alkohol oder sie wurden umgebracht. Dennoch beschloss er, nie wieder Kinder oder Jugendliche zu töten, und bis zum heutigen Tag hatte er dieses Versprechen gehalten.

Wochenlang berichteten die Zeitungen über den heimtückischen Mord an dem angesehenen Immobilienmogul Manfred Schumann und einer jungen Frau, deren Namen man nie herausfand. Die Ermittler gingen davon aus, dass es sich um eine junge Frau aus Osteuropa handelte, die vermutlich mit falschen Versprechungen in den Westen gelockt worden war, wie so viele Mädchen und Frauen, die trotz des Eisernen Vorhangs in immer größeren Scharen in das vermeintliche Paradies Deutschland kamen. Das Alter der jungen Frau wurde stets mit achtzehn bis zwanzig angegeben, eine Lüge, denn Schmidt hatte das Mädchen gesehen. Je länger die Ermittlungen andauerten, desto weiter führte die Spur in den Osten. Es stellte sich heraus, dass Schumann dubiose Geschäfte in Polen, der ČSSR, der Sowjetunion und den damals noch zur Sowjetunion zählenden baltischen Staaten getätigt und vermutlich auch mit Menschenhändlern in Kontakt gestanden hatte. Für einige Wochen war sein bislang guter Name mit einem Makel befleckt, doch schon bald wurde das Mädchen aus der Berichterstattung gestrichen, als hätte es nie existiert. Zwanzig Jahre später wurden ein Hochhaus und eine kleine Straße nach Schumann benannt, der sich so sehr um Frankfurt verdient gemacht hatte.

Vom Täter fehlte weiter jede Spur. Schließlich ging man davon aus, dass er von einem Rivalen aus der Bau- oder Immobilienbranche beseitigt worden sein könnte, doch es fanden sich keinerlei Beweise.

Natürlich war seine Frau unter die Lupe genommen worden, aber sie konnte ein einwandfreies Alibi vorweisen und gab offen zu, dass ihre Ehe nicht gerade vorbildlich gewesen war, wobei sie ihren Mann immer geliebt habe, auch wenn sie von den unzähligen Affären ihres Mannes wusste – wie so viele in ihrem Umfeld. Dank dieser Offenheit gegenüber der Polizei und Öffentlichkeit war sie schnell aus dem Visier der Fahnder verschwunden.

Drei Tage nach dem Mord erhielt Schmidt das restliche Geld und schon kurz darauf den nächsten Auftrag. Vermittelt von der Frau, die, wie die Zeitungen vermeldeten, auf so sinnlose und tragische Weise ihren geliebten Mann verloren hatte.

Er war zweiundzwanzig gewesen, als er seinen ersten Auftragsmord beging, und bis dahin hatte er nicht einmal im Traum daran gedacht, jemals einem Menschen physisches Leid zuzufügen, geschweige denn, einen Mord zu begehen. Jetzt waren es gleich zwei auf einmal gewesen, und er hatte nichts oder zumindest nur wenig dabei empfunden. Keine Reue und auch nicht dieses berühmte schlechte Gewissen, das einen angeblich plagen sollte. Keine Alpträume, keine nächtlichen Schweißausbrüche, kein Gang zu einem Priester, um sich von der Last der Sünde zu befreien. Stattdessen fühlte er eine Art Stolz und Genugtuung, etwas getan zu haben, was sich nur die allerwenigsten trauten.

Es war so unglaublich einfach gewesen, und für einen Moment, als er wieder im Auto saß, hatte ihn sogar ein nie gekanntes Glücksgefühl überkommen. Und das alles durfte er nur erleben, weil diese ganz besondere Frau, Sarah Schumann, ihn über eine Anzeige kontaktiert hatte. Sie hatte sein Leben verändert und ihm eine Richtung verliehen, die so ganz anders als in seiner Vorstellung gewesen war. Ein Leben, das aller Wahrscheinlichkeit nach so langweilig und eintönig wie das so vieler Menschen verlaufen wäre. Das Studium beenden, einen mehr oder minder gutbezahlten Job annehmen, eine Frau kennenlernen, heiraten, Kinder bekommen, abends nebeneinander vor dem Fernseher hocken und schweigend auf den Bildschirm starren, ein-, zwei- oder am Anfang auch dreimal in der Woche miteinander schlafen und das Leben zur unsäglichen Routine verkommen lassen. Das alles in einer endlosen Schleife bis zum bitteren Ende in vierzig, fünfzig oder sechzig Jahren.

Doch Hans Schmidt führte seit jenem Abend im Oktober

1984 ein sorgloses und ausgefülltes Leben, er hatte Geld und andere materielle Güter im Überfluss, er war körperlich und geistig topfit, alles passte, es gab nichts, worüber er sich Gedanken zu machen brauchte. Bis auf den ersten Fall hatte es sich in den folgenden Jahren ausschließlich um Zielpersonen gehandelt, die eine zwielichtige und kriminelle Rolle in der Gesellschaft spielten.

In all der Zeit hatte es nur einen einzigen Auftrag gegeben, der ihm persönliche Probleme bereitet und bei dessen Ausführung er Skrupel verspürt hatte. Er hatte eine Frau liquidieren müssen, mit der ihn eine langjährige tiefe Freundschaft und eine lose sexuelle Beziehung verband. Es hatte ihm fast das Herz zerrissen, aber ihm war keine Wahl geblieben. Hätte er diesen Auftrag abgelehnt, hätte er wohl nie wieder einen weiteren erhalten.

Niemand wusste von seiner Affäre mit Julianne Cummings, der Frau des ehemals zukünftigen Präsidenten der Vereinigten Staaten von Amerika, von den Massen schon lange vor der Wahl wie ein Heilsbringer gefeiert, dessen demokratischem Konkurrenten, wer immer es auch sein mochte, kaum eine Chance eingeräumt worden war. Cummings war in der Tat beeindruckend, geboren in Portland, Oregon, treues Mitglied einer einflussreichen Sekte, der schon seine Eltern und Großeltern angehörten, mit achtundzwanzig der jüngste Gouverneur aller Zeiten, mit Ende dreißig im Senat in Washington, mit Mitte vierzig höchst aussichtsreicher Präsidentschaftskandidat. Er war ein charismatischer Mann, rhetorisch unschlagbar, auf jedes Argument hatte er ein Gegenargument – und wenn es ein Zitat aus der Bibel war.

Was jedoch niemand außerhalb seines politischen Vertrautenkreises ahnte: Peter Cummings war verschlagen bis ins Mark.

Hans Schmidt war nach New York geflogen, um sich mit Julianne Cummings zu treffen, die ihn nur als Pierre Doux kannte. Er wusste noch, was sie am letzten Abend ihres Lebens getragen hatte, als sie ihm die Tür ihres Refugiums in Greenwich Village öffnete und ihn mit einem Kuss begrüßte. Ihre Augen strahlten wie immer, wenn sie sich sahen, was nicht sehr häufig vorkam. Sie trug ein kaum die Schenkel bedeckendes, enganliegendes weißes, transparentes Kleid, das der Phantasie nicht viel Spielraum ließ. Ihre fünfundvierzig Jahre sah man ihr nicht an, dank eiserner Disziplin stand ihr Körper dem einer Fünfundzwanzigjährigen in nichts nach. Lediglich ein paar winzige Fältchen um Augen und Mund verrieten dem aufmerksamen Betrachter, dass sie keine fünfundzwanzig, sondern vielleicht doch schon Mitte oder Ende dreißig war. Aber fünfundvierzig hätte kein Außenstehender vermutet.

Normalerweise pflegte sie einen anderen Kleidungsstil, besonders, wenn sie an der Seite ihres Mannes repräsentieren musste, was gerade jetzt, in der anstehenden heißen Phase des Wahlkampfs, immer häufiger der Fall war. Sie verabscheute ihren Mann, aber sie sah keinen Ausweg aus dieser Ehe. Er hasste sie nicht weniger, doch wenn sie sich der Öffentlichkeit zeigten, sah man ein auch nach zwanzig Jahren Ehe glückliches Paar mit drei wohlerzogenen Kindern. Peter Cummings' zutiefst verlogene Seite kam zu keiner Zeit zum Vorschein. Wie alle Politiker, die Schmidt kannte – und er kannte viele –, war Cummings ein verschlagenes und verkommenes Subjekt. Er ließ jeden beiseiteschaffen, der ihm nicht bedingungslos ergeben war. Im Laufe seiner Karriere hatte er mindestens zehn Personen aus dem Weg räumen lassen. Vier starben durch Selbstmord, vier bei Unfällen, zwei durch Krankheit. So lauteten die Meldungen. Die Wahrheit kannten nur ein paar wenige

Eingeweihte. Wer nicht für Cummings war, war automatisch gegen ihn, und so etwas duldete er nicht.

Schmidt hatte ihn ein paarmal getroffen, in seine kalten blauen Augen geblickt und sich jedes Mal gewünscht, jemand würde ihm den Auftrag erteilen, ihn zu liquidieren. Doch dann kam alles ganz anders. Sein Auftrag lautete nicht Peter Cummings, sondern dessen Frau Julianne. Warum ausgerechnet sie, wusste er nicht, anfangs hatte er Peter Cummings hinter der Anweisung vermutet. Es hätte seine Popularität sicher noch verstärkt, wenn er ein Jahr vor der Wahl den trauernden Witwer hätte spielen dürfen und er das Mitgefühl von Millionen Amerikanern erfahren hätte. Andererseits traute Schmidt Cummings vieles zu, eine derartige Perfidität jedoch nicht.

Nach längerem Überlegen war Schmidt sicher, dass die Order von allerhöchster Stelle kam, von dort, wo noch mächtigere Männer und Frauen als der Präsident der USA agierten. Die wahren Machthaber, die Strippenzieher, die die Regeln von Politik und Wirtschaft bestimmten. Nach der Kontaktaufnahme hatte Schmidt zwei Wochen Zeit, Julianne Cummings zu töten. Das Wo und Wie und den genauen Zeitpunkt überließ man Schmidt, das hatte er sich ausbedungen. Er hatte außerdem gefordert, dass Julianne Cummings innerhalb dieser zwei Wochen zu keiner Minute überwacht werden dürfe, er würde es kontrollieren, und sollte er auch nur einen Anhaltspunkt dafür finden, würde er die Aktion sofort abbrechen, denn zum einen wollte er seine Anonymität bewahren, und zum anderen wusste er, wie sehr die Nachrichtendienste seine Arbeit schätzten und auch in Zukunft benötigen würden. Er würde Bescheid geben, wann und wo ihre Leiche zu finden sei. Per E-Mail bekam er die Zusicherung, dass Julianne Cummings nicht überwacht werden würde.

Es war das erste und auch einzige Mal, wo er beinahe alles hingeschmissen hätte, aber er fühlte sich dem von ihm selbst verfassten Ehrenkodex verpflichtet, der es ihm verbot, einen einmal angenommenen Auftrag nicht zu erfüllen.

Erst nachdem er sie auf schnelle und schmerzlose Weise getötet und die Informationen, wo ihre Leiche zu finden sei, übermittelt hatte, erfuhr er während seines Rückflugs nach Lissabon, was wirklich hinter diesem Auftrag gesteckt hatte: Der Tatort war kurz nach dem Auffinden der Toten so präpariert worden, dass der Verdacht automatisch auf Peter Cummings fiel. Er hatte kein Alibi, nichts, das ihn entlastete. Er würde nie Präsident der USA werden, beim Prozess fehlten aber wichtige Beweisstücke, und so wurde Cummings aus Mangel an Beweisen freigesprochen, doch der Makel des möglichen Mörders an seiner Frau blieb. Sosehr er auch seine Unschuld beteuerte, es half ihm nichts. Nach dem Freispruch verkroch er sich wie ein geprügelter Hund in die Karibik, aber es dauerte nicht lange, bis er sich von seinem Schock erholt hatte und es sich in seinem selbstgewählten Exil mit seinem beträchtlichen Vermögen gutgehen ließ. Doch was man gewollt hatte, war erreicht worden: Cummings war ein für alle Mal von der politischen Bildfläche verschwunden. Dafür hatte seine Frau, Schmidts Freundin, ihr Leben lassen müssen.

Julianne Cummings war Vergangenheit, doch jene Frau, die ihn vor beinahe fünfundzwanzig Jahren angeheuert hatte, lebte noch. Sarah Schumann war und blieb die Einzige, die jemals Schmidts wahres Gesicht als Auftragskiller gesehen hatte, auch wenn er dieses Gesicht permanent veränderte. Mit wenigen Handgriffen gelang es ihm, so auszusehen, dass niemand, nicht einmal seine engsten Bekannten (wahre Freunde hatte er keine, auch wenn er einigen das Gefühl gab, ihr Freund zu sein) ihn jemals hinter einer seiner vielen Masken erkannt hätten. Mal sah er wie ein alter Mann aus, mal trug er eine dicke Brille und einen Schnauzer, mal einen Vollbart, mal eine Glatze, mal hatte er schmale Lippen, dann wieder einen geradezu femininen Mund, manchmal verkleidete er sich als Frau. Er konnte sogar Hände und Hals älter oder jünger aussehen lassen, er war ein Verwandlungskünstler par excellence. Zu jedem Aussehen besaß er einen eigenen Pass, einen Ausweis und einen Führerschein, insgesamt waren es einundzwanzig Pässe, einundzwanzig Führerscheine, einundzwanzig Ausweise, sogar drei Diplomatenpässe. Er war einer der meistgesuchten und doch freiesten Menschen auf diesem Planeten.

Sarah Schumann hatte ihn aus Dankbarkeit und Anerkennung in Kreise eingeführt, in denen es vor allem darum ging, unliebsame Zeitgenossen liquidieren und unter Umständen auch spurlos verschwinden zu lassen, was eigentlich die Aufgabe eines Cleaners gewesen wäre, aber gegen angemessenes Geld übernahm er auch die Aufgabe des Beseitigens eines Opfers und die Reinigung des Tatorts. Letzteres kostete zwar noch einmal so viel wie der eigentliche Mord, aber wer Hans Schmidt anheuerte, dem kam es auf ein paar hunderttausend Dollar oder Euro nicht an. Hans Schmidt und Sarah Schumann teilten ein Geheimnis und konnten auf die Verschwiegenheit des anderen zählen: Würde sie ihn ans Messer liefern, würde dies auch ihr das Genick brechen, dazu wusste er zu viel über sie.

Natürlich wussten die Menschen ihres Umfelds so gut wie nichts über Hans Schmidt, weder wie alt er war noch wo er herkam, sie wussten nur, er war der Mann für Notfälle, dem sie bedingungslos vertrauen konnten. Sarah Schumann war wesentlich daran beteiligt, dass er zu einem der gefragtesten Männer für knifflige Fälle wurde. Bis zum heutigen Tag verband ihn mit Sarah eine enge Freundschaft, auch wenn sie sich nur in unregelmäßigen Abständen sahen und darüber hinaus über Internet und Telefon in Verbindung blieben. Eine besondere Frau, die seinem Leben eine besondere Note verliehen hatte.

Nebenbei beendete er sein Studium, das sich nun problemlos finanzieren ließ, denn jeder Auftrag brachte ihm eine sechsstellige Summe ein (anfangs in Dollar, inzwischen kostete die Beseitigung eines Unternehmers, Bankiers oder Aufsichtsratsvorsitzenden ab dreihunderttausend Euro aufwärts, die einer Person des öffentlichen Lebens abhängig von ihrer Bedeutung zwischen fünfhunderttausend und einer Million, für den Mord an Julianne Cummings hatte er umgerechnet sogar anderthalb Millionen Euro kassiert), mittlerweile beherrschte er neun Sprachen und war ein Kunstliebhaber und -kenner, in dem Bereich der Musik ebenso wie in Malerei und Literatur. Tief in seinem Innern war er ein Feingeist, den schönen Dingen zugetan, sein ganzes Leben war von der Kunst geprägt – wozu in seinen Augen auch die hohe Kunst des Tötens zählte. Ein Mord sah im Übrigen auch nicht immer wie ein Mord aus, vieles wurde von der Polizei und den Rechtsmedizinern als Selbstmord oder Unfall deklariert, nur bei wenigen Opfern ließ er es bewusst wie eine Hinrichtung aussehen.

Aber in erster Linie war er Geschäftsmann, und wichtige Geschäfte waren es unter anderem, die ihn diesmal nach Kiel geführt hatten. Geschäfte, die auch mit dem Tod zu tun hatten. Geschäfte, die zu seinen Bedingungen abgewickelt wurden und von denen die Partner noch nichts wussten. Geschäfte, die zeitlich fest terminiert waren. Die Partner hatten nicht den Hauch einer Ahnung, wie wertvoll – ab jetzt gerechnet – jeder Tag für sie sein würde.

Seit Anfang der neunziger Jahre bewegte er sich in der High Society, in der natürlich niemand auch nur im Entferntesten ahnte, mit welch gefährlichem Mann sie es in Wirklichkeit zu tun hatten. Sie hatten ihn tatsächlich auch kaum zu fürchten, denn Hans Schmidt arbeitete nur im Auftrag und nicht, weil er jemanden persönlich nicht mochte oder eine Rechnung zu begleichen hatte. Wie jeder andere auch kam er mit dem einen besser, mit dem anderen schlechter zurecht, aber es hätte nie einen persönlichen Grund gegeben, einen Mann oder eine Frau zu töten, nur weil die Person ihm nicht gefiel, weil die Chemie nicht stimmte oder die Interessen unterschiedlich geartet waren. Er hätte auch niemals jemanden aus niederen Beweggründen wie Neid, Habsucht oder Eifersucht getötet, nicht einmal, wenn derjenige sich an Maria herangemacht hätte. Privates und Berufliches trennte er strikt. Nur zweimal war es vorgekommen, dass ein Auftrag zeitlich mit einem geschäftlichen Termin zusammenfiel. Dann hatte er zwei oder drei Tage verstreichen lassen, bevor er die Zielpersonen tötete. Eines jedoch hatte er bisher nie getan – er hatte nie einen Geschäftspartner liquidiert, da er unter allen Umständen vermeiden wollte, dass die Polizei auf seine Spur gelenkt wurde.

Schmidt gehörten drei Nobelrestaurants, alle aufgeführt im Guide Michelin und Gault Millau. Eines in Nizza, eines in Cannes und eines in Saint Tropez. Für Schmidt war nur das Beste gut genug, er hatte hohe Ansprüche an sich und an andere. Doch er selbst ließ sich nur zu besonderen Gelegenheiten dort blicken, wenn außergewöhnliche

Gäste sich angemeldet hatten oder alte Freunde oder Bekannte kamen und er es als seine Pflicht ansah, sich um diese zu kümmern. Dass er sonst zurückgezogen in Lissabon lebte, wurde von den meisten respektiert.

Frauen hatten in seinem Leben stets eine wichtige Rolle gespielt, aber nur in Maria hatte er sich verliebt. Ganz gleich, was auch geschah, er würde alles daransetzen, dass sie blieb. Maria war eine reinrassige Portugiesin, sie hatte einen Stolz, der nicht überheblich war, einen über Generationen vererbten und tief in ihr verwurzelten Stolz, der sie selbstbewusst machte, ohne andere zu verletzen.

Drei Jahre war es nun her, genau genommen drei Jahre, zwei Monate und sieben Tage, seit sie bei ihm eingezogen war. Sie kümmerte sich um den Haushalt und all die Dinge, die im und am Haus zu erledigen waren. Sie bestellte Handwerker, führte Verhandlungen und hielt ihm den Rücken frei. Sie war eine phantastische Liebhaberin, die stets ohne große Umschweife zur Sache kam, weil sie von Anfang an gespürt hatte, dass er das so wollte. Sie verstanden sich blind und verhielten sich bisweilen schon wie ein altes Ehepaar, ohne jedoch in monotonen Alltagstrott zu verfallen.

Als er am Morgen aufgebrochen war, hatte sie ihn wie bei jedem Abschied lange umarmt und sich an ihn geschmiegt wie eine Katze. Er hatte den Duft ihrer dunkelbraunen, fast schwarzen Haare eingeatmet, ein ganz besonderer Duft, den er nicht einmal ansatzweise je bei einer anderen Frau gerochen hatte, der Duft einer großen, starken Frau, obgleich Maria eher klein war. Klein, zierlich, aber enorm zäh. Im Januar war sie siebenundzwanzig geworden, und damit war sie fast zwanzig Jahre jünger als Hans Schmidt. Aber auch das machte ihr nichts aus, sie sagte stets mit einem Lächeln, dass er viel jünger aussehe und niemand ihn auf siebenundvierzig schätzen würde.

Maria wusste eine große Familie hinter sich, einen Vater, der mit Argusaugen darüber wachte, dass es ihr gutging, eine Schwester und zwei Brüder, die ebenfalls ein Auge auf sie hatten, und eine Mutter, wie sie resoluter nicht sein konnte. Sie hatten Schmidt wohlwollend aufgenommen, was wohl nicht zuletzt daran lag, dass er ein kultivierter und vermögender Mann mit einem exzellenten Leumund war. Ein Deutscher, der seit vielen Jahren Portugal als seine Heimat ansah, der die portugiesische Lebensart liebte und so verinnerlicht hatte, dass er, wie Marias Vater einmal bemerkte, fast als Portugiese durchgehen könnte, dabei sei er doch nur ein halber. Schmidt hatte lachen müssen, aber Marias Vater hatte recht, er war Halbportugiese, seine Mutter stammte aus Lagos an der Algarve und war Anfang der sechziger Jahre als eine der ersten Gastarbeiterinnen nach Deutschland gekommen, hatte sofort einen Mann gefunden und einen Sohn mit ihm gezeugt.

Schmidt hatte nur noch vage Erinnerungen an seine Eltern, die bei einem Hausbrand ums Leben gekommen waren, als er neun Jahre alt war. Ihn hatte die Feuerwehr in letzter Sekunde aus den Flammen retten können, und er wurde in einem Heim etwas außerhalb von Kiel untergebracht, wo er bis zu seinem siebzehnten Lebensjahr blieb. Das Grab seiner Eltern war in Kiel, und obwohl er eine Friedhofsgärtnerei mit der Pflege beauftragt hatte, ließ er es sich nicht nehmen, alle drei Monate herzukommen und nach dem Rechten zu sehen. So würde er es auch diesmal halten.

Zudem diente es dem Wahren seiner Identität, sich regelmäßig in Kiel blicken zu lassen und allen, die er kannte, zu zeigen, dass es ihn noch gab und dass er seiner Heimatstadt niemals untreu werden würde. In Kiel war er geboren und aufgewachsen, weshalb er sich mit diesem Ort verbunden fühlte, doch Lissabon war seine eigentliche Heimat, wo er irgendwann begraben werden wollte. Bevor es so weit war, würde er seine Eltern nach Lissabon holen und ihnen eine würdige Grabstätte auf einem Friedhof über der Stadt mit Blick auf die Mündung des Tejo oder den Atlantik kaufen.

Er wusste noch nicht, wie lange er diesmal in Kiel bleiben würde, geplant waren zehn bis vierzehn Tage, es konnten aber durchaus auch mehr werden, denn es standen noch mindestens drei weitere Zielpersonen auf seiner Liste. Sein Aufenthalt war bis ins letzte Detail durchgeplant (wobei es immer wieder Abweichungen geben konnte, denn gerade in seinem Job kam es auf den richtigen Zeitpunkt an), jede Minute, jeder Schritt, jeder Augenblick bis zum großen Finale, für das er sich diesmal etwas ganz Besonderes ausgedacht hatte. Etwas, was das Land möglicherweise in seinen Grundfesten erschüttern würde, vorausgesetzt, man ließ die entsprechenden Informationen überhaupt an die Öffentlichkeit gelangen. Etwas, womit keiner rechnete, nicht einmal seine bisherigen Auftraggeber, von denen keiner wusste, dass *der* Schmidt in der Stadt war. Und er würde zum ersten Mal seinem Grundsatz untreu werden, niemals aus persönlichen Gründen zu töten.

Als Schmidt in Kiel eintraf, hatte der Himmel aufgeklart, und die Märzsonne machte Anstalten, den Winter zu vertreiben. Aber sollte der Wetterbericht recht behalten, so würde es nur ein kurzzeitiges Intermezzo sein, bis die Kälte wieder zuschlug.

Schmidt stellte den Wagen vor der Garage ab, holte den Schlüssel aus seiner Jackentasche und schloss die Haustür auf. Die Luft war stickig, er öffnete ein paar Fenster im Erdgeschoss und drehte die Heizung auf, denn er fröstelte leicht, anschließend ging er nach oben und sah auch dort nach dem Rechten. Alles war noch so, wie er es vor zwei Monaten zurückgelassen hatte. Seinen Aktenkoffer legte er auf den Schreibtisch im Arbeitszimmer, lüftete auch hier kurz durch, streifte die Schuhe ab und zog sich bis auf die Unterhose aus. Danach begab er sich wieder nach unten, schloss die Fenster, warf durch die Vorhänge einen Blick über den großen Garten, der von einer zwei Meter hohen Buchenhecke eingezäunt war. Dazu war das gesamte Grundstück mit hochwertiger modernster Sicherheitstechnologie bestückt, die jeden potenziellen Eindringling sofort abschrecken oder in die Hände der Polizei treiben würde.

Schmidt kannte alle seine unmittelbaren und auch die meisten etwas weiter entfernt residierenden Nachbarn, hin und wieder wurde er eingeladen, und er selbst veranstaltete jedes Jahr mindestens ein Fest – in der Regel zur Sommersonnenwende oder auch in der Adventszeit, zu dem er alle einlud, die Rang und Namen hatten.

Auch am heutigen Abend würde er auf einer Party sein, wo sich nicht nur die High Society aus Kiel, sondern aus ganz Deutschland die Ehre gab, denn die Einladung eines Grafen und höchst einflussreichen Politikers und Unternehmers schlug niemand aus. Nicht nur, um zu sehen und gesehen zu werden, sondern auch, um Geschäfte zu tätigen.

Mit dem Gastgeber verband Schmidt seit Jahren ein oberflächlich-freundschaftliches Verhältnis, er hatte sogar schon zwei Aufträge für ihn ausgeführt, ohne dass der Graf wusste, dass Hans Schmidt der Liquidator gewesen war und das erledigt hatte, mit dem sich die oberen Zehntausend die Finger nicht schmutzig machten, weil sie es gewohnt waren, dass andere die Drecksarbeit für sie besorgten, während sie die Titelblätter schmückten, in Talkshows auftraten, in den Vorständen und Aufsichtsräten großer Unternehmen saßen, Unternehmen leiteten, Fabriken besaßen, eine gewichtige Rolle in der Politik spielten oder sich in der Kunstszene einen Namen gemacht hatten … Eines war allen gemein: Sie waren Saubermänner und -frauen, deren düstere und schmutzige Geheimnisse nur Insidern bekannt waren, unter anderem Hans Schmidt.

Schmidt lächelte seinem Spiegelbild zu, fuhr sich mit der Hand über das Gesicht und ging in sein üppig ausgestattetes Sportzimmer auf der anderen Seite des Flurs, um ein paar Übungen zu absolvieren: hundertzwanzig Liegestütze, davon jeweils dreißig mit einem Arm, hundertzwanzig Sit-ups, zwölf Minuten Tai-Chi. Seit über zwanzig Jahren verging kein Tag, an dem er nicht seine Übungen machte, und sofern es seine Zeit erlaubte, joggte er bis zu zehn Kilometer am Tag. Schmidt war nur einen Meter vierundsiebzig groß, dafür sehr schlank und durchtrainiert. Er beherrschte seinen Körper, den er zusammen mit seinem messerscharfen Verstand als sein größtes Kapital sah.

Schmidt lebte Grundsätze, er aß stets maßvoll, gönnte sich nur hin und wieder ein Glas Rotwein, keine Zigaretten und schon gar keine Drogen. Wie ein Asket betrachtete er seinen Körper als ein Heiligtum und einen Tempel.

Nach den Übungen duschte er, zog sich etwas Legeres an und telefonierte mit Maria, die wie immer erleichtert war, als fürchtete sie jedes Mal, wenn er auf Reisen war, ihm könnte unterwegs etwas zustoßen. Als er aufgelegt hatte, betrat er einen Raum, den selbst die gewieftesten Einbrecher niemals finden würden, nur sechs Quadratmeter groß und verborgen hinter einer langgezogenen, hohen Bücherwand, von der ein Teil sich durch das Eingeben eines sechsstelligen Codes per Fernbedienung öffnen ließ. Dort befand sich alles, was er für seine Aufträge benötigte, und hierhin würde er es wieder zurücklegen, nachdem seine Arbeit beendet war.

Er verweilte fast eine halbe Stunde in dem Geheimzimmer, wo er, wie in seinem Haus in Lissabon, sämtliche Aufträge sorgfältig archiviert hatte, zum einen in zwei Aktenordnern, zum anderen auf einem Rechner. Er wusste, sie würden eines Tages gefunden werden, doch das würde erst nach seinem Tod sein, der hoffentlich noch eine Weile auf sich warten ließ. Aber Hans Schmidt hatte keine Angst vor dem Tod, so wie er keine Angst vor dem Leben hatte.

Er hatte noch Zeit, die Feier würde auch ohne ihn beginnen. Er nahm die beiden Ordner aus dem Regal und blätterte in Erinnerungen. Schmidt hatte mehr Menschen ins Jenseits befördert als die meisten Serienkiller. Aber im Gegensatz zu den Bestien, die oft unter einem schweren psychischen Defekt litten, hatte er nie aus niederen Beweggründen getötet. Zu fast hundert Prozent handelte es sich um Personen, die gesellschaftlich hochangesehen gewesen waren, die Macht und Einfluss besessen und häufig selbst schon gemordet oder Morde in Auftrag gegeben hatten.

Als er nach vierzig Minuten die Ordner zurückstellte, empfand er Genugtuung. Er fühlte sich einmal mehr bestätigt, kein Mörder im eigentlichen Sinn zu sein, sondern lediglich das Spiel der Mächtigen mitzuspielen, ohne dass diese merkten, dass er zunehmend die Regeln bestimmte. Aber da war wieder dieses Bauchgefühl, das ihm sagte, dass das Blatt sich allmählich gegen ihn zu wenden begann und es an der Zeit war, sich eine neue Strategie einfallen zu lassen. Noch fühlte er sich sicher, würde als Hans Schmidt, der Name, unter dem er in diesem Haus lebte, zu dem Fest gehen, schließlich war die Einladung auf diesen Namen ausgestellt. Er steckte sie in die Innentasche seines Sakkos, lächelte und sprühte sich noch ein wenig Eau de Toilette auf den Hals.

SAMSTAG, 20.22 UHR

Um acht Minuten vor halb neun verließ er das Haus, nahm diesmal seinen Jaguar und fuhr zu dem ausgedehnten Gut des Grafen, wo das Fest stattfand. Er traf viele bekannte Gesichter, Hände wurden geschüttelt, es schien, als freuten sich die meisten, ihn zu sehen, doch wenn man genauer hinsah, wurde klar, dass es im Grunde kaum jemanden interessierte, ob er da war oder nicht. Auch er war nur wegen einer einzigen Person gekommen, die jedoch erst in zwei, drei Stunden eintreffen würde.

Hans Schmidt blieb dreieinhalb Stunden, erging sich in unsäglichem Smalltalk, den er hasste, aber als Mittel zum Zweck perfekt beherrschte, denn er verstand es, sich jeder Situation anzupassen. Er trank nur ein Glas Wein zum Essen, danach hielt er sich ausschließlich an Wasser. Ein grellgeschminktes Vollweib von höchstens fünfundzwanzig Jahren, bei dessen überdimensioniertem Busen ein Chirurg kräftig nachgeholfen hatte, umgarnte ihn fast den ganzen Abend und ging ihm damit zunehmend auf die Nerven, was er sie einige Male recht deutlich spüren ließ. Sie ließ sich davon nicht beeindrucken, vermutlich, weil sie zu beschränkt war, um die Zeichen zu erkennen. Diese Art von Frauen kannte er zur Genüge. Nach zahllosen vergeblichen Versuchen ließ sie endlich enttäuscht von ihm ab und wandte sich wieder ihrem Begleiter zu, einem fettleibigen und mindestens dreißig Jahre älteren Mann mit einem feisten Gesicht, seine Körperfülle war mindestens so beeindruckend wie sein Konto. Schmidt kannte ihn seit Jahren, ein Baulöwe, der es durch zahlreiche dubiose Geschäfte und Bestechung zu einem beträchtlichen Vermögen gebracht hatte.

Schmidts eigentliche Aufgabe bestand an diesem Abend darin, eine bestimmte Person nicht nur zu beobachten, sondern sich auch mit ihr zu unterhalten. Peter Bruhns traf erst gegen dreiundzwanzig Uhr ein, er kam direkt von einer Fernsehsendung, die er nicht nur produzierte, sondern deren unumstrittener Star er auch war. Bruhns war neunundvierzig Jahre alt und nur etwas über eins siebzig groß, wobei er nicht klein wirkte, denn er trug in der Öffentlichkeit stets Schuhe, die ihn mindestens fünf Zentimeter größer erscheinen ließen. Er hatte sehr kurz geschnittenes dunkelbraunes Haar und braune, bei genauerem Hinsehen stechende Augen, auch wenn er häufig lachte, vor allem über seine eigenen, oft zotigen Witze. Er war Musikproduzent und hatte schon zahlreiche Hits mit diversen Künstlern in den Charts gelandet, aber das genügte ihm nicht. Er hatte ein großes Ziel vor Augen: Er wollte unbedingt in der Liga der ganz Großen mitspielen, Frank Farian, Dieter Bohlen oder Jack White und anderen Superstars, allerdings war er noch ein Stück von deren Erfolg als Produzent entfernt. Und doch gab es in der Unterhaltungsindustrie Deutschlands der letzten Jahre kaum jemanden, der so sehr die Massen in seinen Bann zog. Es waren besonders die jungen Menschen, die ihn fast wie einen Gott verehrten und in ihm ein Vorbild sahen.

Schmidt kannte Bruhns seit vielen Jahren, sie waren sich schon bei diversen Veranstaltungen über den Weg gelaufen, hatten sich privat verabredet oder in einem seiner Restaurants, hatten viel miteinander gesprochen, meist belangloses Zeug, über die Yacht, das Meer, das Wetter, die Frauen. So belanglos und leer Bruhns in seinem Innern war, so gab er sich auch im privaten Rahmen. Nur nicht in der Öffentlichkeit, wo er es seit einiger Zeit meisterhaft verstand, sich selbst zu feiern und immer wieder zu betonen, dass er der erfolgreichste Komponist und Produzent aller Zeiten in Deutschland sei, was sich anhand der Verkaufszahlen jedoch leicht widerlegen ließ, doch noch zwei oder drei Jahre, und er würde vielleicht an der Spitze stehen.

Ein sich selbst maßlos überschätzender Selbstdarsteller, wie es nur wenige und doch zu viele auf der Welt gab. Unangenehm, obszön und unendlich langweilig, sobald man ihn etwas näher kannte. Aber Schmidt hatte Bruhns nie spüren lassen, was er wirklich über ihn dachte.

Eine Viertelstunde nach Mitternacht, noch bevor die Gesellschaft sich aufzulösen begann, verabschiedete sich Schmidt, nicht ohne sich vorher mit der Zielperson Bruhns eine Weile freundschaftlich, doch auch geschäftlich unterhalten zu haben. Unauffällig brachte er einen winzigen Peilsender an Bruhns' weißem Porsche Cayenne an, setzte sich in seinen Wagen, fuhr gut hundert Meter vom Grundstück weg und wartete geduldig.

Bereits sieben Minuten später verließ Bruhns die Villa und fuhr mit seinem Porsche an Schmidt vorbei, auf dem Beifahrersitz eine bildhübsche junge Blonde, die nur wenige Minuten vor Bruhns auf der Party eingetroffen war. Bruhns hatte sich nicht mit ihr unterhalten, vermutlich, damit niemand merkte, dass er sich mit der jungen Dame später noch vergnügen wollte. Schmidt wusste viel über sie, achtzehn Jahre alt und ein durchtriebenes Biest. Und sie passte perfekt in Bruhns' Beuteschema. Je älter er wurde, desto jünger wurden seine Geliebten, alle klein bis mittelgroß, blond bis rotblond und vollbusig, nordischer oder slawischer Typ mit markanten Gesichtszügen – und vor allem sehr jung.

Wie schon bei Schumann und so vielen anderen, die Schmidts Weg gekreuzt hatten, suchte auch hier ein allmählich alternder Mann ständig nach Bestätigung, eine Suche, die nie ein Ende finden würde, gäbe es nicht Hans Schmidt. Die Frauen wurden nicht von Bruhns' Intelligenz oder seinem guten Aussehen angelockt, sondern kamen nur seines gesellschaftlichen Status und vor allem seines Geldes wegen. Viele, wenn nicht gar die meisten von ihnen, erhofften sich durch ihn eine Karriere im Musikbusiness, doch alles, was Bruhns wollte, war die Abwechslung im Bett.

Diese Affären interessierten Schmidt allerdings nicht im Geringsten. Während Bruhns in der Boulevardpresse, den Schmierblättern und Talkshows herumgereicht wurde, wusste Schmidt von seinen wahren Schattenseiten, wobei der Begriff »Schattenseiten« zu kurz griff. Vielmehr taten sich Abgründe auf, in denen sich Bruhns seit Jahren bewegte. Aber darüber wurde nicht berichtet, weil nicht einmal die gewieftesten Pressevertreter davon wussten. Bruhns war für die Öffentlichkeit Oberfläche, sein aufgesetztes Lächeln, seine bisweilen scheinbar klugen Sprüche, die zur Schau gestellte Seriosität, mit der er seine Niedertracht überspielte (überhaupt war fast alles, was er sagte und tat, gespielt), die von ihm wohldosierten Schlagzeilen, mit denen er beinahe täglich die Medien bediente, die Selbstsicherheit, die er an den Tag legte, sein Bekenntnis zu Gott und seinem Elternhaus, seine einfache Herkunft und wie seine Eltern sich krummgelegt hätten, um ihrem Sohn ein Studium zu ermöglichen … Kaum etwas davon stimmte, und so sollte es auch bleiben. Den wahren Bruhns zu zeigen wäre nicht nur einer Blasphemie gleichgekommen, es hätte die Nation in einen Schockzustand versetzt, obwohl er laut Fachmeinung nur ein mittelmäßiger Musikproduzent war, der es jedoch perfekt verstand, den Geschmack einer breiten Masse zu bedienen. Denn er hatte einen Vorteil gegenüber vielen seiner Konkurrenten: Er war ein begnadeter Komponist, der schon Songs für die größten Stars geschrieben hatte und vor allem dadurch zu enormem Reichtum gelangt war.

Doch Schmidt war gewappnet, denn wie kaum ein anderer bewegte er sich lautlos inmitten dieser Abgründe, aus denen Bruhns schon lange nicht mehr herausfand. Schmidt hingegen war ein Wanderer zwischen den Welten, der den Ausgang aus dem Labyrinth der Abgründe genauestens kannte, denn er hielt sich immer nur so lange dort auf, wie ein Auftrag es erforderte. Er war ein Künstler, wie es keinen zweiten gab. Es konnte nur einen Hans Schmidt geben oder einen Pierre Doux oder Martin Sanchez oder Henry Jones oder Michail Petrow … Er trat unter vielen Namen auf, den richtigen kannten nur er und seine erste Auftraggeberin, die ihr Versprechen bis heute gehalten und niemals seinen wahren Namen preisgegeben hatte. So blieb er ein Phantom – und würde es immer bleiben. Das war auch gut so, denn wüssten die anderen, welcher Tätigkeit er neben seinen offiziellen Geschäften nachging, sie hätten vor Entsetzen die Hände vor das Gesicht geschlagen. Er würde längst in einer Gefängniszelle dahinvegetieren, oder, noch wahrscheinlicher, er wäre gar nicht mehr am Leben. Aber Schmidt war unfassbar, im wahrsten und übertragenen Sinn des Wortes. Seine Tarnkappe saß perfekt. Und seine Auftraggeber wussten, was sie an ihm hatten.

Doch diesmal hatte er eine besondere Überraschung parat: Er hatte für Bruhns und seine kleine Geliebte ein Geschenk mitgebracht, eigentlich weniger für das Pärchen als für die Polizei – ein kleines Bonbon, an dem sie lange zu knabbern hätte, hing es doch mit anderen Fällen zusammen, die offiziell als aufgeklärt galten. Zumindest war dies am Freitagabend so vermeldet worden. Schmidt wusste es besser, denn er hatte seit nunmehr beinahe zehn Jahren an sämtlichen Tatorten Spuren hinterlassen, kleine, feine Spuren. Manchmal wurden sie gefunden, häufig nicht. Er war gespannt, ob man sie diesmal entdecken würde.

Aber das war noch nicht alles, Bruhns war nur der Anfang von etwas, was Schmidt seit dem letzten Sommer vorhatte und das er jetzt endlich durchführen konnte. Er hatte auf die Gelegenheit gewartet, alles durchgeplant, und nun war die Zeit reif, die Früchte zu ernten. Danach würde er sich zur Ruhe setzen und nie wieder einen Auftrag annehmen. Er würde die E-Mail-Adresse löschen, über die seine Auftraggeber bisher Kontakt zu ihm aufgenommen hatten, und ein ganz gewöhnliches Leben führen. In Lissabon, Nizza, Cannes und Saint Tropez. Er würde viel reisen. Und Maria würde er überallhin mitnehmen.

SONNTAG

Schmidt war Bruhns in großem Abstand nach Schönberg gefolgt, hatte erst auf dem letzten Kilometer aufgeschlossen, und als Bruhns seinen Wagen durch die Einfahrt lenkte, blieb Schmidt am Straßenrand stehen. Er stieg aus, trat blitzschnell durch das sich allmählich schließende Tor und wartete, bis Bruhns und seine Begleiterin ausgestiegen waren.

»Hallo, nicht erschrecken«, sagte Schmidt mit gedämpfter Stimme, woraufhin Bruhns sich abrupt umdrehte und in seine Richtung blickte. Seine Miene hellte sich erleichtert auf, als er im Licht der beiden Laternen, die am Eingang standen, Schmidt erkannte.

»Was führt dich denn jetzt hierher? Bisschen spät, oder?«, sagte Bruhns nicht sonderlich erfreut, Schmidt um diese Zeit zu sehen.

»Tut mir leid, ich weiß, es ist spät, aber ich müsste dringend was mit dir besprechen, dauert auch höchstens fünf Minuten. Darf ich kurz mit reinkommen?«

»So wichtig? Na gut, wenn's wirklich nur ein paar Minuten dauert, ich, äh, du siehst ja …«

»Fünf Minuten. Es geht um übermorgen. Ich hab mich da vorhin ein bisschen vertan.«

»Entschuldigung, darf ich vorstellen, Kerstin, das ist Hans, wir kennen uns schon lange.«

»Angenehm«, sagte Schmidt und reichte Kerstin die Hand. Sie hatte einen selbstbewussten Händedruck, ungewöhnlich für eine junge Dame.

»Ja, okay, gehen wir rein«, sagte Bruhns und ging voran in den Wohnbereich. »Woher weißt du überhaupt von diesem Haus?«

»Ich war schon mal hier, liegt allerdings schon einige Zeit zurück. Es ging um die Wallenstein-Handschrift.«

Bruhns überlegte und nickte. »Doch, ich erinnere mich, ich dachte nur, das wäre in Kiel gewesen. Kerstin, würdest du uns bitte einen Moment allein lassen, kannst dich schon mal im Bad frisch machen. Und mach bitte die Tür hinter dir zu, Süße.«

»Sie kann ruhig bleiben, ist doch kein Geheimnis«, sagte Schmidt.

»Von mir aus. Also, dann setz dich zu mir.«

Schmidt zog aus der Innenseite seines langen Mantels eine Flasche heraus. »Habe ich mitgebracht, ist aus meiner eigenen Kelterei. Ein besonders edler Tropfen, den es sonst nur in meinen Restaurants gibt. Ich weiß doch, dass du auf Rotwein stehst.«

»Danke«, sagte Bruhns und warf ihm einen misstrauischen Blick zu. »Dann lass uns ein Glas trinken und keine Zeit verschwenden.«

Er stand auf und holte drei Gläser und einen Korkenzieher.

Schmidt öffnete die Flasche und schenkte erst Bruhns, danach Kerstin und schließlich sich selbst ein.

»Ich muss zwar noch fahren, aber nur bis Kiel. Wird ja wohl nicht ausgerechnet heute eine Polizeikontrolle geben. Auf euch.« Schmidt hob das Glas und wartete, bis

Bruhns und Kerstin getrunken hatten, und gab vor, ebenfalls zu trinken.

»Du wirst doch sowieso durchgewinkt«, sagte Bruhns grinsend. »Ich bin in den letzten zehn Jahren nur ein einziges Mal angehalten worden, weil die Bullen mich erkannt hatten und ein Autogramm von mir wollten. Mein Führerschein hat die gar nicht interessiert.«

»Ich bin aber nicht prominent, mich kennen die Bullen nicht. Aber lass uns zum Geschäftlichen kommen. Wir hatten vorhin Montagvormittag ausgemacht, das geht bei mir leider nicht. Ich muss an dem Tag nach Hamburg und werde nicht vor dem Abend zurück sein. Ginge es auch Dienstag oder vielleicht sogar heute Nachmittag?«

Bruhns kratzte sich am Kinn. »Und deswegen bist du extra hergekommen? Du hättest mich doch auch auf dem Handy anrufen können …«

»Tja, das ist ja das Problem, ich habe deine Nummer aus Versehen gelöscht, als ich letztens mein Telefonbuch auf Vordermann gebracht habe. Tut mir leid, ich wollte eure traute Zweisamkeit wirklich nicht stören.«

»Na ja, schon gut, schon gut. Dienstag bin ich im Studio, da kann ich nicht, die Aufnahmen müssen bis Ende der Woche im Kasten sein, sonst wird's zu teuer. Dann lieber heute Nachmittag. Wie lange wirst du brauchen?«

»Zwei bis vier Stunden, auf keinen Fall länger. Du bestimmst die Uhrzeit, ich komme, wann es dir passt.«

»Um drei?«

»Um Punkt drei steh ich auf der Matte. Ich mache dir dafür auch einen Sonderpreis.«

»Danke, nicht nötig. Ich will nur wissen, ob die Schwarte echt ist oder nicht. Falls ja, habe ich ein echtes Schnäppchen gemacht.«

Allein für das Wort »Schwarte« hätte Schmidt Bruhns umbringen können, zeigte es doch seine Ignoranz. Handelte es sich tatsächlich um einen echten Machiavelli mit handschriftlichen Einträgen, war er unbezahlbar, da weltweit nur eine Handvoll Exemplare existierten. Aber das interessierte Bruhns nicht, er gab sich als Kunstkenner, in Wahrheit kannte er sich im Bereich der Kunst keinen Deut besser aus als der Großteil der Bevölkerung.

Kerstin schenkte sich und Bruhns nach und sah Schmidt fragend an, doch der hielt die Hand über sein Glas und schüttelte den Kopf.

»Ich verschwinde auch gleich wieder«, sagte er und sah auf die Uhr, sieben Minuten waren vergangen, seit Bruhns und Kerstin die ersten Schlucke zu sich genommen hatten. Nun waren sie bereits beim zweiten Glas. Die Wirkung müsste jeden Moment eintreten, dachte er und beobachtete das Paar. Bruhns hatte sein zweites Glas fast leergetrunken, als er sich zurückfallen ließ, den Reißverschluss seiner Hose öffnete und sich zwischen den Beinen kratzte. Ein breites Grinsen trat auf sein Gesicht.

»Hey, Alter, was is'n das für 'n Wein? Saugeil, hammermäßig, geht voll auf die Eier. Ich will jetzt ficken, ich hatt noch nie so 'n Steifen«, kam es lallend über seine Lippen.

»Ein besonderer Tropfen aus meiner Kelterei, habe ich doch schon gesagt. Wenn du ficken willst, bitte, tu dir keinen Zwang an«, sagte Schmidt kalt. »Wenn ich dich aber so ansehe, fürchte ich, dass du kaum dazu in der Lage sein wirst.«

»Was glaubst du, wozu ich alles in der Lage bin. Hey, Süße«, sagte Bruhns und wollte Kerstin anfassen, schien aber mit einem Mal seine Arme nicht mehr bewegen zu können. Er wollte sich aufsetzen, schaffte es jedoch nicht, versuchte es vergeblich erneut und gab schließlich auf. Seine Pupillen weiteten sich, bis sie fast so groß waren wie die gesamte Iris, ein untrügliches Zeichen dafür, dass das Gift seine Wirkung voll entfaltet hatte. Bruhns war zwar nicht sehr groß, dafür durchtrainiert und kräftig und für sein Alter in einer ausgesprochen guten Verfassung. Es war fraglich, ob er an dem Gift sterben würde. Das war jedoch zweitrangig, Schmidt hatte einen anderen Plan.

»Hey, Alter, ich will ficken, aber ich kann mich nicht bewegen. Was is los mit mir? Was das für 'n Gesöff?«

»Guter Stoff, in der richtigen Dosierung kann man wirklich gut ficken danach. Falsch dosiert ist es tödlich.«

Bruhns sagte nichts, sein Blick ging ins Leere. Er hatte eine gewaltige Erektion, verursacht durch das dem Wein beigemischte Gift, das extrem erregend wirkte, auch in sexueller Hinsicht. Es enthemmte, gleichzeitig verlor der Vergiftete jegliche Kontrolle über Körper und Geist. Manche fielen in eine kataleptische Starre, andere litten unter Krämpfen und unerträglichen Schmerzen, wieder andere bekamen Tobsuchtsanfälle und zerschlugen alles, was ihnen in die Hände kam, manche begannen, wild zu tanzen, machten obszöne Gesten, redeten ordinär oder wurden gewalttätig. Schmidt kannte sämtliche Symptome, die durch das Gift ausgelöst wurden, weil er die Zusammensetzung und Wirkungsweisen nicht nur ausgiebig studiert hatte, sondern auch schon zum dritten Mal einsetzte. Jedes Mal war die Wirkung bei den Betroffenen eine andere gewesen.

Während Bruhns regungslos und mit extremer und gewiss auch schmerzhaftester Erektion auf dem Sofa lag, nahm Kerstin, die an ihrem zweiten Glas nur genippt hatte, noch alles um sich herum mit vollem Bewusstsein wahr, auch wenn ihr Blick glasig war und ihre Bewegungen langsam und abgehackt wurden. Ihre Augen zeigten einen Anflug von Angst, als sie mit schwerer Stimme sagte: »Was hast du mit uns gemacht?«

»Sieh dir deinen Freund an, so eine Gelegenheit bekommst du nie wieder, dafür garantiere ich«, entgegnete Schmidt, ohne die Frage zu beantworten, und deutete auf Bruhns' Penis.

Nach diesen Worten zog er in aller Ruhe eine Pistole und einen Schalldämpfer aus dem Mantel, schraubte den Schalldämpfer auf und hielt die Pistole einfach nur in der Hand. Bruhns grinste immer noch, aber er war weiter unfähig, auch nur einen Finger zu rühren. Von einer Sekunde zur anderen wurde sein Gesicht zu einer hässlichen Fratze, bis es sich nach wenigen Augenblicken wieder entspannte und das Grinsen wieder da war, als wäre er damit zur Welt gekommen.

Kerstin zog den Slip aus, setzte sich auf Bruhns und bewegte sich wild auf ihm, sie riss sich alles vom Leib und schleuderte es durch die Gegend. Sie schrie in Ekstase fünf, sechs Minuten lang, sie schrie und schrie und schrie (während Bruhns sich nicht bewegte, weil er wie gelähmt war), bis sie mit einem Mal zur Seite kippte, zu Boden fiel und von Krämpfen durchgeschüttelt wurde. Nach dem ersten Anfall versuchte sie sich mit Schaum vor dem Mund am Sofa hochzuziehen, was ihr trotz aller Anstrengung nicht gelang. Hilflos glitt sie wieder hinunter, kraftlos, ihr Atem ging schnell, der Schweiß rann ihr über das Gesicht, als hätte jemand einen Eimer Wasser über sie gekippt. Für einige Sekunden lag sie reglos auf dem Teppich, dann fingen Arme und Beine unkontrolliert an zu zucken, bis ein weiterer Krampf-anfall ihr Gesicht entstellte, doch diesmal dauerte es nur sehr kurz, bis sie sich wieder entspannte. Sie hatte sich auf die Zunge gebissen, ein paar Tropfen Blut rannen aus ihrem Mund und wurden vom Teppich aufgesaugt.

Schmidt saß ruhig und gelassen auf dem Sessel, die Beine übereinandergeschlagen, und sagte mit stoischer Ruhe: »Geht's euch nicht gut?«

Bruhns stammelte kaum hörbar, aber immer noch grinsend: »Was ist los?«

»Ihr werdet sterben, das ist los. Ich bin der Todesbote, und ich werde euch beide in wenigen Minuten in das große Reich der Toten befördern, wo ihr zweifellos direkt in die Hölle fahrt. Ich bin mir sicher, da werden viele auf dich warten, alter Freund. Ich darf dich doch Freund nennen, oder? Schließlich kennen wir uns schon seit geraumer Zeit. Sei's drum, du bist so gut wie tot, du weißt es nur noch nicht. Oder weißt du's etwa doch?«

Bruhns reagierte nicht, brachte kein Wort über die Lippen. Er bewegte sich nicht mehr, während Kerstin sich immer wieder verkrampfte, ein paarmal schrie sie wild auf vor Schmerzen, sie wand sich, bis ihre Augen so groß wurden, als würden sie gleich aus den Höhlen fallen, während der Schweiß sich in Strömen über ihren Körper ergoss.

Schmidt wartete weitere fünf Minuten, bis er sich sagte, es sei an der Zeit, dem Ganzen ein Ende zu setzen, denn es war spät, und er war müde und hatte in den nächsten Tagen noch viel zu tun.

Aus zwei Metern Entfernung schoss er erst Bruhns und danach Kerstin, deren Nachnamen er seit drei Wochen kannte, in den Kopf. Beide traf er genau zwischen die Augen. Danach holte er eine zweite Pistole aus dem Mantel, drückte sie Bruhns in die Hand und feuerte zweimal in ein Kissen, das er später mitnehmen würde. Die Pistole ließ er neben Bruhns auf den Boden fallen. Es gehörte diesmal zum Spiel, obwohl er sonst nie spielte, ausgenommen eine andere Sache, über die sich einige wundern würden. Bei der Obduktion würden sie rasch herausfinden, dass die Waffe auf dem Boden nicht die Tatwaffe war.

Er brauchte kaum eine halbe Stunde, bis alles so arrangiert war, wie er es sich seit seinem Eintreffen vor nunmehr fast einer Stunde ausgemalt hatte. Er war schon immer ein Künstler gewesen, doch diesmal war ihm etwas ganz Besonderes gelungen. Er blieb eine Zeitlang vor seinem Kunstwerk stehen, ein beinahe verklärtes Lächeln überzog für einen Augenblick seine Lippen. Du gottverdammtes Arschloch, dachte er, als er einen letzten Blick auf Bruhns warf und danach Kerstin ansah. Und du warst kein Stück besser. Er hatte kein Mitleid, beide hatten bekommen, was ihnen zustand.

Er nahm das Aufzeichnungsgerät der Überwachungsanlage mit, schaltete die Alarmanlage aus und lehnte die Eingangstür und das Tor nur an. Schönberg lag in tiefem Schlaf, als er in seinen Jaguar stieg und Richtung Kiel fuhr. Der erste Teil seiner Aufgabe war erledigt. Es war wie eine Aufführung in mehreren Akten, der Vorhang hatte sich gesenkt, würde sich aber schon sehr bald wieder heben – zum zweiten Akt.

Sören Henning und Lisa Santos waren spät zu Bett gegangen und ebenso spät aufgestanden, obwohl sie sich für diesen Sonntag eine Menge vorgenommen hatten: gemütlich frühstücken, am Nachmittag zu Lisas Eltern nach Schleswig fahren, dort Kaffee trinken und ein wenig plaudern und vor der Rückfahrt nach Kiel noch Lisas Schwester Carmen einen Besuch im Heim abstatten. Dort würde Lisa sie ein bis zwei Stunden lang kämmen, schminken und sich mit ihr unterhalten, als könnte Carmen sie verstehen. Vielleicht tat Carmen das ja auch, obwohl sie sich seit dem Überfall vor fast fünfundzwanzig Jahren, bei dem sie beinahe gestorben wäre, nicht mehr artikulieren konnte. Ihr Zustand hatte sich zwar in den letzten Jahren nicht verschlechtert, aber es war auch trotz aller Therapiemaßnahmen keine Besserung zu erwarten. Bis zu ihrem Tod würde sie ein Pflegefall bleiben, und das konnte noch Jahrzehnte dauern.

Sie hatten gerade mit dem Essen begonnen, als das Telefon klingelte. Lisa runzelte die Stirn und warf Sören einen Blick zu, den er nur zu gut zu deuten wusste. Da sie keinen Anruf erwarteten, aber Bereitschaft hatten, war dies möglicherweise das Ende eines durchgeplanten Tages. Doch auf dem Display stand nur »unbekannt«.

Lisa atmete einmal tief durch und wartete einen Moment, bevor sie abhob.

»Santos.«

»Genau Sie wollte ich sprechen.«

»Ja, worum geht's? Und mit wem spreche ich?«

»Das tut nichts zur Sache. Ist Ihr Partner bei Ihnen?«

»Ja, aber …«

48

»Haben Sie etwas zum Schreiben zur Hand?«

»Ja, aber …«

»Gut, und unterbrechen Sie mich nicht mehr, meinen Namen werde ich Ihnen so oder so nicht nennen. Fahren Sie nach Schönberg, dort werden Sie etwas wahrhaft Schönes vorfinden, es kommt natürlich darauf an, aus welchem Blickwinkel man es betrachtet …« Nachfolgend diktierte er eine Adresse, Lisa Santos schrieb mit. »Haben Sie alles notiert?«

»Ja, aber …«

»Sie und Ihr ›Ja, aber‹. Fahren Sie einfach zu der angegebenen Adresse. Ich melde mich wieder. Einen schönen Tag noch.«

»Warten Sie. Wir fahren nicht einfach so nach Schönberg, Sie müssen schon etwas deutlicher werden.«

Für einen Moment entstand eine Pause, bis der Unbekannte sagte: »Also gut. Ich sage nur Peter Bruhns, Musikproduzent. Das muss reichen.« Der Anrufer legte auf.

»Was ist?«, fragte Sören, als er das nachdenkliche Gesicht von Lisa sah, die den Hörer noch immer in der Hand hielt und ins Leere starrte. Sören biss von dem Croissant ab, das er vor nicht einmal einer halben Stunde beim Bäcker um die Ecke geholt hatte, so wie er es jeden Sonntag tat. Croissants, zwei Brötchen, die Sonntagszeitung. Er verbrachte die meiste freie Zeit bei Lisa, obwohl er noch eine eigene Wohnung hatte, ein Überbleibsel aus der schlimmsten und depressivsten Phase seines Lebens.

Er versuchte es noch einmal: »Hey, ich habe dich was gefragt. Was ist passiert? Du siehst aus, als wärst du einem Gespenst begegnet.«

»Peter Bruhns ist was passiert«, antwortete Santos mit ernster Miene und nahm wieder Platz, trank von dem Kaffee, der nur noch lauwarm war, und behielt die Tasse in der Hand. »Das war ein anonymer Anrufer. Er wollte mich sprechen und hat gefragt, ob du auch hier bist. Wir …«

»Sagtest du Bruhns?«, sagte Henning mit zweifelndem Blick und ließ sein Croissant sinken. »*Der* Bruhns?«

»Scheint so, oder kennst du noch einen anderen Musikproduzenten namens Peter Bruhns? Wir müssen dorthin, ich habe alles aufgeschrieben. Außerdem hast du offensichtlich nicht richtig zugehört«, brauste sie auf. »Er wollte mich sprechen und hat mich gefragt, ob du hier bist.«

»Kein Witz?«

»Klang nicht danach, ganz im Gegenteil. Mensch, Sören, er wollte mich sprechen, mich persönlich, hörst du? Warum? Das ist kein Witz, und wenn, dann ein ziemlich übler. Lass uns fahren.«

»Alles klar, dann wollen wir mal.« Henning erhob sich und wusch sich die Hände, Santos stand bereits an der Tür. »Wie hat er sich angehört?«

»Keine Ahnung, ich kenne die Stimme nicht. Kann sein, dass er sie verstellt hat. Ich habe ein ziemlich ungutes Gefühl. Der Typ meint es ernst. Es gibt doch kaum jemanden, der meine Privatnummer kennt. Komm, beeil dich, ich habe keine Ruhe, bevor ich nicht Gewissheit habe.«

Während der Fahrt sagte Santos, während sie aus dem Seitenfenster guckte: »Ausgerechnet dieser Typ. Ich habe immer geglaubt, einer wie er würde ewig leben. Und er wohl auch.«

»Vielleicht ist er ja gar nicht tot. Außerdem magst du ihn doch, oder?«, erwiderte Henning mit einem Schmunzeln.

»Quatsch, solche Typen kann ich nicht mögen, allein schon seine widerlichen Sprüche. Tut mir leid, aber …«

»Ist schon gut, ich konnte den Kerl auch noch nie leiden. Seine Wertvorstellungen sind nicht meine.«

»D'accord«, antwortete Santos nur. Sie schwieg eine Weile und sagte dann: »Wieso ich? Wieso hat er mich angerufen? Und woher weiß er, dass du bei mir warst? Er muss einiges über uns wissen, sonst hätte er diese Frage doch gar nicht gestellt. Oder wie siehst du das?«

»Mag schon sein. Hast du etwa Angst?«

»Nein, aber ich darf mir doch wohl Gedanken machen, oder? Ich meine, angesichts unserer Erfahrungen in den letzten Jahren. Vielleicht reagiere ich auch über.«

Nach einer halben Stunde hielten sie vor dem angegebenen Haus. Von außen ein eher unauffälliger Bau zwischen ähnlichen Häusern an der Promenade und doch Luxus pur, wovon auch der sündhaft teure weiße Porsche Cayenne und die dunkelblaue Limousine aus einer Edelschmiede vor der Garage zeugten. Eine blickdichte Hecke schützte vor neugierigen Blicken, lediglich durch die schmiedeeisernen Stäbe des Zufahrtstores konnte man einen Eindruck von dem gewinnen, was sich hinter der Hecke befand. Am Tor stand kein Namensschild, nicht einmal die Initialen. Ein Refugium, in dem Bruhns anonym blieb.

Ein kräftiger, böiger Wind blies von der See, die ohnehin niedrige Temperatur fühlte sich um mindestens fünf Grad kälter an. Lisa Santos schlug den Kragen ihrer Jacke hoch, als sie ausstieg.

Henning erblickte schon draußen drei selbst für einen großgewachsenen Menschen in unerreichbarer Höhe angebrachte Überwachungskameras, und sicher befanden sich noch mehr davon an anderen Stellen rings um das Haus, dazu wie üblich mehrere Bewegungsmelder und weitere Alarmeinrichtungen. Ein Mann wie Bruhns brauchte so etwas, allein schon, um seine Wichtigkeit gegenüber den Nachbarn, den Medien und der Öffentlichkeit zu demonstrieren. Er hatte eine Menge Feinde, doch bisher war keiner so weit gegangen, Bruhns körperlich anzugreifen oder gar in eines seiner Häuser einzudringen.

Das Tor war nur angelehnt, aber so, dass es aussah, als wäre es geschlossen. Henning drückte es vorsichtig auf, ohne dass Alarm ausgelöst wurde, und lehnte es gleich wieder an. Er warf einen Blick zurück zur Straße, wo jedoch niemand Notiz von ihm und Santos nahm. Sie gingen die gut zwanzig Meter bis zum Haus, auch hier war die Tür nur angelehnt.

»Wir sind nicht geleimt worden«, sagte Santos mit belegter Stimme, während sie die Tür aufmachte.

»Da wirst du wohl recht haben«, sagte Henning trocken, während sie sich im großen Flur die Latexhandschuhe anzogen. Henning drückte eine Tür auf, doch die dahinterliegende Gästetoilette war leer, der Duft von Lavendel strömte ihnen entgegen.

Sie betraten das Wohnzimmer, blieben jedoch gleich an der Tür stehen. Für einen Moment stockte ihnen der Atem. Der sich ihnen bietende Anblick war makaber und Ausdruck eines morbiden Humors.

»Verdammte Scheiße, was ist das denn? Ich dachte, es geht nur um Bruhns«, stieß Henning hervor. »Was macht die Frau hier?«

»Sören, ich weiß es nicht.«

»Das ist der absolute Wahnsinn. Wer immer das getan hat, muss total durchgeknallt sein. Oder er spielt ein verdammtes Scheißspiel mit uns.«

»Sowohl als auch.« Santos bewegte sich auf die beiden Toten zu. Sie kniff die Augen zusammen, alles in ihr vibrierte, gleichzeitig kroch eine eisige Kälte in ihr hoch, obwohl es in dem Haus recht warm war. Sie schluckte schwer, als sie etwa einen Meter vor der jungen Frau und Bruhns stand und die gespenstische Szene auf sich wirken ließ.

»So etwas habe ich noch nie gesehen«, sagte Santos leise.

»Ich glaube, so was hat noch nie einer aus unserer Abteilung gesehen«, meinte Henning mit kehliger Stimme und trat neben seine Partnerin.

Bruhns hing lässig, fast entspannt in der Ecke der riesigen beigefarbenen Ledercouch, die Beine ausgestreckt und leicht gespreizt, die Augen geöffnet, die weißen Zähne blitzten durch die schmalen Lippen, als wäre er nicht mehr dazu gekommen, den Mund zu schließen. Ein beinahe surrealistisches Bild.

»Sieht fast so aus, als würde er grinsen«, bemerkte Lisa und ließ die Szene noch eine ganze Weile auf sich wirken. »Nur der hässliche rote Fleck auf seiner Stirn passt nicht dazu. Ich glaube nicht, dass er darüber gelacht hat, obwohl ich ihm eigentlich alles zutraue.« Sie trat näher auf die junge Frau zu, die auf dem Boden vor Bruhns kniete, die linke Hand auf Bruhns' rechtem Oberschenkel, die andere in seinem Schritt, ihre Finger umfassten seinen Penis. Bis auf den schwarzen Minislip war sie nackt, Bruhns hingegen bis auf das weiße Jackett, das vor dem Kamin lag, vollständig angezogen, lediglich sein rotes Rüschenhemd stand bis zum Bauchnabel offen, genau wie der Reißverschluss seiner Hose, aus der sein Penis heraushing, fest umgriffen von der kalten Hand der Unbekannten.

Die ganze Szene wirkte gestellt, die Toten erinnerten an Wachsfiguren, nach einem realen Abbild von Menschenhand geformt, oder an menschliche Puppen, denen befohlen worden war, in absoluter Regungslosigkeit zu verharren. Und doch waren es Menschen, die vor kurzem noch gelebt hatten, Menschen, die, wie es aussah, eine heiße Nacht miteinander hatten verbringen wollen. Ein neunundvierzigjähriger, über die Grenzen Deutschlands hinaus bekannter Komponist und Produzent und eine vielleicht achtzehn- bis zwanzigjährige junge Frau mit einem sündhaft schönen Körper. Lange blonde Haare, sehr schlank, doch mit ausgeprägter Oberweite. Eine mit all jenen äußeren Attributen ausgestattete blutjunge Schönheit, wie Bruhns sie liebte und, wenn man den Medien glauben konnte, verschliss. Eine nach der anderen, sie kamen und gingen, er nahm sie und warf sie wieder weg. Alle wussten es, und alle duldeten es, weil es heutzutage fast normal war, wenn ältere Männer sich mit Frauen vergnügten, die ihre Töchter oder gar Enkeltöchter hätten sein können. Es verschaffte Bruhns Anerkennung, aber auch Neid. Natürlich war das auch die Schuld der jungen Frauen, die sich ihm an den Hals warfen. Bruhns nahm sich nur, was sich ihm anbot, und es waren Heerscharen, die sich ihm wie Huren verkauften. Eine Zeitung hatte unlängst geschrieben, ein bekannter deutscher Musikproduzent (der Name wurde nicht genannt, doch jeder wusste aufgrund der Beschreibung, dass Bruhns gemeint war) liebe es, sich mit jungen Mädchen zu vergnügen, die nur zu gerne bereit seien, sich für ihn zu prostituieren. Er hatte eine Klage gegen die Zeitung wegen Rufmords angestrebt, die Verhandlung hätte demnächst stattfinden sollen. Er fühlte sich verunglimpft, in seinen Persönlichkeitsrechten verletzt. Aber auch das war Bruhns, ein Mann mit vielen Gesichtern, er konnte austeilen und beleidigen, bis andere am Boden lagen, aber sobald jemand etwas gegen ihn sagte, schoss er umso heftiger zurück, denn seine Zunge war die schärfste Klinge im Showbusiness, für ihn hatte es nie ein Tabu gegeben. Er hatte schon mehrere Prozesse geführt, und er hatte sie alle gewonnen. Er verfügte über das nötige Geld und damit auch über einen nicht zu unterschätzenden Einfluss. Und er hatte Macht. Doch all das nutzte ihm nun nichts mehr. In nicht allzu ferner Zukunft würde kaum noch jemand über ihn sprechen. Und wenn, dann würden die Berichte vermutlich eher nüchtern gehalten sein und womöglich den wahren Peter Bruhns zeigen, so wie man ihn zu Lebzeiten nie gezeigt hatte.

Für einen Augenblick zeichnete sich auf Hennings Lippen angesichts des grotesken Anblicks ein leichtes zynisches Lächeln ab. Er hatte schon viele Tote gesehen, aber noch nie eine derartige Aufbahrung. Irgendjemand hatte offenbar großen Wert darauf gelegt, Bruhns nach seinem Ableben so zu zeigen, wie er gelebt hatte, dekadent, sexsüchtig, mit einer jungen Frau. Das Grinsen auf den schmalen Lippen wie eingemeißelt.

Aber was war das Motiv für diesen Doppelmord? Rache? Hass? Demütigung? Was immer es auch gewesen sein mochte, der Täter musste einen Grund gehabt haben, seine Opfer so zur Schau zu stellen.

Henning ließ den Blick langsam durch das Zimmer schweifen, als wollte er jedes noch so kleine Detail in sich aufsaugen und wie auf einer Festplatte speichern. Für einen Moment stand er an dem riesigen, langgestreckten Fenster mit der freien Sicht auf die Ostsee, die, getrieben von dem böigen, aus den Tiefen Skandinaviens kommenden Wind, Schaumkronen ans Ufer spülte. Herrenlose Boote schaukelten auf den Wellen. Der Himmel hatte aufgeklart, und die Sonne kämpfte gegen die Kälte, aber der Nordwind war zu stark. Doch es konnte nicht mehr allzu lange dauern, bis der Frühling sich durchsetzen würde.

Henning drehte sich wieder um. Sowohl Bruhns als auch die junge Frau waren durch einen Schuss in den Kopf getötet worden. Die Kleidung der Frau lag in dem großzügig geschnittenen Wohnbereich verstreut. Auf dem schweren, ovalen Glastisch standen zwei fast leere Weingläser, die dazugehörige Flasche lag auf dem Boden, ein Teil des roten Inhalts hatte sich über den Teppich verteilt, nur noch ein winziger Rest befand sich in der Flasche. Der Wohnraum war gut fünfzig Quadratmeter groß, dezent mit hellen, freundlichen Farben eingerichtet. Allein das, was er sah, musste ein halbes Vermögen wert sein, die Skulpturen über dem Kamin, die Bilder, die schneeweiße Ledergarnitur von einem der renommiertesten Designer. Ein riesiges Bücherregal zog sich über eine ganze Wand, in der Mitte stand der Brockhaus in exakt jenem weißen Leder wie die Couchgarnitur, der dekadente Luxus der Oberschicht. Ein Blick genügte, um zu erkennen, dass die Bücher nie angefasst, geschweige denn gelesen wurden.

»Mann, muss der Kohle gehabt haben«, sagte Henning leise.

»Das weiß doch jeder«, war die Antwort.

Nach einem weiteren kurzen Rundblick sah Henning Santos an, was sie jedoch nicht bemerkte oder bemerken wollte, sie war zu sehr in Gedanken versunken. Sie befanden sich an einem Tatort, der einzigartig war. Sie schürzte die Lippen, schüttelte den Kopf und wandte sich ab.

Henning holte sein Handy aus der Tasche und machte ein paar Bilder der Toten. Die von der Kriminaltechnik gemachten Fotos würden später auf seinem Schreibtisch landen und aussagekräftiger sein, dennoch war dieser allererste Eindruck der wichtigste. Das Gesamtbild zählte, und er versuchte, sich jedes noch so kleine Detail nicht nur zu merken, sondern zu verinnerlichen. Er sog den Geruch auf, nicht unangenehm, nicht der Geruch des Todes, sondern eher wie Blumen, der erste Hauch von Frühling, obwohl im ganzen Raum keine einzige Blume stand, nur geruchlose Grünpflanzen. Die Temperatur war behaglich, vielleicht ein wenig zu hoch, Henning schätzte dreiundzwanzig, vierundzwanzig Grad. Es würde nachher, wenn der Rechtsmediziner Professor Jürgens die Leichen untersuchte, von Bedeutung sein, denn nur so konnte er bereits vor Ort den ungefähren Todeszeitpunkt bestimmen.

Henning betrachtete nun eingehend die Toten, ging langsam um die Couch herum und machte weitere Fotos. Er hätte die beiden gerne angefasst, um herauszufinden, ob die Totenstarre bereits vollständig ausgebildet war. Allerdings hatte er Angst, Spuren zu vernichten. Letztlich war es nebensächlich, denn Henning dachte weiter. Warum lag Bruhns in dieser seltsamen Stellung auf der Couch? Warum stand seine Hose offen? Warum war die junge Frau nackt, und warum machte sie selbst im Tod noch Anstalten, als wollte sie Bruhns oral befriedigen? Was war hier passiert? Und wie? Und warum? Und wer hatte diese fast gruselig zu nennende Tat begangen? Gruselig, wäre da nicht auch diese seltsame Art höchst morbiden Humors. Wer Leichen so plazierte und drapierte, musste über einen eigenartigen Humor verfügen, über den allerdings vermutlich nur er selbst lachen konnte. Ein Humor, wie Henning ihn sonst nur von Rechtsmedizinern kannte.

»Was denkst du?« Santos war neben ihn getreten.

Henning, der ziemlich angespannt wirkte, antwortete wie

aus weiter Ferne: »Ich versuche zu ergründen, was den Täter bewogen haben könnte, den Tatort so herzurichten.«

»Das versuche ich auch schon die ganze Zeit, aber dazu müsste ich mich in sein Gehirn einklinken. Da liegt das Problem, ich kann so etwas nicht.«

»Wer kann das schon?«

»Was fällt dir auf?«, fragte sie.

»Alles«, entgegnete er einsilbig. Doch nach einer kurzen Pause fuhr er fort: »Das ist so ziemlich das Absurdeste, was mir je untergekommen ist. Es übertrifft wirklich alles. Wenn ich's nicht mit eigenen Augen sehen würde, ich würde es nicht glauben.«

»Ich auch nicht. Wir lernen eben permanent dazu.«

»Auf solche Lernerlebnisse kann ich gern verzichten … Bruhns, okay, der hatte nicht wenig Feinde, aber warum die Kleine? Was hat sie mit der ganzen Sache zu tun?«

»Eine Zeugin, die einfach nur zur falschen Zeit am falschen Ort war? Sie hätte den Täter aller Wahrscheinlichkeit nach identifizieren können, und welcher Täter kann so was schon zulassen? Ich kann mir nicht vorstellen, dass ihr Tod mit eingeplant war.«

Henning schüttelte den Kopf und fuhr sich mit der Hand übers Kinn, wie immer, wenn er nachdachte. »Ist mir zu einfach. Frag mich aber nicht, warum.«

»Ich frage dich trotzdem. Warum ist dir das zu einfach?«

»Schau dir doch nur diese Drapierung an. Sie war mehr als nur eine Zeugin, sie war meines Erachtens Teil eines perfiden Plans. Wir haben doch schon etliche Tatorte besichtigt, aber wir haben noch nie Tote in einer derart unnatürlichen Stellung vorgefunden. Mir scheint, als habe der Täter sie zur Verhöhnung noch entsprechend hergerichtet – oder er hat es für uns getan.«

»Was willst du damit sagen?«, fragte Santos mit zusammengekniffenen Augen, als wollte sie in Hennings Gedankenwelt eintauchen. »Denkst du, er hat deswegen mich sprechen wollen?«

»Kann schon sein. Womöglich hält er sich für einen Künstler und wollte uns zeigen, wie gut er ist. Ich muss offen zugeben, er ist gut. Er muss sich eine Menge Zeit genommen haben, um das so herzurichten, denn so was schafft man nicht in ein paar Minuten. Ich frage mich nur, warum Bruhns grinst und die Kleine so gequält aussieht. Gut, der hat immer irgendwie gegrinst, war ihm vielleicht angeboren. Aber ich habe bis jetzt noch keinen Toten gesehen, der tot noch gegrinst hat. Du?«

»Natürlich nicht«, war der einzige Kommentar, den Santos dazu abgab. »Bist du bald fertig mit deiner Analyse?«

»Gleich«, antwortete Henning und ging mit langsamen Schritten durch den Raum, um den Tatort von allen Seiten zu betrachten. Schließlich zog er sein Telefon hervor und rief in der Kriminaltechnik und anschließend Professor Jürgens von der Rechtsmedizin an. Zuletzt wählte er die Nummer seines Vorgesetzten Volker Harms, erstattete ihm in knappen Worten Bericht und bat ihn, mehrere Beamte der örtlichen Polizei zur Sicherung des Grundstücks anzufordern.

»Wann kommt unsere Truppe?«, fragte Santos, nachdem Henning sein Handy wieder eingesteckt hatte.

»Zwanzig Minuten, halbe Stunde. Jürgens war nicht gerade begeistert, seinen heiligen Sonntag opfern zu müssen. Klang fast so, als würde er noch im Bett liegen, und das nicht allein.«

»Nicht mein Problem. Wir haben Bereitschaft, er hat Bereitschaft.«

Henning stellte sich neben Santos, seine mehr oder minder heimliche Lebensgefährtin, bei der er sich die meiste Zeit aufhielt und mit der er sich besser verstand als mit irgendeinem anderen Menschen jemals zuvor. Alles, was er erlebt hatte, dachte er oft, hatte er so erleben müssen, um Lisa zu treffen und irgendwann richtig kennenzulernen. Sie war eine ganz besondere Frau, und er fragte sich bisweilen, ob er das oft genug würdigte, ob er ihr auch wirklich immer zeigte, wie viel sie ihm bedeutete. Sie hatte ihn an der Hand genommen und aus dem finsteren Tal herausgeführt, aus dem er keinen Ausweg mehr für sich gesehen hatte. Dank ihr hatte er das Licht am Horizont gesehen und wieder Lebensmut geschöpft. Ohne Lisa hätte er vermutlich noch immer Akten gewälzt, hätte über sein verkorkstes Leben gebrütet, wäre abends nach Dienstschluss mit dem Fahrrad in seine schäbige Bude in einem schäbigen Viertel gefahren und hätte, wie er es nannte, den Mond vor lauter Weltschmerz angeheult. Er hätte Lisa gerne geheiratet, aber dann würden sie nicht mehr in einer Abteilung zusammen arbeiten dürfen, eigentlich bewegten sie sich jetzt schon am Rande des Erlaubten, doch ihr Vorgesetzter Volker Harms wusste, er konnte sich auf sein beinahe perfekt eingespieltes Team verlassen, vor allem aber wusste er, dass beide Berufliches und Privates sehr wohl voneinander zu trennen vermochten. Wäre es anders, Harms hätte entweder Henning oder Santos einer anderen Abteilung zugewiesen.

»Was hältst du davon?«, fragte Henning und deutete auf die Pistole, die neben Bruhns auf dem Boden lag.

»Du meinst die Waffe?« Lisa zuckte mit den Schultern. »Keine Ahnung. Und du?«

»Man könnte fast auf die Idee eines erweiterten Suizids kommen. Er knallt sie ab, während sie ihm einen bläst, und danach jagt er sich eine Kugel in die Birne, und die Knarre fällt neben ihm auf den Boden. Könnte es so gewesen sein, und der Anrufer ist nur jemand, der die Leichen gefunden hat, sich aber nicht zu erkennen geben will?«

»Ausgeschlossen ist nichts, aber warum ausgerechnet Bruhns? Der hätte doch im Leben keinen Grund gehabt, so was zu machen – und dann auch noch während seiner Lieblingsbeschäftigung? Ich kann's mir beim besten Willen nicht vorstellen. Der hat Geld wie Heu, die halbe Welt liegt ihm zu Füßen ...«

»Oder eine Gespielin kniet vor ihm ...«

»Tut mir leid, wenn ich nicht lache, aber mir ist im Augenblick nicht danach. Noch mal: Ich kann mir einen erweiterten Suizid nicht vorstellen. Der hatte doch gestern Abend noch einen Fernsehauftritt, das habe ich irgendwo gelesen.«

»Woher soll ich das wissen, wir haben uns gestern zwei DVDs angeguckt.«

»Außerdem hätte der Typ nicht mich, sondern ganz normal die 110 angerufen. Entweder hat er die beiden erschossen, oder er weiß, wer es war.«

»Oder er ist vorbeigekommen, um Bruhns zu besuchen, hat die zwei gefunden und ...«

»Aber *ich* wurde angerufen, und so, wie der Anrufer klang, scheint er eine Menge über uns beide zu wissen, zum Beispiel, dass wir zusammen sind und du quasi bei mir wohnst. Sören, er hat mich nicht zufällig angerufen, das war gezielt. Er wollte, dass wir beide die Leichen finden. Ich steig nur nicht dahinter, was hier gespielt wird. Ach, das hätte ich beinahe vergessen, er sagte noch, er würde sich wieder bei mir melden.«

»Was? Wieso hast du das nicht schon vorhin gesagt?«

»Mann, ich war total durcheinander.«

»Also gut, dann versuch, dich zu erinnern. Klang seine Stimme ruhig oder eher nervös?«

»Ruhig, sehr ruhig.«

»Und seine Stimmlage?«

»Schwer zu beurteilen, aber ich würde sagen unauffällig, normal. Nichts Markantes.«

»Dialekt?«

»Nein, reines Hochdeutsch. Auch kein Akzent.«

»Okay, also kein Ausländer. Und das Alter? Was denkst du?«

»Seit wann kann man anhand einer Stimme das Alter einer Person bestimmen? Keine Ahnung, er kann zwanzig, aber auch vierzig oder fünfzig gewesen sein. Reicht dir das?«, antwortete sie gereizt.

»Schon gut. Woran erinnerst du dich noch?«

Santos dachte nach und sagte dann: »Er hat mir ganz klare Anweisungen gegeben. Er scheint es gewohnt zu sein, das Sagen zu haben. Er ist auf keinen Fall jemand, der zufällig auf die zwei Leichen stößt und dann bei mir anruft, sonst wäre er viel nervöser gewesen. Außerdem, woher hätte so jemand *meine* Privatnummer haben sollen?«

Santos' Handy klingelte, wieder wurde keine Nummer auf dem Display angezeigt.

»Ja?«

»Haben Sie sie gefunden?«

»Haben Sie sie umgebracht?«

»Das herauszufinden überlasse ich gerne Ihnen, meine Liebe. Wie gefällt Ihnen das Bühnenbild? Ich finde es sehr ansprechend und künstlerisch wertvoll. Vielleicht etwas zu pornografisch, aber das gehört ja heute praktisch zum guten Ton. Eine verrohte Welt.«

»Sie sind pervers. Was wollen Sie wirklich von mir? Sie haben doch nicht den Kontakt zu mir gesucht, nur damit ich Bruhns und seine Geliebte finde.«

»Ich will nichts von Ihnen, das heißt, noch nichts. Warum ich ausgerechnet Sie ausgewählt habe, das werden Sie noch erfahren. Sie sind eine sehr gute und engagierte Polizistin, und Ihren Kollegen schätze ich ebenfalls, ich habe jedenfalls schon viel Gutes über Sie gehört. Vielleicht habe ich Sie deshalb erwählt? Nun verabschiede ich mich und wünsche Ihnen viel Erfolg bei den Ermittlungen, wobei ich fürchte, dass Sie sich erst mal im Kreis drehen werden. Schade. Nun, ich lasse mich gerne eines Besseren belehren. Tschüs.«

»Sie verdammtes Arschloch!«, schrie Santos ins Telefon, doch der Anrufer hatte längst aufgelegt.

»Was hat er diesmal gewollt?«, fragte Henning.

»Er will uns demnächst wissen lassen, warum er ausgerechnet uns ausgewählt hat. Er hält uns beide für sehr fähige Polizisten –, nur, um im nächsten Satz hinzuzufügen, dass wir uns bei unseren Ermittlungen erst mal im Kreis drehen werden.«

»Okay, dann werden wir diesem Bastard das Gegenteil beweisen. Gnade ihm Gott, wenn ich ihn in die Finger kriege …«

Ein Beamter, den sein Namensschild als Hinrichsen auswies, betrat den Raum, gefolgt von fünf Beamten der Spurensicherung und Professor Jürgens von der Rechtsmedizin.

»Tag«, begrüßte Hinrichsen Henning und Santos mit sonorer Stimme. Er war ein Riese, mindestens zwei Meter groß und recht stämmig, allein durch seine mächtige Statur respekteinflößend. »Meine Kollegen und ich sollen einen Tatort absichern?«

»Dafür wäre ich Ihnen sehr dankbar«, sagte Henning, sah auf die Uhr und fuhr fort: »Sie haben aber ziemlich lange gebraucht, ich dachte, Sie wären in zwei oder drei Minuten hier.«

»Tut mir leid, aber wir kommen aus Heikendorf und hatten dort noch einen längeren Einsatz. Häusliche Gewalt, wir mussten den Typen mit vier Mann abtransportieren ...«

»Schon gut.«

»Das ist ja Bruhns«, stieß Hinrichsen ungläubig hervor, als er die Leichen genauer betrachtete, und zog die Stirn in Falten. »Der war doch gestern noch im Fernsehen. Meine Frau und ich haben's zufällig gesehen«, sagte er und lief im selben Atemzug rot an.

»Sie brauchen nicht verlegen zu werden, Millionen gucken sich diesen Schrott an«, entgegnete Henning trocken. »Was war das überhaupt für eine Sendung, und wo wurde sie aufgezeichnet?«

»Das war keine Aufzeichnung, es war live. Soweit ich weiß, wird sie in Hamburg produziert, ich bin mir aber nicht ganz sicher. Meine Frau könnte Ihnen das ganz genau sagen.«

»Das finden wir auch so raus. Okay, er war also gestern Abend noch live im Studio. Worum ging's da?«

»So 'ne Castingshow, wo Gesangstalente gesucht werden. So was Ähnliches wie DSDS, aber nicht so gut gemacht. Bohlen ist ja ganz witzig, aber Bruhns ist ... wie soll ich's ausdrücken ... zynisch, ja, er ist zynisch und verhöhnt die Kandidaten. Ich find's nicht witzig, doch es gibt wohl genug Leute, die sich ihn als Vorbild nehmen. Ich sag nur, der Niedergang der Gesellschaft.«

»Ich gehe mal davon aus, dass Sie diese Show öfter sehen, und als Polizist haben Sie gewiss ein Gespür dafür, wenn etwas nicht stimmt. Was für einen Eindruck hatten Sie gestern von ihm? Wirkte er anders als sonst?«

Hinrichsen wurde erneut rot, weil er nicht genau wusste, wie er Hennings Bemerkung interpretieren sollte, und kratzte sich am Kopf, bevor er achselzuckend antwortete: »Keine Ahnung, ich denke mal, er war wie immer. Ich habe allerdings auch nicht besonders darauf geachtet, ich habe nebenbei noch was gelesen und bin auch ab und zu mal aus dem Zimmer raus. Aber er hat dieselben Klamotten angehabt«, sagte er und deutete auf Bruhns. »Ich habe noch zu meiner Frau gesagt, dass er wieder mal unmöglich aussieht. Ich meine, wer läuft heute noch mit einem quietschroten Rüschenhemd und einem weißen Anzug rum? Und dazu rote Stiefel. Passt irgendwie nicht zu einem Mann in seinem Alter. Ist aber nur meine unwesentliche Meinung.«

»Wie lange ging die Sendung?«

»Halb zehn, Viertel vor zehn, war so eine Art Vorausscheidung, am nächsten Samstag geht's dann richtig los.«

»Hm. Danach ist er hierhergefahren, wollte sich eine nette Nacht mit seiner Geliebten machen und dann? Was ist dann passiert? … Danke, Herr Hinrichsen, Sie haben uns sehr geholfen, wenn noch etwas ist, rufe ich Sie.«

»Selbstverständlich«, sagte Hinrichsen und wollte bereits hinausgehen, als Hennings Stimme ihn zurückhielt: »Wie sieht's denn draußen aus?«

»Ruhig. Aber das wird sich wohl bald ändern, wenn die Leute merken, dass wir da sind. Ich leg jetzt mal los und halte Ihnen die Meute vom Hals.«

»Na, ordentlich was verunreinigt?«, fragte ein sichtlich übelgelaunter Tönnies, der Leiter der Spurensicherung, mit mürrischem Gesichtsausdruck, ohne ein Wort der Begrüßung zu verlieren.

»Nee, wir haben unsere Handschuhe an, garantiert keim-

und Fremd-DNA-frei. Das Verunreinigen überlassen wir lieber euch. Habt ihr denn heute auch die passenden Wattestäbchen und Handschuhe dabei?«, begrüßte ihn Henning mit herausforderndem Grinsen.

Tönnies winkte genervt ab und reckte den rechten Mittelfinger in die Höhe. »Mir kommen gleich die Tränen vor Lachen. Wollt ihr das jetzt jedes Mal bringen, wenn wir einen Tatort untersuchen?«

»Nur heute. Seit vorgestern ist es ja offiziell, dass es das Phantom nicht gibt, sondern nur jemand die Wattestäbchen in der Fabrik betatscht hat. Und das über so viele Jahre hinweg, ohne dass es jemandem aufgefallen ist. Das ist schon ein ziemlich übler Schiet, oder?«

»Tja, möglich ist alles«, erwiderte Tönnies mit einer Stimme, die Santos aufhorchen ließ, es klang, als würde er an die seit einigen Wochen kursierende Version nicht glauben. Es hatte mit der Vermutung eines Rechtsmediziners, der hohes Ansehen genoss, begonnen und schließlich immer weitere Kreise gezogen, bis am Freitag ein öffentliches Statement seitens des Innenministers allen bisherigen Spekulationen ein Ende gesetzt hatte. Das Phantom, das für mindestens zwölf Morde und unzählige weitere Delikte von Einbruch bis Raubüberfall und schwere Körperverletzung verantwortlich gemacht worden war, existierte nicht. Damit war der Fall gelöst – und der gesamte Polizeiapparat blamiert. Die Morde und anderen Taten allerdings waren damit keinesfalls aufgeklärt, der oder die Täter liefen weiter frei herum, und die Ermittlungen würden von vorn beginnen, wie der Innenminister bedauernd betont hatte. »Unser Zeug ist jedenfalls so steril, steriler geht's nicht.«

»Das haben die anderen jahrelang auch gedacht. Und dann?«, ließ Henning nicht locker.

»Shit happens, und das nicht nur bei uns, lieber Sören. Außerdem lass dir gesagt sein, noch ist längst nicht bewiesen, dass wir es mit verunreinigtem Material zu tun hatten, es gibt nur die Vermutung zweier selbsternannter Experten, von denen ich ehrlich gesagt nicht viel halte, und die Aussage eines Staatsanwalts, dass in dieser Richtung ermittelt würde.«

»Und die Pressekonferenz des Innenministers vorgestern? Wenn der sagt, die Wattestäbchen waren verunreinigt, dann waren sie verunreinigt«, hielt Henning dagegen.

Tönnies lächelte müde und antwortete mit einem sarkastischen Unterton: »Tja, wenn der das sagt, dann muss es wohl stimmen.«

»Du glaubst also nicht an die offizielle Version?«, mischte sich nun Santos ein, die ebenfalls große Zweifel an der Behauptung hegte, dass verunreinigte Wattestäbchen für die seit Jahren erfolglosen Ermittlungen verantwortlich sein sollten.

Tönnies fuhr sich mit der Zunge über die Lippen und erwiderte mit der ihm eigenen Bissigkeit: »Liebste Lisa, eigentlich wollte ich mich aus dieser ganzen Sache raushalten und nie wieder einen Ton darüber verlieren, aber wie ich sehe, geht das nicht. Aber sei versichert, ich habe in meiner Laufbahn schon so viel Scheiße und Lügen erlebt, ich glaube gar nichts, solange mir nicht hieb- und stichfeste Beweise vorgelegt werden. Nur weil sich unser oberster Dienstherr hinstellt und irgendeinen eloquenten Mist von sich gibt, heißt das noch längst nicht, dass es tatsächlich so ist. Wie heißt es doch so schön: Nichts ist, wie es scheint. Mir scheint, hier ist ganz und gar nichts so, wie es scheint. Sorry für die Komplizierung, aber du hast mich bestimmt verstanden. Doch wir sind ja wohl nicht hier, um zu diskutieren, sondern um zu arbeiten. Lasst uns endlich ein paar Fotos schießen und anschließend unseren werten Herrn Leichenbeschauer seine Arbeit machen. Danach bitte ich alle, die nicht zu meiner Truppe gehören, zügig diesen Raum zu verlassen, damit auch wir ungestört …«

»Ist schon gut. Bist du mit dem falschen Fuß aufgestanden?«, fragte die gut einen Kopf kleinere Santos und lächelte Tönnies von unten herauf an, ein Lächeln, dem er sich nicht entziehen konnte, auf seinen Lippen zeichnete sich für den Bruchteil einer Sekunde ebenfalls ein Lächeln ab, das aber sofort wieder verschwand.

»Bin ich nicht, ich hasse es nur, wenn am Sonntag Leichen in der Gegend rumliegen und meine Familie mal wieder den Kürzeren zieht. Außerdem wollte ich nachher Fußball gucken.«

»Hat der HSV nicht schon gestern gespielt?«, fragte Henning und spielte den Ahnungslosen, woraufhin Tönnies ihm einen eisigen Blick zuwarf.

»Hm, verloren«, sagte Jürgens grinsend.

»Echt? Wie hoch?«, fragte Henning und konnte sich ein Grinsen ebenfalls nicht verkneifen.

»Halt die Klappe«, knurrte Tönnies, »kassieren die Schwachköpfe vier Stück ausgerechnet in Gladbach! Die wollen Meister werden und kriegen die Hütte voll bei einem Abstiegskandidaten, bei dem jeder Dorfverein gewinnt. Vier Dinger, Alter, vier! Solche Dorftrottel! Ach, was reg ich mich auf, ist doch eh nur ein Spiel. Aber ich guck auch andere Mannschaften, falls es dich interessiert. So, und jetzt Feierabend, ich habe keinen Bock mehr, darüber zu reden.«

»Lisa, er hat schlechte Laune, weil sein HSV verloren hat. Komm, wir halten Abstand, sonst gibt's hier gleich noch zwei Tote mehr.«

»Ich habe nichts gesagt«, verteidigte sich Lisa und machte eine abwehrende Handbewegung, »ich kenn mich mit Fußball überhaupt nicht aus, aber ich habe schon gehört, dass der HSV gestern …«

»Könntet ihr jetzt bitte mal die Klappe halten?«, fuhr Tönnies die beiden an. »Wir sind nicht zum Vergnügen hier, obwohl die zwei es wohl waren, na ja, zumindest bis ihnen die Lust vergangen ist. Ich frage mich nur«, sagte er, warf erneut einen langen Blick auf die Toten und fuhr mit bierernster Miene fort, »hat sie ihn schon im Mund gehabt, oder wollte sie gerade anfangen? Was meint ihr?«

»Das findet unser Doc doch ganz bestimmt schnell raus. Stimmt's, Doc?«, sagte Henning zu Jürgens, der sich, nachdem die Fotos und das Video im Kasten waren, in die Hocke begab und Bruhns und seine junge Begleiterin für eine Weile aus der Nähe betrachtete. Schließlich schüttelte er kaum merklich den Kopf.

»Möglich. Ich tippe mal, sie haben schon angefangen. Wie es aussieht, wurden sie beim Vorspiel gestört, bevor es richtig krachen sollte. Na ja, gekracht hat es schon, aber eben anders, als sie es sich wohl vorgestellt hatten. Oder aber es war keine dritte Person beteiligt«, fügte er lakonisch hinzu.

»Du ziehst also ebenfalls erweiterten Suizid in Betracht?«, fragte Henning.

Jürgens drehte den Kopf und zog die Brauen hoch. »Wieso ebenfalls? Du denkst doch nicht etwa ernsthaft in diese Richtung? Schmink es dir ab, war nur ein Witz.«

»Na ja, könnte doch sein. Die Waffe auf dem Boden …«

»Das ist ein inszenierter Tatort, das hast du doch sicher längst erkannt. Hier hat jemand sehr sorgfältig Hand angelegt, um das alles so herzurichten. Was mich außerdem irritiert, ist, dass Bruhns einen eher entspannten Gesichtsausdruck hat, während das Mädchen verkrampft wirkt, als hätte sie kurz vor ihrem Ableben gelitten. Sie sieht jedenfalls nicht so aus, als würde ihr das, was sie gerade vorhatte, Vergnügen bereiten … Du weißt schon, was ich sagen will.«

»Tut mir leid, aber ich kann dir nicht ganz folgen«, erwiderte Henning, auch Santos zog ein ratloses Gesicht.

»Dein Pech. Von mir hörst du nichts mehr, solange ich sie nicht aufgeschnitten habe.«

»Lass uns jetzt nicht im Regen stehen. Wenigstens eine Andeutung.«

»Nervensäge. Schau doch mal genau hin, Bruhns grinst, und sie? Wie würdest du ihren Gesichtsausdruck deuten?«

»Gequält?«

»Besser hätte ich es nicht ausdrücken können. Sie sieht sogar sehr gequält aus, als hätte sie Schmerzen. Oder?«

»Kommt hin. Nun rück schon raus mit der Sprache, du hast eine Vermutung, ich kenn dich doch.«

»Mein Gott, du gehst mir auf den Senkel.« Jürgens holte tief Luft: »Ich will nicht voreilig sein, aber es könnte, wohlgemerkt es *könnte*, vor dem Erschießen noch etwas anderes im Spiel gewesen sein. Aber dazu muss ich die erforderlichen Untersuchungen vornehmen.«

»Kannst du nicht ein klein wenig deutlicher werden?«

»Kann ich nicht, ich muss die beiden obduzieren, um eine Aussage treffen zu können. Der Wein muss ebenfalls untersucht werden, könnte sein, dass er mit einem Gift versetzt wurde. Ich werde die Flasche mitnehmen und den verbliebenen Inhalt untersuchen. Sollte ich was finden, geb ich euch sofort Bescheid.«

»Heißt das, den beiden wurde Gift zugeführt, bevor sie erschossen wurden?«

Jürgens sah Henning von unten herauf beinahe strafend an und antwortete schärfer, als Henning ihn je gehört hatte: »Das habe ich nicht gesagt, und das bitte ich dich auch gleich aus dem Gedächtnis zu streichen. Du hast mich gelöchert, und ich habe dir nur geantwortet, was unter Umständen möglich sein könnte, doppelter Konjunktiv, falls dir das was sagt. Und jetzt lass mich zufrieden, ich bin nicht zum Spaß hier und schon gar nicht, um Spekulationen anzustellen. Sobald ich etwas Handfestes habe, lass ich es euch wissen.«

Henning trat mit entschuldigend erhobenen Händen zwei Schritte zurück und sagte: »Tut mir leid, ich wollte dich nicht …«

»Lass mich einfach meine Arbeit machen!«

Jürgens maß die Lebertemperatur erst bei Bruhns, danach bei der jungen Frau. Er notierte die Werte und sagte, als wäre nichts gewesen: »Wenn ich die Zimmertemperatur von dreiundzwanzig Grad nehme und die Lebertemperatur, dann würde ich sagen, der Tod ist zwischen Mitternacht und spätestens zwei Uhr morgens eingetreten, wofür auch die voll ausgebildete Leichenstarre spricht. Nach zwölf Stunden …«

»Schon gut, überspringen wir diesen Teil.« Santos hatte keine Lust auf den Vortrag über den Zeitpunkt des Eintretens der Leichen- oder Totenstarre, den sie schon gebetsmühlenartig runterleiern hätte können: Nach zwei bis drei Stunden begann es am Kiefer, nach acht bis zehn Stunden war der gesamte Körper starr, als hätte er tagelang in einer Tiefkühltruhe gelegen, und in der Regel löste sich diese Starre nach zwei Tagen wieder vollständig, es sei denn, bestimmte Faktoren wie eine zu hohe oder zu niedrige Umgebungstemperatur verlangsamten oder beschleunigten den Prozess. Bei beiden Toten war die

Leichenstarre vollständig eingetreten, was Jürgens in sein Diktiergerät sprach und anschließend notierte. Er blickte auf und sagte mit einem Mal grinsend: »Ich frage mich nur, wie wir die beiden abtransportieren sollen, so steif, wie die sind. Ich meine, bei ihm ist das nicht so schwer, nur die junge Dame bereitet mir aufgrund ihrer ungewöhnlichen Stellung etwas Kopfzerbrechen. Da müssen wir wohl oder übel ein wenig Gewalt anwenden, um sie einigermaßen gerade hinzubiegen. Na ja, sie wird's nicht mehr merken.«

»Hast du 'n Clown verschluckt?«, fragte Santos, die wahrlich nicht zum Scherzen aufgelegt war.

»Ach komm, du kennst mich doch. Was ist los?«, sagte Jürgens, legte ihr einen Arm um die Schulter und deutete mit dem anderen auf die Leichen. »Bei dem Anblick kann man doch nur lachen, oder? Ich weiß, ich weiß, ich weiß, du siehst das alles aus der Sicht einer Frau, du siehst das junge Ding, das so sinnlos sein Leben lassen musste …«

»Woher willst du wissen, was ich sehe oder denke?«, fragte sie schnippisch.

»Na ja, du bist eine Frau und somit etwas sensibler als ich ungehobelter Klotz. Habe ich recht oder habe ich recht?«

»Unter anderen Umständen hätte ich bei dem Anblick vielleicht auch gelacht, aber ich sehe im Moment nur eine junge Frau, die ihr Leben noch vor sich hatte. Selbst wenn sie eine kleine Nutte war, so was hat sie nicht verdient, so was hat keiner verdient. Wer immer ihr das angetan hat, dieser verdammte Perversling hat ihr selbst im Tod noch jegliche Würde genommen. Oder siehst du das anders?«

»Nein, ich sehe es genau wie du. Aber Humor, auch wenn er noch so morbide ist, ist manchmal das Einzige, was uns in diesem Beruf über Wasser hält. Schau, wenn man wie ich praktisch jeden Tag in der Gruft zubringt …«

»Ist doch nicht gegen dich gerichtet, manchmal bin ich ja selbst so drauf. Bruhns, okay, aber sie. Ich muss die ganze Zeit an meine Schwester denken, frag mich aber nicht, wieso. Ist einfach so.«

»Wieso ist Bruhns okay? Er war auch nur ein Mensch.«

»Der war doch schon fast pädophil, dieser alte Sack.«

»Lisa, es ist gut«, mischte sich jetzt Henning ein. »Fahr mal wieder runter. Die Kleine ist kein Kind mehr.«

Er wandte sich an Jürgens: »Du bist auch nicht gerade ein Kostverächter, soweit mir bekannt ist.«

»Ich weiß zwar nicht ganz, worauf du hinauswillst, aber eins lass dir für alle Fälle gesagt sein, mein Lieber: Meine Liebschaften sind alle erwachsen. Außerdem erwäge ich ernsthaft, ob ich nicht doch sesshaft werden sollte.«

»Mir ist doch egal, was du privat machst, solange du dich an gewisse Regeln hältst.«

»Ich kann dir zwar nicht ganz folgen, aber mein Privatleben geht nur mich etwas an, damit das klar ist.«

Santos registrierte erst jetzt unter der schwarzen, fast durchsichtigen Bluse, die neben dem Kamin lag, eine ebenfalls schwarze Handtasche, ging hin und hob sie auf. Sie entnahm ihr ein exklusives Portemonnaie und zog den Ausweis heraus.

»Na also, da haben wir's ja. Die Kleine hat nun einen Namen. Sie heißt Kerstin Steinbauer, geboren am zwölften Februar einundneunzig in Köln, wohnhaft in Düsseldorf. Gerade achtzehn geworden, sie könnte leicht und locker seine Tochter, fast schon seine Enkeltochter sein. Aber das ist es ja, was der Gute wollte, junges, knackiges Fleisch. Was anderes hat ihn neben seiner Musik nicht interessiert. Mistkerl.«

»Moment, ich will mal was sehen«, meinte Jürgens, untersuchte mittels eines Schnelltests Bruhns' Hände und fuhr schließlich nachdenklich fort: »Schmauchspuren. Was sagt uns das? Vielleicht doch erweiterter Suizid?«

»Und ich bin der König von Dänemark«, wurde er von Henning barsch unterbrochen. »Ich habe das vorhin auch mehr im Scherz gemeint, das mit dem erweiterten Suizid. Wie kann er seine Gespielin umbringen, ohne dass sie umfällt? Oder hat er sie in diese Position gebracht, bevor er sich selbst die Kugel gegeben hat? Dann muss das aber sehr detailliert durchgeplant gewesen sein. Oder er war unzurechnungsfähig, was ich aber nicht glaube, und ich will jetzt keinen blöden Witz hören.«

»Ganz sauber war er ja nicht in der Birne«, entgegnete Jürgens trocken. »Aber ich gebe dir recht, hier stimmt einiges nicht. Schmauchspuren hin, Schmauchspuren her, das alles passt vorne und hinten nicht. Vielleicht hat der Täter Bruhns die Waffe in die Hand gedrückt und ihn zum Beispiel in ein Spezialkissen schießen lassen, als er schon tot war. Das Kissen hat er mitgenommen. Es sei denn, ihr findet hier irgendwo ein oder zwei Kugeln.«

»Möglich. Was hast du noch anzubieten?«

»Tja, ich bin kein Hellseher, aber so einen Tatort habe ich noch nie zu Gesicht bekommen und ihr mit Sicherheit auch nicht. Das ist wie in einem Schmierentheater. Entweder es handelt sich wider Erwarten doch um einen erweiterten Suizid, dann finde ich das raus, oder wir haben es mit einem besonders ausgekochten Killer zu tun. Aber das werde ich auch rausfinden. Ich meine, Feinde genug hatte der gute Mann ja.«

»Aber noch viel mehr bewunderten ihn und seine eklige Art«, warf Lisa ein.

»Lisa, Lisa, nimm die rosarote Brille ab, das ist unsere

Welt. Je mehr Müll die Leute reden, desto mehr werden sie bewundert. Daran wird sich auch nichts mehr ändern. Habt ihr irgendwas entdeckt, was auf eine dritte oder gar vierte Person hinweist?«

»Bis jetzt nicht«, antwortete Santos.

»Wer hat ihn eigentlich gefunden?«

»Lisa und ich. Sie hat vor etwa anderthalb Stunden einen anonymen Anruf erhalten, dass wir mal hier vorbeifahren sollten. Das Tor und die Haustür waren nur angelehnt, und den Rest siehst du.«

»Da wusste also jemand, dass hier zwei Tote liegen. Der Mörder? Der Anrufer war doch ein Mann, oder?«

»Ja«, antwortete Santos.

»Ein Mann. Hm. Letzte Nacht war also noch jemand hier und …«

»Nicht so schnell«, warf Santos ein, »es könnte doch auch sein, dass der Anrufer die Leichen gefunden hat, sich aber nicht zu erkennen geben möchte, aus welchem Grund auch immer. Behandelt den Tatort, als würde es sich bei dem Toten um den Bundespräsidenten handeln …«

»Nichts anderes hatten wir vor. Wir wollen uns doch nicht vorwerfen lassen, bei Bruhns geschlampt zu haben. Und sollten wir eine Fremd-DNA finden, die einer unbekannten weiblichen Person zuzuordnen ist, die seit 1999 ihr Unwesen treibt, seid ihr die Ersten, die es erfahren«, fügte Tönnies hinzu.

»Hahaha, das wird wohl kaum der Fall sein, nachdem die Sache aufgeklärt ist. Ach ja, schickt uns so schnell wie möglich die Fotos ins Präsidium. Schaut mal nach, ob ihr irgendwo das Aufzeichnungsgerät der Überwachungskameras findet, könnte sein, dass da was drauf ist. Sören und ich fahren zu seiner Frau und überbringen ihr die freudige Botschaft.«

»Das Aufzeichnungsgerät ist weg«, sagte einer der Beamten der Spurensicherung bedauernd. »Wir haben schon alles abgesucht.«

»Sicher?«

»Da hat jemand die Kabel abgemacht, ihr könnt euch selbst davon überzeugen.«

»Könnte es noch ein zweites Gerät geben?«, fragte Henning nach.

»Nein, sämtliche Kabel führen zu diesem einen. Da hat jemand ganze Arbeit geleistet, und er muss sich hier ausgekannt haben, denn das Aufzeichnungsgerät und der Monitor waren ziemlich gut versteckt.«

»Vielleicht war's ja seine Frau«, sagte Jürgens und packte seine Utensilien wieder ein. »Sie hat gewusst, dass ihr Mann mal wieder fremdgeht, hatte von seinen Affären die Schnauze gestrichen voll, und da hat sie dann kurzen Prozess gemacht. Oder machen lassen, ich glaube nämlich kaum, dass sie sich die Finger selbst schmutzig gemacht hätte. Aber das ist Spekulation. Ihr wisst doch aus Erfahrung, dass Frauen aus verletztem Stolz oder verschmähter Liebe zu so ziemlich allem fähig sind. Habe ich recht, Lisa?«, fügte er hinzu.

»Ja, vor allem, wenn du noch so einen dummen Spruch ablässt«, konterte sie.

»Ob seine Frau was damit zu tun hat, das herauszufinden überlässt du uns, okay?«, sagte Henning zu Jürgens.

»Nichts anderes hatte ich vor. Ich denke, wir sind hier fertig. Das heißt, ich bin's und mache mich vom Acker.«

»Wann kannst du uns erste Ergebnisse liefern?«, wollte Henning wissen, als sie gemeinsam das Haus verließen, wo sich auf der Straße mittlerweile eine große Menschenansammlung gebildet hatte, darunter auch zwei Journalisten eines großen Boulevardblatts, die Henning und

Santos kannten und nur darauf warteten, endlich ein Foto schießen und Fragen stellen zu dürfen. Acht weitere Polizeibeamte aus der Umgebung waren hinzugerufen worden, um das Grundstück großräumig abzusperren. Der Leichenwagen stand bereit, die Herren in den grauen Anzügen warteten nur auf das Kommando, die Toten abtransportieren zu dürfen.

Santos wandte sich noch einmal um, ging zurück ins Haus und sagte zu dem Fotografen: »Nimm doch mal ganz unauffällig die Meute da draußen auf, vielleicht haben wir Glück, und unser Mann befindet sich darunter.«

Wieder bei Henning und Jürgens, deutete sie mit dem Kopf auf die Reporter und fragte: »Was machen wir mit denen?«

»Ignorieren, es ist nicht unsere Aufgabe, hier und vor allem zu diesem frühen Zeitpunkt Statements abzugeben.« Henning wandte sich an Jürgens: »Du hast meine Frage noch nicht beantwortet, wann …«

»Morgen Vormittag.«

»Ach komm, ich spreche von ersten Erkenntnissen und nicht vom vollständigen Obduktionsbericht.«

»Wartet auf meinen Anruf, aber wundert euch nicht, wenn's mitten in der Nacht ist. Bis später.«

»Herr Henning, nur eine kurze Frage«, sagte einer der beiden Reporter, die er vom Sehen kannte, »stimmt es, dass Bruhns tot ist?«

»Schlagen Sie morgen die Zeitung auf, dann wissen Sie's«, erwiderte Henning, ohne eine Miene zu verziehen.

»Ach kommen Sie, ein Ja oder Nein würde mir schon reichen. Sie wollen doch nicht, dass wir etwas schreiben, was am Ende nicht der Wahrheit entspricht. Und wir werden was schreiben, sonst wären wir nicht hier.«

»Soll das eine Drohung sein?«, fragte Henning und sah den Reporter durchdringend an.

»Nein, so war das nicht gemeint«, wiegelte der Angesprochene ab. »Aber wir machen doch auch nur unseren Job. Ist er's oder ist er's nicht?«

»Ja, aber darüber hinaus gibt es keinen Kommentar. Wir werden noch heute Abend eine Erklärung herausgeben, bis dahin müsst ihr euch gedulden.«

»Ist noch jemand bei ihm?«

»Wie kommen Sie darauf?«

»Na ja, wir wissen doch alle, dass das hier eins seiner vielen Liebesnester ist.«

»Da wissen Sie aber mehr als ich, ich kannte dieses Haus bis vor wenigen Minuten nicht. Ansonsten kein Kommentar. Wieso seid ihr eigentlich hier? Wie habt ihr davon erfahren?«

»Wir haben unsere Informanten.«

»Aha. Mich würde aber sehr interessieren, woher ihr die Info habt, dass hier was passiert ist?«

»Ein Anruf, anonym. Das ist die Wahrheit, ich schwöre es.«

»Wann?«

»Vor einer Stunde etwa. Warum?«

»Wurden Sie direkt angerufen?«

»Ja.«

»Jetzt lassen Sie sich doch nicht alles aus der Nase ziehen. Was hat der Anrufer gesagt?«

»Nicht viel, nur dass wir mal nach Schönberg zu Bruhns fahren sollten, dort würde eine heiße Story auf uns warten. Das war alles. Mich hat gewundert, dass er mich zu Hause angerufen hat, denn meine Privatnummer kennen nur wenige.«

»Und warum sind eure Kollegen von der Konkurrenz nicht da?«

»Woher soll ich das wissen? Mir soll's recht sein, wenn

wir exklusiv berichten können. Was ist mit seiner Frau?«

»Was soll mit ihr sein? Stehen schon welche von euch bei ihr auf der Matte?«

»Nein, großes Ehrenwort, das Überbringen schlechter Nachrichten überlassen wir der Polizei. Viel Glück und danke.«

»Wofür?«, fragte Henning mit zusammengekniffenen Augen.

»Einfach so. Wir werden auch nichts schreiben, was nicht verifiziert ist, großes Ehrenwort.«

»Wer's glaubt. Aber ich werde mir morgen den Artikel sehr genau durchlesen, und sollte ich etwas finden, das nicht mit dem übereinstimmt, was wir bis jetzt wissen, werden Sie nie wieder ein Statement von mir oder einem meiner Kollegen bekommen. Haben wir uns verstanden?«

»Natürlich, war ja deutlich genug. Schönen Tag noch.«

Als sie wieder im Auto saßen, atmeten Henning und Santos durch und fuhren langsam aus dem Ort heraus.

»Deine erste Einschätzung?«, fragte er auf dem Weg nach Kiel, wo Bruhns mit seiner Frau und der gemeinsamen Tochter lebte.

»Keine. Ich glaube, ich werde dieses Bild nie vergessen. Das ist so abartig. Wenn ich mir vorstelle, der Typ hätte erst die Presse informiert, und die hätten Fotos vom Tatort gemacht und … Nee, ich darf mir das nicht ausmalen. Wer tut so was und warum?«

»Lisa, das war kein Mord aus niederen Beweggründen oder so. Da steckt mehr dahinter.«

»Inwiefern?«

»Ach komm, das hast du doch auch gesehen.«

»Was habe ich gesehen?«

»Das Gesamtbild. Ich weiß auch nicht, wie ich es besser ausdrücken soll, aber die ganze Mühe, die der Täter investiert hat, das geht über Hass oder Rache oder Eifersucht weit hinaus. Allein, wie er sie positioniert hat. Warum? Warum hat sie nicht auf dem Boden gelegen, wie es doch nach einem Kopfschuss normal gewesen wäre? Und warum hat Bruhns noch über den Tod hinaus gegrinst, während diese Kerstin aussieht, als würde sie unter schrecklichen Schmerzen leiden? Warum war sie schon nackt, während er bekleidet war? Es gibt bis jetzt lauter Fragen und keine einzige Antwort.«

»Ich habe auch keine, falls du eine erwarten solltest. Dazu kommt noch unser mysteriöser Anrufer. Mich würde zu sehr interessieren, welche Rolle er spielt. Mörder, Mittäter, Mitwisser oder nur Informant. Wenn er das nächste Mal anruft, stell ich auf laut, vielleicht hörst du ja mehr aus seiner Stimme als ich.«

»Glaub ich kaum. Warten wir ab, was die Spusi und Jürgens zu sagen haben. Wir stehen noch ganz am Anfang. Aber zuallererst bringen wir das mit Frau Bruhns über die Bühne. Es ist doch jedes Mal ein Scheißgefühl, wenn du nicht genau weißt, was du sagen sollst, weil du nie voraussagen kannst, wie die Reaktion ausfällt.«

SONNTAG, 14.50 UHR

Sie hielten vor Bruhns' Villa. Wie in Schönberg auch hier eine Eibenhecke, doch diese schien noch undurchdringlicher. Mit einer Höhe von dreieinhalb Metern umrahmte sie das gesamte Grundstück, dazu kam ein breites, etwa vier Meter hohes massives Eisentor, durch das man nur schwer einen Blick auf das riesige Gelände werfen konnte. Ein leicht geschwungener Kiesweg führte zum Haus und den Garagen, ein Bild, wie man es sonst nur aus dem Fernsehen bei hochherrschaftlichen Anwesen kennt. Jetzt im ausklingenden Winter sah der parkähnliche Garten zwar an etlichen Stellen grün, aber nicht spektakulär aus, doch Lisa konnte sich den Anblick vorstellen, wenn die Büsche und Sträucher geschnitten waren, die Blumenpracht blühte und der Rasen in saftigem Grün stand.

Das Haus war in einem hellen Gelb gestrichen, zwei Stockwerke, ein hohes Dach mit ein paar kleinen Fenstern zwischen den roten Ziegeln, eine überdimensionale Eingangstür aus schwerem, dunklem Holz. Allein der Unterhalt musste jährlich ein Vermögen verschlingen, mehr, als Henning und Santos sich von ihrem Gehalt jemals hätten leisten können. Es war mit Sicherheit eines der größten und teuersten Häuser im ohnehin teuersten Viertel der Stadt.

»Das ist kein Haus, das ist eine Festung«, flüsterte Santos und drückte auf den grauen Knopf neben den Initialen P.B. und wartete. »Komisch, dass mir das noch nie aufgefallen ist, obwohl wir schon so oft in der Gegend zu tun hatten und … Ich habe das Haus jedenfalls noch nie bewusst wahrgenommen.« Nach einer Weile klang eine klare weibliche Stimme aus dem Lautsprecher.

»Frau Bruhns?«, fragte Lisa.

»Ja? Mein Mann ist nicht da, ich weiß auch nicht, wann er wiederkommt.«

Lisa hielt ihren Ausweis vor die Kamera und fuhr fort: »Mein Name ist Santos von der Kripo Kiel, mein Kollege und ich müssten uns kurz mit Ihnen unterhalten. Dürfen wir reinkommen?«

»Einen Moment bitte, ich komme«, murmelte Victoria Bruhns, trat wenig später aus der Haustür und kam die etwa dreißig Meter zum Tor, um sich zu vergewissern, dass es sich nicht doch um Journalisten oder aufdringliche Fans handelte, die sich wieder etwas Neues hatten einfallen lassen, um Bruhns kennenzulernen. Victoria Bruhns war klein, kaum eins sechzig und damit gut einen halben Kopf kleiner als ihr Mann, sie hatte schulterlange dunkelblonde Haare und braune Augen. Sie war sehr schlank und zierlich, und sie war, das wusste Lisa aus den Medien, erst vor kurzem fünfundzwanzig geworden und seit drei Jahren mit Bruhns verheiratet. Sie hatten eine gemeinsame Tochter von etwa einem Jahr.

Victoria sei seine ganz große Liebe gewesen, die er für nichts in der Welt aufgegeben hätte, auch habe er seinen Lebenswandel geändert und sei endlich sesshaft geworden, hatte Bruhns erst kürzlich in einem TV-Interview vor einem Millionenpublikum erklärt. Doch das, was Henning und Santos in Schönberg vorgefunden hatten, sprach eine andere Sprache. Bruhns hatte sich nicht geändert, einer wie er würde sich niemals ändern, würde nie etwas für eine Frau aufgeben, auch wenn er betonte, sie noch so sehr zu lieben. Niemals hätte Bruhns irgendetwas für irgendjemanden aufgegeben, weder für die größte Liebe seines Lebens noch für den besten Freund, wobei Lisa beinahe sicher war, dass Bruhns keinen einzigen echten Freund hatte, viele sogenannte Freunde schon, die sich in seinem Ruhm sonnten, mehr aber auch nicht. Bruhns war ein Mann, der das Spiel der Freunde beherrschte, ein Spiel, in dem Freundschaft nur ein Wort war und Freunde ganz schnell zu erbitterten Feinden werden konnten.

»Sie sind tatsächlich von der Polizei?«, fragte Victoria

Bruhns mit misstrauischem Blick durch das noch geschlossene Tor, doch ihre weiche, samtene Stimme klang nicht unfreundlich. Noch einmal hielt Santos ihren Ausweis hoch, Victoria warf einen langen Blick darauf und nickte. Sie schien nicht sonderlich besorgt zu sein, dass die Polizei vor dem Tor stand, was mehrere Gründe haben konnte, vielleicht hatte sie schon öfter mit der Polizei zu tun gehabt, wahrscheinlich sogar, wenn es stimmte, dass fast täglich aufdringliche Fans das Haus belagerten.

»Dürfen wir bitte reinkommen? Wir müssten etwas mit Ihnen besprechen.«

»Geht es um meinen Mann?« Als sie diese Frage stellte, war in ihrem Gesicht zum ersten Mal ein Hauch von Besorgnis, möglicherweise sogar Angst zu erkennen.

»Lassen Sie uns im Haus darüber reden, hier draußen ist es doch recht frisch.«

»Entschuldigen Sie, natürlich.« Victoria Bruhns öffnete das Tor mit einem Knopfdruck und ging vor den Beamten zum Haus, während sich das Tor wie von Geisterhand hinter ihnen wieder schloss. Der weiße Kies knirschte unter ihren Schuhen. Sie traten sich die Füße am Eingang ab und betraten eine gewaltige Vorhalle, von der mehrere Türen abgingen und Treppen sich zu beiden Seiten in einem Halbrund in den ersten Stock erstreckten. Massive Holzgeländer, Marmorboden in der Eingangshalle, mehrere übermannshohe Pflanzen, ein Springbrunnen in der Mitte, umrahmt von goldenen Fliesen, eine Vorhalle wie in einem Göttertempel, eine andere Bezeichnung fiel Henning angesichts der gewaltigen Dimensionen und der prunkvollen Ausstattung nicht ein.

Bruhns war ein Halbgott gewesen, der sich alles hatte leisten können, was mit Geld zu kaufen war, aber irgendjemand hatte etwas dagegen gehabt, dass Bruhns sich weiterhin wie ein solcher aufführte. Das eigentlich Schlimme war, dass eine Achtzehnjährige mit Bruhns ermordet worden war. Eine junge Frau, die er vielleicht erst kurz vor der Tat kennengelernt hatte. Eine junge Frau, die vielleicht auf eine große Karriere gehofft hatte, die Träume und Wünsche gehabt hatte und stattdessen von einer Kugel getötet worden war. Kerstin Steinbauer aus Düsseldorf, deren Angehörige noch informiert werden mussten und die nicht begreifen würden, warum es ausgerechnet ihre Tochter, Schwester, Nichte, Enkelin getroffen hatte. Familie und Freunde würden trauern und die Sinnlosigkeit ihres Todes beklagen und beweinen.

Bruhns' Tod hingegen berührte Henning weit weniger. Der Mann war kein angenehmer Zeitgenosse gewesen, kaum ein Tag war vergangen, an dem nicht über ihn berichtet worden war. Er hatte sich ein Millionenheer an Bewunderern geschaffen, aber auch zahllose Neider und Feinde. Am Ende seines Lebens stand ein inszenierter Mord, ein kaltblütiger und hinterhältig ausgeführter Mord. Was hatte Bruhns getan, dass der Mörder ihn nach seinem Tod der Lächerlichkeit preisgab und ihn wie eine Karikatur darstellte? Und warum auch Kerstin Steinbauer, die ihr Leben noch vor sich gehabt hatte? War sie nur zum falschen Zeitpunkt am falschen Ort gewesen? Oder hatte sie zu einem perfide ausgeklügelten Plan gehört?

Henning konzentrierte sich wieder auf seine Umgebung, die für eine Welt stand, zu der er sonst kaum Zutritt hatte. Er konnte sich nicht erinnern, jemals in einem solchen Haus gewesen zu sein. Victoria Bruhns sah ihn fragend an und sagte schließlich: »Kommen Sie doch bitte mit ins

Wohnzimmer, ich möchte meine Tochter nicht zu lange allein lassen, sie ist erst vorgestern ein Jahr alt geworden.«

Henning und Santos folgten ihr in einen Wohnbereich, der mindestens hundert Quadratmeter maß. Auch hier nur erlesenste Ausstattung, vom Boden bis zur Decke, doch nicht überladen, nicht protzig, eher schlicht gehalten, aber alles vom Feinsten.

»Das war bestimmt eine große Feier«, meinte Santos.

»Nein, nur meine Eltern und meine Schwester waren hier«, antwortete Victoria Bruhns mit einem Hauch Traurigkeit in der Stimme.

»Und Ihr Mann?«

»Er natürlich auch, aber er musste schon am frühen Nachmittag wieder ins Studio, obwohl er eigentlich … Das tut nichts zur Sache. Er sollte trotzdem längst zu Hause sein.«

Sie vermied, ein zweites Mal nachzufragen, ob etwas mit ihrem Mann war, als wolle sie einer unangenehmen Antwort ausweichen. Stattdessen ging sie zu ihrer Tochter, die inmitten einer opulent eingerichteten Spiellandschaft saß und so beschäftigt war, dass sie die Beamten gar nicht wahrnahm, nur ein kurzer Blick, bevor sie sich wieder ihrem Spiel widmete. Sie hatte für ihr Alter ungewöhnlich volles, blondes Haar und braune Augen, das Abbild ihrer Mutter. Ein bildhübsches Mädchen, das irgendwann eine bildhübsche junge Dame sein würde. Wie ihre Mutter – oder wie Kerstin Steinbauer. Mach nur nicht denselben Fehler wie sie, dachte Santos.

»Warum sind Sie hier? Dazu noch an einem Sonntagnachmittag«, fragte Victoria Bruhns schließlich doch und nahm die Kleine auf den Arm. »Schau mal, Pauline, das sind Leute von der Polizei. Du wirst später hoffentlich nie etwas mit ihnen zu tun haben«, sagte sie und lächelte ihre Tochter liebevoll an. »Sie ist mein Ein und Alles, ein Leben ohne sie könnte ich mir nicht mehr vorstellen.«

»Das kann ich gut verstehen, Ihr Mann ist bestimmt auch ganz stolz auf seine Tochter«, erwiderte Santos und lächelte Pauline an, die ihr Gesicht auf die Schulter ihrer Mutter legte. Sie wurde ernst: »Aber Ihr Mann ist auch der Grund, weshalb wir hier sind. Vielleicht wäre es besser, wenn wir uns alle setzen würden.«

»Entschuldigen Sie, dass ich Ihnen noch keinen Platz angeboten habe. Bitte!« Victoria Bruhns deutete auf die opulente Sitzgarnitur. Henning und Santos setzten sich auf das weiße Ledersofa, während sich die Hausherrin auf dem Sessel schräg gegenüber niederließ. Pauline saß auf ihrem Schoß, den Kopf an die Brust der Mutter gelegt.

»Was ist mit Peter? Normalerweise kommen Polizisten, wenn wieder mal irgendwelche Typen unser Haus belagern. Was ist passiert?« Nervös neigte sie den Kopf ein wenig zur Seite.

»Frau Bruhns, wir müssen Ihnen leider mitteilen, dass Ihr Mann tot ist«, antwortete Santos und versuchte, so viel Mitgefühl wie möglich in ihre Stimme zu legen, gleichzeitig beobachtete sie die erste Reaktion der Ehefrau. Doch da war keine, es war, als hätte die junge Frau es zwar gehört, aber noch nicht aufgenommen. Worte, die in dem riesigen Raum verhallt waren. »Wir kommen gerade aus Ihrem Haus in Schönberg, wo er gefunden wurde.«

Victoria Bruhns sagte nichts, ihr Gesicht war wie eine Maske, sie streichelte ihrer Tochter durch das Haar und drückte sie fest an sich, als suchte sie bei ihr Halt. Keine Tränen, kein Aufschrei, nichts. Es war eine bedrückende

Stille, die sich wie ein riesiges Laken über alles gelegt hatte. Henning und Santos ließen ihr Zeit, das eben Gehörte aufzunehmen, obwohl es mit Sicherheit Tage, wenn nicht Wochen oder Monate dauern würde, bis die junge Frau diese Nachricht wirklich begriffen und verinnerlicht hatte.

Doch mit einem Mal sagte Victoria Bruhns mit vollkommen ruhiger Stimme, während sie von Santos zu Henning schaute: »Ich habe es kommen sehen. Ob Sie's glauben oder nicht, aber ich habe damit gerechnet, dass eines Tages so etwas passieren würde. Wie ist er gestorben? Ein Unfall? Oder wurde er umgebracht?« Die letzte Frage stellte sie leise und doch so, als käme für sie nichts anderes in Betracht. Keine Frage, eher eine Feststellung.

»Wie kommen Sie darauf, dass er umgebracht worden sein könnte?«

»Entschuldigen Sie, wenn ich nicht in Tränen ausbreche oder herumschreie, aber ...« Sie trug Pauline wieder zur Spielecke, flüsterte ihr etwas zu und streichelte ihr übers Haar. Sie kehrte zurück und blieb vor den Beamten stehen. Als das Kind zu weinen begann, ging sie wieder zu ihm, hob es hoch und redete beruhigend auf es ein. Dann wandte sie sich den Beamten zu. Ihre Gesichtszüge blieben entspannt, als sie sagte: »Es verging doch kaum ein Tag, an dem er keine Drohungen erhielt. Oder was glauben Sie, warum dieses Haus und das Grundstück wie eine Festung ausgestattet sind? Alles hat seinen Grund, auch dieses riesige Gefängnis hier, aus dem ich kaum noch rauskomme.«

Ohne auf die letzte Bemerkung einzugehen, antwortete Santos: »Wir wissen noch nicht genau, was sich abgespielt hat, aber wie es aussieht, wurde Ihr Mann Opfer eines

Gewaltverbrechens. Wie gesagt, es tut mir leid«, betonte Santos noch einmal, und sie meinte es ernst, als sie die junge Frau betrachtete, die so gefasst und ruhig wirkte und schon auf den ersten Blick einen sympathischen Eindruck gemacht hatte.

»War er allein?«, fragte Victoria Bruhns, und es war, als kannte sie die Antwort längst.

»Nein, es war jemand bei ihm«, antwortete Santos.

Victoria Bruhns verzog den Mund und nickte. »Ich nehme an, eine attraktive junge Frau. Sie brauchen mich nicht mit Samthandschuhen anzufassen, denn, wie ich schon sagte, ich habe mit einer solchen Nachricht gerechnet. Peter hat sein eigenes Leben geführt, in das er niemanden gelassen hat, nicht einmal mich. Er hat zwar immer wieder betont, dass er mit mir die große Liebe gefunden habe, aber ich habe es schon lange nicht mehr geglaubt, zu oft hat er mich belogen und betrogen. Es tut mir leid, wenn ich so über ihn rede, aber das ist die Wahrheit, und ich bin bekannt dafür, mit der Wahrheit nicht hinter dem Berg zu halten. Seit Paulines Geburt hat er sich kaum noch hier blicken lassen, das alles war zu viel für ihn, eine Frau, ein Kind, das seine Aufmerksamkeit fordert, der Verlust seiner Freiheit, dabei habe ich ihm nie irgendwelche Vorwürfe gemacht, wenn er mal wieder ein paar Tage weggeblieben war, ohne sich zu melden. Ich wusste manchmal tagelang nicht, wo er sich gerade aufhielt, weil er nicht einmal an sein Handy gegangen ist. Irgendwann habe ich mich damit abgefunden und gar nicht mehr versucht, ihn zu erreichen.« Sie strich sich eine Strähne aus der Stirn.

Pauline hatte sich mehrfach über die Augen gerieben und war innerhalb kürzester Zeit eingeschlafen. Victoria Bruhns trug sie nun vorsichtig zur Spielecke und legte sie auf die Decke, wartete noch einen Moment und kam zurück. »Wir sind schon lange kein Paar mehr gewesen, höchstens für die Medien, alles gehörte zur Show, sein ganzes Leben war eine einzige große Show. Nachdem Pauline geboren war, war er noch seltener hier als zuvor. Dann seine ständigen Affären, die Meldungen in der Presse oder im Fernsehen, wenn er mal wieder mit einer anderen Frau oder besser einem Mädchen angetroffen worden war, glauben Sie mir, all das ist nicht spurlos an mir vorübergegangen. Ich dachte mir, besser ein Ende mit Schrecken als ein Schrecken ohne Ende. Ich habe mit ihm sogar schon über Scheidung gesprochen, weil ich das nicht mehr ausgehalten habe. Erst vor ein paar Tagen habe ich ihm gesagt, dass ich ausziehen werde.« Sie seufzte auf, nahm wieder Platz und schlug die Beine übereinander. Ein paar Tränen lösten sich und liefen ihr über die Wangen. Sie wischte sie mit dem Handrücken ab und blickte zu Boden.

»Wie hat er darauf reagiert?«

»Wie er reagiert hat?«, fragte sie nach, als wäre sie mit einem Mal weit weg, ihr Blick ging durch die Beamten hindurch, ihre Hände krallten sich in die Sessellehnen. »Wollen Sie das wirklich wissen?«

»Ja.«

Sie wandte den Blick zur Seite und antwortete: »Er hat gelacht und gemeint, das würde ich im Leben nicht wagen, und falls doch, so würde ich das bitter bereuen. Er hat gedroht, dass ich Pauline nie wiedersehen würde, er hätte das Geld und die Macht, sie mir wegzunehmen. Wie er mich dabei angesehen hat, glauben Sie mir, für einen Moment fürchtete ich, er könnte mir etwas antun. Es war das erste Mal, dass ich richtig Angst vor ihm hatte.«

»Damit ich das richtig verstehe: Er hat sich um seine Tochter nicht gekümmert, aber wenn Sie gegangen wären, hätte er sie Ihnen weggenommen?«

»Sie kennen Peter nicht, der ist zu allem fähig, nun, er *war* zu allem fähig. Er konnte nicht lieben, aber er konnte die Gemeinheit in Person sein. Ich wäre nicht die Erste gewesen, die er zerstört hätte. Es wäre ihm weiß Gott nicht um Pauline gegangen, sondern allein darum, mich zu erniedrigen und zu zerstören. Es tut mir leid, dass er nur neunundvierzig Jahre alt geworden ist, aber letztlich wird er sich das selbst zuzuschreiben haben, denn er hat vielen Menschen sehr weh getan.«

»Hätten Sie Ihre Drohung wahr gemacht?«, wollte Santos wissen.

»Ja, ganz sicher sogar«, sagte sie mit fester Stimme. »Ich hätte einen Weg gefunden, ihn zu verlassen – mit Pauline. Sie war ihm doch vollkommen gleichgültig, er hätte ein Kindermädchen engagiert und sie irgendwann auf ein Internat geschickt, damit sie ihm nicht im Weg wäre. Er hatte ja auch zu seinen fünf Kindern aus den früheren Beziehungen schon seit Jahren keinen Kontakt mehr. Er hat zwar den Unterhalt bezahlt, das war's aber auch schon. Und wenn er hier war, hat er sich auch nicht um Pauline gekümmert. Ich kann mich nicht erinnern, wann er sie zuletzt auf den Arm genommen hat. Das mag verbittert klingen, aber es stimmt: Wir beide bedeuteten ihm nichts. Ihm ging es immer nur ums Besitzen.«

»Und wie hätten Sie es geschafft, von hier wegzukommen, wenn ich fragen darf?«

Ein leichtes Lächeln zeichnete sich auf Victoria Bruhns' Lippen ab: »Sagen wir es so, ich habe einiges, womit ich ihn unter Druck hätte setzen können. Aber das ist jetzt nicht mehr relevant.«

»Und was?«

»Darüber möchte ich nicht sprechen, aber glauben Sie mir, es hätte seinem Renommee sehr geschadet.«

»Wusste er davon?«

»Nein, und er hat auch bestimmt nicht damit gerechnet, dass ein Dummchen wie ich fähig wäre ... Nun, das ist ja jetzt hinfällig. Aber glauben Sie mir, ich wäre niemals dazu in der Lage gewesen, ihn umzubringen, das schwöre ich Ihnen, denn Sie denken bestimmt, dass ...«

»Nein, so weit sind wir noch nicht ...«

»Wo waren Sie gestern Abend gegen Mitternacht?«, wurde Santos von Henning unterbrochen, den die Ehegeschichte von Victoria Bruhns im Moment nicht sonderlich interessierte. Er musterte die hübsche junge Frau mit dem ausdrucksstarken Gesicht, in dem das Hervorstechendste die großen braunen Augen und die vollen, sanft geschwungenen Lippen waren. Lisa und sie haben etwas gemeinsam, dieses Feurige, das keinen Mann kaltlässt, dachte er. Aber dieses Arschloch Bruhns hat das nicht zu schätzen gewusst.

»Auf diese Frage habe ich schon gewartet. Ich war hier, wo auch sonst? Es gibt sogar eine Zeugin, meine Schwester. Wir haben bis gegen eins telefoniert, was Sie ja leicht nachprüfen können ...«

»Wo wohnt Ihre Schwester?«

»Nicht weit von hier, in Eckernförde. Sie ist meine Bezugsperson und mein großer Halt. Aber ich möchte doch eins klarstellen: Ich habe meinen Mann nicht gehasst, ich habe nur erkannt, dass er nicht der war, als den ich ihn kennengelernt habe. Also warum hätte ich ihn umbringen sollen?«

»Gründe genug haben Sie uns ja schon genannt. Wir werden Ihr Alibi überprüfen, und wenn Sie uns die Wahrheit gesagt haben, haben Sie nichts zu befürchten. Wer erbt denn das Vermögen?«

Victoria Bruhns zuckte die Achseln. »Ich weiß es nicht. Bei einer Scheidung hätte ich fünf Millionen bekommen, dafür musste ich mich verpflichten, nie in der Öffentlichkeit über unsere Ehe zu sprechen. Er wollte das so wegen schlechter Erfahrungen mit seinen ersten drei Frauen. Ich habe keine Ahnung, was mit alldem hier passiert. Das ist aber auch unwichtig, zumindest jetzt. Ich weiß nicht einmal, ob er ein Testament verfasst hat.«

»Sie haben von vielen Feinden und Drohungen gesprochen. Gab es in letzter Zeit irgendetwas Besonderes in dieser Hinsicht? Hat Ihr Mann alle Drohungen ernst genommen?«

»Nein, weder das eine noch das andere. Er glaubte wohl, unverwundbar zu sein. Ich habe versucht, mit ihm darüber zu sprechen, aber er hat von mir nichts angenommen, schon gar keine Ratschläge, ich bin ja auch nur eine kleine dumme Frau. Es stimmt schon, ich hätte seine Tochter sein können, und so kam ich mir manchmal auch vor, weil er es mich oft genug hat spüren lassen. Er hat mich behandelt wie ein kleines naives Mädchen.« Sie schüttelte den Kopf und fuhr fort: »Ich weiß selbst, dass ich eine dumme Kuh bin, und Sie werden wahrscheinlich denken, ich hätte Peter nur wegen seines Geldes geheiratet, aber das stimmt nicht, ich hatte mich wirklich in ihn verliebt. Er konnte unglaublich charmant sein, zumindest am Anfang. Als er mich dann besaß, zeigte er sein wahres Gesicht.«

»Nein, wir halten Sie nicht für naiv oder dumm. Aber Sie klingen nicht sonderlich traurig.« Gespannt beobachtete Henning ihre Reaktion.

Sie begegnete seinem Blick, zog die Mundwinkel nach unten, zuckte die Achseln und meinte: »Das kommt vielleicht noch, aber Sie haben recht, im Moment bin ich nicht traurig, weil die Nachricht nicht so überraschend kam und ich mich in den letzten anderthalb Jahren innerlich so weit von ihm entfernt habe, dass es für mich kein Zurück mehr gab. Ich dachte nur noch daran, wie ich hier am schnellsten und vor allem heil rauskomme. Aber ich glaube, ich werde auch in Zukunft nicht trauern, dazu hat er mich zu oft verletzt.«

»War er gewalttätig Ihnen gegenüber?«

Victoria Bruhns ließ einige Sekunden verstreichen, bevor sie antwortete: »Ja, hin und wieder ist ihm die Hand ausgerutscht. Manchmal war da auch mehr. Er war unberechenbar, aber das wussten nur jene in seinem direkten Umfeld. Im Fernsehen hat er die Massen belustigt, er konnte auch einen auf ernsthaft oder charmant machen, letztlich war er der zerrissenste Mensch, den ich je kennengelernt habe. Am Ende konnte ich ihn nicht mehr lieben, da war Leere und leider auch zunehmend Verachtung und Hass …«

»Eben haben Sie aber noch behauptet, ihn nicht gehasst zu haben«, bemerkte Santos kritisch.

»Ja, das stimmt schon, aber es gab Momente, da habe ich ihn gehasst, zum Beispiel wenn er sich nicht unter Kontrolle hatte, rumschrie oder gewalttätig wurde. Ich weiß, Sie werden jetzt denken, wer hasst, ist auch bereit zu töten, aber ich habe mit seinem Tod nichts zu tun. Darf ich fragen, wie er getötet wurde?«

»Er wurde erschossen.«

»Und die Dame, mit der er sich vergnügt hat, wie alt ist die?«, fragte sie in einem Tonfall, der die Antwort erahnen ließ.

»Sie war gerade achtzehn geworden.«

Sie runzelte die Stirn. »Achtzehn! Mein Gott, mit achtzehn hatte ich noch nicht mal meinen ersten festen Freund. In dem Alter war ich tatsächlich noch naiv und unbedarft. Dann lernte ich Peter vor nicht einmal vier Jahren bei einem Casting kennen ...«

»Was für ein Casting?«, wollte Santos wissen.

»Es war ein neues, aber nicht sonderlich erfolgreiches Format. Es wurden Schauspieler für eine Daily Soap gesucht, und Peter war einer der Juroren, obwohl er von der Schauspielerei nicht sonderlich viel Ahnung hatte. Jedenfalls, wir kamen ins Gespräch, und von da an passierte alles wie von allein. Ehe ich mich versah, waren wir verheiratet. Es war wie im Paradies, er hat mich mit Geschenken überhäuft, wir haben Reisen unternommen, ich wurde mit Pauline schwanger, und ...«, sie atmete tief durch und sah zu ihrer schlafenden Tochter, »... er hatte eine Geliebte nach der anderen. Mich hat er schon, kurz nachdem ich schwanger geworden war, nicht mehr angerührt. Aber er wollte mich auch nicht einfach so gehen lassen, sein Renommee, Sie verstehen schon. Ich war seine vierte Frau, und er wollte in der Öffentlichkeit endlich als treuer Ehemann dastehen. Und er war ein Meister der Manipulation, er hatte nämlich alles drauf, was man in diesem Geschäft braucht, er konnte charmant, höflich und freundlich sein, aber auch zynisch, menschenverachtend, gewalttätig. Es kam immer drauf an, mit wem er es zu tun hatte, mit wem er sich gut stellen musste und wen er niedermachen durfte.«

»Er war Ihr erster Mann?«

»Ja, leider.« Sie seufzte. »Was glauben Sie, wieso ich mir seine Eskapaden so lange angesehen habe? Meine Mutter hat gesagt, heirate nie den Ersten, auch nicht, wenn er

Geld hat wie Heu. Sie ist eine sehr kluge Frau, obwohl sie erzkonservativ erzogen wurde und deswegen den gleichen Fehler gemacht hat. Aber sie hatte recht. Ich kann jeder Frau nur das raten, was meine Mutter mir geraten hat.«

»Was hat er gestern Abend gemacht?«

»Wissen Sie das noch gar nicht?«, fragte Victoria Bruhns überrascht. »Er war auf Sendung, eine Castingshow. Er ist Juror und …«

»Doch, wir wissen es bereits, wir wollten es nur von Ihnen hören. Wo wurde die Sendung aufgezeichnet?«

»Es ist eine Liveshow, die aus Hamburg gesendet wird. Erst in den letzten drei Sendungen dürfen die Zuschauer dann abstimmen, welchen Kandidaten sie weiterkommen lassen, welcher gehen muss und wer am Ende gewinnt. Im Prinzip ist es ein ähnliches Format wie DSDS … Peter hat immer wieder von anderen abgekupfert, weil ihm selbst nichts Besseres einfiel. Dem Sender war's egal, ein paar Änderungen, und schon war es Peters Show. Ich hab's gestern aber nicht gesehen, ehrlich gesagt habe ich noch keine einzige Folge dieser Staffel gesehen, deshalb kann ich auch nicht mitreden. Er hat sein Leben geführt, ich meines. Noch vor drei Jahren, als er mit dieser Show angefangen hat, habe ich mich jeden Samstag darauf gefreut, aber es ist eben nur Show, sogar eine ziemlich billige. Ich habe mich entschieden, meine Zeit sinnvoller zu gestalten.«

»Ich kenne die Show auch nicht«, sagte Santos.

»Sie haben nichts verpasst, glauben Sie mir.«

»Und wie lange dauert die Sendung in der Regel?«, fragte Santos, die Hinrichsens Aussage von Victoria Bruhns bestätigt haben wollte. Doch die schüttelte den Kopf.

»Nicht einmal das kann ich Ihnen beantworten, ich

müsste in der Zeitung nachsehen. Am besten wäre es, wenn Sie sich im Sender erkundigen würden.«

»Das machen wir. Nach der Show ist er dann offenbar direkt nach Schönberg gefahren, was bedeutet, dass ...«

»Nein, nein, das Auto hat er in der Regel nur hier in Kiel und der direkten Umgebung benutzt. Für alles, was weiter als fünfzig oder sechzig Kilometer war, hat er den Helikopter oder den Learjet genommen. Er hasste es, Zeit zu vergeuden, und er liebte es, anzugeben.«

»Hat er die Maschinen selbst geflogen?«

»Er hat zwar einen Pilotenschein, aber er hat für beide Maschinen auch einen Piloten.«

»Hat er Ihnen gesagt, was er gestern nach der Show vorhatte?«

»Nein. Über so was hat er mit mir schon lange nicht mehr gesprochen. Ich habe ihn auch nicht gefragt. Er kam und ging, wie er wollte.«

»Und das Personal? Sie haben doch sicher Personal, oder?«

»Natürlich beschäftigen wir Personal, aber aus denen werden Sie nichts rauskriegen, die schweigen wie ein Grab, jeder von ihnen musste eine Verschwiegenheitserklärung unterschreiben, die auch nach einer möglichen Entlassung gültig bleibt. Peter ist da knallhart. Außerdem weiß keiner von denen, was zwischen ihm und mir wirklich abgelaufen ist. Die wesentlichen Dinge spielten sich immer hinter verschlossenen Türen ab. Glauben Sie mir, es ...« Sie stockte, ihr Blick ging ins Leere. »Nein, ich möchte nicht darüber sprechen, nicht jetzt. Ein andermal vielleicht, jetzt ist nicht der passende Zeitpunkt. Außerdem hat es nichts mit dem Tod meines Mannes zu tun.«

»Das klingt nicht schön«, bemerkte Santos. »Aber die Verschwiegenheitserklärung, von der Sie eben gesprochen haben, hat mit dem Tod Ihres Mannes ihre Gültigkeit verloren. Wenn es sein muss, laden wir jeden Einzelnen aufs Präsidium vor. Wir müssen wissen, wie Ihr Mann privat war, nicht nur Ihnen gegenüber, sondern auch gegenüber den Menschen, die ihn umgaben. Dazu zählt nun mal das Personal.« Nach einer kurzen Pause fügte sie hinzu: »Was werden Sie jetzt tun?«

»Das kann ich noch nicht sagen. Ich weiß nicht, wie es weitergehen wird, im Moment weiß ich überhaupt nichts.«

»Hätten Sie wenigstens ein paar Namen von Personen, die besonders schlecht auf Ihren Mann zu sprechen waren?«

»Ja, da gibt es einige. Ich schreib Ihnen die wichtigsten auf.«

Kurz darauf überreichte sie Santos einen Zettel, auf dem sieben Namen vermerkt waren. Santos überflog die Namen und nickte, weil sie jeden davon kannte. Nicht persönlich, aber sie hatte von ihnen gehört und gelesen und mindestens zwei von ihnen schon häufig im Fernsehen gesehen.

»Sollte Ihnen noch etwas einfallen, rufen Sie mich bitte an«, sagte Santos und reichte Victoria Bruhns ihre Karte. »Tag und Nacht.«

»Natürlich. Bitte glauben Sie mir, ich habe mit dem Tod meines Mannes nichts zu tun.«

»Wir werden Ihre Angaben überprüfen und uns wieder bei Ihnen melden. Passen Sie gut auf sich auf.«

»Was soll mir in diesem Hochsicherheitstrakt schon passieren?«

Victoria Bruhns begleitete die Beamten bis zum Tor, sah ihnen nach, wie sie ins Auto stiegen, blieb noch einen Moment stehen und rannte, nachdem Henning und Santos losgefahren waren, zurück ins Haus. Im Wohnzimmer lehnte sie sich gegen die Tür, ihr Herz schlug wie wild, und mit einem Mal brachen die Tränen aus ihr hervor, als brächen Dämme. Sie sank zu Boden und weinte wie niemals zuvor. Sie wusste nicht einmal, warum sie weinte.

SONNTAG, 16.35 UHR

Kaum dass sie ihr Büro betreten hatten, wurden Henning und Santos von Volker Harms und Oberstaatsanwalt Rüter empfangen, als hätten sie auf das unschlagbare Duo, wie sie von manchen Kollegen augenzwinkernd genannt wurden, nur gewartet.

»Welch hoher Besuch!« Diese Bemerkung konnte sich Henning nicht verkneifen, gab es doch kaum jemanden, dem er so wenig Sympathie entgegenbrachte wie Rüter, der vor zwei Jahren Oberstaatsanwalt Sturm abgelöst hatte, nachdem man in dessen Büro und bei ihm zu Hause Kokain und Kinderpornos auf den Rechnern gefunden hatte und er deswegen nicht nur seinen Posten hatte räumen müssen, sondern auch noch zu einer Bewährungsstrafe und einer hohen Geldbuße verurteilt worden war. Auch wenn Henning Sturms Nachfolger auf den Tod nicht ausstehen konnte, reichte er ihm die Hand. »Und dann auch noch an einem Sonntag.«

Mit einem leicht süffisanten Lächeln konterte Rüter: »Tja, Herr Henning, auch ein Oberstaatsanwalt muss in dringenden Fällen den Sonntag Sonntag sein lassen. Wir sind nicht nur Sesselfurzer, wie Sie uns gerne unterstellen. Aber lassen wir doch dieses unnötige Geplänkel, sondern berichten Sie lieber Herrn Harms und mir, was Sie bisher herausgefunden haben. Am besten setzen wir uns dazu hin, ich war nämlich heute Morgen bereits zwei Stunden joggen, danach bin ich eine Runde im Pool geschwommen, und anschließend habe ich mir noch eine Sauna gegönnt, ich bin ziemlich erschossen.«

»Das ist Bruhns auch, sogar noch etwas erschossener, wenn ich mir diese Bemerkung erlauben darf«, entgegnete Santos, die Rüters arrogantes Auftreten kaum ertrug. Ihr war es vollkommen gleichgültig, wie sportlich Rüter war, besonders nach den Stunden, die sie und Henning hinter sich hatten.

»Frau Santos, Frau Santos, Ihre Schlagfertigkeit ist umwerfend. Aber bitte, jetzt nehmen Sie doch Platz!« Rüter deutete auf die Stühle in dem Konferenzzimmer, in dem es spätestens morgen von Beamten bei der Einsatzbesprechung nur so wimmeln würde. Ein großer Fall, einer der größten überhaupt, auch wenn sie es schon einmal mit einem Serienmörder zu tun gehabt hatten, der als einer der schlimmsten seiner Art in die Kriminalgeschichte eingegangen war. Aber bei Bruhns lag die Sache anders, er war eine Person des öffentlichen Lebens und genoss somit einen elitären Status, der selbst nach dem Tod erhalten blieb. Aus diesem Grund stand auch der Oberstaatsanwalt auf der Matte, der die Ermittlungen persönlich leiten und überwachen würde, was Rüter in den knapp zwei Jahren, die er im Amt war, noch nie getan hatte. Henning und Santos ahnten, was ihnen bevorstand. Ständige Fragen nach dem Stand der Dinge und die Aufforderung, dass es mit den Ermittlungen doch bitte etwas schneller vorangehen solle …

»Was können Sie bis jetzt sagen?«, fragte Rüter, nachdem sie Platz genommen hatten.

»Wir wurden vor knapp fünf Stunden an einen Tatort gerufen, die Spusi dürfte noch vor Ort sein, Professor Jürgens macht sich gerade über die Toten her, wir waren bei Frau Bruhns und …«

»Alles schön und gut«, wurde er von Rüter mit einer Handbewegung unterbrochen. »Ich möchte Ihren persönlichen Eindruck hören. Was halten Sie von der Sache?«

»Ich halte gar nichts davon, solange ich keinen Anhaltspunkt habe. Fakt ist, dass die Leichen in einer skurrilen Weise aufgebahrt waren. Sind die Fotos schon da?«

Harms nickte. »In meinem Büro«, antwortete er kurz angebunden, es ging ihm sichtlich gegen den Strich, Rüter schon jetzt im Nacken zu haben.

»Wenn Sie die Fotos gesehen haben, brauche ich Ihnen ja nicht mehr viel über den Tatort zu erzählen«, sagte Henning, während er die Beine übereinanderschlug und die Hände hinter dem Nacken verschränkte.

»Ich möchte trotzdem aus Ihrem Mund hören, wie Sie die Sache sehen. Oder ist das zu viel verlangt?«

»Es ist zu viel verlangt, weil wir die Sache, wie Sie es nennen, noch gar nicht sehen«, antwortete Henning mit einem leicht aggressiven Unterton, beugte sich vor, faltete die Hände und sah den Oberstaatsanwalt herausfordernd an, ein Blick, dem dieser mühelos standhielt.

»Wir haben noch nicht den geringsten Anhaltspunkt, wer der Täter sein könnte, wir wissen nicht, in welchem Umfeld er zu suchen ist, wir wissen nicht, ob es einer oder zwei oder gar mehrere waren, wir wissen nicht, ob Bruhns seinen oder seine Mörder kannte, wir haben bis jetzt nur zwei Leichen, einen Tatort und die Aussage seiner Frau. Wir müssen ihr Alibi noch überprüfen, möchten aber fast ausschließen, dass sie mit dem Mord etwas zu tun hat. Und wir wissen nicht, was Bruhns gestern Abend getan hat, nachdem er aus Hamburg zurückgekommen ist …«

»Was meinen Sie damit?«, wurde er von Rüter unterbrochen. »Was hat er in Hamburg gemacht?«

Henning lehnte sich zurück. »Er hatte eine Livesendung, die laut Aussage eines Beamten, der einer der Ersten vor Ort war, bis etwa halb zehn dauerte …«

»Etwa halb zehn? Was sagt Frau Bruhns denn?«

»Sie hat die Sendung nicht gesehen, wie sie uns versicherte. Darf ich fortfahren?«

»Bitte.«

»Danach scheint er sich gleich verabschiedet, in seinen Hubschrauber gesetzt zu haben und nach Schönberg gedüst zu sein oder besser nach Holtenau und von dort mit dem Wagen nach Schönberg. Davon gehen wir jedenfalls zum jetzigen Zeitpunkt aus …«

»Woraus schließen Sie das?«

»Aus der Untersuchung, die Professor Jürgens am Tatort durchgeführt hat. Demzufolge wurden Bruhns und seine junge Begleiterin zwischen Mitternacht und zwei Uhr morgens getötet. Kann natürlich auch sein, dass er vorher noch woanders war, das halte ich jedoch für eher unwahrscheinlich. Geben Sie uns ein paar Stunden, dann wissen wir sicher mehr. Wie gesagt, wir haben zwei Tote vorgefunden, aber keinen Abschiedsbrief oder sonst etwas, was uns in irgendeiner Form einen Hinweis geben könnte, dass es sich nicht um Mord handelt, auch wenn Professor Jürgens Schmauchspuren an Bruhns' Hand gefunden hat. Geben Sie uns doch freundlicherweise die Gelegenheit, erst einmal die Dinge zu analysieren.«

»Moment, nicht so schnell. Was heißt das, Schmauchspuren an Bruhns' Hand?«

»Fragen Sie Professor Jürgens, er hat das noch am Tatort festgestellt. Uns gegenüber hat er angedeutet, dass er die Schmauchspuren für inszeniert hält, so wie der ganze Tatort eine einzige große Inszenierung ist, wie auf den Fotos unschwer zu erkennen ist. Da hat jemand ganze Arbeit geleistet, und es scheint ihm eine diebische Freude bereitet zu haben, das alles so herzurichten.«

»Herr Henning, Sie und ich wissen, dass Bruhns nicht irgendwer war, sondern eine der bekanntesten Persönlichkeiten Deutschlands. Fragen Sie irgendjemanden da draußen, wer unser Außenminister ist, die meisten werden es Ihnen nicht sagen können, weil es sie nicht interessiert oder weil sie Steinmeier und Steinbrück verwechseln. Aber fragen Sie nach Bruhns, jeder kennt ihn, die letzten Umfragen haben gezeigt, dass über neunzig Prozent aller Deutschen ihn kennen. Ob man ihn mag oder nicht, tut dabei nichts zur Sache. Es geht darum, schnellstmöglich den Täter zu finden und ihn der interessierten Öffentlichkeit zu präsentieren.«

»Frau Santos und ich werden alles in unserer Macht Stehende tun, um den Fall so schnell wie möglich aufzuklären, aber Sie müssen uns schon die Gelegenheit geben, in Ruhe zu arbeiten.«

»Selbstverständlich.« Rüter zupfte an seiner Krawatte und fuhr sich mit der Zunge über die Lippen, und da war wieder für den Bruchteil einer Sekunde dieses süffisant-arrogante Lächeln. »Und zwar genau eine Woche lang. In einer Woche will ich wissen, wer hinter dieser Wahnsinnstat steckt, oder zumindest, wer in die engere Wahl gekommen ist. Wie ich gegenüber Herrn Harms bereits betonte, soll es Ihnen an Personal nicht mangeln. Bilden Sie noch heute die Soko Bruhns, dreißig Mann sollten fürs Erste ausreichen.«

Henning atmete dreimal langsam ein und wieder aus, um nicht die Beherrschung zu verlieren, danach sagte er so ruhig, wie es ihm möglich war: »Herr Rüter, wir sind hier nicht im Varieté, sondern bei der Polizei. Wir zaubern keine Kaninchen aus dem Hut, und schon gar keine Mörder …«

»Von Zaubern hat auch keiner gesprochen, ich rede von gezielten Ermittlungen. Bruhns hatte eine Menge Feinde, wobei ich davon ausgehe, dass er sich einen dieser Feinde erst kürzlich geschaffen hat.«

Henning lachte auf, schüttelte den Kopf und sprang auf. »Verzeihen Sie, Herr Rüter, aber ob es sich um einen Feind handelt, den er schon lange oder erst seit kurzem hatte, ist hypothetisch, und wir wollen uns doch nicht auf Hypothesen stützen, sondern Fakten schaffen. Es kann sich genauso gut um jemanden handeln, der seit langem nur auf die Gelegenheit gewartet hat, die sich ihm letzte Nacht dann bot. Außerdem haben wir von Frau Bruhns eine Liste mit sieben Namen erhalten, die wir schnellstmöglich überprüfen werden, angeblich alles Leute, die nicht gut auf Bruhns zu sprechen waren. Vielleicht finden wir ja schon dort den Täter oder den Auftraggeber, denn es kann sich genauso gut um einen Auftragsmord gehandelt haben.«

»Nun, ich will Ihnen nicht vorschreiben, wie Sie zu ermitteln haben, es ist mir auch ziemlich gleich, ich will lediglich einen Erfolg vorweisen können. Ich darf Sie daran erinnern, die meisten Ermittlungen beginnen mit Spekulationen, Theorien und Hypothesen. Allmählich wird sich dann ein Muster herausbilden, aus Hypothesen werden Fakten, und irgendwann hat man den Täter am Haken.«

»Warum setzen Sie uns so unter Druck? Sie wissen selbst, dass in unserem Beruf nichts schädlicher ist als Druck, weil dann die meisten Fehler gemacht werden ...«

»Wir werden unser Bestes tun, Herr Rüter«, meldete sich nun erstmals Harms zu Wort, der merkte, wie es in Henning brodelte, und verhindern wollte, dass sein bester Mann etwas Unbedachtes von sich gab. Auch Santos' Gesicht drückte Wut, aber auch Besorgnis aus, denn dass Rüter innerhalb von sieben Tagen einen Täter forderte, war äußerst ungewöhnlich. Sie hatten in ihrer Abteilung noch nie ein Ultimatum seitens der Staatsanwaltschaft gesetzt bekommen. Harms war ratlos, gab sich nach außen jedoch gelassen und bedacht, er wollte sich Rüter gegenüber keine Blöße geben. Mehr als dreißig Jahre Diensterfahrung hatten ihn gelehrt, Staatsanwälten keine unnötigen Fragen zu stellen und schon gar nicht provokant aufzutreten.

»Davon gehe ich aus«, antwortete Rüter lapidar. »Dürfte ich nun einen Blick auf die Namensliste werfen?«

»Selbstverständlich«, sagte Santos, zog den Zettel aus ihrer Tasche und reichte ihn weiter.

Nachdem Rüter die Namen überflogen hatte, meinte er: »Bis auf einen kenne ich sie alle. Gehen Sie behutsam vor, mit diesen Menschen ist nicht zu spaßen. Zudem verfügt jeder von ihnen über eine Menge Macht, Einfluss und vor allem Geld.« Er betrachtete die Liste erneut und schüttelte den Kopf. »Nein, ich kann mir beim besten Willen nicht vorstellen, dass einer von ihnen etwas mit dem Mord zu tun hat. Aber ich lasse mich gerne überraschen. Halten Sie mich also auf dem Laufenden. Noch etwas: Das Beste ist nicht immer gut genug. Ich verlasse mich auf Sie und Ihre Spürnase, Herr Henning, denn dafür sind Sie ja bekannt.«

Rüter erhob sich, strich sein Jackett gerade und wollte sich umdrehen, als Hennings Stimme ihn zurückhielt: »Verraten Sie mir etwas?«

»Wenn ich die Antwort kenne.«

»Warum diese Eile?«

»Ich dachte, diese Antwort hätte ich Ihnen bereits gegeben. Einen schönen Tag noch.«

»Nein, Sie haben mir die Antwort nicht gegeben. Klar, Bruhns ist vielleicht einer der bekanntesten Männer der Republik. Aber wir werden so lange ermitteln, bis wir den wahren Täter haben. Wenn es statt sieben Tage sieben Wochen oder gar sieben Monate dauert. Gut Ding will Weile haben. Einen Sündenbock zu opfern, der gar nichts getan hat, das kann doch keiner von uns wollen, oder?«

Rüter kehrte zurück, stützte sich mit beiden Händen auf den Tisch und sah Henning durchdringend an. Er zog die linke Augenbraue hoch und sagte: »Ich weiß nicht, was Sie mir unterstellen wollen, aber Sie sollten Ihre Wortwahl überdenken.«

»Ich unterstelle Ihnen gar nichts, das würde ich mir niemals anmaßen. Aber sieben Tage sind hundertachtundsechzig Stunden, und das für einen Mordfall, in dem es wahrscheinlich Hunderte von Verdächtigen gibt, neben den sieben, die uns Frau Bruhns aufgeschrieben hat.«

»Herr Henning, es bleibt dabei, sieben Tage. Sollten Sie bis zum nächsten Sonntagmittag keine brauchbaren Ergebnisse vorweisen können, müssen wir uns etwas anderes überlegen, wenn Sie verstehen, was ich meine. Ich denke, ich habe mich klar genug ausgedrückt. Momentan sind Sie der Leiter der Soko Bruhns. Und als solcher genießen Sie mein vollstes Vertrauen.«

»Ihr Vertrauen ehrt mich, aber vielleicht haben Sie schon einen Vorschlag, in welcher Richtung wir ermitteln sollen, das würde uns die Arbeit mächtig erleichtern«, konterte Henning, ohne den Sarkasmus in seiner Stimme unterdrücken zu können.

»Für die Ermittlungen sind allein Sie und Ihre Abteilung zuständig. Ich erwarte lediglich, auf dem Laufenden gehalten zu werden und schnellstmöglich Ergebnisse auf den Tisch zu bekommen.«

»Wir werden Sie selbstverständlich informieren, das tun wir doch immer, wenn Sie es verlangen. Aber um keine Zeit zu vergeuden, wäre es vielleicht angebracht, wenn wir gleich an die Arbeit gehen, bis nächsten Sonntag bleiben uns noch hundertachtundsechzig Stunden, aber das habe ich ja eben schon mal betont. Verdammt wenig Zeit.«

»Ich sage Ihnen noch etwas, Herr Henning, und dann ist dieses Gespräch für mich beendet. Auch wenn es zynisch klingen mag, aber wir haben es hier nicht mit Lieschen Müller zu tun, sondern mit Peter Bruhns. Es gibt nun mal Menschen, die auch über den Tod hinaus eine Sonderbehandlung verdient haben. Bruhns gehört dazu, auch wenn ich es selbst nicht gutheiße, das können Sie mir glauben. Doch auch ich bin an Anweisungen gebunden. Ich hoffe, Sie haben mich jetzt verstanden. Herr Harms, könnte ich Sie bitte kurz unter vier Augen sprechen?«, sagte Rüter in einem Ton, der keinen Widerspruch duldete.

»Natürlich, gehen wir in mein Büro.«

Als die beiden Männer das Konferenzzimmer verlassen hatten, sagte Henning zu Santos: »Sag mal, was war das denn eben? Bin ich hier im falschen Film? Oder habe ich irgendwas verpasst?«

»Keine Ahnung, aber du hast den werten Herrn Rüter ziemlich verärgert.«

»Ich ihn verärgert? Entschuldige mal, aber der verdammte Mistkerl hat mich verärgert! Oder kommt dir das nicht auch arg spanisch vor, dass wir nur sieben Tage Zeit haben, um …«

»Mann, hast du nicht gemerkt, dass mir auch fast der Kragen geplatzt ist? Nur ich habe mich im Gegensatz zu dir unter Kontrolle …«

»Du hast mich wohl noch nicht erlebt, wenn ich mich nicht unter Kontrolle habe, ich …«

»Doch, habe ich. Mensch, Sören, du hättest dich wenigstens ein bisschen zurücknehmen können. Du kennst doch Rüter und seine arrogante Art. Er spielt damit, und du lässt dich auch noch auf das Spiel ein. Ein einfaches Ja, und er wäre zufrieden gewesen. Aber du musst immer gleich Kontra geben. Werd endlich erwachsen!«

Henning winkte entnervt ab: »Jetzt auch noch du! Dieser Fachidiot ist gerade mal Ende dreißig und macht hier einen auf großen Macker. Der kennt vielleicht alle Gesetzestexte auswendig, aber von unserer Arbeit versteht der rein gar nichts. Der konnte doch nur schon mit sechsunddreißig Oberstaatsanwalt werden, weil sein Vater im Bundestag sitzt. So einen alten Herrn hätte ich auch mal gern gehabt.«

»Um so zu werden wie Rüter? Dann wären wir beide nicht zusammen, darauf kannst du Gift nehmen. Wir können Rüter nicht leiden, aber wir müssen uns wohl oder übel seinen Anweisungen beugen. Machen wir doch das Beste draus.«

»Was ist denn das Beste? Ich sag's dir – er will einen Täter, und ich habe das dumpfe Gefühl, ihm ist scheißegal, ob es der Richtige ist, Hauptsache, wir können jemanden präsentieren. Es wäre ja nicht das erste Mal in diesem Land, dass jemand für etwas verurteilt wird, was er nicht getan hat. Du brauchst nur den Fall der kleinen Mandy aus der

Nähe von Hof in Oberfranken zu nehmen, für den ein geistig Minderbemittelter in den Knast gewandert ist, obwohl man ihre Leiche nie gefunden hat und sich die Hinweise verdichten, dass sie noch am Leben ist. Bei so was spiele ich aber nicht mit …«

»Nun, in unserem Fall haben wir fraglos eine Leiche, besser gesagt zwei«, wurde Henning von Santos verbessert. »Aber ich weiß, worauf du hinauswillst, und ich vermute auch, dass ihm ein Bauernopfer, auch wenn der Begriff vielleicht nicht ganz passend ist, nicht ungelegen käme. Es wäre zum einen medienwirksam, die Öffentlichkeit hätte wieder Futter, und es könnte seiner Karriere einen weiteren Schub verleihen.«

»Okay, lassen wir das, ich will Rüter nichts unterstellen. Die Angehörigen von Kerstin Steinbauer müssen informiert werden, vielleicht kannst du mal die Kollegen in Düsseldorf …«

»Hätte ich eh gleich getan. Und weiter?«

»Und dann will ich wissen, was Bruhns gestern nach seinem Auftritt gemacht hat. Wann und mit wem er das Studio verlassen hat, wann er in Kiel eingetroffen ist und so weiter. Ich will über jeden Schritt Bescheid wissen, den der werte Herr getan hat. Ich will vor allem wissen, wie er die Kleine kennengelernt hat, ich will wissen, ob die beiden zum ersten Mal allein in seinem Haus waren, ich will wissen, wer seine ärgsten Feinde waren …«

»Jetzt mach mal halblang, okay? Eins nach dem anderen. Was glaubst du, haben Rüter und Harms zu besprechen?«

Henning zuckte die Achseln. »Es geht um mich, um meine Aufsässigkeit und, und, und. Rüter und ich, das funktioniert nicht. Hat es noch nie.«

»Gerade deswegen könntest du hin und wieder auch ein

bisschen diplomatischer sein, wenn du mit ihm zu tun hast. Aber du brauchst ihn nur zu sehen, und schon schnaubst du wie ein wild gewordener Stier. Du kennst doch diesen Idioten und den Ruf, der ihm vorauseilt. Du hättest nur schön brav zu allem ja und amen zu sagen brauchen, und schon wäre er zufrieden hier rausstolziert.«

»Nee, Lisa, so einfach ist das nicht. Der kam von Anfang an mit einer Forderung, und das ist nicht normal. Noch nie hat uns ein Staatsanwalt eine Frist für unsere Ermittlungen gesetzt. Noch nie, hörst du! Ich bin wahrlich lange genug im Geschäft und habe mit vielen Staatsanwälten zu tun gehabt. Aber so was ist mir bisher nicht untergekommen. Wir können doch nicht auf Knopfdruck einen Täter präsentieren, wo gibt's denn so was?! Ich mach das nicht mit, mir hat der eine Fehler gereicht, und an dem werde ich noch ewig zu knabbern haben. Soll er sich einen anderen Schwachkopf suchen …«

»Halt doch mal den Ball flach«, versuchte Santos ihn zu besänftigen. »Vielleicht ist es ganz einfach, und wir haben den Täter innerhalb der nächsten paar Stunden. Lass uns wenigstens die sieben Tage nutzen. Wir wollen Rüter doch keinen Triumph gönnen, bevor das Rennen nicht zu Ende ist.«

»Rüter steht ein ganzes Stück über uns, und was er sagt, hat Gewicht. Dieses gottverdammte Arschloch!«, sagte Henning mit einem Hauch Resignation, aber auch Wut in der Stimme. Er hielt kurz inne und fuhr bitter fort: »Er sagt hopp, und wir haben zu springen. Und was tun wir? Wir springen. Und wie wir springen …«

»Stimmt«, fiel ihm Santos ins Wort und machte eine beschwichtigende Geste, »aber denk daran, über ihm gibt es auch welche, die ihm vorschreiben, was er zu tun hat. Es ist ein elendes Spiel innerhalb der Hierarchien, gegen das wir machtlos sind.«

»Das tröstet mich nun aber. Soll ich dir was sagen? Das ist mir so was von egal. Hör zu, wir machen unseren Job, und damit basta. Wenn Rüter meint, der Fall müsse innerhalb einer Woche geklärt sein, und wir schaffen das nicht, sollen sich doch andere den Arsch aufreißen. Er wird schon sehen, was er davon hat.«

»Nee, diesen Gefallen werden wir ihm nicht tun. Auch wenn wir rund um die Uhr arbeiten, wir werden den Kerl finden, der Bruhns und die Kleine umgebracht hat. Es sei denn, du willst kneifen.«

»Quatsch, ich will nicht kneifen, du kennst mich doch. Ich will mich nur nicht dem Diktat eines Oberstaatsanwalts beugen, das ist alles. Wir ermitteln, wir halten ihn auf dem Laufenden, mehr kann er nicht erwarten.«

»Na also, geht doch«, sagte Santos und lächelte. »Jetzt mach wieder ein freundliches Gesicht und vergiss Rüter.«

Henning erhob sich, stellte sich ans Fenster und sah hinaus auf das triste Kiel. Die Gedanken wirbelten ihm durch den Kopf, bis die Tür aufging und Harms hereinkam. Henning drehte sich um und stützte sich mit beiden Händen an der Fensterbank ab.

»Was wollte Rüter?«, fragte Santos, kaum dass Harms die Tür hinter sich geschlossen hatte.

»Nur, dass ich ein Auge auf euch haben soll. Er hat sich über dich beschwert«, sagte er zu Henning. »Er ist der Auffassung, du hättest Probleme mit Autoritäten.«

»Oh, jetzt fang ich aber an zu zittern. Wie kommt er denn darauf?«

»Das weißt du selbst ganz genau, aber ich habe ihm zu verstehen gegeben, dass ich meine Hand für dich ins Feuer lege. Ich hoffe, ich verbrenne sie mir nicht.«

»Danke, Volker. Und keine Sorge, deine Hand bleibt unversehrt. Aber das mit der Frist ...«

»Tja, ich habe versucht, ihm klarzumachen, dass das so nicht läuft und wir keine Roboter sind. Leider hat er meine Argumentation nicht akzeptiert oder nicht akzeptieren wollen, aber er war nicht einmal zu einem Kompromiss bereit. Ihr habt sieben Tage und keinen Tag länger. Weiß der Geier, was in seinem Kopf vorgeht. Aber um keine Zeit zu verlieren, sollten wir uns an die Arbeit machen. Ich stelle die Mannschaft zusammen, Rüter hat allerdings auch noch zehn Leute, die er uns zuteilen will, sie werden morgen früh bei der ersten Einsatzbesprechung hier sein.«

»Meinetwegen, je mehr, desto besser. Vielleicht schaffen wir es ja tatsächlich bis zum nächsten Sonntag. Lisa, rufst du in Düsseldorf an?«, fragte Henning.

»Hatte ich gleich vor. Ich würde aber gerne persönlich mit den Angehörigen und Freunden der jungen Dame sprechen. Du nicht auch? Ich möchte wissen, ob irgendjemand aus ihrem Umfeld von der Affäre mit Bruhns wusste.«

»Zumindest die engsten Angehörigen werden sowieso hierherkommen müssen, um ihre Tochter, Schwester oder was immer zu identifizieren.«

»Okay, dann sind wir einer Meinung. Vielleicht kriegen wir so raus, wie Bruhns immer wieder an seine jungen Hüpfer geraten ist. Der alte Sack und das Mädchen.«

»Ist doch nicht ungewöhnlich«, warf Harms ein. »Schaut euch Berlusconi an, der ist über siebzig und treibt's mit Achtzehnjährigen. Hast du Geld und Macht, kriegst du, was du willst, auch junge Frauen, die alles tun, wenn sie ein winziges Stück vom Kuchen abbekommen und in den Medien erwähnt werden.«

Henning zuckte die Schultern. »Wisst ihr was? Das interessiert mich einen feuchten Dreck. Bruhns interessiert mich eigentlich auch relativ wenig, es geht mir um die Kleine. Warum musste sie dran glauben? Okay, sie hat mit einem älteren Mann gevögelt oder hatte es vor, aber das ist noch längst kein Grund, sie umzulegen, es sei denn, ein eifersüchtiger Freund hat die Morde begangen, was ich aber für ziemlich unwahrscheinlich halte. Wie hätte er denn auf das Grundstück gelangen sollen? Nein, das Motiv liegt woanders. Wir warten noch ab, was die KTU und Jürgens uns zu sagen haben. Für heute reicht's. Es sei denn, euch fällt noch was ein.«

»Wir machen Schluss«, sagte Harms mit Blick auf die Uhr. »Morgen legen wir richtig los. Ach ja, bevor ich's vergesse, Rüter wird heute um sieben eine Pressekonferenz abhalten. Er meint, die Öffentlichkeit hat das Recht, zu erfahren, was mit Bruhns passiert ist.«

»Ja, ja, die Öffentlichkeit«, sagte Henning mit einem hämischen Lächeln. »Ich sehe schon die Schlagzeilen vor mir: Starproduzent Peter Bruhns kaltblütig ermordet. Oder so ähnlich. Ich könnte kotzen!«

»Du weißt ja, wo die Toiletten sind«, bemerkte Harms emotionslos. »Halt dich zurück, wir sind nur die Ermittler und damit jederzeit austauschbar. Kapiert?«

»Kapiert, Boss. Ich will mir noch mal die Fotos ansehen. Ich habe zwar vorhin schon versucht, mir ein Bild zu machen, aber irgendwas am Tatort hat mich gestört, ohne dass ich sagen könnte, was. Lisa, was haben wir übersehen?«

Sie dachte eine Weile nach. »Ich weiß nicht, was du meinst.«

Henning setzte sich auf die Tischkante und sagte: »Schau mal, das Grundstück in Schönberg ist zwar nicht ganz so massiv gesichert wie das in Kiel, aber es ist für einen Einbrecher trotzdem ziemlich schwer, dort reinzukommen. Da wir einen erweiterten Suizid so gut wie ausschließen können, bedeutet das doch, dass irgendjemand Zutritt zum Haus gehabt haben muss, den Bruhns kannte. Jemand, dem Bruhns vertraute, dem er nie etwas Böses unterstellt hätte. Ein Freund, der am Ende gar nichts Freundliches im Sinn hatte. Oder jemand, der sich über einen längeren Zeitraum Bruhns gegenüber als Freund ausgab, obwohl er von Anfang an vorhatte, ihn umzubringen. Das würde auch erklären, warum die Überwachungsbänder verschwunden sind. Der Täter muss sich im Haus ausgekannt haben, denn das Aufzeichnungsgerät war relativ gut versteckt.«

»Alles gut und schön«, warf Santos ein, »aber Bruhns hatte doch ganz offensichtlich vor, mit dieser Kerstin eine Nummer zu schieben, und da lässt man doch nicht mal den besten Freund mitten in der Nacht ins Haus.«

»Wer sagt uns denn, dass Bruhns die Kleine mitgebracht hat? Vielleicht war es ja auch unser großer Unbekannter. Hier sind noch viel zu viele Fragen offen, als dass man eine Richtung erkennen könnte. Ich will wissen, wann Bruhns gestern Abend Hamburg verlassen hat, wann er in Kiel beziehungsweise in Schönberg angekommen ist, ich will wissen, ob die junge Frau mit ihm kam oder ob er Besuch erwartet hat, von einer oder mehreren Personen. Ich will über jede Sekunde Bescheid wissen, die er von gestern Abend bis zu seinem Tod verbracht hat. Dann will ich wissen, was für ein Mensch Bruhns gewesen ist, wer seine Feinde waren, seine Freunde, seine Mitarbeiter und so weiter und so fort. Ich will alles, alles, alles wissen. Nur so kommen wir dem Täter auf die Spur.«

»Oder der Täterin«, sagte Santos. »Seine Frau ist ja ganz nett, aber du weißt so gut wie ich, was Hass bei Frauen bewirken kann. Oder hast du sie von deiner Liste schon gestrichen? Sie ist bildhübsch, attraktiv …«

»Lisa, red nicht so einen Quatsch! Aber wenn sie tatsächlich die halbe Nacht mit ihrer Schwester telefoniert hat, kann sie's ja wohl schlecht gewesen sein. Es sei denn, sie hat jemanden angeheuert, ihren Mann um die Ecke zu bringen.« Er dachte einen Moment nach. »Was ich aber nicht glaube. Hast du dir die Frau mal genau angeschaut? Die wäre meines Erachtens nicht fähig, ihren Mann von einem Auftragskiller beseitigen zu lassen, auch wenn sie ihn noch so sehr hasst. Außerdem würde sie ihre Tochter niemals im Stich lassen. Hast du gesehen, wie sie mit ihr umgegangen ist? Mit Zähnen und Klauen würde sie die verteidigen. Diese Frau ist eine Kämpferin, aber ganz sicher keine Mörderin. Dass sie nicht die trauernde Witwe rausgehängt hat, spricht ebenfalls für sie. Sie war offen und ehrlich uns gegenüber, was ihre schwierige Beziehung zu ihrem Mann angeht. Ich müsste mich schon schwer täuschen, wenn sie doch etwas mit seinem Tod zu tun haben sollte. Ist aber nur ein Bauchgefühl.«

»Also gut, lassen wir das jetzt erst mal so stehen«, sagte Harms. »Die Fotos liegen drüben auf meinem Tisch. Was immer ihr noch vorhabt, ich fahre nach Hause und bereite mich mental auf morgen vor, das heißt, ich erstelle einen Schlachtplan. Solltet ihr neue Informationen reinkriegen, ich bin rund um die Uhr erreichbar, allerdings nur auf dem Handy.«

»Bis dann«, murmelte Henning und sah Harms gedankenverloren nach.

»Was geht in deinem Kopf vor?« Santos hatte sich neben Henning gestellt. »Was bereitet dir mehr Sorgen, der Fall oder Rüter?«

»Sorgen bereitet mir gar nichts, ich denke nur nach.

Komm, werfen wir einen Blick auf die Fotos, und dann versuchen wir herauszufinden, wann Bruhns gestern den Sender verlassen hat. Als Nächstes nehmen wir uns die Liste unserer potenziellen Verdächtigen vor. Oder hast du für heute Abend etwas anderes geplant?«

Sie gingen in Harms' Büro, nahmen den Stapel Fotos und breiteten sie auf dem Tisch aus. Eine Weile schwiegen sie, bis Santos sagte: »Das bringt uns nicht weiter. Ich ruf in Düsseldorf an.«

Sie suchte die Nummer heraus und griff zum Hörer. Nach zwei Minuten legte sie auf: »Die kümmern sich drum, melden sich nachher aber noch mal. Ich müsste dringend was essen, bevor wir weitermachen.«

»Sicher«, murmelte Henning, der die Fotos wieder zu einem Stapel zusammengeschoben hatte. Sie blieben noch eine halbe Stunde und wollten bereits das Büro verlassen, als das Telefon klingelte. Auf dem Display war keine Nummer zu erkennen.

»Henning, K 1.«

»Sie bearbeiten den Fall Bruhns?«, fragte eine männliche Stimme.

»Sind Sie von der Presse?«

»Nein, aber es geht um Bruhns. Sein Mörder ist in Bruhns' Umfeld zu finden.«

»Und der Name?«

»Mehr Informationen bekommen Sie nicht von mir.«

»Wenn Sie ihn kennen, müssen Sie doch auch einen Namen für mich haben. Oder ist das nur Wichtigtuerei? Vielleicht sind Sie nur ein kleiner, mieser Trittbrettfahrer, der unsere Arbeit behindern will?«

Der Anrufer räusperte sich und ließ einen Moment verstreichen, bevor er antwortete: »Weder noch. Alles, was Sie suchen, finden Sie in Bruhns' Umgebung.«

»Und wer sind Sie, wenn ich fragen darf?«, blaffte ein äußerst gereizter Henning den Anrufer an.

»Mein Name tut nichts zur Sache. Forschen Sie doch mal nach, was in den letzten Monaten bei Bruhns so vorgefallen ist. Viel Glück. Und einen schönen Gruß an Ihre bezaubernde Kollegin.«

»Warten Sie …«

Zu mehr kam Henning nicht, der Anrufer hatte bereits aufgelegt.

»War das etwa wieder …?« Santos warf einen fragenden Blick auf den nachdenklich wirkenden Henning.

Henning nickte. »Da hat eben jemand behauptet, jemand aus Bruhns' Umfeld habe ihn umgelegt. Wir sollen uns mal in Bruhns' Umgebung schlaumachen. Ich schätze, da will uns einer auf den Arm nehmen.«

»Meinst du nicht, dass da etwas dran sein könnte?«

»Woher soll ich das wissen?«, fuhr Henning seine Kollegin schärfer an als gewollt und warf ihr gleich darauf einen entschuldigenden Blick zu. »Tut mir leid. Ich bin eben immer misstrauisch, wenn jemand anonym vage Behauptungen in den Raum stellt. Vielleicht war's ja derselbe Anrufer wie vorhin bei dir. Ich soll dir jedenfalls einen schönen Gruß ausrichten.«

»Dann war er's wohl. Wieso hast du nicht auf laut gestellt?«

»Sorry, daran habe ich gar nicht gedacht.«

»Schon gut. Bruhns' Umfeld, du meine Güte, wie groß ist das? Das können Angehörige, Verwandte, Freunde, Bekannte, Mitarbeiter, das können Tausende sein. Wir fragen im Sender nach …«

»Das machen nicht wir, das sollen mal schön unsere Hamburger Kollegen übernehmen. Wir konzentrieren uns auf Kiel und Umgebung, das wird schon schwierig genug.«

116

»Komm, lass uns was essen, ich kann sonst nicht mehr klar denken«, sagte Santos. »Außerdem will ich gleich mal bei meinen Eltern anrufen, die denken sonst noch, ich bin verschüttgegangen.«

»Weißt du was?«, sagte Henning, fasste Santos bei den Schultern und sah ihr tief in die Augen. »Wir machen Feierabend. Morgen teilen wir die Teams ein, jeder bekommt seine Aufgaben zugewiesen und so weiter und so fort. Wir beide können heute sowieso nichts mehr ausrichten. Im großen Team wird's leichter sein.«

Santos atmete auf. »Danke, dass du meine Gedanken erraten hast. Ich dachte schon, du wolltest wieder die ganze Nacht durcharbeiten.«

»Es gibt auch noch ein Privatleben. Gehen wir.«

Sie waren zu Hause angekommen und betraten die Wohnung, als Santos' Handy klingelte. »Santos.«

»Koslowski, Kripo Düsseldorf, wir haben vorhin telefoniert. Es geht um diese Kerstin Steinbauer. Die junge Frau hat keine Angehörigen, sie ist in einem Waisenhaus aufgewachsen und lebte seit gut einem Jahr allein in einem luxuriösen Apartment in einem unserer besten Viertel. Alles darin ist vom Feinsten – so haben es die Kollegen berichtet. Wir werden versuchen herauszufinden, woher sie das viele Geld hatte. Außerdem werden wir ihren Freundes- und Bekanntenkreis unter die Lupe nehmen, vorausgesetzt, sie hatte überhaupt einen. Es könnte ja auch sein, dass sie ihr Geld mit Prostitution gemacht hat, was aber auch relativ leicht rauszufinden sein dürfte. Genaueres erfahrt ihr noch. Das wollte ich nur schnell durchgeben.«

»Danke. Wird ihre Wohnung schon untersucht?«

»Die Spusi ist schon dort, ich fahr auch gleich mal mit meinem Kollegen hin. Ich melde mich auf jeden Fall, sollten wir etwas Fallrelevantes finden.«

»Das wäre nett. Danke für die Kooperation.«

»Ist doch selbstverständlich. Schönen Abend noch und tschüs.«

»Tschüs.«

Santos steckte ihr Handy in die Tasche und erzählte Henning, was sie erfahren hatte. »Jetzt frag ich mich nur, wie kommt ein solches Mädchen an so viel Geld, und wie hat sie Bruhns kennengelernt? Oder umgekehrt, wie kommt Bruhns an ein solches Mädchen?«

»Vielleicht ist sie auf den Strich gegangen.«

»Falls sie 'ne Edelnutte war, könnte sie natürlich so an Bruhns geraten sein. Andererseits, glaubst du, der war der Typ für Nutten? Der wollte seinen Spaß umsonst und hat ihn auch gekriegt. Außerdem, wie eine Professionelle sah die Kleine nun wirklich nicht aus.«

»Wie sieht denn eine Professionelle aus? In Zeiten der Weltwirtschaftskrise macht Mann und Frau doch alles für Geld – auch die Beine breit, wenn's sein muss. Als Waise lernst du früher als andere die Spielregeln des Lebens. Vielleicht war sie einfach nur clever. Eine Nacht mit Bruhns hätte ihr womöglich zwei- oder dreitausend Euro gebracht. Oder auch mehr. Dafür muss meine Oma lange stricken.«

»Du hast gar keine Oma mehr, Sören. Ich glaube außerdem nicht, dass Kerstin eine Hure war.«

»Und wenn doch?«, fragte Henning, während er sich die Hände wusch.

»Ich glaub's einfach nicht. Aber falls du recht haben solltest, wovon ich nicht ausgehe, wird sie außer mit Bruhns auch noch mit anderen Promis oder solchen, die sich dafür halten, in die Kiste gesprungen sein. Warten wir ab, was die Kollegen aus Düsseldorf herausfinden. Einverstanden?«

Hans Schmidt hatte bis neun Uhr geschlafen, seine Übungen absolviert, gefrühstückt und danach Maria angerufen. Er fühlte sich gut, tippte ein paar Notizen in sein Notebook, loggte sich ins Internet ein und sah seine E-Mails durch. Um zwölf Uhr ging er in sein Lieblingsrestaurant direkt an der Kieler Förde, wo er an dem für ihn reservierten Tisch mit herrlichem Blick übers Wasser Platz nahm. Er kannte den Inhaber seit vielen Jahren, sie unterhielten sich freundschaftlich ein paar Minuten bei einem Glas Orangensaft, bis Schmidt die Bestellung aufgab, sein geliebtes Pilzomelett. Das Rezept wurde von dem Inhaber wie ein Schatz gehütet, und alle Überredungskunst hatte nichts genutzt, Hans Schmidt würde dieses Rezept nie bekommen.

Um Viertel nach eins fuhr er zu einer Verabredung mit einem ehemaligen Studienkollegen, der es durch Börsenspekulationen und Insidergeschäfte zu beträchtlichem Wohlstand gebracht hatte. Die Finanzkrise war an ihm spurlos vorübergegangen, da er rechtzeitig in werterhaltende Objekte investiert hatte.

Es war ein ruhiger und entspannter Tag, so wie er es geplant hatte.

Um halb sieben kehrte er nach Hause zurück. Um neunzehn Uhr schaltete er die Fernsehnachrichten ein. Die Meldung, dass der bekannte Musikproduzent Peter Bruhns gestorben sei, quittierte er mit einem Lächeln. Von einer Stellungnahme der Polizei oder Staatsanwaltschaft war noch keine Rede. Dafür in den Nachrichten um zwanzig Uhr. Oberstaatsanwalt Rüter trat vor die Kameras und Mikrofone. Über die genaue Todesursache wollte er noch keine Erklärung abgeben, doch es wurde davon ausgegangen, dass es sich um ein Verbrechen handelte. Kein Wort jedoch von der jungen Frau, die Schmidt zusammen mit Bruhns getötet hatte. Er wusste, warum man sie verschwieg, es hätte Bruhns' Ansehen weiter beschädigt. Ihm war es gleich. Kerstin Steinbauer hatte sich ihr frühes Ableben selbst zuzuschreiben, doch das würden Henning und Santos noch herausfinden.

Nach den Nachrichten hörte er Musik, legte die Beine hoch und schloss die Augen. Vor ihm lagen schwierige Tage und vor allem Nächte, die seine vollste Konzentration erfordern würden. Um einundzwanzig Uhr griff er zu seinem Mobiltelefon, wählte eine vierzehnstellige Nummer, ließ es einmal läuten, wählte erneut und wartete, bis wie vereinbart nach dem dritten Klingeln abgenommen wurde.

»Hallo«, meldete sich eine rauchige weibliche Stimme.

»Hallo. Wie geht es dir?«

»Blendend, danke der Nachfrage. Und dir?«

»Ich denke, du hast erfahren, was passiert ist. Traurig, nicht?«

»Ja, sehr traurig, mir bricht es fast das Herz. Aber musste das mit der Frau sein?«

»Ja, es ging nicht anders, aber das werde ich dir noch erklären. Ich melde mich übermorgen wieder. Du weißt ja, die Geschäfte laufen momentan nicht so besonders, da sind Verhandlungen immer aufwendig und nervenaufreibend.«

»Ja, ich weiß. Wie geht's deiner Mutter?«

»Den Umständen entsprechend gut. Allerdings scheint das nur das letzte Aufbäumen zu sein. Ich werde mich um sie kümmern, bis es so weit ist.«

»Nach all dem Leiden wird es das Beste sein. Sie freut

sich bestimmt, dich bei sich zu haben, vor allem in ihrer letzten Stunde. Ich wünsche dir viel Erfolg bei deinen Verhandlungen und die nötige Ruhe und Gelassenheit. Denk an das Sprichwort – in der Ruhe liegt die Kraft. Danke, dass du mich auf dem Laufenden hältst.«

»Das hatten wir so ausgemacht. Bis übermorgen, es kann allerdings sehr spät werden.«

»Ich gehe nie früh zu Bett, das weißt du doch. Pass auf dich auf.«

»Das sagst du bei jedem Telefonat. Keine Sorge, ich passe immer auf. Nun schlaf gut. «

»Warte. Was für eine Strategie hast du diesmal?«

»So etwas gebe ich niemals vorher preis, da bin ich abergläubisch. Es könnte was schiefgehen, du weißt schon, was ich meine. Das wollen wir doch beide nicht, oder?«

»Nein, das wollen wir nicht. Ach ja, unsere Freunde waren diesmal sehr schnell, viel schneller, als erwartet. Ich hab's eben im Fernsehen gesehen.«

»Ach komm, als wenn du das nicht vorher schon gewusst hättest«, entgegnete Schmidt schmunzelnd. »Und wen interessiert das? Der Bösewicht steht doch ohnehin schon fest, sie warten nur auf den richtigen Zeitpunkt, ihn … du weißt schon, was ich meine …«

»Nun, ich denke, sie werden kurzen Prozess machen. Ich erwarte deinen Anruf übermorgen.«

»Bis dann.«

Nach dem Telefonat legte er eine andere CD ein, Debussy, und nahm das Buch zur Hand, das er seit Jahren im Regal stehen und nie gelesen hatte, *Der alte Mann und das Meer* von Hemingway. Er las die Geschichte in einem Rutsch. Als er geendet hatte, dachte er, der alte Mann, das bin ich, aber es gibt einen Unterschied zwischen Santiago und mir: Ich werde den Kampf nicht verlieren. Und die Haie werde ich alle töten. Das verspreche ich.

Er stellte das Buch zurück, machte die Musik aus und ging nach oben. Er war müde und erschöpft, obwohl er an diesem Tag nicht viel getan hatte. Es ist die Kälte, dachte Schmidt auf dem Weg ins Bad, wo er sich wusch, die Zähne putzte und sich wie jeden Abend mit beiden Händen durch das kurzgeschnittene Haar fuhr. Ein letzter Blick in den Spiegel, bevor er sich umdrehte und das Licht löschte. Er ging zu Bett. Schmidt lag kaum zwei Minuten auf dem Rücken, als er schon schlief.

Und wenn er am Morgen aufwachte, würde er noch genauso daliegen. Er ruhte in sich selbst, denn es gab nichts, das ihn plagte. So würde es auch in Zukunft sein. Wenn es stimmte, was ihm eine Zigeunerin vor nicht allzu langer Zeit nach einem langen Blick in seine Hände prophezeit hatte, würde er steinalt werden und irgendwann friedlich einschlafen. Auch wenn er Wahrsagen für ausgemachten Humbug hielt, so war es doch eine angenehme Vorstellung. Ja, ich werde steinalt, ich bin gesund, ich halte mich fit, was soll mir passieren? Viele kennen Hans Schmidt, aber wer ich wirklich bin, das weiß niemand. Ich bin im Vorteil. Wie immer.

SONNTAG, 21.30 UHR

Assistiert von Dr. Claudia Bartels, einer jungen und sehr engagierten Rechtsmedizinerin, hatte Professor Jürgens die Obduktion von Peter Bruhns und Kerstin Steinbauer exakt um 19.37 Uhr beendet. Die während der Obduktion nach einem Gewaltverbrechen obligatorisch anwesende Staatsanwältin hatte sich unmittelbar danach verabschiedet. Jürgens hatte sich in sein Labor zurückgezogen und seine Assistentin gebeten, den Sektionssaal aufzuräumen. Als er nach anderthalb Stunden zurückkehrte, war er erstaunt, dass Claudia Bartels noch da war. Sie stand an den Tisch gelehnt, hatte die Haube abgenommen und das blonde Haar gelockert und sah Jürgens erwartungsvoll an.

»Was willst du hören?«, fragte Jürgens, als könnte er ihre Gedanken lesen, obwohl er seine Kollegin nicht einmal ansah.

Claudia schürzte die Lippen. »Sag du's mir.«

»Einen Teufel werde ich tun.«

»Und warum nicht? Vertraust du mir nicht?«

Jürgens rieb sich die Hände mit einer Creme ein und stellte sich neben sie. »Weißt du, das mit dem Vertrauen ist so eine Sache. Nur weil wir ein paarmal im Bett waren ...«

»Bitte? Ich habe mich wohl verhört. Ein paarmal im Bett, das ist alles? Hey, wenn ich für dich nur eine Bettgeschichte bin, dann ist es zwischen uns hiermit beendet. Aus und vorbei, denn ich steh nicht auf solche Spielchen, Herr Professor, und ...«

»Es tut mir leid, ich habe mich falsch ausgedrückt, manchmal bin ich ein echter Trampel.« Er fasste sie bei den Schultern und blickte ihr tief in die blauen Augen. »Ich habe mich in dich verliebt, als du vor einigen Monaten zum ersten Mal durch diese Tür getreten bist, schon da hast du mir den Verstand geraubt. Das ist die reine Wahrheit, so wahr mir Gott helfe.«

»Das soll ich dir glauben?«, fragte sie, als wollte sie seine Worte noch einmal hören und genießen.

»Ja, genauso war es: Du kamst rein, hast dich vorgestellt, und ich habe gedacht, mein Gott, was für eine Frau. Es war um mich geschehen. Aber das heißt noch lange nicht, dass wir alle Geheimnisse miteinander teilen. Und ich bin dir auch keine Rechenschaft schuldig, genauso wenig wie du mir. Du weißt, dass mein Ton hin und wieder zu flapsig oder aber zu barsch ist, das ist eben meine Art. Du wirst damit leben müssen, wenn du mit mir leben willst. Ich kann dir nur versichern, dass ich mit dir leben möchte.«

»Kein Problem, darüber reden wir noch mal. Aber was für ein Geheimnis sollten wir teilen? Oder war das nur so dahingesagt? Komm, ich bin zwar erst seit einem halben Jahr hier, aber du solltest wissen, dass ich schweigen kann wie ein Grab. Was verschweigst du mir? Hat das was mit Tönnies' Anruf zu tun? Hast du dich deshalb ins Labor zurückgezogen und wolltest nicht mal von mir gestört werden?«

Jürgens rollte mit den Augen und nickte: »Unter anderem. Tönnies und ich haben eine erstaunliche, wenn nicht sogar sensationelle Entdeckung gemacht, aber gedulde dich noch ein wenig. Tönnies hat mich gebeten, seine Info absolut vertraulich zu behandeln. Das kann ich aber nur bedingt, ich muss jemanden einweihen. Deshalb muss ich jetzt sofort telefonieren und mich mit jemandem treffen, auch wenn's schon ziemlich spät ist. Nicht sauer sein, aber hier ist die Kacke gewaltig am Dampfen. Und bitte noch mal: kein Wort zu niemandem, und wenn ich niemand sage, dann meine ich niemand. Wenn unsere werte Frau Staatsanwältin wüsste, was hier los ist, die würde einen hysterischen Schreikrampf kriegen und sofort ihre Kündigung einreichen. Und Rüter würde alles daransetzen, mich und Tönnies loszuwerden.«

»Warum darf ich mit niemandem reden? Du machst mir

Angst, ehrlich«, sagte Claudia Bartels mit besorgter Miene und streichelte ihm über die Wange. »Nur ein kleiner Tipp, damit ich beruhigt bin.«

»Du brauchst keine Angst zu haben, es geht nicht um Leben und Tod, aber doch um eine Riesenschweinerei, deren Ausmaß ich noch nicht abschätzen kann. Nachher reden wir, großes Ehrenwort. Jetzt ist es kurz nach halb zehn. Ich bin hoffentlich so gegen elf bei dir, sollte es früher oder später werden, rufe ich an. Auf jeden Fall erfährst du noch heute alles. Ist das ein Angebot?«

»Meinetwegen. Ich bin schon ganz gespannt.«

»Kein Wort, hörst du?«

Sie hob die rechte Hand. »Ich schwöre es bei allem, was mir heilig ist. Ohne Wenn und Aber. Genügt dir das?«

»Wem sollte ich glauben, wenn nicht dir? Fahr nach Hause, ich muss jetzt wirklich dringend telefonieren.«

»Sicher.«

Claudia Bartels sah ihm nach, bis er die Tür zu seinem Büro zugemacht hatte. Jürgens nahm sein Handy aus der Jackentasche und wählte eine Nummer. Er ließ es fünfmal klingeln und wollte bereits auflegen, als abgenommen wurde.

»Henning.«

»Klaus hier. Wo bist du?«

»Warum?«

»Wir müssen uns sehen. Du, Lisa und ich. Heute noch.«

»Was ist denn los?«

»Nicht am Telefon. In Murphy's Pub in einer Viertelstunde?«

»Einverstanden. Scheint ja …«

»In einer Viertelstunde. Nur wir drei, okay?«

Jürgens drückte die Aus-Taste, ohne eine Erwiderung abzuwarten. Er zündete sich eine Zigarette an und beobachtete durch die Glasscheibe, wie Claudia Bartels noch einmal alles inspizierte, ihren Kittel auszog, unter dem eine kurvenreiche Figur zum Vorschein kam, ihre Tasche nahm, die Tür öffnete und sagte: »Elf?«

»Elf, spätestens halb zwölf.«

Sie war die erste Frau seit einer halben Ewigkeit, die in ihm tiefere Gefühle ausgelöst hatte. Sie hatte ein bezauberndes, einnehmendes Wesen und war hübsch, wenn auch anders als viele seiner Liebschaften der vergangenen Jahre: Vor allem ihre Ausstrahlung, ihre liebenswerte Art und das Unaufdringliche, nicht Fordernde hatten es ihm angetan. Er musste sich eingestehen, dass er sich zum ersten Mal seit seiner Scheidung vor nunmehr zehn Jahren wieder verliebt hatte. Er war so verliebt, dass andere Frauen ihm gleichgültig geworden waren.

Er drückte die Zigarette aus, zog die braune Lederjacke über und ging noch einmal zu ihr.

»Danke für alles. Wir sehen uns nachher.«

»Soll ich dir was sagen? So ernst und bedrückt habe ich dich noch nie erlebt. Ich warte auf dich. Soll ich uns ein paar belegte Brote machen?«

»Das wär schön. Bis später.«

Er umarmte sie, gab ihr einen langen Kuss und streichelte ihr durchs Haar. »Du bist etwas ganz Besonderes. Aber das weißt du bestimmt längst. Ciao.«

»Ciao, und pass auf dich auf.«

Jürgens ging zu seinem Jaguar. Pünktlich eine Viertelstunde nach dem Telefonat betrat er den Pub, wo Henning und Santos bereits an einem Tisch in der hinteren Ecke saßen. Aus den Lautsprechern kamen irische Klänge, es duftete nach gegrilltem Fleisch, und es herrschte ein fast babylonisches Stimmengewirr. Der ideale Ort für ein geheimes Treffen.

»Hi«, sagte Jürgens und nahm Platz, doch da war nichts von seinem gewohnten jugendlichen Charme, den er sich trotz seiner achtundvierzig Jahre bewahrt hatte, auch kein schelmisches Aufblitzen in den Augen, sondern nur ein ernster Ausdruck in seinen Augen und um seinen Mund.

»Ihr habt ja noch gar nichts zu trinken. Ich geb einen Single Malt aus, und ihr solltet nicht nein sagen. Nicht heute.«

»Das klingt verdammt spannend.« Santos versuchte, in Jürgens' Gesicht zu lesen. »Auch wenn ich das Gesöff eigentlich nicht mag …«

»Ach komm, beim letzten Mal hat es dir geschmeckt, das hast du selbst zugegeben«, entgegnete Jürgens, winkte die Bedienung herbei und sagte: »Drei doppelte Single Malt auf Eis von meiner Marke. Du weißt schon, Mel.«

»Alles klar, Doc«, sagte die junge Dame mit einem Lächeln, das verriet, dass sie und Jürgens sich näher kannten. Sie war groß, schlank und hatte einen leichten irischen Akzent. Ihre rotblonden Haare fielen ihr über die Schultern, ihr natürlicher Hüftschwung wurde durch die langen Beine und den engsitzenden, kaum die Schenkel bedeckenden schwarzen Minirock noch betont. Henning und Santos kannten Jürgens inzwischen lange genug, um zu wissen, dass er nichts anbrennen ließ, auch wenn das Gerücht die Runde machte, er sei seit einiger Zeit mit seiner Kollegin Dr. Claudia Bartels zusammen. Aber sie gaben nicht viel auf Gerüchte.

»So, dann mal raus mit der Sprache, warum wolltest du uns treffen?«, fragte Henning.

»Trinken wir erst mal, ich habe einiges zu verdauen«, erwiderte Jürgens mit einer Stimme, die Henning und Santos aufhorchen ließ – überaus ernst.

»Das wird ja immer mysteriöser.« Santos zog fragend die linke Braue hoch.

»Es ist mysteriös, das werdet ihr gleich merken. Es ist das Merkwürdigste, das mir in meiner jetzt fast zwanzigjährigen Laufbahn untergekommen ist.«

Die Getränke wurden gebracht, und Jürgens hob sein Glas: »Cheers, auf dass die Wahrheit siege.«

»Cheers«, erwiderten Henning und Santos und kippten den Inhalt in einem Zug hinunter. Santos schüttelte sich und stellte das Glas auf den Tisch.

»Also, raus mit der Sprache«, sagte sie und beugte sich vor. »Ich bin ganz Ohr. Und was meinst du mit ›auf dass die Wahrheit siege‹?«

»Das werdet ihr gleich erfahren. Passt gut auf, ich hasse es nämlich, mich zu wiederholen. Außerdem habe ich heute noch was vor, habe schließlich schon meinen ganzen heiligen Sonntag geopfert. Ich fange mit dem Sekundären an. Bruhns und die Steinbauer wurden vergiftet, das heißt, ihnen wurde Atropin verabreicht …«

»Atropin?«

»Atropin oder Belladonna. Das Gift der Tollkirsche. Es heißt, dass schon die Damen im alten Rom es sich in die Augen geträufelt haben, damit ihre Augen größer wirkten und stärker glänzten. Belegt ist es aber erst seit dem sechzehnten Jahrhundert … Spielt auch keine Rolle, Atropin ist jedenfalls eines der stärksten Gifte überhaupt, bei Kindern können schon drei Beeren der Tollkirsche tödlich sein, bei Erwachsenen ab zehn aufwärts. Das Gift war im Wein, was den Schluss zulässt, dass der Täter die Flasche entweder mitgebracht oder das Atropin in einem unbeobachteten Moment hineingekippt hat. Getrunken hat er davon mit Sicherheit nicht, es wurde zwar ein drittes Glas gefunden, aber das stand in der Spüle und wies keinerlei Fingerabdrücke oder sonstige Spuren auf, was wiederum den Schluss zulassen würde, dass er doch getrunken und das Glas hinterher gespült hat ...«

»Dann wäre er doch aber auch gestorben, oder?«

»Wie das abgelaufen ist, keine Ahnung, ist mir auch wurscht. Aber ...«

»War der Wein die Todesursache?«, wurde Jürgens von Henning unterbrochen.

»Wenn du mich bitte ausreden lassen würdest ... Ihr erinnert euch an die Gesichter von Bruhns und der Steinbauer?«

»Wie könnte man das vergessen«, antwortete Santos.

»Das Grinsen von Bruhns und der gequälte Gesichtsausdruck der Kleinen haben mir von Anfang an zu denken gegeben. Auch die Hautverfärbungen wiesen auf eine Vergiftung hin. Also bin ich im Institut mal meine Toxliste durchgegangen und bin dabei auf mehrere Wirkstoffe gestoßen, die eine solche oder ähnliche Wirkung haben können. Atropin schien mir am wahrscheinlichsten. Es wird beispielsweise von Augenärzten zur Pupillenerweiterung für Untersuchungen des Augenhintergrunds verwendet – natürlich in einer Dosierung, die absolut ungefährlich ist – oder aber in der Homöopathie. In unverdünntem Zustand kann es unterschiedliche Wirkungen haben, wie zum Beispiel unkontrollierte Heiterkeitsausbrüche, übersteigerte Euphorie, Weinkrämpfe, Krämpfe der Muskulatur, Halluzinationen, Tobsucht, Wut, heftige Schmerzen oder aber erhöhte Erregbarkeit, auch im sexuellen Bereich. Es gibt einige Berichte über stundenlange Sexualakte. Vorausgesetzt natürlich, die konsumierte Dosis ist nicht letal. Die richtige Menge abzuschätzen ist allerdings selbst für einen Experten fast unmöglich. Eine Atropinvergiftung zu diagnostizieren ist auch nicht einfach. Ein Hausarzt wird kaum in der Lage sein, eine solche zu erkennen. Um es kurz zu machen: Ich habe erst den Wein und dann das Blut untersucht und bin tatsächlich auf Atropin gestoßen. Der Täter scheint gewartet zu haben, bis die von ihm gewünschte Wirkung eintrat, dann hat er beide erschossen, was die eigentliche Todesursache war, wovon auch der hohe Blutverlust zeugt. Ob die beiden bis zum Tod bei Bewusstsein waren, kann ich nicht sagen, ist aber durchaus möglich. Warum die Kleine dran glauben musste, weiß ich nicht, vielleicht wollte er sie von ihrem Leiden erlösen, denn sie wäre so oder so gestorben, die Dosis war zu hoch, bei einer Größe von einem Meter neunundsechzig wog sie gerade mal zweiundfünfzig Kilo. Jetzt bitte keinen Kommentar zu ihrer Oberweite, das hat nichts mit dem Gewicht zu tun. Sie hatte knapp 1,2 Promille im Blut, das heißt, sie hat vor ihrem Tod ziemlich viel getrunken, dann wirkt Atropin noch stärker. Aber, und das hat mich erstaunt, sie hat auch sehr gut und viel gegessen, dabei waren in dem Raum keine Teller oder Essensreste zu sehen; dafür habe ich unter anderem Kaviar in ihrem Magen gefunden. Sie war übrigens kerngesund. Bruhns hatte nur 0,4 Promille, damit hätte er sogar noch Auto fahren dürfen. Er wäre aller Wahrscheinlichkeit nach nicht an dem Gift gestorben, jedoch hätte er unbehandelt für den Rest seines Lebens unter gravierenden Spätfolgen gelitten.«

Jürgens bestellte noch eine Runde und fuhr fort: »So, das war der erste Teil. Fragen?«

»Nein, aber ich bin gespannt auf den zweiten. Doch, eine Frage habe ich: War die gefundene Waffe die Tatwaffe?«, sagte Santos.

»Hätte ich beinahe vergessen. Nein, war sie nicht, das gehörte zur Inszenierung. Okay, dann mal anschnallen und gut festhalten, denn jetzt kommt der Knaller. Tönnies hat mich vorhin um halb acht auf meinem Handy angerufen, und glaubt mir, der war so aufgeregt und nervös, wie ich ihn noch nie erlebt habe. Er hatte mir etwas mitzuteilen und fragte mich, ob ich es unter Umständen verifizieren könne.« Jürgens hielt inne, drehte das Glas zwischen den Fingern und sah von Henning zu Santos, bevor er fortfuhr: »Staatsanwältin Rossbauer war noch da, ich konnte nicht reden. Aber ein paar Minuten später war ich mit der Obduktion fertig, Rossbauer verschwand nach Hause, dann rief ich Tönnies zurück. Er sagte mir, dass sowohl am Tatort als auch an den Leichen Fremd-DNA gefunden wurde. Fragen dazu?«

Er sah gespannt in die Gesichter von Henning und Santos, doch beide schüttelten den Kopf.

»Okay, dann erklär ich's euch. Diese DNA ist in unserer Datenbank gespeichert. Das ist nichts Ungewöhnliches, unsere Datenbank wird schließlich immer umfangreicher. Aber in diesem Fall ist es schon seltsam. Jetzt dürft ihr dreimal raten, wessen DNA es ist.«

»Wessen?«, fragte Henning mit zusammengekniffenen Augen. »Kennen wir ihn?«

»Kann ich mir nicht vorstellen, es sei denn …« Jürgens schürzte die Lippen und lächelte für wenige Sekunden, bis er wieder ernst wurde.

»Es sei denn was? Jetzt spann uns nicht auf die Folter«, wurde er von Santos angeherrscht.

»Lisa, da geht wohl dein spanisches Temperament mit dir durch … Also gut, die DNA gehört zu einer unbekannten weiblichen Person, der ihr mit Sicherheit noch nicht begegnet seid. Oder vielleicht doch, ohne dass ihr es wisst. Nichts ist unmöglich.«

»Moment«, sagte Santos mit ungläubigem Blick, die noch

vor Henning begriff, was Jürgens eben angedeutet hatte, »heißt das, die DNA stammt von ... Nee, oder?«

Henning warf ein: »Wie sagte der Innenminister vorgestern im Fernsehen? Der Fall ist gelöst, es handelt sich um kontaminierte Wattestäbchen, die aber mittlerweile alle aus dem Verkehr gezogen und durch für die Spurensicherung zertifizierte ersetzt wurden. Jetzt frage ich mich, wie soll dann diese DNA an den Tatort kommen?«

»Das hat sich Tönnies auch gefragt. Ich frage mich das, ihr fragt euch das, wir alle fragen uns das ... Wie es aussieht, befinden wir uns mitten in einem teuflischen Spiel, und ich habe keinen Schimmer, ob wir nicht auch nur ein paar Figuren darin sind ...« Jürgens hielt inne, ohne den Satz zu beenden, doch sein Gesicht sprach Bände.

Santos kippte ihren Whiskey hinunter und orderte gleich noch eine Runde. »Die geht auf mich. Tönnies hatte also recht, als er vorhin sagte, dass er die offizielle Version nicht glaubt. Ich habe keine Ahnung, was hier gespielt wird, aber ich weiß, dass wir alle ganz gewaltig verarscht werden. Was immer hier vertuscht wird oder werden soll, es muss so heiß sein, dass man die Öffentlichkeit belügt, um sie in Sicherheit zu wiegen. Eine andere Erklärung habe ich nicht.«

»Ich schon. Seit ungefähr drei Jahren geistern die Meldungen über die Phantomfrau durch die Medien, seit etwa zehn Jahren soll sie ihre Spuren schon hinterlassen haben. Natürlich ist man auf politischer Ebene daran interessiert, dass irgendwann Ruhe einkehrt. Also erfindet man eine Geschichte, die so absurd ist, dass sie schon wieder wahr sein könnte. Das sind die Spiele, die die mit uns spielen. Wir sind tatsächlich nur Figuren. Und wisst ihr was? Wir können nicht mal innerhalb unserer Dienststellen darüber reden, geschweige denn mit einem Staatsanwalt oder gar dem Innenminister, selbst wenn wir mit hieb- und stichfesten Beweisen antanzen würden. Ich hätte Angst um meinen Job, wenn ich an eurer Stelle wäre, denn ich werde definitiv meine Klappe halten, und genau das empfehle ich euch auch. Ist nur ein gutgemeinter Rat. Ich hätte vielleicht sogar Angst um mein Leben, wenn ich mich zu weit aus dem Fenster lehnen würde. Deshalb erwarte ich von euch absolute Diskretion.«

»Das ist ein echter Hammer.« Henning trank auch sein zweites Glas leer, während die nächste Runde bereits serviert wurde. »Wie hast du denn die DNA bei Bruhns und der Steinbauer festgestellt? Tönnies und du, seid ihr neuerdings das deutsche CSI? Ich dachte, solche Schnellschüsse gibt's nur in der Glotze.«

»In der Regel schon. Aber heute waren es ein klein wenig logisches Denken und eine Riesenportion Glück. Die ziemlich eindeutige Position, in der die beiden aufgefunden wurden, hat mich dazu veranlasst, Abstriche von seinem Schniedel und ihren Lippen, den oberen wohlgemerkt, zu machen«, fügte er mit einem schwachen Grinsen hinzu. »Es waren nur winzige Spuren, aber ganz offensichtlich so gelegt, dass sie vom Täter stammen könnten, aber nicht unbedingt müssen. Wir haben einen Täter und möglicherweise die DNA von einer ganz anderen Person, die vielleicht nicht einmal weiß, dass ihr genetischer Fingerabdruck für verbrecherische Zwecke benutzt wird. Die Staatsanwältin hat von alldem zum Glück nichts mitbekommen, Claudia wird es nachher von mir erfahren, aber ihr seid die Ersten und neben Claudia auch die Einzigen, mit denen ich darüber rede … Es ist euer Fall, und ich dachte mir, ihr habt das

Recht auf Erstinformation. Was ihr damit anfangt, überlasse ich euch, nur würde ich an eurer Stelle sehr genau darauf achten, wem ihr es erzählt. Tönnies wird die Info für sich behalten, er hat mir eindeutig zu verstehen gegeben, der Fall der unbekannten weiblichen Person, kurz UWP, ist offiziell abgeschlossen, und damit hat sich für ihn die Sache erledigt, außerdem will er seinen Job behalten. Bei mir verhält es sich genauso, ich will bis zu meiner Pensionierung in fünfzehn Jahren in der Rechtsmedizin arbeiten. Ich gehe schon jetzt ein hohes Risiko ein, dass ich mit euch überhaupt darüber rede.«

»Aber warum dann diese Lüge? Das kapier ich nicht.«

»Keine Ahnung. Sprecht mit Tönnies, vielleicht hat er eine Erklärung, auch wenn ich's mir nicht vorstellen kann. Eins jedenfalls ist sicher – das Phantom existiert, es ist eine Frau, und sie mordet seit etwa zehn Jahren, das erste Mal wurde es Mitte oder Ende des Jahres 1999 bei uns bekannt. Das ist eine lange Zeit. Oder es handelt sich um einen Mann, der die DNA einer Frau an diversen Tatorten verteilt. Oder es handelt sich um ein Pärchen mit Aufgabenteilung. Sucht euch irgendwas raus. Oder, was natürlich auch im Bereich des Möglichen liegt, jemand von uns hat sich am Tatort heute Nachmittag einen üblen Scherz erlaubt und kontaminierte Wattestäbchen aus einer alten Charge benutzt. Ausschließen will ich auch das nicht.«

»Eine Auftragsmörderin?«, fragte Santos, ohne auf Jürgens' letzte Hypothese einzugehen.

»Möglich. Vielleicht aber auch nur jemand, der Lust am Töten hat. Ich wünschte, ich hätte eine bessere Nachricht für euch.«

»Oder ein Auftragsmörder. Ich muss das erst mal in meinem Kopf sortieren und nachher aufschreiben. Okay«, fuhr Santos fort, »danke für die Info, ich weiß das zu schätzen. Sören und ich werden morgen mit Volker darüber reden, aber nur mit ihm. Auch mit Tönnies, wenn es dir recht ist.«

»Macht, was ihr wollt, solange ihr nicht weiter nach oben geht. Falls doch, mein Name ist Hase, ich weiß von nichts. Allerdings füttere ich euch weiterhin gerne mit Informationen, sofern ich welche habe. Aber bitte haltet meinen Namen da raus. Am besten auch den von Tönnies. Er hat, wie er mir versicherte, mit keinem seiner Mitarbeiter über die Sache gesprochen. Wir wären wahrscheinlich auch nie über die DNA gestolpert, hättet ihr vorhin nicht bei Bruhns davon angefangen. Tönnies, der Himmelhund, ist mit ein paar Proben ins Labor gefahren und hat einen DNA-Schnelltest durchgeführt. Weiß der Geier, was ihn geritten hat, das zu machen, vielleicht war es reine Intuition. Keine Ahnung. Ich wär jedenfalls nie auf die Idee gekommen.«

»Hast du auch einen Tipp, wie wir am besten vorgehen können?«, fragte Santos. Sie nahm ihr Glas und kippte auch dieses in einem Zug hinunter. Sie hob die Hand und winkte die Bedienung herbei.

»Wie die Igel bei der Paarung – gaaaanz vorsichtig. Als ich vorgestern die Nachrichten gesehen habe, habe ich mich schon gewundert, dass der Innenminister persönlich vor die Kameras getreten ist.«

»Siehst du«, sagte Santos vorwurfsvoll zu Henning, »waren das nicht meine Worte, als ich diesen Schwachsinn gesehen habe? Und du hast mich ausgelacht und gemeint, ich würde an Verschwörungstheorien glauben.«

»Spar dir deine Vorwürfe, bringt jetzt eh nichts mehr.«

»Euch jetzt darüber zu streiten ist so unnötig wie nur was. Es ist eine verfahrene Situation, ich weiß, aber wenn ihr jetzt nicht ruhig und analytisch an die Sache rangeht, verliert ihr.«

»Scherzkeks«, stieß Henning hervor und nahm die Arme vom Tisch, als die vierte Runde serviert wurde. »Und wenn ich mir noch einen Whiskey hinter die Binde kippe, liege ich unterm Tisch.«

»Tust du nicht, dazu ist dein Adrenalinspiegel viel zu hoch. Da ich nicht in die Ermittlungen involviert bin, kann ich euch nur raten, einen kühlen Kopf zu bewahren. Ich weiß, das klingt abgedroschen, aber es ist aus meiner Sicht das Wichtigste.«

»Okay«, sagte Henning, »wenn es die große Unbekannte tatsächlich gibt, warum dann die Geschichte mit den Wattestäbchen? Ich kapier das immer noch nicht. Man hätte das doch alles so weiterlaufen lassen können wie bisher. Oder mache ich einen Denkfehler?«

»Nein«, entgegnete Jürgens und trank seinen Whiskey, »aber bestimmte Leute werden schon wissen, warum sie sich ausgerechnet diese Geschichte ausgedacht haben. Sie klingt für mich geradezu aberwitzig, für Tönnies, für Lisa … Keiner von uns hat dieses Gequatsche geglaubt, aber die Medien haben sich sofort wie die Aasgeier darauf gestürzt. Ich schwöre euch, es wird noch ein paar Wochen so weitergehen, und dann ist wieder Ruhe im Hühnerstall. Die Medien hatten ihr Fresschen, die Öffentlichkeit wundert sich über die Unfähigkeit der Polizei und so weiter und so fort. Aber Bruhns und seine Geliebte wurden definitiv nicht von dem Phantom ermordet, wenn ihr versteht, was ich meine.«

»Das ist mir immer noch zu hoch. Was wäre denn, wenn du und Tönnies die Staatsanwaltschaft über eure Erkenntnisse informieren würdet?«

Jürgens zuckte die Schultern und starrte in sein Glas.

»Was denkst du denn? Du hast doch schon einschlägige Erfahrungen gesammelt. Also, was denkst du, was passieren würde?«

Henning mahlte mit den Kiefern und ballte die Fäuste, ohne etwas zu erwidern.

»Du stehst kurz vor der Explosion, wenn ich deine Körpersprache richtig deute. Also kennst du die Antwort. Noch mal zum Mitschreiben: Ich werde einen Teufel tun und irgendwas ausplaudern. Ich werde mit keinem Staatsanwalt sprechen oder gar noch weiter nach oben gehen. Schminkt euch das ab, die sind mächtiger. Wenn der Innenminister sagt, der Fall ist gelöst, dann ist er gelöst. Kapiert? Er ist euer oberster Dienstherr, nicht meiner. Aber trotzdem werde ich mich raushalten, denn auch ich habe jemanden über mir, und wenn der was sagt, nützt mir mein akademischer Titel herzlich wenig.«

»Ist ja gut. Ich sag dir jetzt was, aber das behältst du bitte auch für dich: Rüter will, dass wir ihm bis nächsten Sonntag einen Täter präsentieren. Wie sollen wir das schaffen, wenn wir es mit dem Phantom zu tun haben? Sag's mir, Professor.«

»Wieso bis nächsten Sonntag? Seit wann werden euch Fristen gesetzt?«

»Tja, das haben Lisa und ich uns auch gefragt. Der will unbedingt jemanden vorweisen können. Und wir sollen die Drecksarbeit für ihn erledigen.«

»Verstehe. Okay, eins noch, bevor ich mich vom Acker mache: Der Mord an Bruhns und Steinbauer wurde meines Erachtens von einem Auftragskiller ausgeführt. Die Kugeln wurden gezielt aus einer Entfernung von circa anderthalb bis zwei Metern abgefeuert, und für so was kommt nur ein Profi in Frage. Damit wären wir bei der Waffe. Die bei Bruhns gefundene Waffe ist eine Glock, die Tatwaffe aber eine Beretta 92,9 Millimeter mit Schall-dämpfer, verwendet wurden Hohlspitzgeschosse. Sollte ich recht behalten mit meinem Auftragskiller, dann steckt ihr schon jetzt ganz schön tief in der Scheiße, denn hinter jedem Auftragskiller steckt ein Auftraggeber. Oder auch mehrere.«

»Aber warum sollte ein Auftragskiller Bruhns aus dem Weg räumen?«, fragte Santos. »Wem war Bruhns so sehr ein Dorn im Auge, dass man einen Auftragskiller auf ihn ansetzt? Warum kommt zwei Tage vor dem Mord die Meldung, dass das Phantom gar nicht existiert? Dann noch die Frist von Rüter …«

»Du kannst ja trotz vier Whiskey noch erstaunlich analytisch denken«, konstatierte Jürgens grinsend.

Santos streckte ihm die Zunge raus und fuhr fort: »Was sind schon vier Whiskey. Noch 'ne Runde?«

»Ich glaube, wir sollten es bei vier belassen«, sagte Henning. »Denk dran, wir müssen noch Auto fahren.«

»Sören hat recht, auch wenn ich verstehen kann, dass du dich am liebsten besaufen würdest …«

»Quatsch«, wehrte sich Santos und lehnte sich zurück, die Arme unter der Brust verschränkt. »Es ist mir einfach zu hoch. Ich denke, wir sollten zahlen und verschwinden. Ich habe die Schnauze für heute voll.«

Jürgens und Santos übernahmen je zwei Runden und verließen zusammen mit Henning den Pub. Als sie sich auf dem Bürgersteig verabschiedeten, sagte Jürgens mahnend: »Was immer ihr auch unternehmt, zieht in Betracht, dass ihr unter Umständen nur Marionetten in einem undurchschaubaren und perfiden Spiel seid. Das hat nichts mit Verschwörungsparanoia zu tun, das ist die brutale Realität. Vielleicht sehe ich ja auch nur Gespenster, oder der Alkohol ist mir ausnahmsweise mal aufs Hirn geschlagen, wer weiß? Macht's gut und fahrt vorsichtig. Wir sehen uns, den vollständigen Bericht beziehungsweise den vollständigen Bericht mit einigen Auslassungen habt ihr morgen Mittag auf dem Tisch. Noch mal zur Erinnerung, ich bin raus aus der Nummer, eigentlich war ich nie wirklich drin, bin mehr durch Zufall da reingestolpert. Ciao.«

»Ciao und danke für alles«, sagte Henning und klopfte Jürgens auf die Schulter.

»Da nich für, war ein Freundschaftsdienst. Ich hoffe nur, dass ihr meine Freundschaft nicht missbraucht.«

»Eine Frage noch, du musst sie nicht beantworten, aber es würde mich schon interessieren«, sagte Henning. »Du hast vorhin gesagt, dass du es Claudia erzählen wirst. Seid ihr zusammen?«

Jürgens lächelte. »Irgendwann hättet ihr's ja doch erfahren – ja, wir sind zusammen. Posaunt es aber nicht gleich in der Gegend rum, ist noch zu frisch.«

»Wir doch nicht. Weiß ja auch kaum jemand das von Lisa und mir. Also dann, tschüs.«

Als Santos den Motor startete, sagte Henning lächelnd: »Wir sind tolle Vorbilder, was? Wenn wir jetzt pusten müssten, wie viele Promille hätten wir?«

»Das ist mir heute so was von egal. Außerdem bin ich nicht betrunken, hat wohl was mit dem aufbauenden Gespräch zu tun.«

Kaum zehn Minuten später hatten sie die Wohnung erreicht, um halb zwölf lagen sie im Bett. Santos sagte ins Dunkel hinein: »Angenommen, Klaus hat mit allem recht, wie gehen wir vor?«

»Das besprechen wir ganz bestimmt nicht jetzt, ich bin hundemüde.«

»Ich nicht, obwohl ich's eigentlich sein müsste. Ich setz mich noch ein bisschen ins Wohnzimmer.«

»Und da?«

»Keine Ahnung. Fernsehen oder Musik hören.«

»Erzähl doch nicht so 'n Mist, du willst dir mal wieder eine Strategie überlegen«, konstatierte Henning.

»Und wenn? Was willst du dagegen unternehmen, alter Mann?«

»Nenn mich nicht alter Mann, du weißt, ich mag das nicht.«

»Schlaf gut, alter Brummbär«, sagte sie, drückte ihm einen Kuss auf die Wange und stand auf. Im Wohnzimmer nahm sie sich Block und Stift und setzte sich an den Esstisch.

Sie notierte alle bisher vorliegenden Fakten, vergewisserte sich ein paarmal, auch nichts vergessen zu haben, und schrieb dann:

1. Warum Bruhns?
2. Auftragskiller?
3. DNA, zu wem gehört sie?
4. Wer ist/sind der/die Auftraggeber des Killers oder der Killerin?
5. Rüter? (Warum die Frist? Falsches Spiel? Vorsicht mit voreiligen Verdächtigungen!)
6. Tönnies und Jürgens, warum haben sie solche Angst, ihre Erkenntnisse publik zu machen?
7. Innenminister
8. Beretta 92
9. Schalldämpfer
10. Täter kannte Bruhns.
11. Atropin, Gift. Wollte er seine Opfer leiden sehen?
12. Falls Auftragskiller, wie viele Taten gehen auf sein Konto?

13. DNA identisch mit Auftragskiller?
14. Wo setzen wir an, ohne aufzufallen?
15. Wer kann uns helfen? (Ganz wichtig!!!)
16. Wir dürfen uns anderen gegenüber nichts über die neuesten Erkenntnisse anmerken lassen, Harms ausgenommen.
17. Täter aus Kiel oder noch in Kiel?

Um halb zwei ging sie zu Bett und rollte sich in ihre Decke, es war kalt im Schlafzimmer. Sie hatte Mühe einzuschlafen, in ihrem Kopf kreisten die Gedanken wie ein Karussell. Erst gegen drei schlief sie endlich ein. Als um sieben der Wecker klingelte, fühlte sie sich gerädert wie seit ewigen Zeiten nicht mehr. Verfluchter Whiskey, dachte sie und blieb noch fünf Minuten liegen, während Henning schon im Bad war. Sie fragte sich, wie sie den vor ihr liegenden Tag überstehen sollte, sie hatte Kopfschmerzen, und ihr war übel. Sie stand auf und aß eine Banane. Dann trank sie ein Glas Wasser und nahm eine Tablette gegen die Kopfschmerzen. Allmählich fühlte sie sich besser. Als Henning aus dem Bad kam, sah er den vollgeschriebenen Block auf dem Tisch. »Was ist das?«
»Lies, und wenn dir noch was einfällt, schreib's dazu«, sagte sie nur und verschwand im Bad.
Henning las die vier Seiten und legte den Block zurück auf den Tisch, ohne etwas hinzuzufügen. Bei einem kurzen Frühstück gingen sie einige der Punkte durch und entschieden, die Liste mit Harms zu besprechen. Vor allem wollten sie wissen, inwieweit sie frei ermitteln durften. Um Punkt acht Uhr verließen sie das Haus, wissend, dass ein langer, anstrengender Tag vor ihnen lag. Unterwegs hielten sie kurz an, um zwei Tageszeitungen zu kaufen, die in großen Lettern über das Ableben von Peter

Bruhns berichteten. Im Wesentlichen wurde Bezug auf die gestrige Pressekonferenz unter der Leitung von Oberstaatsanwalt Rüter genommen, nicht einmal Vermutungen wurden angestellt, da Rüter sich in seinen Ausführungen sehr bedeckt gehalten hatte. Henning war zufrieden, die beiden Reporter hatten Wort gehalten. Sie würden auch die Ersten sein, die von ihm Informationen bekommen würden.

MONTAG

Von den dreißig Beamten, die bei der Einsatzbesprechung ihren ersten mageren Erkenntnissen lauschten, kannten Henning und Santos über zehn gar nicht oder nur vom Sehen. Sie beantworteten noch ein paar Fragen, bevor Harms das Ruder übernahm.

»Gestern Abend meldete sich unmittelbar nach der Tagesschau, in der auch eine Erklärung der Staatsanwaltschaft gezeigt wurde, ein Dr. Meienbohm beim KDD und teilte mit, dass Bruhns am Samstagabend auf einem Fest bei Friedrich Graf von Pfüllen anwesend war. Seinen Angaben zufolge traf Bruhns gegen dreiundzwanzig Uhr ein und blieb etwa eine Stunde, bevor er sich wieder verabschiedete.«

»Sonst keiner?«, fragte Henning.

»Wie, sonst keiner?«

»Hat sich sonst keiner von den Festgästen gemeldet?«

»Bis jetzt nicht. Ihr wisst doch, wie es in diesen Kreisen zugeht, Diskretion ist alles, am besten hält man sich raus.«

»War er in Begleitung?«, fragte einer der Beamten.

»Der Zeuge geht davon aus, dass eine junge Dame, die wenige Minuten vor Bruhns auf der Feier erschien, zu ihm gehörte, sie aber nicht gemeinsam gesehen werden

143

wollten. Genauere Angaben konnte oder wollte er jedoch nicht machen, bis ihm ein Foto von Kerstin Steinbauer vorgelegt wurde und er sie sofort als jene junge Dame vom Samstagabend identifizierte. Das heißt, Bruhns und Steinbauer verließen gemeinsam die Party und fuhren nach Schönberg. Der Rest ist bekannt. Alles Weitere findet sich in dem von ihm unterzeichneten Protokoll. Zwei von Ihnen werden sich gleich nach dieser Besprechung noch einmal mit Dr. Meienbohm in Verbindung setzen und ihn ausgiebig befragen. Außerdem brauchen wir dringend eine Gästeliste der Party, die möglichst bis morgen Abend abgearbeitet werden sollte. Und für all jene, die es noch nicht wissen, die Staatsanwaltschaft erwartet bis Sonntag erste konkrete Ergebnisse. Keiner von uns ist glücklich darüber, glauben Sie mir, ich am allerwenigsten, aber so lautet nun mal die Anweisung. Ich bitte dennoch jeden, nicht übereifrig ans Werk zu gehen. Weiterhin habe ich hier eine Liste mit sieben Namen, die überprüft werden müssen. Laut Frau Bruhns zählen sie zu den ärgsten Feinden ihres Mannes. Sollte auch nur einer von ihnen für die Tatzeit kein Alibi vorweisen können, herbringen und so lange durch die Mangel drehen, bis entweder die Schuld oder die Unschuld bewiesen ist. Aber das Ganze trotzdem mit Samthandschuhen, es handelt sich schließlich um einen äußerst delikaten Fall. Wir haben die volle Rückendeckung seitens der Staatsanwaltschaft. Was das heißt, brauche ich Ihnen nicht näher zu erläutern.«

Nach einer Stunde waren die Aufgaben verteilt, die Teams gebildet. Die Soko nahm ihre Arbeit auf.

Nachdem alle anderen Beamten das Konferenzzimmer verlassen hatten, baten Santos und Henning ihren Vorgesetzten um ein Gespräch.

»Gehen wir in mein Büro«, sagte er, wobei er wie schon den ganzen Morgen missmutig und schlecht gelaunt wirkte. Auf dem kurzen Weg zum Büro flüsterte Santos: »Wir sagen nichts.«

»Wieso?«

»Lass mich machen.«

»Aber wir müssen mit ihm darüber sprechen, wir können ihn nicht übergehen.«

Im Büro angekommen, fragte Harms: »Was kann ich für euch tun?«

»Setzen wir uns doch«, sagte Henning und schloss die Tür zum Nebenzimmer.

»Deiner Miene nach zu urteilen scheint es wichtig zu sein. Leg los, ich bin ganz Ohr.«

»Ist dir 'ne Laus über die Leber gelaufen?«

»Sören, sag, was du willst, aber komm auf den Punkt. Wir haben keine Zeit zu verlieren.«

»Tja, es geht um ... Sprechen wir leise, es ist fast unbegreiflich, was ...«

»Wenn es mit Rüter zu tun hat, das Thema ist durch«, wurde er sofort mit einer unmissverständlichen Handbewegung von Harms unterbrochen.

»Oh, das ist also der Grund für deine schlechte Laune«, mischte sich nun Santos ein. »Es betrifft doch aber uns alle.«

»Es kotzt mich an, ich habe die ganze Nacht kaum ein Auge zugemacht, weil ich mir überlegt habe, wie wir einen Ermittlungserfolg innerhalb von einer Woche zustande bringen können, und ...«

»Volker, Rüter ist ein Idiot. Nimm dir das nicht so zu Herzen. Wir sitzen doch alle im selben Boot ...«

»Nein, das tun wir nicht. Wenn wir keinen Erfolg haben, werde ich es auszubaden haben. Als Dienststellenleiter

145

bin ich der Erste, der die Keule übergebraten kriegt. Aber lasst uns nicht über Rüter sprechen, mir kommt so schon die Galle hoch.«

»Okay, dann können Sören und ich ja wieder gehen.«

Henning sah Santos für einen Moment fragend an, doch sie ignorierte den Blick und fuhr fort: »Wir fahren in die KTU, danach in die Rechtsmedizin, und später statten wir Frau Bruhns noch einen Besuch ab. Wir halten dich auf dem Laufenden.«

»War das alles, weswegen ihr gekommen seid?«, fragte Harms zweifelnd.

»Ja, das war alles«, erwiderte Santos und gab Henning das Zeichen zum Aufbruch.

An der Tür sagte sie: »Eigentlich ist da doch noch was, aber das ist für den Moment irrelevant.«

»Und was?«

»Lisa, sag's ihm schon«, forderte Henning sie auf. »Oder soll ich?«

»Jetzt bin ich aber neugierig geworden«, sagte Harms und runzelte die Stirn.

Santos und Henning kamen zurück, blieben vor Harms stehen, und Santos sagte leise: »Das, was ich dir jetzt sage, ist top secret. Ich brauch dein Wort, dass du es für dich behältst.«

»Was soll dieser Schwachsinn? Natürlich hast du mein Wort.«

»Rüter interessiert mich im Augenblick einen feuchten Dreck.« Sie nahmen wieder Platz, und Santos fuhr fort: »Sören und ich haben uns gestern Abend mit Jürgens getroffen, weil er uns etwas mitteilen wollte. Um es kurz zu machen: Tönnies und er haben Fremd-DNA isoliert, und jetzt darfst du raten, zu wem die gehört.«

»Wir sind hier nicht in einer Quizshow. Zu wem?« Harms

trommelte ungeduldig mit den Fingern der rechten Hand auf den Tisch.

»Zu der Person, die es eigentlich gar nicht gibt. Unbekannt, weiblich … Kannst du vielleicht mal mit diesem Getrommele aufhören? Sorry, aber …«

Harms schoss nach vorn und sah Santos an, als wäre sie eine Außerirdische. »Moment, willst du damit etwa andeuten, dass der Mord an Bruhns und seiner Geliebten von der Phantomfrau verübt wurde? Das meinst du doch nicht im Ernst?« Er zog die Brauen hoch und schlug mit der flachen Hand auf den Tisch. »Doch, das meinst du wirklich, ich kenne deinen Gesichtsausdruck …«

»Ich gebe nur wieder, was Jürgens uns erzählt hat. Jetzt wirst du sicherlich auch verstehen, warum wir so geheimnisvoll tun. Und warum keiner außer uns davon erfahren darf. Vorerst zumindest. Hier ist eine riesengroße Sauerei am Laufen.«

»Sind Jürgens und Tönnies absolut sicher?«

»Ich glaube kaum, dass Jürgens sich am Sonntagabend um zehn mit uns in Murphy's Pub trifft, um uns ein Märchen aufzutischen. Wir werden auch noch mit Tönnies sprechen und uns seine Version anhören. Eins hat Jürgens unmissverständlich klargestellt: Er und Tönnies wollen unbedingt aus der Sache rausgehalten werden.«

Harms trommelte wieder mit den Fingern auf der Tischplatte herum, kniff die Lippen zusammen und dachte nach. Schließlich sagte er: »Alles schön und gut, aber jetzt sag ich euch was, und hört gut zu: Ich will da auch rausgehalten werden, sollte das tatsächlich stimmen!« Harms stand auf und ging im Zimmer auf und ab, den Kopf leicht gesenkt, die Hände hinter dem Rücken verschränkt, wie immer, wenn er nachdachte. Schließlich öffnete er das Fenster, und kühle Luft strömte herein.

»Was soll das heißen?«, fragte Henning.

Ohne die Frage zu beantworten, murmelte Harms: »Wie haben die das so schnell rausgekriegt? Sind die neuerdings beim CSI?«

»Das haben wir Jürgens auch gefragt. Wie hat er gleich gesagt? Zehn Prozent logisches Denken, der Rest Glück. CSI lässt grüßen.«

»Wer außer Tönnies, Jürgens und uns weiß noch davon?«, wollte Harms wissen.

»Dr. Bartels, Jürgens' Mitarbeiterin in der …«

»Ich kenne sie«, wurde er unwirsch von Harms unterbrochen. »Sonst niemand?«

»Nicht, dass ich wüsste.«

Es entstand eine Pause, Harms stellte sich ans Fenster, atmete ein paarmal tief durch, drehte sich um und lehnte sich gegen die Fensterbank. Sein Blick drückte Ratlosigkeit aus, als er sagte: »Also, halten wir fest, der Fall der UWP ist aufgeklärt, ist er aber doch nicht, wenn ich euch richtig verstanden habe.«

»Ja, verdammt noch mal, und genau das macht mich und Sören rasend! Vor allem, weil wir machtlos sind!«, echauffierte sich Santos.

»Und was wollen wir beziehungsweise ihr jetzt tun?«, fragte Harms, der sonst stets eine Antwort auf knifflige Fragen parat hatte, aber nun rat- und hilflos wirkte.

»Das wollten wir eigentlich von dir hören. Was fangen wir mit diesem Wissen an? Es für uns behalten und so tun, als wäre alles in bester Ordnung? Das wäre natürlich der einfachste Weg …«

»Es ist nicht nur der einfachste Weg, es ist der einzige Weg. Noch mal – und hört bitte, bitte gut zu: Der Fall ist geklärt, und damit hat es sich. Habe ich mich deutlich genug ausgedrückt?«

»Du hast Angst?«, stieß Santos hervor und schüttelte den Kopf, weil sie ihren Vorgesetzten nicht wiedererkannte.

»Es geht nicht darum, ob ich Angst habe, es geht um die Fakten. Die wurden nicht nur am Freitag bundesweit bekanntgegeben, ich habe sie heute Morgen auch auf meinen Schreibtisch bekommen. Hier, kannst sie gerne lesen.« Harms schob ein paar Blatt Papier über den Tisch, doch Santos machte keine Anstalten, sie sich anzusehen. Harms' Reaktion war ihr auf den Magen geschlagen.

»Mehr wollten Sören und ich gar nicht hören. Wir halten uns da raus.«

»Sehr gut. Das war's?«

»Ja, im Prinzip schon. Ich frage mich nur, wovor du solche Angst hast?«

»Ich habe keine Angst, aber ihr wisst, wie das ist, wenn man unnötig Staub aufwirbelt: Man hustet und keucht und wird dreckig. Vielleicht verliert man auch den Job und damit die Pensionsansprüche, nun, die Spirale ist endlos. Muss ich noch deutlicher werden?«

»Nein, nicht nötig, wir haben dich auch so verstanden. Aber wir oder unsere Kollegen von der Soko werden möglicherweise einen Unschuldigen verhaften, das ist dir doch hoffentlich klar? Wäre ja nicht das erste Mal in der Kriminalgeschichte«, konterte Santos zynisch.

»Natürlich. Aber ich werde einen Dreck tun und meinen oder unseren Arsch aufs Spiel setzen. Kapiert? Ich erwarte von euch absolute Diskretion in dieser Sache. Am besten, ihr vergesst das alles – so wie ich das tun werde. Als hättet ihr nie davon gehört.«

»Wir haben nie davon gehört. Aber eins darf ich dir noch sagen, bevor Sören und ich gehen …«

»Was?«

»Vor nicht allzu langer Zeit hättest du noch anders

reagiert, du hättest auf Teufel komm raus versucht, diese Schweinerei aufzuklären, und wenn's nur für uns gewesen wäre. Schade. Du hast dich verändert, und ich weiß nicht, warum.«

»Das hat nichts mit Veränderung zu tun, sondern mit Erfahrung. Du wirst mir eines Tages noch danken, dass ich euch vor einer Dummheit bewahrt habe. Jetzt verschwindet aus meinem Büro und haltet mich auf dem Laufenden. Die Uhr tickt und tickt und tickt.«

»Wir sind schon weg. Wer immer die Suppe gekocht hat, wir werden nicht reinspucken, großes Ehrenwort. Komm.« Santos warf Harms einen eindeutigen Blick zu.

»Du brauchst mich gar nicht so vorwurfsvoll anzuschauen, und den sarkastischen Unterton kannst du dir auch sparen …«

»Wir melden uns von unterwegs. Ach ja, wir haben dich nur informiert, weil wir meinten, du hättest ein Recht auf diese Neuigkeit.«

»Danke, ich habe es zur Kenntnis genommen und werde es als erledigt abhaken.«

Santos und Henning spürten seinen Blick im Rücken, selbst als sie die Tür bereits hinter sich zugemacht hatten.

Auf dem Flur sagte Henning: »Letztlich hat Volker recht. Und er hat Angst, was ich ihm nicht verdenken kann.«

»Trotzdem, er hat sich verändert. Ich begreife nicht, was in letzter Zeit mit ihm los ist. Hat er private Probleme?«

»Keine Ahnung, ich weiß über sein Privatleben so gut wie nichts. Trotzdem seltsam, wie er sich verhalten hat. Du musst zugeben, wenn wir uns in diese Sache reinhängen, können wir uns nur selbst schaden. Es wäre ein

Kampf gegen Windmühlen. Wir sind aber nicht Don Quijote und Sancho Pansa. Ich ...«

»Ich weiß, ich weiß. Trotzdem darf ich mich doch wohl mal aufregen, oder? Geht auch wieder vorbei. Mich kotzt diese Machtlosigkeit an. Wir sind eben nur die kleinen Bullen, jemand sagt hopp, und wir springen. So einfach ist das.«

»Du hast es erfasst.«

Ihr erster Weg führte sie in die Kriminaltechnik, um ein paar Worte mit Tönnies zu wechseln. Danach wollten sie in die Rechtsmedizin.

MONTAG, 10.35 UHR

Ich hatte euch früher erwartet«, wurden sie von Tönnies begrüßt. Er fixierte Henning und Santos, erhob sich von seinem Schreibtischstuhl und meinte: »Ich mach mal die Tür zu, muss ja nicht jeder hören, was wir hier bequatschen.«

»Wir sind auch nur kurz hier, um ...«

Tönnies hob die Hand. »Alles, was ihr wissen solltet, hat euch Jürgens schon mitgeteilt. Es tut mir leid, aber ich kann euch nicht weiterhelfen.«

»Wir haben ja nur noch ein paar Fragen, dann lassen wir dich in Ruhe.«

»Also gut, aber beeilt euch, ich steh unter enormem Zeitdruck.«

»Wie bist du darauf gekommen, nach dieser DNA zu suchen?«

»Von welcher DNA sprichst du? Der von Bruhns oder der von der Steinbauer?«

»Ähm, reden wir jetzt aneinander vorbei?«, fragte Henning, der unsicher geworden war.

»Möglich.«

»Was …«

»Warte«, sagte Tönnies und strich sich nervös über das Gesicht. Schließlich nahm er einen Stift, schrieb etwas auf einen Zettel und reichte ihn Henning. Er las und nickte.

»Okay. Die endgültigen Ergebnisse schickst du uns heute noch rüber? Wir stehen nämlich ebenfalls gewaltig unter Druck, Rüter hat uns eine Frist von sieben Tagen gesetzt.«

»Er sitzt auch mir im Nacken. Kann ich auch verstehen, Bruhns war schließlich nicht irgendwer, sondern eine hochrangige Persönlichkeit, wie Rüter betont hat«, sagte Tönnies nachdrücklich und zwinkerte Henning mit einem Auge zu. »Tja, so ist das mit den Promis, immer eine Extrabehandlung wert. Also werden mein Team und ich uns mächtig ins Zeug legen, um uns nicht Gottes Zorn zuzuziehen.«

»Wer will das schon?«, erwiderte Henning. »Wir erwarten dann deine Auswertung. Bis dann.«

»Hm, bis dann.«

Draußen sagte Santos verwirrt: »Was war das jetzt?«

»Er will uns morgen um siebzehn Uhr vor der Drogerie im Hauptbahnhof treffen. Das war doch eben nicht der Günter Tönnies, den wir kennen, oder? Ich möchte zu gerne wissen, was hier läuft. Erst Volker, jetzt Günter, entweder ist da was an uns vorbeigegangen, oder wir sind einfach zu blöd.«

Jürgens war bei einer Obduktion und in ein Gespräch mit Claudia Bartels vertieft, als die Kommissare durch die Tür traten.

Er wandte sofort den Kopf zur Seite, und seine Miene drückte alles andere als Freude aus, Henning und Santos zu sehen.

Eine alte Frau, soweit dies angesichts des geöffneten Torsos, des aufgesägten Schädels und der über die Augen geklappten Kopfhaut zu erkennen war, lag auf dem Seziertisch, die inneren Organe waren entnommen und gewogen worden, an der Wandtafel war das jeweilige Gewicht vermerkt, und nach der Obduktion würde Jürgens die Organe entweder wieder in den Körper legen oder sie zur weiteren Untersuchung mit ins Labor nehmen. Den Darm hatte er in einen blauen Müllsack gepackt und diesen oben verknotet, vielleicht, weil Henning sich einmal über den unerträglichen Gestank eines Darms beschwert hatte, den Jürgens einfach in eine große Metallschale gelegt hatte.

»Moin«, sagte Henning und ging auf Jürgens und Bartels zu. »Viel zu tun?«

»Du sagst es.«

»Können wir uns kurz unterhalten?«, fragte Henning.

»Kinders, ihr seht doch, dass ich zu tun habe.«

»Fünf Minuten?«

»Kommt ein andermal wieder.«

»Bitte, nur fünf Minuten.«

»Ihr geht mir auf die Nerven. Aber bitte nur fünf Minuten. Wart ihr bei Günter?«

»Waren wir. Er gab sich ziemlich zugeknöpft.«

»Kein Wunder«, antwortete Jürgens lapidar, wobei er es vermied, Henning oder Santos anzusehen.

»Wieso? Was ist passiert?«

Jürgens atmete kurz durch. »Ich will euch jetzt nicht aller Illusionen berauben, aber verfolgt die Sache nicht weiter. Ich habe vorhin mit Günter gesprochen, der hat die große Flatter gekriegt. Ich hab's euch gestern schon gesagt, wir haben zwar etwas gefunden, aber wir können nichts damit anfangen. Was sagt denn euer Boss?«

»Dass wir uns auf die Ermittlungen konzentrieren sollen. Er will von der ganzen Sache nichts wissen. Scheint, als hätte er die Hosen voll.«

»Hat er das gesagt?«, fragte Jürgens zweifelnd.

»Nicht direkt, aber du hättest ihn sehen sollen …«

»Ich brauch ihn nicht zu sehen, ich kann mich in ihn hineinversetzen. Er ist ein kluger Mann, an dem ihr euch ein Beispiel nehmen solltet …«

»Inwiefern?«

»Kapierst du's noch immer nicht? Lasst die Finger von der Sache, die ist mindestens zehn Nummern zu groß für euch. Günter hat seine Ergebnisse übrigens vernichtet …«

»Das ist nicht dein Ernst?«, stieß Henning mit ungläubigem Blick hervor, gleichzeitig war er über die Maßen wütend, doch er versuchte, sich das nicht anmerken zu lassen.

»Er hat's zumindest angedeutet. Das heißt, besagte DNA wurde nicht bei Bruhns gefunden.«

»Was? Und deine Ergebnisse? Hast du die auch vernichtet?«

Jürgens lachte trocken auf und schüttelte den Kopf. »Und wenn? Was glaubt ihr, was ich schon alles unter den Tisch habe fallen lassen, oft habe ich bestimmte Ergebnisse in meinen Berichten nicht erwähnt, weil ich dazu aufgefordert worden bin. Ich bin nicht der große Schisser, falls ihr das denkt, aber auch ich muss mich wohl oder übel manchen Anweisungen beugen.«

»Wow, das hört sich richtig geil an, ehrlich«, entfuhr es Henning mit beißender Ironie. »Haben auch wir schon solche getürkten Berichte von dir bekommen?«

»Bis jetzt nicht. Aber was nicht ist, kann ja noch werden. Kommt drauf an.«

»Tja, hast du nun die Ergebnisse noch oder nicht?«

»Möglich. Aber glaubt bloß nicht, dass ihr irgendwas von mir bekommt, das geb ich erst raus, wenn die Hölle zufriert.«

»Da spricht der Eagles-Fan. Aber die haben auch gesagt, sie würden erst wieder zusammen auftreten, wenn die Hölle zufriert. Sie sind wieder zusammen ...«

Jürgens stellte sich dicht vor Henning, packte ihn am Arm, zog ihn ein paar Meter weg und flüsterte: »Der Vergleich hinkt. Es hat keinen Sinn, in diesem Dreck zu wühlen, ihr würdet euch nur mit Leuten anlegen, die unendlich viel mehr Macht und Einfluss haben. Diese Leute, die ihr nicht mal kennt ...«

»Das klingt ja gerade so, als würdest du sie kennen«, bemerkte Henning mit hochgezogenen Brauen.

»Du kannst dir deinen Spott sparen, ich meine es nämlich ernst. Diese Leute sind zu allem fähig, und eine Abmahnung oder kurzzeitige Suspendierung wäre noch die gnädigste Strafe. Ich bin Pragmatiker und werde mich aus allem raushalten. Kommt wieder, wenn die Hölle zugefroren ist, dann geb ich euch, was ihr wollt. Aber erst dann.«

»Claudia?«, fragte Henning und drehte sich zu ihr.

»Was soll ich dazu schon sagen?«, entgegnete sie lakonisch. »Ich weiß ja nicht einmal, worum es geht. Vielleicht erklärt's mir mal jemand.«

»Oh, das ist natürlich was anderes«, sagte Henning und lächelte süffisant. »Dein lieber Chef hat dich also doch noch nicht eingeweiht. Das wolltest du doch gestern Abend noch machen, wenn ich mich recht entsinne. Oder habe ich da was falsch verstanden?«

»Ja, Klaus, wieso hast du mir nicht erzählt, was hier abläuft? Ich werde immer neugieriger.«

»Du hast geschlafen, als ich nach Hause gekommen bin, und heute Morgen hatte …«

Claudia Bartels winkte ab. »Lass gut sein, ich bin geduldig.«

Jürgens fasste Henning erneut am Arm, doch der zischte: »Lass mich los, verdammt noch mal!«

»Entschuldigung, wusste nicht, dass du heute extrem dünnhäutig bist. Lasst uns drei mal rausgehen und in Ruhe reden. Claudia, fang schon mal mit der Leber an, ich bin gleich wieder da.«

»Danke für euer Vertrauen«, rief sie ihnen spöttisch hinterher.

»Du wirst schon noch alles erfahren«, erwiderte Jürgens und führte Henning und Santos in einen Abstellraum. Dort schloss er die Tür und sagte: »So, jetzt noch mal von vorne, und keine Unterbrechung. Günter hat sein Zeug noch, aber er hat Druck bekommen von Rüter, der auch mir vorhin einen kurzen Besuch abgestattet hat …«

»Rüter weiß von eurem Fund?«, wurde er von Santos unterbrochen.

»Was weiß ich! Kann sein, dass er von irgendwoher einen Tipp bekommen hat, oder er verfügt über den berühmten sechsten Sinn. Ich wollte vor Claudia nicht so deutlich werden, aber wir müssen verdammt vorsichtig sein. Nehmt meinen Rat an und vergesst um Gottes willen diese verfluchte DNA. Das hat nichts mit Angst oder Feigheit zu tun, sondern mit Überleben. Keiner von uns kann es sich leisten, den Job zu verlieren, schon gar nicht in der heutigen Zeit …«

»Weiß Claudia tatsächlich nicht Bescheid?«

Jürgens rollte mit den Augen. »Ich wollte es ihr wirklich gestern Abend noch erzählen, aber sie hat geschlafen. Heute Morgen habe ich's bewusst nicht mehr erwähnt und gehofft, sie würde mich nicht darauf ansprechen. Jetzt kommt ihr, und nun muss ich's ihr doch sagen. Da habt ihr ganz schön was angerichtet.«

»Jetzt sind auf einmal wir schuld? Wer hat uns denn gestern Abend ganz aufgeregt angerufen und wollte sich mit uns treffen? Ohne deinen Anruf wären Lisa und ich wesentlich ruhiger und entspannter. Woher sollten wir denn wissen, dass Claudia ahnungslos ist? Du wolltest sie einweihen.«

»Ich weiß, was ich gesagt habe, und das war ein Fehler. Es war alles ein Fehler, den ich hoffentlich nicht eines Tages bitter bereue. Was Claudia angeht, ich muss eben zusehen, dass ich das so hinkriege, ohne dass sie zu viele Fragen stellt. Aber das soll nicht eure Sorge sein, mir wird schon was einfallen. Lasst die Sache auf sich beruhen, es wäre für alle Beteiligten besser. Und, auch das habe ich vorhin mit Günter besprochen, wir halten es für immer wahrscheinlicher, dass sich jemand mit uns einen Jux erlaubt hat. Günter hat nämlich ein paar Stäbchen aus einer alten Charge getestet und … Vielleicht war's sogar einer von der Spusi, der sich jetzt ins Fäustchen lacht und …«

»Den Quark glaubst du ja wohl selbst nicht«, sagte Santos und tippte sich an die Stirn. »Erzähl diesen Quatsch jemand anderem, aber nicht uns.«

»Doch, es ist für mich sogar die plausibelste Erklärung. Dass der- oder diejenige uns damit aber womöglich in

Teufels Küche gebracht hat, hat die Person nicht bedacht. Tut mir leid, ich glaub nicht an eine Verschwörung oder Vertuschung, nicht in diesem Fall. Bruhns wurde umgelegt, wahrscheinlich von einem Auftragskiller. Die Person, egal ob männlich oder weiblich, hat den Job erledigt, aber gewiss nicht absichtlich seine oder ihre DNA hinterlassen.«

»Auf Bruhns' Schniedel und Steinbauers Lippen, wenn ich mich recht entsinne«, sagte Santos.

»Richtig. Auch das spricht gegen alles, was in den vergangenen Jahren an den Tatorten sichergestellt wurde. Nie wurde die DNA an solch markanten Stellen gefunden, sondern immer an einem Gegenstand, am Auto, an einer Coladose et cetera pp. Aber nie an einem Menschen. Ganz ehrlich, ich glaube, da will uns jemand reinlegen.«

»Dann weißt du ja, welches Märchen du Claudia gleich auftischen kannst«, meinte Henning. »Merkst du eigentlich gar nicht, was für einen Stuss du redest? Erst hast du Angst um deinen Job, dann sind's irgendwelche dubiosen Burschen ganz oben, dann war's auf einmal nur ein böser Streich ... Kannst du dich vielleicht mal für eine Version entscheiden?«

»Konzentriert euch auf den Fall und nicht auf eine nichtexistente DNA. Mehr kann ich euch nicht raten. Ich muss zurück in die gute Stube.«

»Das ist eine klare Ansage. Danke für deine Hilfe und Kooperation, wir wissen das sehr zu schätzen, Professor Jürgens«, sagte Henning und legte noch eine Schippe Zynismus obendrauf.

Jürgens blieb an der Tür stehen, die Klinke in der Hand, kniff die Augen zusammen, kam zurück und stoppte vor Henning.

»Was willst du?«

»Falsche Frage. Was willst *du?* Lisa und ich sind in den letzten Jahren wahrlich schon oft genug verarscht worden, da brauchen wir weder dich noch Günter dazu. Wenn ihr die ominöse DNA gefunden habt, dann steht dazu. Wenn es tatsächlich nur ein übler Scherz war, okay, ich werde nie wieder ein Wort darüber verlieren. Aber sag uns die Wahrheit. Beweis uns von mir aus, dass es ein übler Scherz war, und wir sind zufrieden und können uns mit klarem Kopf unserer weiteren Ermittlungsarbeit widmen. Wir wollen nur die Wahrheit.«

»Wahrheit?«, stieß Jürgens hervor, der zunehmend nervöser wurde und dem Druck, den Henning aufbaute, nicht gewachsen schien, obwohl er sonst die Ruhe in Person war. Er biss sich auf die Unterlippe, als suchte er nach den passenden Worten, doch es war nur die Anspannung, die ihn für einen Moment innehalten ließ. Schließlich fuhr er erregt fort: »Was ist denn die Wahrheit? Eine gut verpackte Lüge kann die perfekte Wahrheit sein, es kommt nur auf die Verpackung an …«

»Oh, oh, oh, nicht dieser philosophische Quark«, wehrte Henning ab.

»Mensch, Sören, mach die Augen auf! Es läuft nicht immer so, wie wir uns das wünschen. Okay, ihr seid verarscht worden, ihr werdet aber auch in Zukunft verarscht werden. Die Wahrheit liegt nicht in der Mitte, sondern sie ist ein Teil der Hierarchie, und die Hierarchie ist eine Pyramide, und ganz unten an der Basis, da findest du die Wahrheit. Je höher du steigst, umso mehr verschwimmt alles. Wahrheit, Lüge, Lüge, Wahrheit, wo ist der Unterschied? Verdammt, ich habe keine Ahnung, diese ganze Scheißwelt ist eine einzige Lüge. Willst du wegen diesem kleinen bisschen alle verrückt machen? Wenn dein Vorgesetzter sagt, das und das ist die Wahrheit, dann hältst du besser den Mund. Wenn sein Vorgesetzter sagt, das und das ist die Wahrheit, dann hält Harms die Klappe. So geht das immer weiter, bis an die Spitze. Ich will euch keine Vorschriften machen. Was ihr tut oder lasst, ist allein eure Sache, Entscheidungsfreiheit nennt man so was. Nur, mit den Informationen, die ich euch gegeben habe, könnt ihr nichts, aber auch rein gar nichts anfangen. Capito? Es gibt nämlich keine Informationen, zumindest nicht mehr von mir, weil ich mich komplett zurückziehen werde; die Sache ist mir zu heiß …«

»Feigling!«

»Nenn mich, wie du willst. Aber eine Frage an dich: Willst du mit dem Kopf durch die Wand? Oder willst du dir selbst was beweisen? Mein Gott, das ist so weltfremd!«, spie Jürgens Henning entgegen. »Wem, glaubst du, nützt du damit? Dir? Oder Lisa? Oder willst du etwa die Welt retten?« Jürgens wartete einen Moment, ob Henning etwas zu entgegnen hatte, doch als dieser schwieg, fuhr er mit leicht erhobener Stimme fort: »Niemandem nützt du damit, hörst du, niemandem! Nimm dich zurück, mehr brauchst du nicht zu tun. Diese Geschichte ist zu Ende, bevor sie überhaupt angefangen hat. Aller Wahrscheinlichkeit nach ist es nicht mal eine Geschichte, sondern nur ein Spaß, um uns in die Irre zu führen. Ich hätte erst mal eine Nacht drüber schlafen sollen, bevor ich die Pferde scheu mache. Ich hätt's einfach für mich behalten sollen. Ich meine, ein Täter, der bisher an zumeist verborgenen oder zufälligen Stellen seine DNA hinterlassen hat, wird nicht auf einmal ganz offensichtlich seinen genetischen Fingerabdruck präsentieren. Auf einem Pimmel und auf dem Mund, ich meine, das ist ja geradezu lachhaft. Tut mir leid, aber so ein Fehler wie gestern wird mir garantiert nicht wieder passieren. Ich hoffe nur, dieser ganze Mist schadet nicht unserer Freundschaft.«

»Ich sag nur: gequirlte Kacke, Dummschwätzerei … Komm, Lisa, es gibt für uns hier nichts mehr zu tun. Viel Spaß noch beim Rumschnippeln.«

»Wartet, wartet, eins noch: Kennt ihr die Geschichte von den zwei Forschern, die ein Mittel gegen Aids gefunden haben? Liegt ungefähr elf Jahre zurück.«

»Nein«, sagte Santos leise.

»Es gab zwei Wissenschaftler, die ein Mittel gegen Aids entdeckt haben, und das ist kein Witz. Die Menschen warten nur darauf, dass endlich etwas gefunden wird, vor allem in Afrika warten sie. Nur die Pharmaindustrie wartet nicht darauf. Für die wäre das nämlich der Super-GAU, denn die Medikamente, die HIV-Positiven verschrieben werden, sind ein Milliardengeschäft. Ein Mittel gegen Aids würde diese Medikamente obsolet machen. Selbst wenn die gesamte Bevölkerung unseres Planeten Aids hätte, die Kosten für das Wundermittel würden nur einen Bruchteil von dem einbringen, was die jetzigen Medikamente an Profit einfahren. Warum? Weil man das Wundermittel nur ein- oder zweimal nimmt, dann ist die Krankheit besiegt. Und dann? Die Menschen sind gesund, aber der Geldhahn ist zu, und die Pharmakonzerne gucken in die Röhre. Aber die anderen Mittelchen, die den Ausbruch der Krankheit so wunderbar hinauszögern, bringen die große Kohle. Damit das auch weiterhin so bleibt, darf Aids nicht heilbar sein. Die beiden Wissenschaftler haben ihre Erfindung nicht überlebt, sie starben unglücklicherweise bei einem Flugzeugabsturz, als sie unterwegs zu einem Kongress in die USA waren, um ihre sensationelle Entdeckung publik zu machen.

Kaum jemand außer ihnen und ein paar Pharmabonzen wusste davon. Mit an Bord der Maschine waren zweihundertdreiundzwanzig Passagiere, die einfach nur zur falschen Zeit am falschen Ort waren, wenn ihr versteht, was ich meine. Die Formel ruht jetzt irgendwo in einem Safe und wird wohl nie zur Anwendung kommen.«

»Man lässt ein Flugzeug mit über zweihundert Menschen abstürzen, nur wegen zwei Wissenschaftlern?«, fragte Santos zweifelnd.

»Nur wegen zwei Wissenschaftlern? Wach auf, Lisa, es ging um unendlich viel Geld. Die anderen Menschen zählen nicht.«

»Woher weißt du das?«, fragte Henning misstrauisch.

»Sören, es gibt überall Lecks oder Angehörige, die eingeweiht sind. Ich bin seit knapp zwanzig Jahren als Mediziner tätig, glaubst du, wir würden uns nicht unter der Hand Informationen zustecken? Die Geschichte ist wahr, ich kenne die Namen der beiden Forscher, deren Integrität zu keiner Zeit in Abrede gestellt werden konnte. Das war auch gar nicht beabsichtigt, im Gegenteil, sie wurden für ihre Arbeit in den Himmel gelobt, nur dass sie den Durchbruch in der Aids-Forschung geschafft hatten, das wurde natürlich nie erwähnt. Sie hätten mit Sicherheit den Nobelpreis bekommen, aber was ist schon ein popeliger Nobelpreis gegen den Verlust von Milliarden von Dollar? Scheiß drauf, sollen die Leute doch an Aids krepieren, was kümmert's die Pharmaindustrie? Das sind Fakten, meine Lieben. Ich könnte euch noch mehr solcher Geschichten aus Forschung und Medizin erzählen.«

»Was hat das mit unserem Fall zu tun?«

»Die Frage meinst du jetzt aber nicht ernst, Lisa, oder? Die Mechanismen sind doch überall die gleichen, das Verschweigen, das Eliminieren, das Manipulieren ...«

»Schon gut, schon gut, ich habe verstanden.«

Jürgens holte tief Luft. »Mensch, ich bin doch auch sauer wegen diesem Mist, aber ich bin eben nur ein kleiner Rechtsmediziner, und ihr seid nur kleine Bullen mit einem mickrigen Gehalt. Es gibt kein Mittel gegen politische Entscheidungen oder Wirtschaftsbosse. Nicht eines ... So wie es kein Mittel gegen Aids gibt beziehungsweise niemals offiziell geben wird, das versichere ich euch, so wahr ich hier stehe. Ich war mir gestern der Tragweite dessen, was ich euch erzählt habe, nicht bewusst, und das tut mir leid. Und ich will nicht, dass ihr Schwierigkeiten kriegt. So, das war's, lasst uns ein andermal weiter darüber reden, wenn die Emotionen runtergefahren sind. Ciao und viel Erfolg.«

»Viel Erfolg bei was? Bei der Suche nach einem Täter, der am Ende gar nicht der Täter ist? Ist das die Wahrheit? Wenn es stimmt, dass die UWP oder derjenige, der die DNA der unbekannten Frau an Tatorten hinterlässt, noch im Spiel ist, werden wir aller Voraussicht nach einen Unschuldigen verhaften und hinter Gitter bringen. Eine feine Wahrheit!«

»Ja, eine feine Wahrheit, da gebe ich dir recht. Aber schlag du doch vor, was wir tun können, Herr Hauptkommissar Oberschlau.« Nach einer längeren Pause fügte er hinzu: »Siehst du, du hast selbst keine Antwort darauf. Du hast keine Antwort, ich habe keine Antwort. Ich würde gerne etwas ändern, aber ich kann es nicht. Und ihr braucht mir kein schlechtes Gewissen einzureden, das habe ich nämlich schon. So, jetzt ist wirklich Schluss.«

»Aber warum hast du uns belogen?«

»Du meinst, dass das Ganze ein Scherz gewesen sein könnte?« Jürgens zuckte mit den Schultern. »Vielleicht, um mich und euch zu schützen? Seht's mal von der Warte.«

Er ging durch die Tür und ließ eine ratlose Lisa Santos und einen noch ratloseren Sören Henning zurück. Henning legte einen Arm um sie und sagte: »Gehen wir, ich muss hier raus, ich brauche frische Luft.«

MONTAG, 13.10 UHR

Auf der Fahrt nach Düsternbrook sagte Santos nach längerem Schweigen: »Wir lassen ab sofort die Finger davon. Wir verrennen uns doch nur. Klaus hat es auf den Punkt gebracht: Wir haben erstens keine Beweise und zweitens keine Chance, selbst wenn wir Beweise für Manipulation hätten. Mein Vater sagt immer, verschwende nicht deine Energie an Dinge, die du nicht erreichen oder gewinnen kannst. Er hat recht.«

»Na und? Ich will die Wahrheit wissen.«

»Ich auch, aber nicht um jeden Preis. Dieser Preis ist mir definitiv zu hoch, ich häng nämlich am Leben, und ich habe das dumpfe Gefühl, dass es nicht nur um unseren Job, sondern um mehr geht.«

»Angst?«

»Noch nicht.«

»Gut. Ist dir aufgefallen, wie Günter geschwitzt hat? Der hat panische Angst. Warum schiebt er mir einen Zettel zu, auf dem steht, dass er uns an einem neutralen Ort treffen will? Er hat das heimlich gemacht, als würde er beobachtet. Und warum erfindet Klaus so eine abenteuerliche Geschichte? Warum ...«

»Hör auf! Schluss jetzt!«, herrschte Santos ihn an und

warf ihm einen glühenden Blick zu. Selbst abgebrühte Gauner bekamen weiche Knie und schwitzige Hände, wenn Santos sie mit diesem furchteinflößenden Blick ansah, den sie in ihrer Karate- und Nahkampfausbildung gelernt hatte. »Ich habe keine Lust mehr, einem Phantom hinterherzujagen. Wir konzentrieren uns ab sofort nur noch auf unsere Ermittlungen und nichts weiter. Ich bin raus aus der Nummer ...«

»Aber ...«

»Kein Aber! Mag sein, dass man der Öffentlichkeit und den Medien falsche Informationen zukommen ließ, es kann aber auch sein, dass alles korrekt ist und der Fehler irgendwo anders liegt. Wir wissen es nicht und werden es vermutlich nie erfahren. Aber das ist nicht unser Job. Unser Job ist es, einen perversen Mörder zu fangen. Für DNA sind wir nicht zuständig. Jetzt will ich kein Wort mehr über diese Sache hören, sonst kannst du dir einen anderen Partner suchen.«

»Nur noch eins, dann bin ich still. Ich will auch gar keine Antwort von dir, sondern nur, dass du darüber nachdenkst. Okay?«

»Wenn's sein muss.«

»Warum ist Volker so nervös geworden, als wir ihm davon erzählt haben? Warum war Rüter in der KTU und bei Jürgens? Das sind nur Fragen, nicht mehr und nicht weniger.«

Santos sah aus dem Fenster, hinter ihrer Stirn arbeitete es. Gedanken, die sie Henning nicht mitteilen wollte und durfte. Gedanken, die sie vergeblich zu verbannen versuchte.

Sie wusste, dass Henning recht hatte, und sie wusste auch, dass es schon gefährlich sein konnte, nur darüber nachzudenken. Sie brachte sich ein spanisches Gedicht in Erinnerung, das ihr Vater ihr beigebracht hatte, als sie noch ganz klein gewesen war. Es nützte nichts. Dann ein spanisches Volkslied, das ihre Großmutter oft gesungen hatte, wenn sie in Spanien zu Besuch waren.

Doch die Gedanken blieben. Gedanken, Zweifel und eine Menge Frustration. Sie hätte so gerne zu Henning gesagt: »Komm, wir gehen die Sache an.« Aber sie traute sich nicht, denn sie wusste, Henning konnte wie ein Pitbull sein, der nicht mehr loslässt, wenn er sich einmal in etwas verbissen hat.

Noch bevor sie in Bruhns' Straße einbogen, sahen sie die Wagen der Reporter. Heerscharen von ihnen hatten sich auf den Weg gemacht, um vielleicht *das* Bild zu schießen, das eine trauernde Victoria Bruhns zeigte. Gramgebeugt, das Gesicht tränenüberströmt, die Augen gerötet. Henning stellte sich die weiteren Schlagzeilen vor, den Tage oder gar Wochen andauernden Medienhype, Serien, die über Bruhns' Leben und Werk berichten würden. Vielleicht kämen nach und nach Details über sein Leben ans Tageslicht, die keiner wissen wollte, aber Journalisten waren dazu da, die Fassade herunterzureißen, und sie würden es auch diesmal tun, denn Bruhns' schrilles und schillerndes Leben bot eine Fülle Stoff, doch zu seinen Lebzeiten hatte man es in den letzten drei, vier Jahren nicht gewagt, seine düsteren Seiten zu zeigen, dazu hatte er schon zu viele Prozesse geführt und gewonnen.

Sie langten vor dem Haus an, Henning stoppte, zog den Schlüssel ab, wartete ein paar Sekunden und legte eine Hand auf Lisas Arm, ohne die Reporter, die mit Mikrofonen und Kameras bewaffnet vor dem Grundstück ausharrten, aus den Augen zu lassen.

»Es ist okay, ich will damit nichts mehr zu tun haben.«

»Lass uns reingehen«, war alles, was Santos antwortete.

»Wenn uns diese Pressefuzzis überhaupt durchlassen.«

»Sie werden uns durchlassen, dafür sorge ich schon.«

Er stieg aus und bahnte sich einen Weg durch die Menge, indem er die Ellbogen benutzte und einige der Journalisten brüsk anfuhr: »Macht schon Platz, ihr Aasgeier, es gibt hier nichts für euch zu holen. Verzieht euch, aber ein bisschen dalli, sonst lass ich das Gelände hier räumen!«

»Sie können uns nicht verbieten, hier zu sein«, sagte ein junger Journalist, den Henning nie zuvor gesehen hatte, mit herausforderndem Blick.

Henning ging zu ihm und zischte: »Ich kann es verbieten, verlass dich drauf. Das ist eine Wohngegend, und ihr blockiert mit euren Karren die Straße. Ich kann schon mal den Abschleppdienst rufen, die kommen mit fünf oder sechs Wagen gleichzeitig, und ihr glaubt gar nicht, wie schnell hier alles geräumt ist. Na, was ist?«

»Das ist ein freies Land, Arschloch«, entgegnete der Journalist, der sich erste Lorbeeren mit einer großen Story verdienen wollte, dem aber jegliches diplomatische Geschick abging.

»Bitte? Wie war das eben? Willst du eine Anzeige wegen Beamtenbeleidigung? Kannst du ganz schnell haben, es sei denn, du bewegst deinen Arsch weg von hier.«

»Ist ja gut, ist ja gut, war nicht so gemeint. Ich entschuldige mich.«

»Angenommen. Und trotzdem Abmarsch. Aus dem Weg!«

Vor dem großen Tor standen vier uniformierte Beamte, Henning hielt seinen Ausweis hoch und fragte: »Wie lange geht das schon so?«

»Wir sind seit sechs hier. Die sind wirklich wie die Geier.«

»Ist Frau Bruhns zu Hause?«

»Ja.«

Henning klingelte und stellte sich so, dass sein Gesicht deutlich auf dem Monitor im Haus zu erkennen war, das Tor öffnete sich, ohne dass Victoria Bruhns sich gemeldet hätte.

Sie gingen zum Haus, die Hausherrin erwartete sie in der dunklen Eingangshalle, sie war blass und hatte dunkle Ringe unter den Augen.

»Hallo«, begrüßte sie die Beamten mit einem Lächeln, das wie eingefroren schien, und schloss die Tür hinter ihnen. Sie begaben sich in den Wohnbereich.

»Hallo. Wie geht's Ihnen heute?«

Sie zog die Stirn in Falten und zuckte mit den Achseln.

»Haben Sie nicht geschlafen?«, fragte Santos mitfühlend.

»Daran war überhaupt nicht zu denken. Seit gestern Abend belagern die mich, als wäre ich Britney Spears oder Paris Hilton. Wenn sie mich doch nur zufriedenlassen würden.«

»Können Sie nicht wegfahren? Irgendwohin, wo die Sie nicht finden?«

Victoria Bruhns lachte unfroh auf und schüttelte den Kopf. »Die würden mich überall finden, die sind wie Bluthunde. Sie müssten doch wissen, wie Journalisten ticken. Ich möchte nur meine Ruhe haben.«

»Was ist mit Ihren Eltern oder Ihrer Schwester?«

»Wo denken Sie hin? Jeder von denen da draußen weiß, wo meine Familie wohnt. Bei denen stehen ja auch schon die Paparazzi vor der Tür. Ich hasse dieses Pack.«

»Gibt es keine Freundin, bei der Sie mal für eine Weile unterschlüpfen könnten?«

»Seit ich mit Peter zusammen bin, habe ich keine Freundin mehr«, sagte sie bitter. »Er hat mich praktisch gezwungen, alle meine früheren Kontakte aufzugeben, als

Liebesbeweis sozusagen. Ich weiß, ich war eine dumme Kuh, aber ich kann das Rad der Zeit nicht zurückdrehen. Na ja, was soll's, irgendwann geht der Rummel schon vorbei. Die kriegen auf keinen Fall Bilder einer trauernden Witwe, denn das bin ich nicht. Aber nehmen Sie doch Platz. Darf ich Ihnen etwas zu trinken anbieten?«

»Machen Sie sich keine Umstände …«

»Das sind doch keine Umstände. Warten Sie, ich lasse uns Limonade bringen, hergestellt aus Cranberrys, die Peter zweimal im Jahr aus den USA hat einfliegen lassen. Unsere Haushälterin musste dann eine ganz besondere Limonade daraus herstellen. Dabei hat Peter das nie getrunken, er war ja auch nur selten hier.«

Victoria Bruhns ging hinaus, Henning und Santos hörten Stimmen, wenig später kehrte sie zurück.

»Die Limonade wird uns gleich gebracht«, sagte sie und nahm wie tags zuvor auf dem Sessel Platz. Sie wirkte sehr gefasst, auch wenn dies, wie die Beamten ahnten, nur Fassade war.

»Warum trauern Sie nicht?«, fragte Santos direkt.

»Keine Ahnung, ich kann es einfach nicht. Vielleicht, weil ich schon seit fast zwei Jahren allein in diesem Haus lebe, Peter war ja nur hin und wieder zu Besuch hier. Gestern, nachdem Sie gegangen sind, habe ich eine ganze Weile Rotz und Wasser geheult, aber am Abend war es vorbei. Auch das war keine echte Trauer, es war etwas anderes. Sie haben mich mit einer Nachricht konfrontiert, auf die ich nicht vorbereitet war, das ist wohl die einzig plausible Erklärung.«

»Wahrscheinlich. Wir müssen Ihnen leider noch ein paar Fragen stellen, es dauert auch nicht lange. Wo ist denn Ihr Töchterchen?«

»Mittagsschlaf. Sie hat die Nacht fast durchgeschlafen

und schläft jetzt auch. Ich wünschte, ich könnte das. Aber bitte, fragen Sie.«

Die Tür ging auf, und eine in Schwarz gekleidete Frau um die fünfzig trat ein. Sie stellte ein Tablett mit einer Karaffe und drei Gläsern auf den Tisch und schenkte wortlos ein, ohne die Beamten eines Blickes zu würdigen.

»Danke«, sagte Victoria Bruhns, worauf die Frau immer noch schweigend den Raum verließ.

»Ist Ihnen noch jemand eingefallen, der Ihrem Mann den Tod hätte wünschen können?«

»Nein, da muss ich passen. Ich habe mir die ganze Nacht den Kopf zermartert, wer hinter diesem Mord stecken könnte, aber außer den sieben Namen, die ich Ihnen gestern schon aufgeschrieben habe, fällt mir keiner ein, dem ich so etwas auch zutrauen würde.«

»Die Personen, die Sie uns genannt haben, werden überprüft. Können Sie sich an ungewöhnliche Vorkommnisse in den letzten Tagen und Wochen erinnern? Hat Ihr Mann sich am Freitag, als Ihre Tochter Geburtstag hatte, anders als sonst verhalten? Gab es Post oder Anrufe, die …«

»Sie haben mir diese Fragen doch gestern schon gestellt, oder? Wie gesagt, es gab nichts Ungewöhnliches, zumindest habe ich es nicht bemerkt. Mein Mann war wie immer, ich muss aber zugeben, dass ich nicht sonderlich auf ihn geachtet habe. Außerdem war er nur eine gute Stunde bei uns, dann war er schon wieder verschwunden …«

»Ins Studio, wenn ich mich recht entsinne?«

»Ja, aber fragen Sie doch seinen Toningenieur, ob er wirklich dort gewesen ist. Ich schreibe Ihnen seinen Namen und die Studioadresse auf.«

»Haben Sie schon mit ihm gesprochen?«

»Nein, ich habe mich auch gewundert, dass er sich noch nicht bei mir gemeldet hat, aber ich kenne ihn auch nur vom Sehen aus der Anfangszeit, als mein Mann mich noch des Öfteren mit ins Studio genommen hat. Herr Weidrich ist ein stiller und verschlossener Typ. Ich hatte im Übrigen den Eindruck, dass er trinkt. Aber das ist nur meine Einschätzung.«

Sie überreichte Santos den Zettel, die ihn einsteckte und sagte: »Sie erwähnten gestern, dass Sie sich von Ihrem Mann trennen wollten und ein Druckmittel gegen ihn in der Hand hatten, wollten uns aber nicht sagen, worum es sich handelt. Wir möchten das wissen, auch wenn es Ihnen unangenehm ist.«

»Warum? Ist das so wichtig?«

»Alles kann wichtig sein. Sie können uns vertrauen. Was wir hier besprechen, bleibt unter uns, es sei denn, es ist für die weiteren Ermittlungen relevant.«

Victoria Bruhns faltete die Hände und presste die Lippen aufeinander, bis sie schließlich sagte: »Also gut. Peter hat vor einem Jahr ein Talent entdeckt, wie er sagte, ein Mädchen, das er ganz groß rausbringen wollte. Sie sollte eine neue Mariah Carey oder Whitney Houston werden. Er hatte mir schon mehrfach von ihr vorgeschwärmt, bevor er sie dann eines Tages mit hierherbrachte. Es war schon ziemlich spät, so gegen neunzehn Uhr, und er war eine ganze Weile mit ihr unten im Studio, während ich im Wohnzimmer war … Sie müssen wissen, im Untergeschoss hat er ein kleines Studio, das er vor allem zum Komponieren benutzt hat. Es ist komplett ausgestattet, er hat hier auch schon einige Demo-Tapes gemacht und mit etlichen seiner Künstler geprobt. Ich kann Ihnen das Studio nachher gerne zeigen … Es war einen Tag vor Paulines Geburt, das werde ich nie vergessen, als dieses Mädchen die Treppe hochkam. Sie sah aus, als hätte sie geweint, und ich bin ziemlich sicher, dass sie Schmerzen

171

hatte, auch wenn sie das zu unterdrücken schien. Peter kam ihr nach und blaffte mich an, was ich so glotzen würde, ich solle gefälligst ins Wohnzimmer verschwinden. Ich bin aber geblieben und fragte ihn, was mit dem Mädchen sei, bekam jedoch zunächst keine Antwort, und als ich nachhakte, gab er mir deutlich zu verstehen, dass mich das nichts anginge und ich endlich verschwinden solle, wobei er leicht die Hand hob. Nele ginge es gut, sie sei nur ein wenig erschöpft von den Proben, und er würde sie gleich nach Hause fahren. Er hatte wohl nicht damit gerechnet, dass ich noch im Wohnbereich sein würde, weil ich in den Tagen vor Paulines Geburt normalerweise früh zu Bett gegangen bin.«

»Wie, haben Sie gesagt, heißt das Mädchen?«, fragte Santos.

»Nele.«

»Nachname?«

»Keine Ahnung. Wollen Sie gar nicht wissen, wie alt sie war?«

»Wie alt?«, fragte Santos mit zu Schlitzen verengten Augen. Die Wut, die sie schon den ganzen Morgen über in sich hatte, wurde zu heiligem Zorn.

»Elf, höchstens zwölf. Nele war noch ein Kind, als Peter sich an ihr vergangen hat. Es war das grausamste Erlebnis, das ich je hatte, das können Sie mir glauben.«

»Woher wissen Sie, dass Ihr Mann sich an dieser Nele vergangen hat?«

»Ich habe es gespürt. Ich bin eine Frau und ... Das Mädchen war total verängstigt, ihr Blick war traurig und unendlich einsam. Es kann natürlich sein, dass ich mich getäuscht habe, aber die Situation war in meinen Augen eindeutig.«

»Hat Nele etwas gesagt?«

»Nein, keinen Ton. Ich hatte allerdings auch keine Gelegenheit, sie anzusprechen, weil Peter darauf gedrängt hat, sie nach Hause zu fahren. Im Hinausgehen drehte sie sich noch einmal um und sah mich traurig und hilfesuchend an.«

»Können Sie das Mädchen beschreiben?«

»Etwa eins vierzig groß, blond, große blaue Augen und eine noch sehr mädchenhafte Figur, da war noch kein Busen, auch die Rundungen fehlten.«

Santos ließ sich nicht anmerken, was sie dachte, denn sie erinnerte sich an einen Fall, den sie zusammen mit einigen Kollegen bis vor zwei Monaten bearbeitet hatte.

»Wenn Ihr Mann dieses Mädchen vergewaltigt hat, warum haben Sie das nicht der Polizei gemeldet?«

»Haben Sie nicht zugehört? Ich kannte das Mädchen nicht, ich wusste nur ihren Vornamen, ich wusste in etwa, wie alt sie war, mehr aber auch nicht. Was hätte die Polizei denn tun können? Ganz ehrlich, gegen einen Peter Bruhns unternimmt die Polizei doch nichts. Außerdem hat er mir, nachdem er etwa zwei Stunden später zurückgekommen war, gedroht, mich umzubringen, sollte ich jemals diesen kleinen Vorfall erwähnen. Kleiner Vorfall!« Sie schwieg eine Weile. »Und dann sagte er: ›Nele hat doch kein besonderes Talent‹, und grinste. Noch in derselben Nacht setzten bei mir die Wehen ein, und am Morgen wurde Pauline geboren. Peter war natürlich mit in der Klinik, denn die ganze Welt sollte sehen, was für ein liebevoller und fürsorglicher Ehemann und Vater er war. Sobald wir zu Hause waren, verschwand er, manchmal tagelang, ohne dass ich ein Wort von ihm gehört habe.«

Victoria Bruhns machte eine Pause und trank einen Schluck von ihrem Cranberry-Saft.

»Aber wenn Sie ihn nicht damit unter Druck setzen konnten, womit dann?«

»Sie haben noch gar nicht getrunken.«

Henning und Santos tranken und stellten die Gläser kommentarlos wieder auf den Tisch.

»Also, womit hatten Sie Ihren Mann in der Hand?«

»Eine Woche nach dem Vorfall war ein Foto von Nele in der Zeitung. Sie war tot, die Polizei ging davon aus, dass sie sich das Leben genommen hat oder Opfer eines Unfalls geworden war. Außerdem wurde gefragt, ob irgendjemand Angaben zur Herkunft des Mädchens machen könne. Das war für mich ein Schock. Ich machte mehrere Kopien von dem Artikel und versteckte sie überall im Haus …«

»Aber spätestens dann hätten Sie doch zu uns kommen können …«

»Frau Santos, ich bitte Sie, was hätte ich denn sagen sollen? Hier, ich kenne das Mädchen, sie heißt Nele und war vor einer Woche bei uns im Haus? Mein Mann hat sich an ihr vergangen! Wem hätten Sie wohl mehr geglaubt, mir oder dem großen Produzenten?«

Santos senkte für einen Moment den Blick, denn sie wusste, dass Victoria Bruhns recht hatte, keiner hätte ihr Glauben geschenkt. Und keiner hätte Ermittlungen gegen Bruhns eingeleitet. Er kannte Gott und die Welt, und zu diesen Göttern zählten auch Staatsanwälte und Richter. Es wäre nie zu einer Ermittlung, geschweige denn zu einem Verfahren oder gar einer Verurteilung gekommen. Sie erinnerte sich nur zu genau an diesen Fall, wie das namenlose Mädchen von Gleisbauarbeitern in einem Gebüsch neben einer Reihe von Güterwagons gefunden worden war, im Arm einen Teddybär, der zarte Körper von unzähligen Misshandlungsspuren übersät, Hämatome, Brandmarken von ausgedrückten Zigaretten, Knochenbrüche, die meisten davon alt, aber schlecht verheilt, lediglich das Gesicht war beinahe unversehrt gewesen. Ein zartes, unschuldiges Gesicht, lange blonde Haare, blaue Augen, leicht hervorstehende Wangenknochen, sanft geschwungene, nicht zu volle Lippen. Ein bildhübsches Mädchen, das im Laufe der Jahre noch hübscher geworden wäre. Aber es gab jemanden, der nicht zugelassen hatte, dass sie älter als elf oder zwölf wurde. Vor ihrem Tod hatte sie unsägliche Leiden ertragen müssen. Ihr Unterleib gab Zeugnis von unzähligen Vergewaltigungen, die das Mädchen nur überstanden hatte, weil man es unter Drogen gesetzt hatte, wie man im Blut nachweisen konnte. Und wie es schien, gehörte Bruhns zu jenen, die Neles Körper und Seele geschändet hatten.

Für Lisa Santos war es beinahe unerträglich gewesen, sich die Fotos anzusehen, Trauer und unbändige Wut hatte sie empfunden. Doch in den folgenden Ermittlungen galt es, einen kühlen Kopf zu bewahren. Eine zwölfköpfige Soko war gebildet worden, doch bis zum heutigen Tag gab es kein Ergebnis. Nun saßen sie bei Victoria Bruhns und erhielten erste verwertbare Informationen, vor allem hatte das Mädchen jetzt einen Namen.

Die Leiche hatte bei ihrem Auffinden laut rechtsmedizinischem Gutachten etwa vier bis fünf Tage im Freien gelegen, da es vergleichsweise kühl gewesen war, hatte der Verwesungsprozess noch nicht eingesetzt. Das Mädchen war vergewaltigt und anschließend erwürgt worden. Da es keine Abwehrverletzungen aufwies, ging man davon aus, dass es nicht mehr die Kraft gehabt hatte, sich zu wehren. Die Öffentlichkeit erfuhr nie etwas von den unsäglichen Leiden des Mädchens mit dem schönen Namen Nele.

»Und wie …«

»Ganz einfach. Als ich ihm sagte, dass ich mich von ihm trennen wolle, drohte er mir, wie ich Ihnen gestern schon erzählt habe. Da drehte ich den Spieß um, obwohl ich Angst vor ihm hatte. Er hatte wohl nicht damit gerechnet, dass ich ein paar Tage nach der Entbindung die Zeitung lesen würde, und er erschrak zutiefst, als ich ihm den ausgeschnittenen Artikel unter die Nase hielt und sagte, ich wüsste, dass dieses Mädchen auch seinetwegen gestorben sei. Es war das einzige Ass, das ich im Ärmel hatte, und es stach. Er stand da wie versteinert, dann drehte er sich schweigend um und ging. Das war vor zehn Tagen. Er hat kein Wort mehr darüber verloren, er wusste, dass er diesmal verloren hatte. Glauben Sie mir, ich hatte panische Angst vor diesem Augenblick. Aber dass er sich so leicht geschlagen geben würde, damit hatte ich nie und nimmer gerechnet.«

»Warum haben Sie ein Jahr lang geschwiegen? Wie konnten Sie so lange noch mit so einem Mann zusammenleben …«

»Frau Santos, ich habe, einen Tag nachdem ich Nele gesehen habe, selbst entbunden. Seither steht Pauline an erster Stelle, und wie ich schon sagte, ich hatte Angst. Angst, Angst, Angst. Aber dann habe ich sie doch überwunden. Ich weiß, es fällt schwer, das zu glauben, aber dieses Haus war drei Jahre lang mein Gefängnis, aus dem ich nur noch ausbrechen wollte.«

»Können wir den Artikel sehen?«

Sie ging zum Bücherregal und zog eine Kopie aus einem Buch.

»Bitte.«

Santos betrachtete das Foto des toten Mädchens, nickte, und Henning sagte: »Also doch. Ich dachte gleich an den

Fall unseres unbekannten Mädchens, war mir aber nicht sicher. Vor etwa zwei Monaten mussten wir die Akte schließen, weil wir nicht einen einzigen verwertbaren Hinweis erhalten haben. Das Mädchen wurde von niemandem als vermisst gemeldet. Wir haben uns mit Kollegen aus fast ganz Europa in Verbindung gesetzt, aber auch da null Resonanz. Wir und auch die Rechtsmediziner gehen nach wie vor davon aus, dass das Mädchen aus Osteuropa stammte. Und Sie sind sicher, dass sie hier bei Ihnen im Haus war?«

»Warum sollte ich Sie anlügen? Sie war hier, dieses Gesicht werde ich nie vergessen, glauben Sie mir. Sie war so hübsch, zart und zerbrechlich, ich hätte sie am liebsten in den Arm genommen, um sie zu beschützen. Aber wie hätte ich das tun sollen? Ich war hochschwanger! Ich weiß, das ist keine Entschuldigung, aber zumindest eine Erklärung. Wenn ich sie hätte beschützen können, ich schwöre Ihnen, ich hätte es getan.« Sie wandte den Kopf, Tränen liefen ihr über das Gesicht. Mit stockender Stimme fuhr sie fort: »Mein Mann und vielleicht auch andere haben Fürchterliches mit ihr angestellt. Ich glaube nicht, dass sie sich umgebracht hat oder einem Unfall zum Opfer gefallen ist, ich glaube eher, dass sie umgebracht wurde.«

Santos hielt sich bedeckt. »Es gibt weder für das eine noch für das andere Hinweise. Nach dem, was Sie uns erzählt haben, müssen wir eine Hausdurchsuchung durchführen. Es werden viele Beamte im Haus sein und …«

»Ich kenne das aus dem Fernsehen. Machen Sie, was Sie für richtig halten.«

»Unsere Kollegen werden mit einem Durchsuchungsbeschluss kommen, vermutlich morgen schon. Besitzen Sie außer diesem Haus und dem in Schönberg noch weitere Immobilien?«

»Ja, in Hamburg, auf Mallorca, Ibiza, Florida und neuerdings auch in Moskau. Wonach suchen Sie denn?«

»Das dürfen wir Ihnen nicht sagen. Wir werden jedoch Anweisung geben, dass so wenig Unordnung wie möglich gemacht wird. Ob wir allerdings die Presse raushalten können, dafür kann ich nicht garantieren. Wenn die spitzkriegen, dass Ihr Haus auf den Kopf gestellt wird, werden sie Fragen stellen, und nicht Herr Henning oder ich werden Rede und Antwort stehen, sondern unser Pressesprecher oder der Staatsanwalt.«

»Mich kann nichts mehr erschüttern.« Sie sah auf die Uhr. »Ich will nicht drängeln, aber ich müsste mich um meine Tochter kümmern. Haben Sie noch Fragen?«

»Ja, eine noch. Gingen hier öfter Personen ein und aus, die Ihnen unbekannt waren?«

»Nein, außer ein paar Musikern oder alten Bekannten meines Mannes niemand. Das mit dem Mädchen war auch das einzige Mal, dass …«

»Frau Bruhns, das eine Mal war einmal zu viel. Wenn es denn wirklich das einzige Mal war. So oder so ist dieses Mädchen jetzt tot, und das ist eine Schande.«

»Es tut mir in der Seele weh, aber sagen Sie mir, was hätte ich tun sollen? Ich kann Ihnen nur sagen, dass ich ihn spätestens ab diesem Tag verabscheut habe. Ich habe mich vor ihm geekelt. Wir hatten seitdem auch keinen Intimkontakt mehr, aber auch er wollte es gar nicht. Peter war nicht der Mann, den alle in ihm gesehen haben, schnodderige Schnauze, dumme Sprüche und immer gut drauf, nein, er hatte eine sehr dunkle Seite, die er niemandem zeigte, nur mir hin und wieder, wenn ihm die Hand ausrutschte. Seine zahlreichen Affären waren mir gleich, damit konnte ich leben, aber dass er sich auch an Kindern vergangen hat, das war zu viel.«

»Sie sprechen auf einmal von Kindern? Haben Sie uns noch etwas zu sagen?«

»Nein«, antwortete sie schnell, zu schnell, wie Santos befand. »Wenn Sie mich jetzt bitte entschuldigen wollen.«

»Frau Bruhns, helfen Sie uns und den Kindern. Gab es mehr als nur diese Nele?«

»Nein, ich versichere Ihnen, ich habe kein anderes Kind hier gesehen. Aber ich habe den Verdacht, dass es weitere gab. Ich sage mir, wer es mit einem macht, wird es nicht dabei belassen. Ich kann mich natürlich auch täuschen.«

»Das kann man nur hoffen. Wir würden uns auch noch gerne mit dem Personal unterhalten. Wie viele Angestellte haben Sie?«

»Ist das wirklich notwendig?«

»Ja. Also, wie viele?«

»Sieben, von denen aber nur Frau Hundt, die uns vorhin die Limonade gebracht hat, ständig hier ist. Die anderen sind zwischen ein- und dreimal pro Woche im Haus oder kümmern sich um die Außenanlagen.«

»Wohnt Frau Hundt hier?«

»Ja.«

»Dann werden wir uns gleich mit ihr unterhalten. Können Sie uns zu ihr bringen?«

»Kommen Sie«, erwiderte Victoria Bruhns, erhob sich zusammen mit den Beamten und ging vor ihnen durch die Eingangshalle auf die andere Seite. Sie wollte bereits eine Tür öffnen, als Santos sagte: »Nachher möchten wir noch einen Blick in das Studio Ihres Mannes werfen.«

»Sagen Sie mir einfach Bescheid, dann bring ich Sie runter. Mein Mann hatte mir zwar strikt verboten, das Studio ohne ihn zu betreten, aber das ist ja nun hinfällig.«

»Waren Sie seit seinem Tod im Studio?«

»Nein, das ist mir nicht mal in den Sinn gekommen, ich

war gar nicht in der Lage, einen klaren Gedanken zu fassen.«

Sie öffnete die Tür, doch das Zimmer war leer. Victoria Bruhns runzelte die Stirn, ging wortlos zu einem anderen Zimmer, das ebenfalls leer war, und rief schließlich: »Frau Hundt?«

»Ja? Ich bin hier oben im Bad.«

»Die Kommissare möchten sich mit Ihnen unterhalten, wenn Sie bitte runterkommen würden.«

Kaum eine Minute später stand sie vor Henning und Santos, eine großgewachsene, sehr schlanke, unnahbar wirkende Frau. In ihrem hageren Gesicht zeigte sich keine Regung, als Santos sagte: »Wir hätten ein paar Fragen an Sie, es dauert auch nicht lange.«

»Bitte.« Frau Hundt wandte sich an ihre Chefin: »Können wir in die Bibliothek gehen?«

»Selbstverständlich. Ich bin bei Pauline, falls was ist.«

»Was kann ich für Sie tun?«, fragte die Haushälterin kühl und distanziert, als sie in der Bibliothek mit den deckenhohen Bücherwänden standen. Ein burgunderfarbener Teppichboden schluckte jeden Schritt, darauf standen drei Sessel, ein Tisch und ein Stehpult, alles im englischen Stil, doch Frau Hundt machte keine Anstalten, den Beamten einen Platz anzubieten. Ihre Miene war noch immer wie versteinert, sie strahlte eine eisige Kälte aus, die den ganzen Raum erfüllte.

Santos hatte selten einen Menschen erlebt, in dessen Gegenwart sie sich derart unbehaglich fühlte. Kühl erwiderte sie: »Uns ein paar Fragen beantworten. Wie lange arbeiten Sie schon für die Familie Bruhns?«

»Ich bin seit fünfundzwanzig Jahren für Herrn Bruhns tätig. Warum interessiert Sie das?«

»Wir sind von Berufs wegen neugierig. Erzählen Sie uns

doch, was für ein Mensch er war. Es gibt vermutlich kaum jemanden, der ihn besser kannte als Sie.«

»Das kann ich nicht beurteilen. Herr Bruhns war stets korrekt und hat sich dem Personal gegenüber sehr positiv verhalten.«

»Damit haben Sie meine Frage nicht beantwortet. Wie war er?«

»Freundlich, kulant, großzügig, mir fällt nichts Negatives ein.«

»Wie war denn Ihr ganz persönliches Verhältnis zu ihm?«

»Es war ein reines Arbeitsverhältnis, falls dies eine Anspielung gewesen sein sollte.«

Kalt wie eine Hundeschnauze, dachte Santos, der Name passt zu dir.

»Es war keine Anspielung, und Sie haben auch wieder nicht auf meine Frage geantwortet. Wenn Sie schon so lange in diesem Haus sind, werden Sie doch gewiss so einiges mitbekommen haben. Nun lassen Sie sich um Himmels willen nicht alles aus der Nase ziehen, sondern beantworten Sie meine Fragen, dann sind Sie uns auch rasch wieder los. Also, was für ein Mann war er, wie hat er sich verhalten, wie oft war er überhaupt hier?«

»Es tut mir leid, ich verstehe Ihre Frage nicht.«

»Oh, dann verstehen Sie vielleicht, dass ich Ihnen hiermit eine Einladung zum Erscheinen im Präsidium gebe. Morgen früh um Punkt neun erwarte ich Sie bei uns, wo wir uns sehr ausführlich und unter verschärften Bedingungen mit Ihnen unterhalten werden. Hier sind meine Karte und die Zimmernummer. Melden Sie sich am Empfang.«

Frau Hundt überlegte, Santos spürte, wie es in dieser Frau arbeitete. »Herr Bruhns war in letzter Zeit nur selten hier, den Grund dafür kenne ich nicht. Aber es hat wohl mit der Gesamtsituation zu tun.«

»Könnten Sie vielleicht etwas konkreter werden?«

»Fragen Sie doch seine Frau!«

»Das haben wir bereits getan, wir wollen es aber auch von Ihnen hören. Also?«

»In der Ehe hat es gekriselt, mehr weiß ich nicht.«

»Frau Hundt, Sie wissen sehr wohl mehr, denn Sie wohnen und arbeiten hier und sind gewiss über alles bestens informiert. Hatte Herr Bruhns Affären?«

»Das weiß doch jeder in diesem Land. Es hat aber meiner Loyalität ihm gegenüber keinen Abbruch getan.«

»Hat er diese Affären auch mal mit nach Hause gebracht?«

Frau Hundt zögerte einen Moment. »Ein paarmal.«

»Woher wissen Sie, dass es Affären waren und keine Sängerinnen oder solche, die es werden wollten?«

»Frau Santos, wenn eine junge Dame halbnackt hier ankommt, dann will sie alles, aber nicht singen. Nun, ich bin gewiss nicht die Richterin über Herrn Bruhns.«

»Sie kannten auch seine anderen Ehefrauen. Was ist da schiefgelaufen? War er ihnen gegenüber gewalttätig?«

»Bisweilen hatte er seine Gefühle nicht unter Kontrolle, das stimmt.«

»Gefühle nennen Sie das, ich nenne das Gewalt.«

»Herr Bruhns war kein schlechter Mensch, falls Sie das denken. Er war nur – anders. Ein Künstler eben.«

»Oh, das ist natürlich etwas – anderes. Gab es in den letzten Tagen und Wochen irgendwelche ungewöhnlichen Vorkommnisse in diesem Künstlerhaus?«

»Nein, nicht, dass ich wüsste.« Sie blickte zu Boden.

»Das ist nicht alles, Frau Hundt. Jetzt sagen Sie schon …«

»Er war am Montag hier, Herr und Frau Bruhns hatten

wieder einmal einen heftigen Streit, bei dem es zu Handgreiflichkeiten kam.«

»Er hat seine Frau geschlagen?«

»Ja, aber sie hat ihn wohl provoziert, sonst …«

»Oh, das ist natürlich ein Grund, um zuzuschlagen«, entgegnete Santos gereizt. »Sagen Sie nur ja oder nein. War er jähzornig, unbeherrscht, aggressiv?«

»Hin und wieder.«

»Nur seinen Frauen gegenüber oder auch dem Personal?«

»Er konnte sehr ausfallend werden, wenn etwas nicht ganz so geschah, wie er es wollte.«

»Na also, warum nicht gleich so. Damit hätten wir doch schon einige negative Eigenschaften. Eine Frage noch: Kennen Sie dieses Mädchen?« Santos hielt den Zeitungsartikel mit dem Bild des Mädchens hoch, das angeblich Nele hieß. Sie faltete ihn so, dass nur das Foto zu erkennen war.

Frau Hundt betrachtete das Bild ausgiebig und schüttelte den Kopf: »Nein, tut mir leid, ich habe das Mädchen nie gesehen. Warum fragen Sie mich das?«

»Sie sind ganz sicher, dieses Mädchen nie hier im Haus gesehen zu haben?«, hakte Santos hartnäckig nach, denn sie spürte, dass Frau Hundt log.

»Und wenn sie hier war?«

»Ich sehe, wir nähern uns allmählich der richtigen Antwort. Sie war also hier, habe ich recht?«

»Es kann sein, dass ich sie schon mal gesehen habe. Was ist mit ihr?«

»War dieses Mädchen einmal oder öfter hier? Überlegen Sie gut.«

»Ich habe sie ein-, zweimal gesehen.«

»Mit Herrn Bruhns?«

»Ja.«

»Und den Grund, weshalb sie hier war, kennen Sie den?«

»Nein, es stand mir auch nicht zu, Fragen zu stellen.«

»Welchen Eindruck machte das Mädchen auf Sie?«

»Ich verstehe Ihre Frage nicht.«

»Wirkte sie verstört, verängstigt? Hatte sie vielleicht Schmerzen, oder hatten Sie den Eindruck, als würde sie Sie um Hilfe bitten?«

»Nein, nichts von alledem. Das Mädchen machte auf mich einen ganz normalen Eindruck. Es tut mir leid, ich kann Ihnen nicht weiterhelfen.«

»Aber Sie wissen schon, dass das Mädchen, das übrigens Nele heißt, tot ist?«

»Nein, tut mir leid, das ist mir nicht bekannt.«

»Lesen Sie keine Zeitung?«

»Nein, keine Zeitung, kein Fernsehen. Ich brauche so etwas nicht.«

»Und das, obwohl Ihr Chef jahrelang in den Medien präsent war? Ich glaube Ihnen nicht.«

»Ich sage nur die Wahrheit.«

»Halten Sie sich zu unserer Verfügung, es könnte durchaus sein, dass wir noch weitere Fragen haben und Sie aufs Präsidium vorladen. Nur, dass Sie vorbereitet sind. Was werden Sie jetzt überhaupt tun, nachdem Ihr Brötchengeber tot ist?«

»Das müssen Sie schon Frau Bruhns fragen, sie ist ab sofort die Herrin des Hauses.«

»Das werden wir tun, Frau Hundt. Auf Wiedersehen.«

Victoria Bruhns hatte ihre Tochter auf dem Arm und schien auf die Beamten zu warten. Pauline sah Henning und Santos an und vergrub ihr Gesicht wie tags zuvor im Busen ihrer Mutter.

»Sie mag wohl keine Polizisten«, konstatierte Santos lächelnd.

»Es gibt nur drei Menschen, vor denen sie keine Scheu hat, das bin ich, dann meine Mutter und meine Schwester. Selbst mein Vater hat keine Chance bei ihr. Keine Ahnung, woher sie das hat, aber es wird sich mit der Zeit schon geben. Schau, Pauline, das sind die zwei Polizisten von gestern. Du brauchst dich nicht zu verstecken, die sind doch ganz nett … Nein, sie will nicht, kann man nichts machen.«

»Haben Sie kein Kindermädchen?«

»Nein. Ich möchte, dass meine Tochter von mir großgezogen wird. Ich bin ihre Mutter, und diese Rolle wird nie jemand anderes übernehmen.«

»Das ist eine gute Einstellung. Wir müssen nun weiter. Vielleicht sehen wir uns morgen bei der Hausdurchsuchung, kommt ganz drauf an, was unser Chef mit uns vorhat. Ach, wir wollten doch noch einen Blick ins Studio werfen. Nur ganz kurz, dann sind wir auch gleich weg.«

Sie gingen ins Untergeschoss, wo Victoria Bruhns eine mit dickem Leder gepolsterte Tür aufschloss und die Beamten an sich vorbeitreten ließ. Sie schaltete das Licht an. »Bitte, Sie befinden sich im Heiligtum meines Mannes.«

»Ganz schön bombastisch«, bemerkte Henning anerkennend, als er das Mischpult sah, die Instrumente und Lautsprecher, es gab nicht den geringsten Hall, ein wahrhaft schalldichter Raum.

»Wenn hier unten Musik gemacht wurde, hat man das im restlichen Haus gehört?«, fragte Henning.

Victoria Bruhns lachte auf. »Nein, kein Ton hat das Studio verlassen, da konnten die noch so laut aufdrehen. Hier wurden ungefähr zwanzig Zentimeter Dämmmaterial verwendet, an der Decke und den Wänden, das hat mein Mann mir mal gesagt.«

»Und wenn Sie draußen gestanden hätten?«

»Selbst da hörte man kaum was. Aber das ist noch gar nichts gegen das Studio in Altenholz, das ist etwa viermal so groß ... Der blanke Wahnsinn.«

»Dürfte ich Ihnen eine Frage stellen, die sehr privat ist und nichts mit dem Fall zu tun hat?«

»Fragen Sie.«

»Wie hoch ist das Vermögen Ihres Mannes?«

»Das kann ich Ihnen nicht sagen, ich hatte nie Einblick in seine Konten, grob geschätzt dürfte es sich im dreistelligen Millionenbereich bewegen. Er hat mal so was angedeutet, als er etwas zu viel getrunken hatte.«

»Wir haben genug gesehen«, sagte Henning und gab das Zeichen zum Aufbruch.

Sie verabschiedeten sich von Victoria Bruhns, die die Kommissare bis zur Haustür begleitete, selbst aber im Dunkeln blieb, um von den Paparazzi nicht gesehen zu werden.

»Tschüs und danke für Ihre Hilfe. Bereiten Sie sich schon mal auf morgen vor.«

»Ich bin inzwischen einiges gewohnt. Darf ich noch etwas fragen?«

»Bitte.«

»Wann kann die Beerdigung stattfinden?«

»Sobald die Leiche freigegeben ist. Noch befindet sich Ihr Mann in der Rechtsmedizin, aber ich nehme an, es wird sich nur noch um ein oder zwei Tage handeln. Sie können auf jeden Fall schon alles in die Wege leiten.«

»Danke schön. Ich frage mich, wie ich an diesem Abschaum da vorbeikommen soll.«

»Da können wir Ihnen leider auch nicht weiterhelfen.

Augen zu und durch, würde ich sagen«, erwiderte Santos lächelnd.

Im Auto sagte Santos: »Wenn das nur ansatzweise stimmt, dann war Bruhns ein Verbrecher – und vielleicht sogar in einen Mord verwickelt. Das sind wieder Abgründe!«

»Laut Jürgens war die Kleine etwa zwölf, als sie gestorben ist.«

»Da suchen wir wie die Bekloppten und müssen erfahren, dass sie kurz vor ihrem Tod bei Bruhns gewesen ist. Was für ein Schwein! Aber jetzt haben wir wenigstens einen Anhaltspunkt. Wenn das Mädchen tatsächlich einen Tag vor der Geburt von Bruhns' Tochter bei ihm war, dann könnte es auch sein, dass er ihr Mörder ist. Sie war am fünften März bei Bruhns, ihre Leiche wurde am zehnten entdeckt. Vom Zeitfenster her haut das hin.«

»Schon, aber Bruhns ein Mörder? Irgendwie kann ich das nicht glauben.«

»Er war auch seiner Frau gegenüber gewalttätig, vergiss das nicht. Solche Typen sind zu allem fähig. Womöglich liegt hier das Motiv, weshalb Bruhns ins Jenseits befördert wurde.«

»Aber warum erst nach einem Jahr? Die Zeitspanne für Rache scheint mir arg groß.«

»Mag sein. Außerdem kann man Gewalt gegenüber seiner Frau nicht mit der Gewalt und der Vergewaltigung eines Kindes vergleichen. Lass uns noch mal die Akten durchgehen und die Details mit Klaus und Volker besprechen, sofern die beiden wieder ansprechbar sind.«

»Hat die Bruhns falsch gehandelt?«, fragte Henning.

»Wie hättest du denn an ihrer Stelle gehandelt? Nicht als Mann, sondern als Frau? So unmittelbar vor der Entbindung? Ich glaube, ich hätte auch meinen Mund gehalten. Schau sie dir an, diese Frau ist nicht fünfundzwanzig, die ist innerlich wie fünfzig. Das war Bruhns' Werk.«

»Sie hätte uns doch wenigstens einen anonymen Tipp geben können.«

»Was hätte das gebracht? Die hat schon recht, gegen Bruhns wäre nichts unternommen worden. Am Ende wäre sie die Verliererin gewesen. Bruhns hätte doch sofort gewusst, wer der anonyme Tippgeber ist. Dann hätte es für seine Frau richtig schlecht ausgesehen. Sie musste an sich und das Baby denken.«

»Okay, spinnen wir den Faden weiter. Sie sagt, sie hat am Samstagabend bis gegen ein Uhr mit ihrer Schwester telefoniert. Ihre Schwester ist ihre größte Verbündete. Was, wenn die beiden unter einer Decke stecken und einen Plan ausgeheckt …«

»Ach nee, lass gut sein, das passt nicht. Was hat der Anrufer gestern gesagt, wir sollen uns auf das Umfeld von Bruhns konzentrieren?«

»Hm. Aber die Bruhns und ihre Schwester gehören zum Umfeld.«

»Sie hat mit dem Mord nichts zu tun«, entgegnete Santos stur.

»Dann nehmen wir uns doch mal diesen Toningenieur vor. Oder hast du einen besseren Vorschlag?«

»Nein.«

Sie fuhren nach Altenholz zum Studio und standen vor verschlossener Tür. Ein unauffälliger Bau, dem man von außen keine Beachtung schenken würde. Dabei waren in diesen vier Wänden einige Welthits entstanden, fast allesamt aus der Feder von Bruhns, der damit das große Geld gemacht hatte.

Henning rief Harms an und bat ihn, die Privatadresse

und Telefonnummer von Weidrich herauszufinden. Nach nur drei Minuten hatten sie die Information.

»Er wohnt gleich um die Ecke«, sagte Henning. »Wenn du mir bitte folgen würdest.«

MONTAG, 14.45 UHR

Weidrich wohnte in einem kleinen, unscheinbaren Einfamilienhaus. Erst nach mehrmaligem Klingeln wurde geöffnet. Vor ihnen stand ein großer, bulliger Typ, dessen Alter schwer zu schätzen war, das Gesicht war von tiefen Kerben durchzogen, er hatte dunkle, sich über die Jahre eingegrabene Augenringe, sein Atem roch nach Schnaps. Er sah unausgeschlafen aus, das schwarze Haar war fettig, ein Vier-, Fünf- oder Sechstagebart ließ ihn noch düsterer erscheinen. Er trug eine dunkelblaue, von Flecken übersäte Sporthose und ein grün-schwarz kariertes Holzfällerhemd, das offenstand, und darunter ein ehemals weißes Unterhemd, das ebenfalls zahlreiche Flecken aufwies. Die Augen waren glasig und rot unterlaufen. Das Bild, das sich den Kommissaren bot, war das eines offensichtlich schweren Alkoholikers.

»Herr Weidrich?«, fragte Henning und hielt seinen Ausweis hoch. »Mein Name ist Henning, und das ist meine Kollegin Frau Santos. Wir sind von der Kripo Kiel.«

»Ja, was gibt's?« Seine Stimme war tief und rauh, nach seiner Frage hustete er.

»Wir würden uns gerne mit Ihnen unterhalten, am besten drin.«

»Warum? Habe ich was verbockt?«

»Es geht um den Tod von Ihrem Boss, Herrn Bruhns.«

»Was? Bruhns ist abgenibbelt? Wann?«

»Können wir bitte im Haus weiterreden?«

»Immer rein in die gute Stube, ist nur nicht aufgeräumt, kam in der letzten Zeit nicht dazu.« Trotz seines sicher nicht niedrigen Promillepegels kamen die Worte klar und deutlich über seine Lippen.

Es roch nach abgestandenem Rauch, seit Wochen schien hier niemand mehr Hand angelegt zu haben, um wenigstens ein bisschen Ordnung zu schaffen, überall Flaschen, Bier, Wein, Schnaps, überquellende Aschenbecher, Asche auf dem Tisch, den Sitzmöbeln, dem Boden, die Küchentür stand offen, benutzte Teller mit Essensresten stapelten sich in der Spüle und auf der Ablage, Müllbeutel verbreiteten einen entsetzlichen Gestank.

Santos fragte sich, wie ein Mensch hier leben konnte, doch die Antwort gab Weidrich selbst, er war Alkoholiker und befand sich, wie so viele seiner Suchtgenossen, in einem lethargischen Zustand am Rand der Apathie, einer Leck-mich-am-Arsch-Einstellung, die verhinderte, dass er selbst die geringsten Tätigkeiten in der Wohnung erledigte.

»Setzen Sie sich, wenn Sie Platz finden«, brummte er und wischte ein paar Klamotten vom Sofa, während er sich in einen zerschlissenen Sessel fallen ließ. Auch im Wohnzimmer Staub und Dreck, wohin man sah. Der Fernseher lief, Weidrich steckte sich eine Zigarette an (der Zeige- und Mittelfinger der rechten Hand waren vom Nikotin dunkelgelb) und musterte misstrauisch die Kommissare, die sich zögerlich auf die Couch setzten.

»Sie sind Toningenieur bei Bruhns, wie uns gesagt wurde …«

»Ha, ich weiß zwar nicht, von wem Sie das haben, aber das ist eine Uraltinfo. Ich bin schon seit über einem Jahr raus.«

»Ach ja? Und wieso, wenn man fragen darf?«

»Ph, das Arschloch Bruhns hat mal wieder 'nen Anfall gekriegt und mich rausgeschmissen. Ich hätte was nicht richtig abgemischt, und zack, war ich draußen. Über zwanzig Jahre habe ich mir den Arsch für den Drecksack aufgerissen! Über zwanzig Jahre, das muss man sich mal reinziehen. Ich habe mir nie was zuschulden kommen lassen, das können Sie mir glauben, aber Bruhns, die alte Schmeißfliege, war nie zufrieden. Dabei hatte der selbst nicht den blassesten Schimmer von guter Mucke. Seine Scheißlieder taugen gerade mal für die Tonne.«

»War's das?«

»Nee, ich könnt Ihnen Geschichten erzählen, da fällt Ihnen hinterher nichts mehr ein. Ich bin nicht unbedingt der gehässige Typ, aber Bruhns … Moment mal, jetzt schnall ich das erst, sind Sie von der Kripo?«

»Das habe ich doch vorhin gesagt.«

»Kripo, Kripo, hm.« Er fuhr sich mit der Hand, die die Zigarette hielt, übers Kinn, unter den langen Fingernägeln stand der Dreck, was den Ekel, den die Kommissare empfanden, noch verstärkte. Santos wandte den Kopf zur Seite, und ihr fiel die sündhaft teure Hi-Fi-Anlage ins Auge, das einzige Teil in der Wohnung, das nicht verdreckt war, High-End-Geräte und -Boxen, die ein halbes Vermögen gekostet haben mussten. Ein paar funkelnde Diamanten unter Kohlenstaub.

»Sag mal, ihr kommt doch nur, wenn jemand abgemurkst wurde. Wurde Bruhns abgemurkst?«

»Ja, so kann man es auch nennen.«

»Wow, darauf muss ich glatt einen Schluck trinken.« Er

nahm eine halbvolle Flasche Wodka vom Boden und setzte sie an, nahm einen langen Schluck, rieb sich mit der Handfläche über den Mund und stellte die Flasche wieder neben den Sessel. »Hat's ihn also endlich erwischt, dieses arrogante, verkommene Arschloch. Tut mir leid, aber sollten Sie Trauer erwarten, muss ich Sie leider enttäuschen, denn in mir tanzt im Augenblick die Freude Rock 'n' Roll.«

»Und warum keine Trauer?«

»So wie der mich behandelt hat, kann ich nicht traurig sein. Nicht nur mich hat er behandelt wie den letzten Dreck. Sie hätten mal dabei sein sollen, wenn er mit seinen sogenannten Stars im Studio war, der hat nur rumgebrüllt und mit Zeugs um sich geschmissen, dass ich ihn manchmal dafür hätte erschlagen können. Was glauben Sie, wie viele von seinen Mädels einem Nervous Breakdown, um mal die Stones zu zitieren, nahe waren, wenn er sie mal wieder runtergeputzt hat. Aber zum Vögeln waren sie alle gut genug.«

»Haben Sie's getan?«, fragte Henning geradeheraus.

»Ich? Sind Sie bescheuert? Warum, nur weil er mich gefeuert hat? Ich bin doch nicht blöd.«

»Na ja, es gab schon geringere Gründe, jemanden kaltzumachen. Wo waren Sie am Samstagabend?«

»Wo soll ich schon gewesen sein, hier natürlich.«

»Zeugen?«

»Hey, ist das ein Verhör oder was?«

»Nein, nur eine Befragung. Was ist nun, gibt's Zeugen oder nicht?«

»Nee, hier war schon ewig keiner mehr. Ich hock hier rum, baller mir die Birne zu und unterhalt mich mit der Glotze, ist ja sonst niemand da.«

»Haben Sie wieder einen Job?«

»Nee, Sie sehen ja selbst, wie ich drauf bin, da nimmt mich keiner. Ich komm aber noch ganz gut über die Runden.«

»Warum sind Sie gefeuert worden?«, wollte Santos wissen. »Es muss doch mehr vorgefallen sein als eine falsche Abmischung.«

Weidrich lachte auf, bekam einen Hustenanfall und erwiderte, nachdem er wieder sprechen konnte: »Gut erkannt, Frau Kommissarin. Ist aber 'ne lange Geschichte. Wollen Sie die wirklich hören?«

»Sonst hätte ich nicht gefragt.«

»Wenn ihr's abkönnt. Bruhns war kein Heiliger, wenn ich das Arschgesicht nur im Fernsehen gesehen hab, habe ich 's große Kotzen gekriegt. Von wegen tolle Ehe und seine wilde Zeiten wären vorbei. Einen Scheißdreck waren die. Ich kenn Bruhns seit über zwanzig Jahren, der hat alles gevögelt, was nur den Ansatz von Titten hatte. Na ja, nicht alles, älter als fünfundzwanzig durften sie nicht sein. Eher achtzehn oder zwanzig. Das war so seine Kragenweite. Wenn ihm eine besonders gut gefiel, dann hat er auch mal 'ne Platte mit ihr gemacht. Aber erst mal war Vögeln angesagt, und wenn das gut gelaufen ist, dann war auch die Platte kein Problem.«

»Haben Sie sich darüber geärgert?«

»Nee, war mir scheißegal, wo der überall seinen Schwanz reingesteckt hat, bloß, ähm …«

Weidrich stockte, kratzte sich am Kinn und griff erneut zur Flasche, es schien ein Ritual zu sein, der Griff, das Ansetzen, der lange Zug, das Wischen über den Mund, das Abwischen des Handrückens an der Hose und schließlich die Flasche wieder auf den Boden stellen. Er zögerte und wollte schon wieder zum Wodka greifen, als Santos ihn mit einer Frage davon abhielt.

»Bloß was? Was wollten Sie noch sagen?«

Weidrichs Kiefer mahlten aufeinander, sein Blick ging ins Leere, und doch loderte in seinen Augen ein gefährliches Feuer. Er hielt die Flasche fest umklammert und wirkte mit einem Mal nüchtern, als er antwortete, wobei der Griff um die Flasche noch kräftiger wurde: »Scheiße, Mann, is gar nicht so einfach. Äh, scheiß drauf, der Alte ist tot und kann mir gar nichts mehr. Bruhns war 'ne gottverdammte Drecksau, wie ich noch nie eine erlebt habe. Ihr könnt mir glauben, ich habe mich echt nicht geärgert, wenn der mit den Weibern rumgemacht hat …«

Er hielt erneut inne, Santos sagte: »Was macht Sie dann so zornig? Sie sind doch zornig, oder?«

»Zornig ist gar kein Ausdruck.« Er beugte sich vor, steckte sich eine weitere Zigarette an, inhalierte tief und blies den Rauch durch die Nase wieder aus. Er atmete ein paarmal hastig, alles in ihm schien bis zum Äußersten angespannt, schließlich trank er doch noch einen Schluck Wodka, bevor er weitersprach. »Die Drecksau hat's nicht nur mit Frauen getrieben, der hat auch Kinder genommen. Kinder, die noch gar nicht wissen, was mit ihnen passiert, wenn ihnen ein Schwanz reingeschoben wird. Ey, was ist das für'n Arschloch, das Kinder vögelt? Ich schwör's bei allem, was mir heilig ist, das ist zwar nicht viel, aber ein paar Grundsätze habe ich doch; der Kerl hat Kinder gefickt, kleine Mädchen, und ich habe keinen blassen Schimmer, wie er an die rangekommen ist. Einen Plattenvertrag hat der denen ganz sicher nicht versprochen, eine Zehn-, Elf- oder Zwölfjährige kannste in Deutschland nicht vermarkten …«

»Woher wissen Sie das mit den Kindern?«, fragte Santos, deren Herz immer schneller schlug.

»Ich hab's ein paarmal mitgekriegt, wie die Mädels ins

Studio kamen. Am Anfang hab ich das gar nicht richtig gecheckt, bis ich ihn einmal in flagranti erwischt hab. Das war der absolute Oberhammer, die Kleine war höchstens zwölf oder dreizehn. Ich hab ihn danach drauf angesprochen, ich hab ihm gesagt, hey, Alter, das kannste nicht machen, aber er hat gemeint, er könne alles, und ich solle mich bloß nicht einmischen, sonst würde ich ganz schnell auf der Straße sitzen, und keine Sau würde mich mehr nehmen, dafür würde er sorgen. Wen er fickt, wäre allein seine Sache.«

»Wieso sind Sie nicht zur Polizei gegangen?«

»Ph, Bullen! Ich bin doch nicht bescheuert! Was für Beweise hätte ich denn gehabt? Ich hatte doch keine Fotos oder sonst irgendwas in der Hand! Der war viel zu clever, und außerdem hatte er Beziehungen ohne Ende.«

»Weswegen wurden Sie entlassen?«, fragte Santos. »Weil Sie ihn in flagranti erwischt haben?«

»Nee, das war vor drei oder vier Jahren. Ich habe mein Maul gehalten, und ich dachte ja auch, dass es vorbei wäre, als er seine Victoria kennengelernt hat, aber nach der Hochzeit hat er dann so weitergemacht wie zuvor. Auch mit Kindern …«

»Wie alt?«

»So klein waren die auch nicht, aber zum Vögeln auf jeden Fall zu jung.«

»Wie alt?«

»Habe ich doch schon gesagt, elf, zwölf, dreizehn, so um den Dreh. Hey, das ist doch krank! Der Kinderschänder konnte doch jedes Weib auf diesem Planeten haben, warum also Kinder? Ich hab's bis heute nicht kapiert. Ja, und dann ist mir letztes Jahr mal der Kragen geplatzt, als ich ins Studio kam und er wieder mal mit so 'ner Kleinen rumgemacht hat. Die hat keinen Spaß gehabt, das kann ich Ihnen sagen. Die war total verheult, und ich habe gesehen, dass sie Schmerzen hatte. Ich hätt Bruhns am liebsten die Fresse poliert und die Kleine in Sicherheit gebracht.«

Als Weidrich nicht weitersprach, sagte Henning: »Was ist dann passiert?«

»Ich bin dagestanden wie angewurzelt. Er hat mich natürlich bemerkt und das Mädchen angeblafft, dass sie sich anziehen und in die Ecke setzen soll, dann ist er zu mir gekommen und hat mich gefragt, was ich im Studio verloren hätte, heute wäre doch gar kein Aufnahmetermin. Das Blöde war, ich hatte am Vortag was vergessen, 'ne Aufnahme, die ich zu Hause noch mal anhören wollte, um Fehler am nächsten Tag zu korrigieren. Ich habe ihm das klarzumachen versucht, aber das hat ihn nicht interessiert. Dann habe ich ihm deutlich gesagt, dass ich mir seine Sauereien nicht länger mit angucke und beim nächsten Mal die Bullen hole.« Er drückte seine Zigarette aus, zündete eine neue an und fuhr fort: »Er hat nur gelacht, mir die Faust ans Gesicht gehalten und gesagt, dass ich gefeuert bin. Ich solle bloß nicht wagen, mein Maul aufzumachen, erstens würde mir sowieso keiner glauben, einem Säufer glaube keiner, da hat er wohl recht, und zweitens hätte er viel mehr Macht und Einfluss, als ich mir erträumen könnte. Er hat mir noch fünfzigtausend Euro gegeben und mich so 'nen Wisch unterschreiben lassen, ich weiß gar nicht mehr, was da so draufstand. Ich habe die Kohle genommen und bin weg. Seitdem habe ich das Studio nicht mehr von innen gesehen.«

»Ist es das Mädchen?«, fragte Santos und zeigte Weidrich das Foto von Nele.

Weidrich betrachtete es eingehend und nickte langsam.

»Das waren so viele Mädchen in den ganzen Jahren. Aber doch, ich habe sie gesehen, das weiß ich. Ja, ich bin sogar sicher, dass es die Kleine ist. Diese Augen werde ich mein Lebtag nicht vergessen. Sie sieht auf dem Foto nur ein bisschen anders aus, aber sie ist es, ja, sie ist es.«

»Wie lange genau ist das her?«

»Sie meinen, wann er mich gefeuert hat?«

»Ja.«

»Das Datum werd ich auch nie vergessen, das war letztes Jahr am siebten März. Der hat mich einfach so auf die Straße gesetzt, obwohl ich über zwanzig Jahre für ihn selbst die größte Drecksarbeit gemacht hab. Okay, fünfzigtausend hat er mir gegeben, damit ich's Maul halte. Aber ich hätt doch so oder so mein Maul gehalten, ich wusste doch, wie viel Macht und Einfluss Bruhns hatte. Der kannte jeden, Staatsanwälte, Rechtsverdreher, Richter, Bullen, alles und jeden kannte der. Wem, glauben Sie, hätte man eher geglaubt, einem, der gerne mal einen hebt, oder einem angesehenen Produzenten? Ist nicht gegen Sie gerichtet, aber ich habe es nicht gemeldet, weil man mich nur ausgelacht hätte.«

»Feine Einstellung, wirklich.« Santos konnte sich diesen Kommentar nicht verkneifen.

»Hey, Frau Kommissarin, ich habe keinen Job mehr, und außerdem hatte ich keinen einzigen Beweis für Bruhns' Sauereien. Hätten Sie mir geglaubt? Im Leben nicht, Sie sehen diesen Schwachkopf im Fernsehen, Sie hören seine beschissenen Sprüche, über die halb Deutschland lacht, und so einer soll Kinder missbrauchen?« Er lachte erneut höhnisch auf und deutete mit dem Finger erst auf Santos und dann auf Henning: »Sie hätten mir nicht geglaubt, Ihr Kollege nicht, keiner von euch Bullen hätte mir geglaubt, und das wisst ihr auch.«

»Sie sollten nicht alle über einen Kamm scheren …«

»Tu ich aber, denn ich kenn euch. Was glaubt ihr, wie oft bei mir schon die Bullen auf der Matte gestanden haben, weil meine Mucke zu laut war oder weil ich angeblich jemanden beleidigt haben soll … Ich könnt 'ne ganze Menge aufzählen, aber das ist unwichtig.«

»Sie trinken zu viel, das ist alles …«

»Nee, nee, nee, so einfach ist das nicht, aber ich merk schon, ihr wollt's euch gerne einfach machen. Hier der Säufer und da der ehrenwerte Herr Bruhns, vor dem alle auf die Knie fallen. Glauben Sie mir, bis vor einem Jahr habe ich einen phantastischen Job gemacht, ich habe zwar getrunken, aber ich war nie betrunken, da können Sie jeden fragen, der bei uns im Studio war. Manni war nie betrunken, und keiner konnte das Mischpult so bedienen wie ich. Hey, ich hatte Angebote sogar aus den USA, die hatten meine Mischungen gehört und wollten mich unbedingt, weil da drüben 'ne Menge Pfeifen in den Studios sitzen und von nix 'ne Ahnung haben. Ich habe mit der verfluchten Sauferei erst richtig angefangen, als ich nicht mehr wusste, was ich machen soll. Das schwör ich bei allen Heiligen dieser verfluchten Welt.«

»Zu schwören brauchen Sie nicht. Wusste seine Frau von seinen Affären und dem, was er mit den Kindern gemacht hat?«

»Keine Ahnung, ich habe die ja nur ein- oder zweimal getroffen. Ich habe die gesehen und gedacht, mein lieber Scholli, die Frau ist der Hammer. Viel zu schade für Peter. Die hat nicht geschnallt, mit was für 'nem Arsch sie sich da eingelassen hat. Is 'ne feine Frau, die hat was, was die meisten, die er gevögelt hat, nicht haben.«

»Ich denke, Sie haben sie nur ein- oder zweimal gesehen?«

»Na und? Was glauben Sie, wie schnell man in meinem Beruf lernt, Menschen einzuschätzen? Ohne diese Menschenkenntnis läuft gar nichts. Da kommen so 'n paar aufgedonnerte Blondinen mit Riesentitten angewackelt und meinen, sie wären die Größten, obwohl sie nicht mal 'nen graden Ton rausbringen. Ich brauchte die nur zu sehen, da wusste ich schon, das wird nie im Leben was. Soll ich Ihnen was sagen – ich habe mich nicht ein einziges Mal geirrt. Nicht ein einziges Mal! Die kommen und machen die Beine breit und denken, so könnten sie ein Star werden. Scheiße, Mann, gar nichts werden die, höchstens billige Huren, die sich für jeden Scheiß verkaufen.«

Weidrich verzog den Mund zu einem Grinsen.

»Wann haben Sie Bruhns das letzte Mal gesehen?«, fragte Santos.

»Weiß nicht so genau, aber das dürfte so vor drei Wochen gewesen sein. Warum?«

»Und wo? Waren Sie bei ihm, oder kam er zu Ihnen?«

»Weiß nicht mehr.«

»Ach, kommen Sie, Sie erzählen uns hier alles aus den letzten Jahren, und was vor ein paar Wochen war, daran wollen Sie sich nicht mehr erinnern? Versuchen Sie nicht, uns für dumm zu verkaufen. Also, raus mit der Sprache.«

Weidrich wirkte auf einmal unsicher, er wich dem Blick der Beamten aus und griff automatisch zur Flasche, der einzige Halt, den er noch hatte.

»Hey, lassen Sie mal die Flasche stehen, Sie können weitertrinken, sobald wir gegangen sind«, forderte Santos ihn auf.

»Ich kann in meinem Haus machen, was ich will. Und ich nehme jetzt einen Schluck, dann fällt mir vielleicht auch wieder ein, was vor drei Wochen war«, antwortete er und vollzog sein Trinkritual.

»Und, ist es Ihnen eingefallen?«

»Bruhns hat mich angerufen und um ein Treffen gebeten. Er hat gemeint, er könnte mich unter Umständen wieder gebrauchen. Er kam dann zu mir und bat mich um einen Gefallen, danach könnte ich wieder bei ihm anfangen. Ich hab gedacht, ich hör nicht richtig, aber der hat das ernst gemeint.«

»Was für einen Gefallen?«

»Keine Ahnung, ehrlich. Ich sollte was für ihn erledigen, vor einer Woche. Dann hat er sich aber wieder gemeldet und gemeint, die ganze Sache würde sich verschieben. Ich schwör's, er hat mir nicht gesagt, worum es geht. Er hat ziemlich geheimnisvoll getan.«

»Wann hat er sich bei Ihnen gemeldet?«

»Letzten Dienstag.«

»Wann war der neue Termin?«

»Weiß nicht, hat er nicht gesagt.«

Henning fixierte Weidrich, bis der den Kopf zur Seite drehte. Henning nickte stumm und fragte dann: »Warum lügen Sie uns an?«

»Was meinen Sie?«

»Diese Geschichte eben, das war erfunden. Bruhns hat Sie nicht kontaktiert, warum auch hätte er das tun sollen? Also noch mal, warum lügen Sie uns an?«

Schweigen.

»Herr Weidrich, was soll das? Wir sind nicht zum Spaß hier.«

Weidrichs Augen glühten für einen kurzen Moment wie Kohlen, doch schnell kehrte der lethargische Ausdruck zurück.

»Dieser verdammte Bastard!«, brüllte Weidrich auf einmal wie ein verwundetes Raubtier. »Dieser gottverdammte Bastard!« Er ballte die Fäuste und haute damit auf die Sessellehnen, dass Henning fürchtete, der Sessel würde gleich auseinanderfallen. »Ich war zweiundzwanzig Jahre sein Lakai, aber ohne mich hätte er den Laden doch überhaupt nicht schmeißen können! Er hat die Weiber alle abgekriegt, mich haben sie nicht mal mit dem Arsch angeguckt. Der hat alles gehabt, und ich? Wo bin ich geblieben? Ich habe ihm doch erst gezeigt, wie so ein Studio funktioniert, wie man ein Mischpult richtig bedient, ich habe ihm beigebracht, welche Mischung für den jeweiligen Song die richtige ist.« Sein ganzer Körper zitterte vor Aufregung, als er weitersprach: »Was er kann, hat er von mir gelernt. Was habe ich bekommen? Als Dank einen Tritt in den Arsch und fünfzigtausend Euro hinterhergeschmissen, die er aus der Portokasse genommen hat. Nur weil ich ihm ein paarmal gesagt hab, dass ich das nicht gut finde, wenn er mit Minderjährigen rumfickt. Nee, eigentlich nur, weil ich an einem Tag ins Studio gekommen bin, an dem er mich nicht erwartet hatte. Dieser gottverdammte Hurensohn! Der hat jeden Monat ein paar Millionen verdient, mir hat er viertausend gezahlt … Alles, aber auch wirklich alles hat dieser Saukerl gehabt, Weiber, Geld, Erfolg, alles, alles, alles!!!«, schrie Weidrich mit weinerlicher Stimme und saß da wie ein Häufchen Elend, ein Elend, das, wie es schien, sein Leben seit vielen Jahren beherrscht hatte. Tränen liefen ihm über das Gesicht, doch es war, als würde er es gar nicht bemerken.

»Können Sie sich vorstellen, wie das ist, wenn das Studio, in dem man sein halbes Leben fast jeden Tag gearbeitet hat, das wie ein Zuhause war, gerade mal um die Ecke liegt? Du gehst jeden Tag dran vorbei und weißt, ey, vergiss es, du hast keine Chance mehr, da reinzukommen. Das ist das beschissenste Gefühl überhaupt. Ich bin jetzt einundfünfzig, und da ist der Zug abgefahren. Ich hatte in den letzten Jahren ein paar Angebote von anderen Produzenten, die wussten, wie gut ich bin, aber ich hab sie alle ausgeschlagen. Und warum? Weil ich so ein gottverdammter Idiot bin, der auf die Scheißversprechungen von Bruhns reingefallen ist. Er hat gemeint, er würde mir genauso viel zahlen, wie die anderen mir geboten haben, und ich kann Ihnen sagen, das war nicht wenig. Einer hätte mir fünfzehntausend im Monat gezahlt, dafür hätt ich aber nach Berlin ziehen müssen, die Amis haben mir sogar bis zu vierzigtausend im Monat geboten, aber ich würde nie nach Amiland ziehen ... Ich konnt mich nicht entscheiden und habe alles abgesagt und bin bei dem verfluchten Gangster geblieben. Seine Versprechen hat er natürlich nicht gehalten, der hat genau gemerkt, wie sehr ich an Kiel und meiner Heimat hänge. Ich habe nicht mehr Kohle gekriegt, dafür musste ich mir weiter jeden Tag sein Gemaule und Gemeckere anhören ... Soll ich Ihnen was sagen? Es tut mir kein Stück leid, dass er krepiert ist. Die Welt ist von einem Stück stinkender Scheiße befreit worden.«

»Waren Sie mal verheiratet?«

»Ist 'ne Ewigkeit her. Sie hat 'nen andern gefunden, der ihr mehr bieten konnte, der ein paar Häuser über die ganze Welt verteilt hatte, all das, was sie für ihr Leben brauchte. Aber dann kam der Krebs, und sie ist vor sechs Jahren gestorben.«

»Wann haben Sie Bruhns nun tatsächlich das letzte Mal gesehen?«

»Keine Ahnung, irgendwann vor 'nem halben Jahr oder so. Aber nur aus der Ferne. Noch was?«

»Ja. Wer hat nach Ihnen bei Bruhns angefangen?«

»So ein junger strohblonder Schnösel. Bei Bruhns musste

alles jung, jünger, am jüngsten sein. Dass er auf Blond steht, weiß ja jeder. Ha, guter Witz, was?«

»Nicht unbedingt. Kennen Sie diesen jungen ›Schnösel‹?«

»Nur vom Sehen. Hat mir aber schon gereicht.«

»Gab es außer Ihnen und Bruhns noch weitere Mitarbeiter?«

»Nur 'ne Putzfrau. Die kam zweimal die Woche, manchmal auch dreimal. Die hatte aber keinen Schlüssel, die kam nur, wenn Bruhns auch da war. Weiß nicht, wie das im letzten Jahr war.«

»Der Name der Putzfrau?«

»Elli, alle haben sie nur Elli genannt. Keinen Schimmer, wie die heißt.«

»Wo wohnt sie?«

»Woher soll ich das wissen? Ist schon ein etwas älteres Semester, so wie ich, um die fünfzig, vielleicht auch ein paar Jahre älter. Keine Ahnung.«

»Ist Ihnen damals außer den Kindern irgendetwas Ungewöhnliches aufgefallen? Personen, die nicht ins Studio gehörten?«

Weidrich überlegte und antwortete nach einer Weile nickend: »Ja, da sind immer mal so zwei Typen gekommen, um mit Bruhns was zu bequatschen. Ich weiß nicht, worum es da ging, aber ich habe gespürt, das war nicht sauber.«

»Wie sahen die aus?«

»Kennen Sie den Film ›Men in Black‹? So ungefähr, nur dass beide weiß und ziemlich bullig waren. Einmal kam es fast zu Handgreiflichkeiten, aber dann hat Bruhns einen dicken Umschlag rübergereicht, und alles war okay.«

»Das haben Sie einfach so mitbekommen?«

»Nee, keiner von denen hat gemerkt, dass ich da war. Ich war gerade auf'm Lokus und habe das zwangsläufig mitgekriegt. War wie im Film, ehrlich.«

»Waren es Deutsche?«

»Nee, aus Deutschland kamen die nicht, eher aus Polen oder Russland, auf jeden Fall haben die irgend so einen osteuropäischen Scheiß gelabert.«

»Hat Bruhns eine dieser Sprachen gesprochen?«

»Sonst hätten die sich ja wohl kaum unterhalten können.«

»Wie lange ist das her?«

»Ein paar Tage bevor ich rausgeflogen bin, hab ich die das letzte Mal gesehen.«

»Sagen Sie mal, Sie haben wirklich nicht gewusst, dass Bruhns tot ist? Das kann ich kaum glauben. War doch überall im Fernsehen und im Radio, von den Zeitungen ganz zu schweigen.«

»Ich lese keine Zeitung und hör kein Radio. In der Glotze guck ich nur Sport. Da gibt's keine Nachrichten. Und jetzt lassen Sie mich allein, ich bin müde und will schlafen.«

»Hier«, sagte Henning, »meine Karte. Falls Ihnen doch noch was einfällt, rufen Sie mich an. Komm, Lisa, wir gehen.«

»Sie finden bestimmt allein raus«, sagte Weidrich, ohne sich von der Stelle zu rühren.

»Sicher. Wiedersehen.«

»Muss nicht sein. Ich trink einen drauf, dass der Bastard verreckt ist«, rief Weidrich ihnen noch hinterher. »Ich sauf mir die Hucke voll vor Freude! Rock 'n' Roll!«

Der Typ ist so was von kaputt«, sagte Santos auf dem Weg ins Präsidium. »Wie kann man in diesem Dreck leben? Die Bude könnte so schön und gemütlich sein.«

Ohne darauf einzugehen, bemerkte Henning: »Aber er hat im Wesentlichen das bestätigt, was die Bruhns uns gesagt hat. Dass Bruhns aber schon so lange und auch ungeniert mit Kindern rumgemacht hat, erstaunt und erschreckt mich schon. Der Kerl war pädophil, einige in seinem Umfeld wussten davon, aber keiner ist eingeschritten. Und warum? Weil zu viele mit ihm unter einer Decke stecken. So ist es doch immer. Es ist immer wieder das gleiche Spiel.«

»Er war nicht nur pädophil«, warf Santos ein. »Kinder ab elf, zwölf, junge Erwachsene bis maximal fünfundzwanzig. Ich werde das Gefühl nicht los, dass hier das Motiv zu suchen ist. Es würde auch die Positionierung der Leichen erklären. Der Täter hat uns ein Zeichen gegeben und uns gezeigt, was für ein Mensch Bruhns war. Dazu hat die Steinbauer gehört.«

»Mag sein, aber die Steinbauer war schon achtzehn und damit volljährig. Nele war elf oder zwölf, das ist eine andere Liga.«

»Jetzt fragt sich nur, wo setzen wir an? Mir geht diese elende DNA nicht aus dem Kopf. Das irritiert mich so sehr, das blockiert mich im Denken«, sagte Santos. »Hätte Klaus doch bloß seine Klappe gehalten! Kannst du das verstehen?«

Henning legte eine Hand auf ihre und erwiderte: »Mir geht's ja ähnlich. Aber blenden wir das doch mal aus. Würdest du Weidrich den Mord zutrauen?«

Santos überlegte kurz und schüttelte den Kopf. »Er ist ein Säufer und wäre gar nicht in der Lage, einen so präzise ausgeführten Mord zu begehen. Der hätte Bruhns erschlagen oder erwürgt, aber das? Nee, auf gar keinen Fall. Der hegt einen mächtigen Groll gegen Bruhns, aber Mord ... Er kommt mir nicht so vor, als hätte er den Mumm und die Energie dazu. Der ist körperlich am Ende.«

»Na ja«, hielt Henning dagegen, »aber sieh doch mal, wie klar er trotz allem im Kopf ist. Der hält seinen Promillepegel, und die Welt ist in Ordnung. Okay, nicht in Ordnung, der Mann wurde völlig aus der Bahn geworfen, er hat keine Perspektive mehr, er lebt allein in einer versifften Bude, ich nehme an, er hat nicht mal Freunde oder Bekannte, für ihn hat das Leben keinen Sinn mehr. Nur noch Alkohol und Glotze. Was für ein Leben, wenn man es denn Leben nennen kann. Ich würde mir die Kugel geben, wenn ich so dahinvegetieren müsste.«

»Ich korrigiere mich, was den Mumm und die Energie angeht. Sind nicht gerade solche Menschen in Ausnahmesituationen zu den scheinbar unmöglichsten Taten fähig? Wir haben's doch erst letztens erlebt, die Frau, die sich über Jahre von ihrem Mann hat schlagen und vergewaltigen lassen, sie eins fünfzig, er eins neunzig, und eines Tages bringt sie eine übermenschliche Energie auf, rammt ihm ein paarmal das Messer in Brust und Bauch, und den Rest kennst du.«

»Sicher, das war eine solche Ausnahmesituation, aber nicht zu vergleichen mit der von Weidrich. Die Frau hat über Jahre hinweg die Hölle durchlebt, und sie hat sich große Sorgen um ihre beiden Kinder gemacht. Ihre Aussage war eindeutig, sie wollte die Kinder schützen, weil ihr Mann auch vor denen nicht mehr haltgemacht hat. Da hat sie in einem Moment diese übermenschliche Kraft aufgebracht, mit der vor allem ihr Mann nicht gerechnet hatte. Sein Pech. Aber zurück zu Weidrich. Er ist seit einem Jahr nicht mehr im Studio gewesen, er hat abgeschlossen, und zwar mit allem.«

»Und wenn er in seinem Zorn doch mal schnell den beseitigt hat, den er für all sein Unglück verantwortlich macht? Hältst du das für abwegig?«

»Ich halte grundsätzlich nichts für abwegig, aber diese Theorie für unwahrscheinlich. Der geht nur noch aus dem Haus, um sich Stoff zu besorgen. Wenn er keine Zeitung liest und kein Radio hört, kann er nicht wissen, was in der Welt vor sich geht. Der weiß wahrscheinlich noch nicht mal, dass Obama Präsident der USA ist.«

»Da fällt mir was auf«, entgegnete Santos nachdenklich. »Ich glaube, dass Weidrich uns einen Bären aufgebunden hat. Was hat er gesagt, was er immer nur guckt? Sport? Er hat aber auch gesagt, dass er immer das Kotzen gekriegt hat, wenn er Bruhns im Fernsehen gesehen hat. Mir wäre neu, dass Bruhns im Sportfernsehen aufgetreten ist.«

»Was willst du damit sagen?«

»Nichts, nur dass Weidrich in einem Punkt gelogen hat.«

»Ach komm, wir wollen doch jetzt nichts konstruieren. Er hat nicht gelogen, er hat uns höchstens nicht die volle Wahrheit gesagt. Wenn Weidrich Bruhns hätte töten wollen, hätte er so viele Gelegenheiten gehabt, dazu hätte er nicht nach Schönberg fahren müssen … Ein Schluck zu viel, er lauert Bruhns auf, wenn dieser zum Studio kommt, und dann stellt er ihn zur Rede, Bruhns lässt einen dummen Spruch los, und Weidrich tickt im Affekt aus und knallt ihn ab oder ersticht ihn. Das könnte ich mir vorstellen, aber eine solche inszenierte Tat – nie und nimmer. Außerdem hätte er von hier nach Schönberg fahren müssen, ich glaube aber kaum, dass er ein Auto hat. Und wenn, dann wäre er ein enormes Risiko eingegangen, nur mal angenommen, er wäre in eine Polizeikontrolle geraten. Der Mann ist zu nichts mehr fähig, der kann ja nicht mal mehr seine Wohnung aufräumen. Dann noch die Plazierung der Leichen, auf so eine Idee würde der gar nicht kommen, so weit reicht sein kreativer Horizont nicht. Lass gut sein, ich schließe ihn aus, und das solltest du auch tun.«

»Der Anrufer hat explizit gesagt, wir sollen in Bruhns' Umfeld suchen. Das fängt bei seiner Frau an und hört wo auf? Beim Personal, beim Nachfolger von Weidrich im Tonstudio, bei dubiosen Geschäftspartnern, bei Künstlern, die sich von Bruhns über den Tisch gezogen fühlten? Oder bei Freunden und Ehemännern von Frauen, mit denen Bruhns im Studio rumgevögelt hat? Oder ein Vater, der wusste, dass Bruhns seine Tochter missbraucht hat? Damit sind wir länger beschäftigt als bis Sonntag.«

»Willst du meine Theorie hören? Der Mörder ist entweder jemand, der von Bruhns' pädophilen Aktivitäten wusste und es nicht mehr dulden wollte oder konnte, aber kein Vertrauen in die Polizei hatte, oder es handelt sich um jemanden, der von Bruhns schäbig behandelt wurde. Davon soll es ja eine ganze Menge geben, siehe Weidrich.«

»Oh, da würde mir aber noch einiges mehr einfallen. Aber lassen wir das, je mehr wir spekulieren, desto mehr verrennen wir uns. Wir schreiben gleich alles an die Tafel und ...«

»Von mir aus. Sag mal, gestern habe ich die Bruhns noch ausgeschlossen. Wenn ich's recht bedenke, hätte sie aber doch ein sehr starkes Motiv gehabt. Sie wusste von den Kindern, ihr Mann war ein notorischer Fremdgänger, sie wurde von ihm, wenn es denn stimmt, wie eine Gefangene gehalten und auch geschlagen, er hat sie bedroht, als sie ihn verlassen wollte, aber sie wollte nicht auf ihr Luxusleben verzichten, wovon ich jetzt einfach mal ausgehe. Aber da sie es nicht selbst war, müsste sie jemanden beauftragt haben. Hört sich zwar an wie in einer schlechten Seifenoper, soll aber alles schon vorgekommen sein. Oder?«

»Viel zu weit hergeholt …«

»Warum? Stell dir vor, sie hat selbst einen Geliebten, von dem keiner etwas weiß, mit dem sie diesen perfiden Plan ausgeheckt hat … Auch das soll's schon gegeben haben.«

»Blödsinn. Sie hat eine einjährige Tochter, wir haben beide erlebt, wie liebevoll sie mit ihr umgeht, und da willst du mir eine Theorie, ach, was sage ich, eine weit hergeholte Hypothese unterjubeln, dass diese Frau einen Geliebten haben soll und praktisch eine Art Jekyll und Hyde ist? Nein, nein, nein! Aber bitte, wenn es dich beruhigt, dann fragen wir sie doch einfach, wir werden sofort an ihrer Reaktion merken, ob sie lügt. Lass uns hinfahren.«

»Okay«, sagte Henning nur und lenkte den Wagen in Richtung Bruhns' Haus. »Ich will Klarheit haben.«

»Du Kleingläubiger, du«, erwiderte Santos lächelnd und streichelte seine Hand.

»Nee, ich bin nur ein gebranntes Kind. Außerdem können wir fast alle eben genannten Theorien über den Haufen werfen, denn wer außer einer Person mit einer extremen kriminellen Energie könnte über die DNA der unbekannten weiblichen Person verfügen? Unser Ansatz ist falsch.«

»Okay, du hast recht. Ich blende das mit der DNA immer wieder aus. Tut mir leid.«

»Geht mir doch nicht anders.«

Sie schon wieder? Habe ich nicht alles gesagt?« Victoria Bruhns schien über das erneute Auftauchen der Beamten nicht erfreut.

»Das wissen wir nicht«, antwortete Henning. »Wir haben auch nur eine Frage: Haben Sie ...«

»Was mein Kollege sagen will: Gab oder gibt es in Ihrem Leben einen anderen Mann?«

Ein spöttischer Blick traf Santos. »Lassen Sie mich überlegen. Hm, ja, es gibt da den einen oder anderen Mann, aber keiner von denen ist aktuell. Ich war auch nie mit einem von denen im Bett, es sind nämlich alles Männer aus meiner Schulzeit. Aber ich verstehe, worauf Sie hinauswollen. Da ist eine Frau, die von ihrem Mann schlecht behandelt wird, die in einem goldenen Käfig gefangen gehalten wird, die aus ihrer Ehe ausbrechen will, die einen Geliebten hat und mit ihm zusammen beschließt, den ungeliebten Ehemann loszuwerden. Habe ich recht?«

Weder Santos noch Henning antworteten, mit einer derart scharfen Analyse hatten sie nicht gerechnet.

»Ich habe also recht. Um die Sache abzukürzen, nein, es gibt keinen und es gab auch nie einen anderen Mann. Fragen Sie Frau Hundt, sie weiß über mein Leben besser Bescheid als ich selbst. Die hat in den letzten Jahren wie ein Schießhund auf mich aufgepasst, aber damit ist jetzt Schluss. Mit dem Tod meines Mannes ist auch ihre Aufgabe in diesem Haus beendet. Das ist meine kleine Rache an dieser Giftspritze. Mehr habe ich nicht zu bieten. Aber bitte, es steht Ihnen frei, mein Leben zu durchforsten, Sie werden nichts finden. Ich habe keinen Geliebten, und ich habe mit dem Tod meines Mannes nicht das Geringste zu tun. Wobei Sie natürlich sagen könnten, dazu braucht man keinen Geliebten, Hass alleine genügt. Aber glauben Sie mir, ich könnte niemals jemanden so hassen, dass ich ihn töten würde.« Sie hielt inne, ihr Blick ging an Santos vorbei, bevor sie fortfuhr: »Doch, es gibt schon eins – wenn er sich an unserer Tochter vergangen hätte. Ich denke, dann hätte ich ihn umgebracht. Haben Sie sonst noch Fragen?«

»Ja. Wir waren bei Herrn Weidrich, der uns Ihre Geschichte von dem Mädchen bestätigt hat, weshalb er von Ihrem Mann gefeuert wurde …«

»Ich verstehe nicht ganz …«

»Diese Nele, Weidrich hat sie auf dem Foto wiedererkannt. Er behauptet, Nele sei nicht das einzige Kind gewesen, an dem sich Ihr Mann vergangen hat. Deshalb noch einmal die Frage, wussten Sie von den pädophilen Neigungen Ihres Mannes?«

»Das mit Nele war eindeutig, und ich dachte mir, wenn er es mit ihr macht, dann bestimmt auch mit anderen Mädchen. Aber ich hatte nicht den geringsten Beweis. Doch ich kann es mir durchaus vorstellen. Wenn er das wirklich getan hat, dann hat er den Tod mehr als verdient. Wenn ich geahnt hätte, mit was für einem Monster ich mich einlasse, ich hätte ihn niemals geheiratet. Anfangs hat er sich mir gegenüber ganz anders verhalten, aber das habe ich Ihnen ja alles schon erzählt. Allmählich wird mir klar, dass er mich nur als Alibi benutzt hat, um seine Schweinereien zu begehen.«

»Was meinen Sie damit?«

»Ganz einfach, er heiratet mich, die Medien berichten wochenlang darüber, über die heile Welt, in der der große Bruhns lebt, über seine entzückende, liebreizende Frau, und alles ist in bester Ordnung. Während seine Fans ihn vergöttern, missbraucht er kleine Mädchen. Und ich Dummerchen merke nichts von alledem, nur das eine Mal vor einem Jahr. Aber da war unsere Ehe ohnehin kaum noch das Papier im Stammbuch wert. Wenn das alles vorüber ist, werde ich Pauline nehmen und weggehen, irgendwohin, wo ich hoffentlich vergessen kann. Kann ich sonst noch etwas für Sie tun?«

»Nein, entschuldigen Sie die Störung«, sagte Santos und gab Henning das Zeichen zum Aufbruch. »Wir werden Sie vorerst nicht mehr behelligen.«

»Sie dürfen kommen, so oft Sie wollen, ich bin nicht nachtragend. Ich weiß ja, Sie machen auch nur Ihren Job. Ich möchte nicht in Ihrer Haut stecken.«

»Danke. Ach, eine Frage noch, wenn Sie gestatten: Wie hat Frau Hundt denn auf die Kündigung reagiert? Oder haben Sie's ihr noch gar nicht gesagt?«

»Ich werde es tun, sobald Pauline im Bett ist. Es wird mir ein Vergnügen sein, das können Sie mir glauben.«

»Sie war doch aber mehr als zwanzig Jahre …«

»Dreiundzwanzig Jahre, um genau zu sein.«

»Dann hat sie Kündigungsschutz.«

»Na und? Ich werde ihr eine Wohnung besorgen und ihr so lange das Gehalt bezahlen, bis die Kündigung rechtswirksam ist. Aber ich will diese Frau nicht einen Tag länger in meinem Haus haben.«

Santos legte eine Hand auf die Schulter von Victoria Bruhns und sagte leise: »Ich kann Sie verstehen. Toi, toi, toi.«

»Danke.«

»Noch etwas: Ihr Mann war dreimal vor Ihnen verheiratet. Könnten seine Ex-Frauen von seinen Neigungen gewusst haben?«

»Keine Ahnung, seine letzte Scheidung liegt fast zehn Jahre zurück, er hat mit fünfundzwanzig das erste Mal geheiratet, die Ehe hielt gerade mal zwei Jahre, dann mit neunundzwanzig und noch mal mit siebenunddreißig. Zu den Zeiten war er noch nicht so prominent und hatte meines Wissens auch keine Beziehungen zu einflussreichen Personen. Ich kann es mir ehrlich gesagt nicht vorstellen.«
»Wissen Sie, wo die Frauen wohnen?«
»Nein, tut mir leid, da kann ich Ihnen wirklich nicht weiterhelfen.«

MONTAG, 18.35 UHR

Henning und Santos drängten sich wieder durch die Reporter hindurch und fuhren zum Präsidium.
»Und, zufrieden?«, fragte Santos.
»Jetzt ja. Es sei denn, sie ist die beste Schauspielerin Deutschlands.«
»Sie ist einfach ehrlich, doch wir haben den Blick dafür verloren, sondern gehen immer erst mal vom Schlechtesten aus. Ist doch so, oder?«
»Hm.«
»Nix hm. Es stimmt. Sie war's nicht, sie hat damit nichts zu tun, und wir streichen sie endgültig von unserer Liste.«
»Jawohl, Boss«, antwortete Henning lächelnd.
»So ist's recht.«
Im Präsidium fanden sie nur noch Harms vor, der sich gerade zum Gehen bereitmachte.

»Hi«, sagte Henning und legte seine Jacke ab.

»Ich dachte schon, ich würde gar nichts mehr von euch hören«, entgegnete Harms kurz angebunden.

»Das hatte einen guten Grund – es gab nichts zu berichten. Wir waren bei Tönnies und Jürgens, bei der Bruhns und bei dem ehemaligen Tontechniker. Wir haben uns mit einer Horde von Reportern angelegt ... Mehr war nicht. Und hier?«

»Nichts«, war die lapidare Antwort von Harms.

»Hat keiner von der Soko irgendwas rausgefunden?«, fragte Santos zweifelnd.

»Nein, und wenn, erfahren wir es wohl erst morgen früh. Um halb neun ist Lagebesprechung.«

»Und Rüter?«

»Habe ich nicht zu Gesicht bekommen. Die Zeit wird knapp.«

»Weißt du was? Dann soll Rüter seinen Mist allein machen. Ich werde mich mit ihm ganz gewiss nicht anlegen. Sollte er sagen, wir sind raus, werde ich das ohne Wenn und Aber akzeptieren.« Henning kratzte sich am Kinn und fuhr fort: »Übrigens, das mit der DNA war eine Fehlinformation. Sowohl Tönnies als auch Jürgens haben eingestanden, einem Irrtum aufgesessen zu sein. Du brauchst dir also keine Gedanken mehr zu machen, dass ...«

»Ich habe mir keine Gedanken gemacht. Noch was? Es ist halb sieben durch, und ich möchte nach Hause.«

»Ja, da wäre noch eine Kleinigkeit«, sagte Santos. »Wie es aussieht, war Bruhns pädophil. Es gibt Anhaltspunkte dafür, dass der Mord an dem unbekannten Mädchen vor einem Jahr ebenfalls mit ihm zusammenhängt. Dieses Mädchen war bei Bruhns im Haus, das haben wir sowohl von Frau Bruhns als auch von der Haushälterin erfahren ...«

»Und das erfahre ich so nebenbei? Nun gut, was soll's, wir sprechen morgen darüber. Ich habe einen wichtigen Termin. Sonst noch was?«, sagte er und sah auf seine Armbanduhr. Er wirkte nervös.

»Nein, nichts weiter. Schönen Abend noch.«

»Den werde ich garantiert nicht haben.«

Harms zog seinen Mantel über, nahm seine Aktentasche, die er mit sich führte, seit Henning ihn kannte, und verließ ohne ein weiteres Wort den Raum.

Sie warteten, bis die Tür ins Schloss gefallen war, dann fragte Santos: »Was ist bloß mit Volker los? Als wären wir Fremde für ihn.«

»Oder als wäre er sauer auf uns.«

»Oder ihm macht der Druck von oben zu schaffen.«

»Oder er hat private Probleme. Egal, er ist unser Vorgesetzter, aber so wie heute habe ich ihn noch nie erlebt. Gestern war er doch noch ganz anders drauf. Ich kapier das nicht. Ich dachte immer, wir wären eine verschworene Gemeinschaft.«

»Das dachte ich auch. Komm, wir fahren heim und bestellen uns eine Pizza.«

Henning nickte, und sie verließen das Präsidium. Es war ein höchst unbefriedigender Tag gewesen, der sie bei der Suche nach dem Täter nur unwesentlich vorangebracht hatte. Henning hasste solche Tage, denn er wusste aus Erfahrung, je mehr Zeit verging, desto geringer wurde die Chance, den Mörder zu fassen. Noch hatte er Victoria Bruhns und Weidrich nicht ganz von der Liste gestrichen, doch er würde sich hüten, dies Lisa Santos mitzuteilen. Er hatte das Gefühl, dass auch Weidrich nicht die ganze Wahrheit gesagt hatte, vielleicht hatte er auch aufgrund seines Alkoholmissbrauchs Wesentliches vergessen. Bruhns hatte in seinem Leben unzählige Affären gehabt, und er war, so viel stand für Henning fest, pädophil gewesen. Womöglich war er sogar in einen Mord an einem Kind verwickelt. Gründe genug, ihn zu beseitigen, aber warum auch Kerstin Steinbauer ihr Leben lassen musste, lag noch im Dunkeln.

Als sie in Lisas Wohnung ankamen, versuchte er, die Gedanken an den Fall zu verdrängen. Es gelang ihm nicht. Der Abend war einer der schweigsamsten, seit er und Lisa zusammen waren. Sie ließen sich Pizza und Tomatensalat kommen, tranken Wasser. Der Fernseher lief, während beide ihren Gedanken nachhingen, ohne darüber zu sprechen.

Um kurz vor neun klingelte Santos' Handy.

»Koslowski, Kripo Düsseldorf. Tut mir leid, wenn ich so spät noch störe, aber ich habe ein paar interessante Informationen für euch. Bereit?«

»Immer raus damit«, sagte Santos, legte sich Block und Stift zurecht und stellte das Telefon laut.

»Wir sind noch immer an der Steinbauer dran, irgendwas scheint mit ihr nicht zu stimmen. Von dem Luxusapartment habe ich ja schon erzählt, aber als wir es gestern Abend unter die Lupe genommen haben, mein lieber Scholli, da haben wir erst mal gesehen, was die wirklich alles besessen hat. Heute Morgen haben wir die Sachen schätzen lassen, alles in allem ist allein die Einrichtung inklusive Hi-Fi-Anlage und Fernseher so um die zweihunderttausend wert. Entweder hatte sie einen Gönner, für den sie die Beine breit machte und der sich das einiges kosten ließ, oder sie war in kriminelle Geschäfte verwickelt. Dass ein Mädchen mit achtzehn, das im Waisenhaus groß geworden ist, so viel Geld hat, schien uns auch damit kaum zu erklären. Daraufhin haben wir natürlich ihre finanziellen Verhältnisse überprüft, und da wurde unser Erstaunen noch größer. Sie hatte mindestens zwei Konten, auf einem sind etwas über vierhunderttausend Euro, auf dem anderen sogar über eine halbe Million. Das sind Dimensionen, wo wir einen Gönner, der seinen Spaß mit einem Mädchen haben will, ausschließen. Ich kenne niemanden, der fürs Bumsen so viel Geld ausgibt. Die Frage ist, woher stammt das Geld? Es handelte sich jedes Mal um Bareinzahlungen, das heißt, wir können die Quelle nicht zurückverfolgen. Sie muss es bar erhalten haben, denn sie hat es cash eingezahlt. Immer so zwischen zehn- und fünfzehntausend Euro alle zwei bis drei Wochen auf jedes der beiden Konten. Woher das Geld stammt, werden wir versuchen herauszufinden, aber ich fürchte fast, das wird ins Leere laufen. Die war verdammt clever.«

»Das ist ein Hammer …«

»Wir haben auch die familiären Verhältnisse überprüft, aber es gibt nach unseren bisherigen Erkenntnissen keinerlei Verwandte. Das heißt, die Steinbauer war über einen langen Zeitraum auf sich allein gestellt, bis auf die Mitbewohner im Waisenhaus und die dortigen Betreuer …«

»Seit wann verfügte sie über so viel Geld?«, wollte Santos wissen.

»Sie verließ das Waisenhaus kurz nach ihrem sechzehnten Geburtstag. Zehn Monate später bezog sie die Wohnung, die sie bar bezahlt hat, Wert gut sechshunderttausend Euro, wie uns die Immobilienfirma mitteilte. Jemand hat für sie gebürgt, aber offenbar unter falschem Namen und mit falschen Papieren. Dann ging es finanziell stetig bergauf. Ich tippe jetzt einfach mal, dass sie nicht nur eine Affäre mit Bruhns hatte, sondern sie vielleicht sogar geschäftlich miteinander zu tun hatten. Fragt sich nur, welche Geschäfte tätigt ein Endvierziger mit einer Achtzehnjährigen? Das ist eine Frage, der wir alle nachgehen sollten.«

»Danke, das wirft ein völlig neues Licht auf die ganze Sache. Wir bleiben dran, und sobald wir Infos haben, lassen wir sie euch zukommen.«

»Okay. Das Problem ist die Person Bruhns«, sagte Koslowski. »Wir sind jetzt schon angewiesen worden, keinerlei Informationen an die Öffentlichkeit gelangen zu lassen, nicht öffentlich nachzufragen, ob irgendjemand die Steinbauer kannte et cetera pp. Außerdem haben uns ein paar Spatzen geflüstert, dass möglicherweise schon in den nächsten Tagen das LKA oder eine andere Institution die weiteren Ermittlungen übernehmen wird. Was das heißt, könnt ihr an den Fingern einer Hand abzählen. Wir sind im Prinzip schon raus, uns wurden Handschellen angelegt. Irgendwas stinkt hier zum Himmel.«

»Euch wurde der Fall entzogen? Wegen der Steinbauer?«

»Noch nicht, und es kann sein, dass wir weitermachen dürfen, allerdings mit gedrosseltem Tempo und immer schön unter Beobachtung von oben. In meinen zweiundzwanzig Dienstjahren habe ich so etwas erst ein Mal erlebt, und da ging es um einen Politiker, der eine Größe im organisierten Verbrechen war beziehungsweise noch immer ist. Gegen ihn wurde nie ein Verfahren eingeleitet, obwohl alle von seinen ach so sauberen Geschäften wussten. Aber uns wurde die Tür vor der Nase zugeschlagen, als wir etwas intensiver zu ermitteln begannen. Seitdem wissen wir, dass gegen gewisse Personen nicht ermittelt werden darf. Wir halten uns daran. Fragt sich nur, warum eine Achtzehnjährige derart geschützt wird.«

»Das fragen wir uns jetzt allerdings auch. Aber vielen Dank für die ausführlichen Infos.«

»Gern geschehen, ihr seid doch genauso arme Socken wie wir. Macht euch auf etwas gefasst. Vermutlich werdet ihr sehr bald von dem Fall abgezogen. Seid also vorsichtig, das ist der einzige Rat, den ich euch geben kann.«

»Werden wir sein. Nochmals danke und einen schönen Abend.«

»Den werde ich nicht haben, Bereitschaft, wenn ihr versteht. Vielleicht bis bald.«

Santos drückte auf Aus und sah Henning an. War sie eben noch müde und erschöpft gewesen, so war sie nun hellwach.

»Die Steinbauer war also kein zufälliges Opfer, sondern wurde gezielt umgebracht«, murmelte Henning. »Was hat sie gemacht, und woher hatte sie die viele Kohle?«

»Ich hoffe, das finden wir noch raus, bevor auch wir von dem Fall abgezogen werden. Ich krieg das nicht auf die Reihe: Bruhns ist pädophil, vögelt mit einer Achtzehnjährigen, die Geld hat wie Heu, beide werden in Bruhns' Villa umgebracht … Was hat sie miteinander verbunden? Von Bruhns hat die Steinbauer das Geld ganz gewiss nicht bekommen, irgendwo habe ich mal gelesen, dass er ein richtiger Geizkragen gewesen sein soll. Was also?«

»Wühlen wir doch einfach ein bisschen im Dreck«, bemerkte Henning trocken. »Aber nicht mehr heute, ich bin zu müde.«

»Mir kommt da eine Idee: Könnte Volkers Verhalten damit zusammenhängen, dass man ihm gesagt hat, bis hierher und nicht weiter, und er sich nur nicht traut, uns das zu sagen? Vielleicht hat ihm Rüter schon gestern unter vier Augen entsprechende Anweisungen gegeben, und deshalb hat sich Volker heute Morgen so seltsam benommen, als wir ihn auf die DNA angesprochen haben? Wir hatten doch bisher immer ein hervorragendes Verhältnis zu ihm, aber seit heute ist er wie ausgewechselt. Was meinst du?«

»Es wäre zumindest eine Erklärung. Fragen wir ihn doch morgen einfach mal. Jetzt lass uns schlafen gehen, ich kann mich kaum noch auf den Beinen halten.«

Kurz darauf gingen sie zu Bett, wünschten sich eine gute Nacht und drehten sich zur Seite. Doch weder er noch sie fanden Schlaf. Der Anruf aus Düsseldorf beschäftigte beide, ohne dass sie darüber sprachen. Erst in den frühen Morgenstunden schliefen sie ein, um bereits zwei Stunden später geweckt zu werden. Sie hatten eine miserable Nacht hinter sich, und wie es aussah, würde der Tag nicht anders werden. Es sei denn, es geschah ein Wunder. Aber weder Henning noch Santos glaubten an Wunder, dazu waren sie schon zu lange bei der Polizei.

MONTAG, 19.45 UHR

Hans Schmidt hatte den Tag bei jenem Klienten zugebracht, der seine Machiavelli-Werke auf deren Echtheit untersuchen lassen wollte. Dafür hatte er einen Koffer mit allerlei Utensilien mitgebracht, mit deren Hilfe er unter anderem das Alter des Papiers und der Tinte bestimmen konnte. Gegen 17.30 Uhr war er zu dem Schluss gekommen, dass es sich bei beiden Büchern um Originale handelte, die ein Vermögen wert waren. Woher die Bücher stammten, wollte der Besitzer nicht verraten, im Grunde interessierte es Schmidt auch nicht.

Er verabschiedete sich, fuhr zu seinem Haus und machte sich frisch, denn er hatte noch einen wichtigen Termin. Er zog sich um und veränderte sein Äußeres derart, dass ihn niemand als Hans Schmidt erkennen würde.

Er fuhr zu einem Treffpunkt in der Nähe des Hauptbahnhofs, wo er in einen schwarzen Lieferwagen stieg, der von innen komplett abgedunkelt war, so dass Schmidt und fünf weitere Männer, die mit ihm im hinteren Teil des Wagens saßen, nicht wussten, wohin es ging. Während der etwa zwanzigminütigen Fahrt wurde kein Wort gewechselt, nicht einmal der Fahrer und der Beifahrer sagten einen Ton. Schließlich hielt der Wagen, die Hecktür wurde geöffnet, und die Männer stiegen aus. Schweigend bewegten sie sich auf eine alte Villa zu, die im Dunkeln lag. Die nächsten Häuser standen zu weit weg, als dass einer der Nachbarn etwas wahrgenommen hätte. Die auto- und menschenleere Straße befand sich in gut fünfzig Metern Entfernung.

Nachdem sie das Haus betreten hatten, ging das Licht an, doch vor allen Scheiben hingen schwarze Vorhänge, so dass kein Lichtstrahl nach außen drang. Immer noch schweigend begaben sie sich in den ersten Stock und wurden in einen etwa sechzig Quadratmeter großen Raum geführt, dessen Fußboden aus poliertem Marmor bestand, auf der einen Seite lag ein etwa acht Meter langer und zwei Meter breiter Flokatiteppich, der neben dem edlen Interieur wie ein Fremdkörper wirkte.

Noch waren die Männer und die beiden bulligen Aufpasser allein in dem Raum, doch bereits kurz darauf hörte man Stimmen. Achtzehn spärlich bekleidete Frauen traten ein, die jüngste etwa sechzehn Jahre alt, die älteste maximal fünfundzwanzig. Alle sehr hübsch, gut gebaut, doch in ihren Gesichtern stand die nackte Angst. Sie wurden von dem Mann, der sie hochgebracht hatte, aufgefordert, sich nebeneinander auf den Teppich zu stellen.

Eine der Frauen wollte etwas sagen, doch der Mann fuhr sie barsch an: »Halt's Maul, du redest nur, wenn du gefragt wirst. Kapiert?«

Daraufhin wandte er sich den Männern zu, lächelte und sagte: »Meine Herren, ich freue mich, dass Sie gekommen sind, um an unserer Auktion teilzunehmen. Wie Sie unschwer erkennen können, habe ich nur allerbeste Ware anzubieten, jung, frisch, knackig, wie ein köstlicher Salat. Für das Dressing sind Sie verantwortlich, aber ich bin sicher, dass Sie das Richtige finden werden. Ich mache Sie allerdings darauf aufmerksam, dass einige der Damen noch etwas wild sind und wie Broncos zugeritten werden müssen. Aber auch das dürfte für keinen von Ihnen ein Problem darstellen, da Sie sich in dem Metier ja bestens auskennen, sonst wären Sie nicht hier. Wenn sie erst einmal gefügig gemacht sind, werden sie für Ihre Gäste das reinste Vergnügen darstellen und ihnen jeden noch so ausgefallenen Wunsch von den Augen ablesen. Ich weiß, wovon ich spreche, ich bin schließlich schon seit über zwanzig Jahren in dem Geschäft und kann mich nicht erinnern, dass sich je ein Käufer bei mir über schlechte Ware beschwert hätte. Ich habe schließlich einen Ruf zu verlieren ... Nun zu Ihnen: Drei von Ihnen kenne ich von früheren Auktionen, drei nicht. Aber ich habe Auskünfte über Sie eingeholt und entsprechende Empfehlungen bekommen, weshalb ich Sie in diesem Kreis herzlich begrüße und hoffe, dass wir ins Geschäft kommen. Wie Sie bereits wissen, nennen wir grundsätzlich keine Namen, Sie dürfen jedoch Fragen stellen, schließlich wollen wir am

Ende dieses Abends alle zufrieden nach Hause fahren. Wenn Sie mich ansprechen, dann bitte mit Auktionator, der ich ja auch bin ... Aber gehen wir nun in medias res. Die Damen, die Sie hier sehen, stammen aus Weißrussland, Russland, Moldawien, Lettland und der Ukraine. Jede von ihnen spricht ein wenig Deutsch, zwei sogar perfekt. Sie«, dabei deutete er auf eine etwa zwanzigjährige Frau mit langen blonden Haaren, einem vollen straffen Busen und einer traumhaften Figur mit endlos langen Beinen, »und sie«, er zeigte auf eine zierliche Brünette mit kleinen festen Brüsten, einer Wespentaille und großen unschuldigen Augen. »Tanja stammt aus Weißrussland, Svenja aus Lettland. Die anderen stelle ich gleich noch vor. Zum Procedere: Das Mindestgebot liegt bei zehntausend, ich gehe jedoch davon aus, dass jede der Damen ein Vielfaches davon wert ist, denn sie sind kerngesund, wie ein medizinischer Check ergeben hat, den Nachweis habe ich in meinem Büro, und sie bringen pro Tag beziehungsweise Nacht bis zu fünftausend Euro ein. Haben Sie Fragen?«

»Ja, eine«, meldete sich ein Mann zu Wort, der beste Referenzen vorzuweisen hatte. »Ich hatte bisher nur mit südeuropäischen und südamerikanischen Frauen zu tun«, sagte er mit französischem Akzent, doch grammatikalisch fast fehlerfrei. »Was muss ich bei diesen Frauen hier beachten?«

»Gar nichts. Es gibt keine besseren und gehorsameren Frauen als Osteuropäerinnen. Manche haben anfangs einige Eingewöhnungsprobleme, aber die lassen sich in der Regel leicht beheben. Diese Frauen sind hart im Nehmen, doch mit den entsprechenden Mitteln kann man diese Härte rasch in Weichheit und bedingungslosen Gehorsam umwandeln. Betrachten Sie es als Dressur, nur dass es nicht wie bei einem Hund oder Pferd Wochen oder Monate dauert, sondern höchstens zwei oder drei Tage. Ist Ihre Frage damit zufriedenstellend beantwortet?«

»Danke, ja.«

»Sonst noch jemand?«

Kopfschütteln.

»Gut, dann lassen Sie uns beginnen. Fangen wir rechts außen an, dort haben wir Alissa, achtzehn Jahre alt, Studentin oder ehemalige Studentin, denn jetzt hat sie ja einen Job. Ihre Maße eins fünfundsechzig groß, neunzig – dreiundsechzig – zweiundneunzig, eine kleine Wildkatze, die aber gut zu zähmen ist. Nicht wahr, Alissa?«

Keine Antwort, dafür ein angstvoller Blick aus den großen braunen Augen.

»Sie ist noch etwas schüchtern, das wird sich aber mit der Zeit legen. Ihr Gebot, meine Herren, für diese wunderhübsche junge Dame, an der Sie lange Freude haben werden.«

»Zehntausend«, sagte einer der Männer und hob die Hand.

»Zwölf«, meldete sich ein anderer zu Wort.

»Fünfzehn.«

»Zwanzig«, sagte Pierre Doux.

»Zweiundzwanzig.«

»Vierundzwanzig.«

Eine Weile herrschte Stille, bis der Auktionator sagte: »Also gut, vierundzwanzig zum Ersten, zum Zweiten und vierundzwanzig zum Dritten. Alissa, setz dich da hinten hin, du bist verkauft. Kommen wir zu Carla. Neunzehn Jahre alt, eins zweiundsiebzig, die nicht zu übersehenden Traummaße fünfundneunzig – sechzig – neunzig, bereits gezähmt und zu allem bereit. Sie spricht übrigens auch recht gut unsere Sprache. Ihr Gebot.«

»Fünfzehn.«

»Zwanzig.«

»Fünfundzwanzig.«

»Vierzig.«

»Fünfundvierzig.«

»Fünfzig.«

Als kein Gebot mehr einging, sagte der Auktionator, der zugleich Herr des Hauses war: »Bietet jemand mehr als fünfzig? Nein? Gut, dann geht Carla für fünfzigtausend Euro an den Herrn mit der Brille. Viel Spaß mit ihr, den werden Sie garantiert haben, und Ihre Gäste auch. Carla, nimm neben Alissa Platz, damit wir weitermachen können. Als Nächstes hätten wir unseren Rotfuchs Mariana, siebzehn Jahre, eins achtundsechzig, achtundachtzig – fünfundsechzig – einundneunzig. Ihr Gebot.«

»Zehn.«

»Zwölf.«

»Dreizehn.«

»Fünfzehn.«

»Siebzehn.«

»Achtzehn.«

»Ist das alles, meine Herren? Sie haben Mariana noch nicht im Bett erlebt, sie macht alles mit, darauf gebe ich Ihnen Brief und Siegel. Sie ist erst siebzehn, das heißt, Sie werden mindestens sechs Jahre eine scharfe Einnahmequelle haben. Was Sie dann mit ihr machen, ist Ihre Sache. Vielleicht hält sie ja auch länger durch.«

»Neunzehn.«

»Einundzwanzig.«

Als keine weiteren Gebote eingingen, sagte der Auktionator: »Okay, für einundzwanzigtausend an den Herrn ganz links. Sie haben gerade ein Schnäppchen gemacht, das sollte Ihnen klar sein. Schon nach spätestens zwei

Wochen hat sich Ihr Einsatz amortisiert. Aber gut, kommen wir zu Sabrina. Neunzehn Jahre, eins dreiundsiebzig, achtundneunzig – fünfundsechzig – zweiundneunzig, ein wahres Vollweib. Ihr Gebot.«

»Zwanzig.«

»Fünfundzwanzig.«

»Dreißig.«

»Dreiunddreißig.«

»Fünfunddreißig.«

»Fünfzig«, meldete sich der Mann mit der Brille zu Wort.

»Einundfünfzig.«

»Fünfundfünfzig.«

»Bietet jemand mehr als fünfundfünfzigtausend? Nein? Dann geht Sabrina für fünfundfünfzigtausend wieder an den Herrn mit der Brille. Glückwunsch, ein echter Glücksgriff. Sabrina, nach hinten.«

Weitere fünf Frauen wurden verkauft, bis Svenja an der Reihe war. Sie hatte ein stolzes Gesicht, eine stolze Haltung, und ihr stand als Einziger nicht die panische Angst in den Augen.

»Hier haben wir Svenja, einundzwanzig Jahre, eins siebzig, sechsundneunzig – vierundsechzig – fünfundneunzig, mit ihr kann sich jeder Kunde unterhalten, da sie deutsche Wurzeln hat und bis vor kurzem auch Deutsch studiert hat. Sie ist noch etwas ungestüm und bisweilen unerzogen, aber das lässt sich alles binnen kürzester Zeit beheben. Ihr Gebot.«

»Zwanzig.«

»Ich bin keine Hure!«, sagte Svenja mit einem Mal und trat zwei Schritte vor, runter vom Flokatiteppich auf den Marmorboden, woraufhin die Männer sie verwundert ansahen. Der Herr des Hauses kniff die Augen zusammen, ging zu ihr, packte sie am Arm und zog sie in die Mitte des Raumes.

»Was habe ich dir vorhin gesagt?«, zischte er. »Du sollst dein Maul halten. Du sollst einfach nur dein verdammtes Maul halten. Keiner tut dir was, es sei denn, du forderst es heraus. Also, halt dein Maul, stell dich wieder in die Reihe und warte ab, bis du versteigert bist.«

»Ich halte aber nicht mein Maul, weil ich keine Hure bin und nie eine sein werde!«

Der kräftige Schlag in die Magengrube traf sie wie aus dem Nichts, sie sackte zu Boden und japste nach Luft, doch es waren nur Sekunden, bis sie wieder aufstand und den Auktionator mit verächtlichem Blick ansah.

»Du glaubst, du bist stark, wenn du mich schlägst? Ich bin keine Hure, und ich werde nie eine sein. Ich werde jedem seinen Schwanz abbeißen, der …«

Der nächste Schlag wurde noch heftiger geführt und traf Svenja erneut in den Magen. Wieder sank sie zu Boden, rang um Luft, doch es dauerte wieder nur Sekunden, bis sie aufstand, wobei ihre Beine zitterten, doch der Stolz in ihrem Blick war ungebrochen, obwohl sie höllische Schmerzen haben musste und Mühe beim Atmen hatte.

»Ich bin stark«, sagte der Auktionator leise und lächelte maliziös, »auf jeden Fall stärker als du kleine billige Hure. Fordere mich nicht noch einmal heraus, ich kann sehr ungemütlich werden, dagegen war das eben nur ein kleiner Klaps.«

»Willst du mich töten?«, spie sie ihm entgegen. »Okay, töte mich, dann hast du eine Hure weniger. Lieber tot als jeden Tag nur ficken, ficken, ficken!«

»Meine Herren, es tut mir leid, dass Sie die Szene jetzt gleich miterleben werden, aber in diesem Geschäft zählt das Gesetz des Stärkeren. Und manche unserer Frauen müssen erst spüren, wer der Stärkere ist. Was ich jetzt tue, tue ich nicht gerne, das dürfen Sie mir glauben, aber es muss sein. Sie werden unter Umständen eines Tages auch in eine ähnliche Situation geraten, dann wissen Sie, wie Sie sie lösen können. Keiner von uns kann sich Probleme mit den Nutten leisten.«

Er zog langsam den Nietengürtel aus seiner Jeans und faltete ihn einmal, sein Blick war kalt, als er zuschlug. Wieder und wieder knallte der Gürtel wie eine Peitsche auf Svenjas Haut. Sie hielt sich die Hände schützend vors Gesicht und schrie ein paarmal auf, Haut löste sich von Armen, Rücken und Bauch, nach Minuten der Tortur fiel sie zu Boden. Sie blutete aus zahlreichen Wunden, undefinierbare Laute kamen aus ihrem Mund, sie versuchte, sich aufzurichten, doch es gelang ihr nicht. Sie wollte über den Boden kriechen, zur Wand hin, wo sie sich würde hochziehen können, doch auch das schaffte sie nicht. So blieb sie auf den Fliesen liegen, und keiner der Männer machte Anstalten, sich um sie zu kümmern.

Der Auktionator hatte den Raum verlassen, kehrte jedoch bereits nach wenigen Minuten zurück. In seinen Augen brannte das Feuer der Hölle, es schien, als wäre der Teufel sein persönlicher Begleiter oder als wäre er selbst der Fürst der Hölle. In der unheimlichen Stille ging er zu Svenja, die kaum noch den Kopf heben konnte, alle Kraft und Energie, aller Stolz, der noch bis vor wenigen Minuten ihr Wesen ausgemacht hatte, der Mut und die Courage, mit der sie sich ihrem Peiniger entgegengestellt hatte, waren aus ihr gewichen, als er sie bei den langen braunen Haaren packte, den Kopf nach oben riss, ein Klappmesser aus der Hosentasche zog, es aufschnappen ließ und blitzschnell einen langen und tiefen Schnitt quer über Svenjas Hals zog. Danach ließ er Svenja wieder fallen, ihr Kopf schlug auf den Marmor, Blut pulsierte aus der langgezogenen Wunde, bis Svenja wenige Minuten später den letzten Atemzug tat und ihre Augen brachen. Die umstehenden Männer hatten die Szene aufmerksam verfolgt, ohne dass auch nur einer versucht hätte, einzugreifen und Svenja beizustehen. War es Angst, Gleichgültigkeit oder Sensationslust? Nur einer wusste es, der jedoch so tat, als wäre Gleichgültigkeit eine seiner Haupteigenschaften.

Die anderen Mädchen, von denen einige nach den ersten Schlägen aufgeschrien und Tränen in den Augen hatten, saßen oder standen zitternd vor Angst da, ein paar hielten sich bei den Händen.

»Schafft sie weg«, befahl der Auktionator den beiden Aufpassern, »wir haben noch einiges zu tun. Und danach wischt ihr das Blut auf, ich hasse Blut auf meinen teuren Fliesen.« Er schürzte die Lippen und wandte sich wieder an seine Gäste: »Meine Herren, ich entschuldige mich für diesen kleinen Zwischenfall, der sich aber leider nicht vermeiden ließ. Svenja gehörte zu den wenigen Ausnahmen, die sich nicht zähmen ließen. Sie hätte ihre Drohung wahr gemacht und Ihren Gästen … Nun, Sie wissen schon, was ich meine.«

»Musste das wirklich sein?«, fragte einer zögernd.

Der Angesprochene verzog den Mund zu einem beinahe milden Lächeln und entgegnete, während er die Hände hinter dem Rücken verschränkt hatte und ein paar Schritte im Kreis ging: »Musste das sein? Muss man sterben? Ja, jeder von uns stirbt irgendwann, irgendwie und irgendwo. Aber hier ging es darum, ein Exempel zu statuieren. Svenja hätte, und das haben Sie mit eigenen Augen miterlebt, die anderen Mädels nur aufmüpfig gemacht. Hätte einer von Ihnen sie gekauft, sie hätte Ihren Laden durcheinandergewirbelt, darauf gebe ich Ihnen mein Wort. Sie war aufsässig und wohl unbelehrbar, wovon Sie sich selbst überzeugen konnten. Das Letzte, was wir in unserem Geschäft brauchen können, sind Frauen, die sich den Gästen gegenüber ungebührlich verhalten. Ich garantiere Ihnen, die anderen siebzehn werden wie Lämmer sein. Habe ich recht, meine Damen?«, fuhr er mit lauterer Stimme fort und fixierte jede Einzelne von ihnen für Sekunden, kaum eine war in der Lage, seinem durchdringenden, kalten Blick standzuhalten. Vier von ihnen hatten ihn nicht verstanden, aber die anderen nickten, während ihnen die Tränen übers Gesicht liefen, sie schluchzten und konnten vor Angst kaum noch klar denken. »So, und jetzt hört auf zu heulen, keiner von euch wird so was widerfahren, wenn ihr genau das tut, was von euch verlangt wird. Kapiert?«, sagte er, ging wie ein General die Reihe ab, packte jede der jungen Frauen am Kinn, sah ihr in die Augen, um seine Macht zu demonstrieren, und sagte schließlich: »Gut, ich denke, wir haben alles geklärt.« Er wandte sich wieder den Männern zu: »Können wir fortfahren?«

»Ja«, sagte Pierre Doux als Erster.

»Sehr gut.«

»Ich hätte noch eine Frage«, sagte einer, »ich brauche dringend Nachschub von ganz zartem Fleisch.«

Der Auktionator grinste verschlagen. »Nächste Woche erwarte ich eine Lieferung. Ich müsste nachsehen, die Jüngste ist meines Wissens fünf, die Älteste elf oder zwölf. Ist das okay?«

»Ja, im Prinzip schon, könnte aber auch noch ein bisschen frischer sein.«

»Wie viele brauchen Sie?«

»Drei, vier.«

»Das kostet, bringt aber auch eine Menge Gewinn. Aber machen wir jetzt erst mal hier weiter.«

Nach knapp zwei Stunden waren alle Frauen verkauft und würden am nächsten Abend an die jeweiligen Käufer übergeben werden. Die Orte der Übergabe würden erst unmittelbar vor der Übergabe telefonisch mitgeteilt. Nichts erinnerte mehr an den Tod von Svenja, als die Männer aus dem großen Raum zu dem Lieferwagen geführt wurden, um zurück zum Hauptbahnhof gebracht zu werden.

Wieder fiel kein Wort. Ob ihnen noch der Schreck in den Gliedern steckte? Oder war den meisten gleichgültig, was sie gesehen und erlebt hatten? So oder so würden sie es abhaken und sich so bald wie möglich ihrem lukrativen Geschäft und ihren neuen Errungenschaften widmen. Frauen, kaum mehr als Objekte, die nur dazu da waren, die perversen Wünsche skrupelloser Männer zu erfüllen. Allein Pierre Doux gehörte nicht dazu, aber das konnte keiner der anderen wissen. Noch nicht.

DIENSTAG

DIENSTAG, 1.20 UHR

Manfred Weidrich hatte im Laufe des Tages und des Abends zwei Flaschen Wodka und mehrere Flaschen Bier getrunken und saß in seinem Sessel schlafend vor dem laufenden Fernseher, als es klingelte. Immer und immer wieder wurde der Finger auf den Klingelknopf gehalten, bis er allmählich erwachte, sich aus dem Sessel hievte, zur Tür schlurfte und sie verschlafen öffnete.

»Herr Weidrich? Manfred Weidrich?«

»Ja, verdammt noch mal«, knurrte er und sah die vor ihm stehenden Männer aus kleinen Augen an. »Wer will das mitten in der Nacht wissen?«

»Unwichtig. Wir haben ein paar Fragen an Sie, gehen Sie rein, wir unterhalten uns ungern draußen. Nur ein paar Fragen, dann sind Sie uns schon wieder los und dürfen weiterschlafen.«

»Hä?«, sagte er mit einem Mal hellwach und musterte die beiden Männer mit zusammengekniffenen Augen. »Seid ihr Bullen oder was?«

»Rein, aber 'n bisschen dalli«, sagte der eine, ein Hüne von eins neunzig, und schubste Weidrich in den Flur, während der andere die Haustür schloss.

»Habt ihr 'n Rad ab? Heut Nachmittag waren doch schon

ein paar von eurer Sorte hier. Denen habe ich alles gesagt.«

»Mag schon sein«, sagte einer der Männer. »Da trifft es sich ja gut, dass wir gar keine Fragen haben, sondern nur die Antwort. Hier ist sie.« Er zog eine Pistole aus seiner Jackentasche und drückte dreimal kurz hintereinander ab. Weidrich sackte in sich zusammen, sein Körper zuckte ein paarmal, und schließlich wich alles Leben aus ihm.

Der zweite Mann drückte ihm eine Pistole in die Hand, feuerte sie mehrfach ab, dass Kugeln in die Wand und die Decke schlugen, und legte die Pistole danach neben Weidrich. Anschließend ging er zum Laptop, tippte ein paar Zeilen und druckte sie aus. Er zeigte das Geschriebene seinem Partner, der grinste.

»Das war's schon. Jetzt rufen wir unsere lieben Kollegen.«

Er wählte die Nummer des Kriminaldauerdienstes, schilderte einen erfundenen Tathergang und forderte ein paar Beamte der Spurensicherung, einen Arzt und einen Leichenwagen an.

Kaum eine halbe Stunde später war Weidrichs Wohnung voll von Beamten.

»Wie ist das passiert?«, fragte König vom KDD.

»Wir haben einen anonymen Anruf erhalten, der so konkrete Angaben über den Mord an Bruhns und seiner Geliebten enthielt, dass wir sofort hergefahren sind. Wir wollten uns in aller Ruhe mit Weidrich unterhalten, aber er zog mit einem Mal eine Pistole, die da unten«, er deutete auf die 9-Millimeter-Beretta. »Wir mussten schießen, sonst lägen wir jetzt dort unten. Er hat ein Bekennerschreiben hinterlassen, in dem er zugibt, Bruhns und die Steinbauer ermordet zu haben, die Gründe dafür hat er auch aufgeführt. Wir haben es auf seinem Laptop entdeckt.«

»Damit ist der Fall wohl geklärt«, sagte König und las das Schreiben. »Tja, das Motiv ist eindeutig – Rache. Na ja, etwas anderes kam für mich von Anfang an nicht in Frage. Und gesoffen hat er wie ein Loch«, fügte er hinzu, als er die Flaschenbatterie betrachtete. »Aber das alles könnt ihr später bei der Dienstbesprechung berichten.«

»Wir ziehen dann mal ab, damit wir noch 'ne Mütze Schlaf kriegen.«

»Macht euch vom Acker, wir übernehmen. Gute Arbeit, Jungs. Tschüs.«

Die beiden Männer verabschiedeten sich, gingen zu ihrem Auto und fuhren davon. Der Fall Bruhns und Steinbauer war gelöst. Es gab zahlreiche Beweise, dass Weidrich der Täter gewesen war. Niemand würde es wagen, Zweifel anzubringen, denn ab sofort würde die Staatsanwaltschaft übernehmen.

DIENSTAG, 8.30 UHR

Polizeipräsidium Kiel, Dienstbesprechung.

»Dies wird heute ein kurzes Meeting sein, denn der Fall Bruhns/Steinbauer ist aufgeklärt«, begann Volker Harms die Besprechung, bei der alle Beamten der Sonderkommission anwesend waren.

»Bitte?«, fragte Henning mit ungläubigem Blick. »Wie das denn? Ist der Täter ins Präsidium gekommen und hat sich gestellt?«

»Nein, wenn du mich ausreden lassen würdest, würdest du's gleich erfahren«, erwiderte Harms kühl. »Darf ich fortfahren?«

Henning wechselte mit Santos einen ungläubigen Blick.

»Gut. Am besten lasse ich die Kollegen Müller und Friedmann selbst berichten, sie haben schließlich den Fall gelöst und den Täter gestellt. Bitte.«

Friedmann vom LKA übernahm das Wort. »Es ist im Prinzip in wenigen Worten erzählt. Herr Müller und ich haben vergangene Nacht gegen Viertel vor eins einen Anruf erhalten, in dem uns Details mitgeteilt wurden, die nur der Täter selbst oder jemand aus dessen direktem Umfeld wissen konnte. Wir gehen davon aus, dass der Täter sich entweder einem Freund anvertraut oder sich durch zu viel Alkoholkonsum verplappert hat ...«

»Ja, wer ist denn nun der Täter?«, fragte Henning ungeduldig, woraufhin Friedmann süffisant lächelte.

»Manfred Weidrich ...«

»Wie bitte? Frau Santos und ich waren gestern über eine Stunde bei ihm und ...«

»Das mag ja sein, aber er war's. Wir haben gegen zwanzig nach eins bei ihm geklingelt, um ihm ein paar Fragen zu stellen, aber wir waren kaum in seiner verdreckten Bude, als er mit einem Mal eine Pistole in der Hand hatte und auf uns schoss. Uns blieb keine andere Wahl, als zurückzuschießen, wobei wir ihn zu unserem Bedauern tödlich verletzt haben. Auf seinem Laptop fanden wir ein Schreiben, in dem er die Gründe für seine Tat detailliert aufgeführt hat. Das Schreiben liegt mittlerweile der Staatsanwaltschaft vor, wir halten uns schließlich an den Dienstweg.«

»Was hat er gesagt?«

»So gut wie nichts, er hat gleich losgeballert. Den Rest können Sie nachlesen.«

»Steht in dem Schreiben irgendetwas darüber, wie er nach Schönberg und zurück gekommen ist?«, fragte Santos mit einem sarkastischen Unterton. Sie glaubte nichts von dem, was Friedmann der versammelten Mannschaft auftischte. Sie wusste, Henning dachte genau wie sie, während alle anderen auf das Lügenmärchen hereinzufallen schienen. Doch sie würde einen Teufel tun und vor aller Ohren ihre Zweifel anmelden.

»Nein, er nennt nur sein Motiv. Rache. Bruhns hat ihn vor einem Jahr mit einem Tritt in den Allerwertesten rausgeschmissen, und das hat Weidrich wohl nicht verwunden. Er hat nur auf den geeigneten Moment gewartet, um zuzuschlagen.«

»Und Bruhns' pädophile Neigungen? Hat Weidrich davon etwas erwähnt?« Henning hatte das Wort ergriffen.

»Ja, steht auch in dem Papier. Aber ob Bruhns pädophil war, ist nicht bewiesen. Ich kann es mir nicht vorstellen.«

»Sehen Sie, und ich kann mir nicht vorstellen ...«

»Herr Friedmann«, mischte sich Santos wieder ins Gespräch, die befürchtete, dass Henning kurz davor stand, ein paar unbedachte Äußerungen zu tätigen, »welchen Eindruck hatten Sie von Weidrich?«

»Gar keinen, weil es gleich zum Schusswechsel kam. Warum?«

»Nur so. War er betrunken?«

»Möglich, aber Sie wissen ja, dass notorische Trinker selbst bei einem hohen Promillepegel, bei dem unsereins längst unter dem Tisch liegen würde, noch klar denken können. Ich weiß nicht, ob er betrunken war, aber das spielt für mich keine Rolle. Ich bin nur froh, dass mein Kollege und ich dort unversehrt rausgekommen sind.«

»Kann ich mir vorstellen. Was für eine Waffe hat Weidrich benutzt?«

»Eine Beretta 92,9 Millimeter. Die gleiche, die auch bei Bruhns benutzt wurde. Aller Wahrscheinlichkeit nach handelt es sich sogar um dieselbe Waffe.«

»Der anonyme Anrufer, könnte das Weidrich selbst gewesen sein?«

»Keine Ahnung, vielleicht wollte er dem allen ein Ende bereiten.«

»Aber warum hat er dann auf Sie geschossen? Das ergibt keinen Sinn.«

»Was ergibt in diesem Fall überhaupt schon Sinn? Ehrlich, mir ist das gleich, Hauptsache ist, dass der Fall gelöst ist. Glauben Sie mir, ich bin nicht stolz darauf, Weidrich erschossen zu haben. Es ist ein Scheißgefühl, auch wenn er ein eiskalter Mörder war.«

»Okay, das war's von meiner Seite«, sagte Santos, die ihren Entschluss von gestern, sich aus dem Fall zurückzuziehen, revidierte. Sie würde weitermachen, denn Friedmanns Geschichte glaubte sie nicht, nicht ein einziges Wort nahm sie ihm ab.

»Ich habe noch eine Frage«, sagte Henning, worauf Santos ihn erschrocken anblickte, »wie kommt es, dass Sie angerufen wurden? Woher hatte der Anrufer Ihre Nummer?«

»Wollen Sie mich hier verhören, oder was?«, fragte Friedmann mit einem angriffslustigen Funkeln in den Augen.

»Nein, ich habe lediglich eine Frage gestellt und verlange als Leiter der Soko eine zufriedenstellende Antwort.«

»Ich habe keine Ahnung, warum ausgerechnet mein Kollege und ich angerufen wurden, woher der Anrufer unsere Nummer hatte …«

»Sie brauchen sich nicht gleich so aufzuregen, ich habe keine weiteren Fragen.«

»Dann ist es ja gut, Herr Henning.«

»Wie schön, dass Sie meinen Namen kennen. Dabei sind wir uns bisher nie begegnet.«

»Ich weiß eben gerne, mit wem ich zusammenarbeite.«

Die Besprechung dauerte noch zwanzig Minuten, dann löste sich die Soko Bruhns auf.

»Hast du einen Augenblick Zeit?«, fragte Santos Harms.

»Natürlich. Aber ich soll um zehn bei Rüter sein, das heißt, wir haben eine Viertelstunde.«

»Einverstanden.«

Sie begaben sich in das Büro ihres Chefs, der nach wie vor einen distanzierten und mürrischen Eindruck machte. Er deutete wortlos auf die beiden Stühle vor dem Schreibtisch und nahm auf seinem Schreibtischstuhl Platz.

»Was kann ich für euch tun?«, fragte er, doch es klang eher nach: »Lasst mich zufrieden, ich kann euch nicht helfen.«

»Das solltest du eigentlich am besten wissen«, sagte Santos und schlug die Beine übereinander. »Was ist los?«

»Was soll los sein?«

»Volker, wir kennen uns seit vielen Jahren, aber so wie jetzt habe ich dich noch nie erlebt. Kriegst du Druck von oben?«

»Lisa, ich werde dir darauf keine Antwort geben, weil es Dinge gibt, die allein meine Sache sind …«

»Ach ja? Das heißt dann im Klartext, du glaubst diesen hirnrissigen Quark von Friedmann? Sag mir ins Gesicht, dass du das glaubst.«

»Warum sollte ich es nicht tun? Die Beweise sind doch eindeutig.«

»Dann will ich dir was sagen: Sören und ich waren gestern über eine Stunde bei Weidrich, der Typ hat gequatscht wie ein Wasserfall, aber eins hat er ganz sicher nicht getan – er hat weder Bruhns noch die Steinbauer umgebracht. Ich kenne die Kollegen Friedmann und Müller nicht, aber das, was Friedmann da von sich gegeben hat, ist so was von an den Haaren herbeigezogen, dass ich eigentlich lachen müsste, wenn es nicht so ernst wäre. Du glaubst diesen Mist doch auch nicht ...«

»Warum sollte ich daran zweifeln? Außerdem, wer gibt dir das Recht, die Aussage eines Kollegen anzuzweifeln? Das heißt nämlich auch, du zweifelst seine Integrität an.«

»Tu ich auch. Ich habe keine Ahnung, welche Schweinerei hier abläuft, aber ich weiß hundertprozentig, es ist eine Schweinerei. Unser Problem ist nur, dass uns die Hände gebunden sind, weil ab sofort die Staatsanwaltschaft zuständig ist und wir nicht mehr ermitteln dürfen. Der Fall Bruhns ist abgeschlossen, die Medien werden zufrieden sein, und alles wird seinen gewohnten Gang gehen. Eigentlich wollten wir, dass du uns einen Durchsuchungsbeschluss für Bruhns' Haus beschaffst ...«

»Warum?«

»Weil wir, wie wir dir bereits gestern erklärt haben, konkrete Hinweise erhalten haben, dass Bruhns nicht nur pädophil, sondern möglicherweise auch ein Mörder war.«

»Wie kommst du darauf, und von wem hast du diese konkreten Hinweise?«

»Das haben wir zwar gestern schon angedeutet, aber ich wiederhole es gerne. Sowohl von Frau Bruhns als auch von dem letzte Nacht leider unter unglücklichen Umständen verstorbenen Herrn Weidrich. Er und die Bruhns sind sich nur zwei Mal begegnet, aber ihre Aussagen stimmen überein. Zudem hat Bruhns' Haushälterin bestätigt, dass das unbekannte tote Mädchen vom Güterbahnhof, du erinnerst dich sicherlich an den Fall, bei Bruhns im Haus war.«

»Wie seid ihr auf das Mädchen gekommen?«, wollte Harms wissen.

»Frau Bruhns fing damit an. Aber das ist ja jetzt unwichtig, da man bestimmt nicht vorhat, einen Toten mit Schmutz zu bewerfen.«

»Da hast du wohl recht. Das mit dem Durchsuchungsbeschluss könnt ihr knicken, den kriegt ihr nie und nimmer.«

»War ja nicht anders zu erwarten. Und, bist du zufrieden?«

Harms kaute auf der Unterlippe, stand auf, ging zum Fenster und blieb mit dem Rücken zu Henning und Santos stehen, die Hände in den Hosentaschen. Er blickte hinaus, lange fiel kein Wort. Schließlich drehte er sich zu ihnen um. »Nein, ich bin nicht zufrieden, wenn du's genau wissen willst. Ihr seid meine besten Leute, und es tut mir leid, wenn ich mich momentan wie ein Arschloch benehme. Es ist dieser verfluchte Job, der mir mörderisch auf den Senkel geht. Ich würde am liebsten alles hinschmeißen, aber das geht nicht …«

»Warum würdest du gerne alles hinschmeißen?«

»Lisa, ich leite diese Dienststelle seit nunmehr acht Jahren, aber ich merke immer öfter, dass wir nur die Sklaven von ein paar Herren sind. Ich fühle mich hilflos, und das macht mich so wütend, dass ich am liebsten alles kurz und klein schlagen möchte. Das ist nicht gegen euch gerichtet, ich weiß doch, was ich an euch habe. Aber wenn dir ein Staatsanwalt sagt, bis hier dürft ihr ermitteln und nicht weiter, dann ist das bitter …«

»Hat Rüter das gesagt?«

»Rüter oder wie immer die heißen mögen, das ist doch unwichtig. Es geht um die Hierarchie, in der wir ganz unten stehen. In unserem Fall ist es natürlich Rüter. Er hat uns vorgestern eine Frist gesetzt, gestern hat er mich hier aufgesucht und mir zu verstehen gegeben, dass er mit unserer Arbeit nicht zufrieden ist. Er hat es nicht so direkt ausgedrückt, aber doch so, dass ich es verstanden habe. Mir hat bisher noch keiner gesagt, dass wir schlecht arbeiten würden, noch keiner. Unsere Aufklärungsquote liegt bei fünfundneunzig Prozent, das ist eine absolute Spitzenquote, doch das interessiert Rüter nicht. Das war's.«

»Nein, Volker, das war's eben nicht. Weidrich hat Bruhns und die Steinbauer nicht umgebracht, Friedmann und Müller haben keinen anonymen Anruf erhalten, sie sind meines Erachtens mitten in der Nacht zu Weidrich gefahren und haben ihn einfach umgelegt. Keine Ahnung, was hier vertuscht werden soll, Weidrich war auf jeden Fall der ideale Sündenbock, den man bedenkenlos der Öffentlichkeit präsentieren kann. Ein verbitterter Säufer, der Bruhns in- und auswendig kannte, der von ihm nach über zwanzig Jahren rausgeschmissen wurde und ab da sein Leben nur noch dem Alkohol widmete und Rachepläne schmiedete. So wird es morgen in der Presse zu lesen sein, so werden es die Fernsehsender berichten und so weiter und so fort. Man wird in Weidrichs Leben wühlen, und man wird den Medien ein paar Happen zuwerfen, die sie gerne fressen werden. Der normale Leser wird alles glauben. So läuft das doch. Ich bleibe dabei, er war's nicht, aber man brauchte jemanden, der es war …«

»Lisa, ich verstehe, was du meinst, aber ich würde mich an deiner Stelle zurückhalten. Uns sind die Hände ge-

bunden. Seid bloß vorsichtig und äußert niemandem gegenüber eure Meinung. Und wenn ich niemand sage,
dann meine ich auch niemand. Mir ist klargeworden, dass
wir in einer Schlangengrube sitzen und höllisch aufpassen müssen, dass wir nicht gebissen werden. Was wollt
ihr jetzt tun?«

»Nichts, uns sind doch die Hände gebunden«, entgegnete
Henning kopfschüttelnd.

»Warum präsentiert man einen Täter, der gar nichts mit
der Tat zu tun hat?«, fragte Harms.

»Weil hinter der Sache vermutlich viel mehr steckt als nur
ein simpler Racheakt. Bruhns ist permanent fremdgegan-
gen, das sehe ich aber nicht als so relevant an, eher schon
die Tatsache, dass er auch pädophil veranlagt war. Dazu
kommt, dass die Steinbauer mit ihren achtzehn Jahren extrem wohlhabend war, ich aber noch nicht die Verbindung herstellen kann zwischen ihr und Bruhns und möglichen dubiosen Geschäften«, sagte Santos.

»Welche Verbindung?«, wollte Harms wissen.

»Na ja, ich könnte mir vorstellen, dass die Steinbauer
alles andere als ein Unschuldslamm war, das zufällig
zum Opfer wurde. Wenn eine Achtzehnjährige in einem
Luxusapartment lebt und eine knappe Million auf dem
Konto hat, dann ist das doch überaus seltsam, vor allem,
wenn diese junge Dame bis vor anderthalb Jahren im
Waisenhaus gelebt hat. Auch mit Prostitution kannst du
unmöglich so viel Geld in so kurzer Zeit verdienen, selbst
wenn du eine Super-Edel-Luxus-Hure bist. Trotzdem
fehlt mir ein Ansatzpunkt, und genauso geht es den
Kollegen aus Düsseldorf. Noch mal zu Friedmann und
Müller. Ich habe die noch nie zuvor gesehen, und
mich würde interessieren, in welcher Abteilung sie arbeiten.«

»Tut mir leid, ich weiß es nicht. Sie sind uns von Rüter zugeteilt worden. Kann sein, dass sie vom LKA sind.«

»Dann frag ihn.«

»Einen Teufel werde ich tun. Ich werde Rüter aus dem Weg gehen, soweit es möglich ist. Leider habe ich in ein paar Minuten einen Termin bei ihm. Und ihr seid still.«

»Eine wirklich sagenhafte Geschichte. Der anonyme Anruf, das Bekennerschreiben, die Schießerei ... Alles passt.«

»Du wiederholst dich.« Harms setzte sich wieder. »Was habt ihr vor?«

»Was liegt denn an, jetzt, da der Mord an Bruhns und der Steinbauer aufgeklärt ist?«, fragte Santos mit herausforderndem Blick.

»Ihr könnt machen, was ihr wollt, ich weiß von nichts. Tut meinetwegen so, als würdet ihr an einem alten Fall arbeiten, von mir aus an dem des unbekannten toten Mädchens vom Güterbahnhof. Ist gut fürs Image«, entgegnete Harms trocken.

»Ist das dein Ernst?«

»Hör zu, ich habe im Gegensatz zu euch nur noch ein paar Jährchen abzusitzen. Wenn ihr nicht zu auffällig agiert, passiert weder mir noch euch etwas. Ihr habt doch inzwischen Erfahrung im heimlichen Ermitteln.«

»Und die ominöse DNA?«, meldete sich Henning zu Wort.

»Findet's raus. Ich fürchte jedoch, ihr werdet gegen Gummiwände rennen. Ich glaube, nichts anderes erwartet man von euch, dass ihr euch eine blutige Nase holt.«

»Wir werden vorsichtig sein, versprochen«, sagte Santos.

»Aber ich muss wissen, was da wirklich vor sich geht. Mich interessiert vor allem die Rolle der Steinbauer.«

»Wie gesagt, ihr habt freie Hand. Damit ist unser Gespräch beendet, ich habe einen Termin.«

»Wir sind schon weg«, sagte Santos und erhob sich zusammen mit ihrem Partner. »Viel Glück bei Rüter.«

»Spar dir deine Häme«, entgegnete Harms.

»Das war nicht hämisch gemeint. Bis später.«

DIENSTAG, 10.00 UHR

Im Büro rief Santos bei Hauptkommissar Klose vom LKA an, zu dem sie seit einem großen Fall vor mehr als zwei Jahren einen guten Draht hatten.

»Lisa hier. Hast du mal ein paar Minuten Zeit?«

»Klar, wenn du mir sagst, worum es geht.«

»Nicht am Telefon. Können wir kurz bei dir vorbeikommen?«

»Natürlich, ich bin den ganzen Tag hier. Wann?«

»So in zehn Minuten?«

»Bis gleich.«

»Warum hast du das gemacht?«, fragte Henning.

»Vielleicht kann er uns Auskunft geben über diesen Kotzbrocken Friedmann und seinen Kumpel Müller. Aber das wollte ich nicht am Telefon besprechen.«

»Du hast Ideen.«

»Ich will alle Möglichkeiten ausschöpfen. Auf, könnte sein, dass wir heute noch eine Menge vorhaben.«

»Du sprichst in Rätseln«, sagte Henning, während sie sich zum LKA begaben.

»Tu ich das nicht immer?«, erwiderte sie lächelnd.

Fünf Minuten später standen sie in Kloses Büro.

»Schön, euch mal wiederzusehen. Was führt euch in mein heiliges Refugium?« Klose deutete auf die Stühle, und sie setzten sich.

»Fragen, auf die du uns hoffentlich Antworten geben kannst«, sagte Santos.

»Kommt drauf an. Schießt los.«

»Ist ein bisschen heikel. Wir brauchen dein Wort, dass du mit niemandem über unseren Besuch hier sprichst.«

»Wow, top secret also. Du hast mein Wort.«

»Es ist wichtig. Du hast sicher den Fall Bruhns verfolgt …«

»Aber hallo, das verbreitete sich bei uns wie ein Lauffeuer. Die Spekulationen und Hypothesen, die angestellt wurden, mein lieber Scholli, die wildesten Verschwörungstheorien. Aber ich habe dich unterbrochen.«

»Wir haben gestern eine Soko gebildet, Sören war der Leiter …«

»Moment, wieso war?«

»Ist das etwa noch nicht bis zu dir vorgedrungen?«, fragte Santos erstaunt.

»Was ist noch nicht zu mir vorgedrungen?«, fragte Klose und drehte den Kopf leicht zur Seite.

»Der angebliche Mörder von Bruhns und seiner Geliebten wurde letzte Nacht erschossen.«

»Hör ich zum ersten Mal. Wer und warum?«

»Ein Toningenieur, der vor einem Jahr von Bruhns gefeuert wurde. Schwerer Alkoholiker, der Typ war total kaputt, wir konnten uns gestern selbst ein Bild von ihm machen. Der wäre in seinem physischen Zustand nie in der Lage gewesen, diese Morde auszuführen …«

»Alles klar. Und was wollt ihr jetzt von mir?«

»Die Sache stinkt zum Himmel. Weidrich, so heißt der

Toningenieur, kann es unmöglich gewesen sein, wir haben ihn gestern bei sich zu Hause befragt – jeder, aber nicht er. Doch jetzt ist er tot, und der Fall wird zu den Akten gelegt.«

Klose lehnte sich zurück. »Damit erzählst du mir nichts Neues, so was habe ich selbst schon erlebt. Wie kann ich euch helfen?«

»Sagen dir die Namen Friedmann und Müller etwas?«

Klose nickte. »Die arbeiten hier im Haus. Drogenfahndung.«

»Kennst du sie persönlich?«

Klose holte tief Luft und lachte leise auf. »Ja, leider. Unglaublich harte Hunde, denen nachgesagt wird, des Öfteren das Gesetz außen vor zu lassen. Nachweisen konnte man ihnen bisher nichts. Nein, ich korrigiere mich, man *wollte* ihnen bisher nichts nachweisen, sonst wären sie schon längst nicht mehr im Dienst. Sie sind die Männer fürs Grobe. Das bleibt aber auch unter uns, ich krieg sonst mächtig Ärger.«

»Klar. Die beiden sind letzte Nacht um kurz vor halb zwei angeblich nach einem anonymen Anruf zu Weidrich gefahren, der soll sofort das Feuer eröffnet haben, woraufhin er erschossen wurde. Er soll ein Bekennerschreiben auf seinem Laptop hinterlassen haben, in dem er den Mord an Bruhns und Steinbauer gestanden hat.«

»Auch das kenne ich. So was wird meistens gemacht, wenn man einen Fall besonders schnell ad acta legen möchte oder etwas unter den Teppich gekehrt werden soll. Das ist starker Tobak, würde aber zur Vorgehensweise der beiden passen. Ich bin froh, dass ich mit denen bisher nichts zu tun hatte. Mehr möchte ich dazu nicht sagen.«

»Wir gehen davon aus, dass Weidrich ein Sündenbock ist

246

und viel mehr hinter den Morden steckt, als wir bisher wissen ...«

»Erzählt mir was Neues«, sagte Klose beinahe gelangweilt.

»Scheiße, Mann, du kennst das also alles. Es gibt nichts sonst. Es ging eigentlich nur um Friedmann und Müller. Sören und ich sind der Meinung, dass es sich bei Weidrichs Tod um einen kaltblütigen Mord handelt.«

»Mag sein, aber ich würde mich an eurer Stelle hüten, das laut auszusprechen. Wenn es tatsächlich so war, dann haben die auf Anweisung gehandelt. Das wiederum bedeutet, die beiden sind extrem gefährlich, weil hinter ihnen Leute stehen, von denen sie gedeckt werden. Behaltet eure Vermutung für euch, das ist gesünder.«

»Von wem könnte eine solche Anweisung gekommen sein?«

Klose schüttelte den Kopf. »Keine Ahnung. Staatsanwalt, Richter, möglicherweise auch jemand von außerhalb der Justiz. Ich habe keine Antwort.«

»Von außerhalb? Wie meinst du das?«

»Habt ihr das noch immer nicht kapiert? Politik, Wirtschaft, Justiz, die sind untereinander vernetzt. Wir sind nur Marionetten. Aber erspart mir lange Erklärungen, ein andermal vielleicht.«

»Warum?«

»Ich habe zu tun. Tut mir leid.«

»Du hast uns schon sehr geholfen. Vielen Dank. Wir machen uns dann mal wieder auf den Weg.«

Klose beugte sich vor und faltete die Hände. »Wohin führt dieser Weg? Noch mal – versucht nicht, die Wahrheit herauszufinden, der Weg dorthin ist nicht nur sehr verschlungen, sondern auch voller Gefahren. Wer sagt euch am Ende, dass ihr die Wahrheit gefunden habt? Lasst euch von einem sagen, der schon durch die größte Scheiße gewatet ist: Ich habe aufgehört, an eine Wahrheit zu glauben, weil ich sie von der Lüge schon lange nicht mehr unterscheiden kann. Bevor ich mich in Gefahr begebe, bleib ich lieber auf meinem Stuhl hocken und beobachte. Haltet euch eins vor Augen: Wir sind nur kleine Bullen und beliebig austauschbar. In dem Moment, da ein Staatsanwalt mein Büro betritt und mir eine Anweisung gibt, habe ich strammzustehen und zu allem ja und amen zu sagen. Und wisst ihr was? Ich tu's. Aber ich werde natürlich das Gespräch vergessen, sobald ihr draußen seid. Auf meine Loyalität könnt ihr euch verlassen.«

»Warum machen wir eigentlich noch diesen Job, wenn wir ohnehin nichts ausrichten können? Bruhns und Steinbauer war doch ein ganz normaler Mordfall, für den wir zuständig waren …«

»Es war kein normaler Mordfall, dazu war Bruhns viel zu prominent. Wäre Bruhns ein einfacher Bürger gewesen, ihr hättet wahrscheinlich ein paar Tage oder Wochen ermittelt und irgendwann den Täter ausfindig gemacht. Aber Bruhns ist eine andere Liga«, sagte Klose mit hochgezogenen Brauen.

»Was weißt du über Bruhns?«

»Im Prinzip nichts, aber es geht seit langem das Gerücht, dass er in schmutzige Geschäfte verwickelt war.«

»Was für Geschäfte?«

»Darauf bekommst du von mir keine Antwort. Suchet und ihr werdet finden, heißt es in der Bibel. Sucht, aber passt auf, dass ihr nicht unter einen Stein fasst, unter dem eine Giftschlange liegt. Wirklich, ich würde euch gerne helfen, aber ich kann nicht, das Risiko ist mir zu groß. Was immer ihr jetzt tut, es ist euer Ding. Nennt es von mir aus Angst, vielleicht ist es das tatsächlich, aber ich mag meinen Job, trotz all dem Dreck, den ich tagtäglich hier erlebe. Oder vielleicht auch gerade deswegen.«

»Akzeptiert. Kannst du uns wenigstens jemanden nennen, der uns mehr über Bruhns' illegale Aktivitäten erzählen kann?«

»Nein. Und bitte, fragt nicht weiter. Macht's gut und passt auf euch auf.«

»Danke.«

»Da nich für. Ich muss telefonieren.«

Draußen sagte Henning: »Jetzt weiß noch einer mehr Bescheid, dass wir in dem Fall weitermachen …«

»Und? Hast du ein Problem damit? Auf Klose ist Verlass, der wird mit niemandem darüber sprechen. Ich merke nur, dass die Angst förmlich greifbar ist. Wir laufen ins Leere, weil alle den Schwanz einziehen, Jürgens, Tönnies, der uns heute Nachmittag garantiert eine haarsträubende Geschichte auftischen wird, wenn er denn überhaupt kommt, selbst Volker und Klose haben doch die Hosen voll. Keiner traut sich, den Mund aufzumachen. Mittlerweile bin ich fast geneigt, an eine Verschwörung zu glauben.«

»Jetzt mach aber mal halblang. Falls, und danach sieht es ja momentan aus, Bruhns tatsächlich irgendwas mit Kindern am Laufen hatte und vielleicht sogar Teil der organisierten Kriminalität war, dann bewegen wir uns schon wieder in einem Bereich, für den wir gar nicht zuständig sind …«

Santos lachte höhnisch auf. »Ja, ja, der Mordfall ist aufgeklärt, und alles andere geht uns nichts an. Bitte, Sören, verschon mich mit solchen Sprüchen, die habe ich schon zu oft gehört …«

»Wann habe ich so was gesagt?«

»Nicht von dir, aber wenn du jetzt auch noch damit anfängst …«

»Lisa, die OK ist nicht unser Gebiet …«

»Aber Mord! Bruhns und die Steinbauer wurden ermordet, und soweit mir bekannt ist, fällt Mord in unseren Aufgabenbereich. Ich pfeif drauf, ob die irgendwas mit dem organisierten Verbrechen zu tun hatten, wir sind zuständig für die Mordermittlungen …«

»Die abgeschlossen sind«, warf Henning ein.

»Sag mal, willst du dich mit mir streiten? Diese Mordermittlung ist abgeschlossen, weil irgendwer das so wollte. Man schickt zwei zu allem bereite Bullen mitten in der Nacht zu Weidrich, der wahrscheinlich besoffen im Bett lag, knallt ihn ab und … Moment, was hat Friedmann gleich noch gesagt? Weidrich habe das Feuer eröffnet, worauf sie zurückschießen mussten. Benutzt hat Weidrich eine Beretta 92,9 Millimeter, das gleiche Kaliber, das auch bei Bruhns verwendet wurde …«

»Ja, aber …«

»Lass mich bitte ausreden«, sagte Santos, während sie in den Wagen stieg. »Die haben Weidrich umgelegt, ihm dann eine Beretta in die Hand gedrückt und ein paarmal geschossen, damit auch Schmauchspuren an seinen Händen sind. Aber das ballistische Gutachten, ob es sich um *die* Beretta handelt, die auch bei Bruhns verwendet wurde, werden wir nie zu Gesicht bekommen. Oder wir bekommen ein getürktes Gutachten. So und nicht anders ist es abgelaufen, das spüre ich. Ich bleibe dabei, Weidrich war der perfekte Sündenbock, wobei ich mich frage, was hier vertuscht werden soll. Friedmann und Müller wurden uns ganz gezielt aufs Auge gedrückt. Zwei Beamte der Soko stellen den Mörder von Bruhns und seiner Geliebten. Klappe zu, Affe tot.«

»Lisa, hast du's noch immer nicht kapiert, wir sind fertig. Es gibt keine Ermittlungen mehr …«

Santos sah Henning giftig an und zischte: »Wenn du jetzt auch noch kneifst, mach ich alleine weiter. Ich habe die Schnauze voll. Sollen sie mich doch rausschmeißen, dann zieh ich eben nach Schleswig und fang im Restaurant meiner Eltern an. Sieh dir die Zeitungen an, überall auf den Titelseiten ganz groß nur Bruhns, Bruhns, Bruhns. Und ein riesiger Heiligenschein, der dem armen Kerl verpasst wurde. Ich sag es noch mal, mir reicht's! Weidrich wäre über kurz oder lang sowieso am Alkohol zugrunde gegangen, aber das tut nichts zur Sache. Der wurde eiskalt ermordet, weil er ins Täterprofil passte. Die Mörder stammen aus unseren Reihen, das macht mich so wütend, ach was, ich bin so was von zornig, das geht auf keine Kuhhaut mehr. Aber dich scheint das ja kaltzulassen.«

»Quatsch! Sag mir lieber, wie du weiter vorgehen willst.«

»Wenn ich das nur wüsste«, flüsterte sie und ballte die Fäuste. »Irgendwas wird mir schon einfallen. Friedmann und Müller dürfen nicht ungeschoren davonkommen. In mir ist so ein Zorn, ich könnte alles kurz und klein schlagen.«

»Jetzt fahr mal ein paar Stockwerke runter, mit Wut löst du keine Fälle. Wir müssen nüchtern und sachlich rangehen, dann haben wir vielleicht Erfolg.«

»Das ist der erste vernünftige Satz von dir heute. Sorry, war nicht so gemeint.«

»Kein Thema.«

»Lass uns doch noch mal zur Bruhns fahren …«

»Ich dachte, wir könnten kurz in der Rechtsmedizin vorbeischauen«, meinte Henning.

»Was erwartest du von Klaus? Er hat uns gestern doch deutlich genug zu verstehen gegeben, dass wir keine

Hilfe von ihm erwarten können. Ich will mit ihm vorläufig nichts zu tun haben.«

»Lisa, du bist im Augenblick bockig wie ein kleines Kind. Ich will nur sehen, ob Weidrich schon auf dem Tisch liegt und ...«

»Wenn er auf dem Tisch liegt, wird ein Staatsanwalt anwesend sein, und wir können keine Fragen stellen. Heute Abend oder morgen, einverstanden?«

Henning überlegte und nickte dann. »Überredet. Aber was willst du von der Bruhns?«

»Weiß nicht, sie ist die einzige sympathische Figur bisher in diesem Fall. Klingt doof, oder?«

»Dann hin zu ihr.«

»Weißt du, Sören, wenn wir jetzt die Flinte ins Korn werfen würden, käme ich mir irgendwie schuldig vor. Schwer zu erklären, aber mein Gerechtigkeitsempfinden ist einfach zu groß. Habe ich wohl von meinen Eltern. Der Mord an Bruhns war nicht bloß ein simpler Mord, und Weidrich war ganz sicher kein Mörder. Dass die Steinbauer so reich war, kann kein Zufall sein. Ich bin gespannt, wie die Bruhns reagiert, wenn sie von Weidrichs Tod erfährt.«

DIENSTAG, 11.35 UHR

Vor Bruhns' Haus standen immer noch Heerscharen von Reportern. Henning schob ein paar von ihnen etwas rüde beiseite, wies sich vor den Beamten aus und klingelte. Es dauerte eine Weile, bis sich das Tor wie von Geisterhand bewegt öffnete und sich sofort wieder schloss, nachdem

Henning und Santos das Grundstück betreten hatten. Sie waren auf dem Weg zum Haus, als das Handy von Henning sich bemerkbar machte. Er zog es aus seiner Jackentasche und meldete sich, die Rufnummer des Anrufers war unterdrückt.

»Henning.«

»Herr Henning, wo sind Sie gerade?«

»Wer will das wissen?«

»Können wir uns treffen? Ich habe ein paar sehr interessante Informationen für Sie. Ihre Kollegin können Sie selbstverständlich mitbringen, nein, Sie sollten sie sogar mitbringen.«

»Nur, wenn ich weiß, mit wem ich es zu tun habe.«

»Sie können mir vertrauen. Ich hoffe, ich kann Ihnen vertrauen. Kommen Sie nach Mönkeberg, in die Straße Seeblick, ein hellgelbes Haus mit einem blauen Dach, nicht zu übersehen. Wenn Sie klingeln, blicken Sie bitte geradeaus, damit ich Sie auch erkennen kann. Wann können Sie hier sein?«

»Woher haben Sie meine Nummer?«

»Von einem guten Freund, der Ihnen einen Gefallen tun will. Noch mal: Wann können Sie hier sein?«

»In einer guten Stunde? Sagen wir um Viertel vor eins?«

»Gut, aber verspäten Sie sich nicht, ich brauche meine Mittagsruhe. Bitte kein Wort zu irgendwem, Frau Santos natürlich ausgenommen.«

Der Anrufer legte auf, und Henning sagte leise zu Santos, bevor sie das Haus betraten: »Wir sollen in einer Stunde in Mönkeberg sein.«

»Bei wem?«

»Wenn ich das wüsste. Er behauptet, ein paar interessante Informationen für uns zu haben. Ich habe zugesagt, was hoffentlich in deinem Sinn ist.«

»Natürlich. Woher hat er deine Nummer?«

»Angeblich von einem guten Freund, der uns einen Gefallen tun will.«

»Das wird ja immer mysteriöser.«

»Kommen Sie?«, fragte Victoria Bruhns aus dem Dunkel des Flurs heraus.

»Ja, sofort.«

Sie begrüßten sich und begaben sich ins Wohnzimmer, wo Pauline in ihrer Ecke auf dem Boden spielte. Victoria Bruhns' Gesicht war verweint, sie wirkte übernächtigt.

»Ist etwas passiert?«, fragte Santos besorgt.

»Eigentlich nicht.«

»Und uneigentlich?«

»Ich möchte nicht darüber sprechen.«

»Frau Bruhns, Sie können mit uns über alles reden, wir sind verschwiegen.« Einer Eingebung folgend, fügte Santos hinzu: »Hat es vielleicht mit Frau Hundt zu tun?«

Sie erinnerte sich nur zu gut an das eisige Gespräch mit der Haushälterin und dass Victoria Bruhns vorhatte, ihr zu kündigen, was Santos ihr nicht verdenken konnte.

Victoria Bruhns nickte nur und hatte Mühe, die Tränen zu unterdrücken. Sie nahm Platz und deutete auf die Sitzgarnitur, wischte sich mit einem Taschentuch über die Augen und sagte schließlich: »Ich habe ihr gestern Abend erklärt, dass ihre Tätigkeit in diesem Haus mit sofortiger Wirkung beendet sei. Sie aber sagte nur, so leicht lasse sie sich nicht abschieben. Wenn ich das wirklich tun würde, so würde sie Details an die Öffentlichkeit bringen, die nicht gut für mich wären. Ich weiß nicht, was sie damit gemeint hat.«

»Wie haben Sie auf diese Erpressung reagiert, denn anders kann man es ja wohl nicht bezeichnen?«

»Ich habe ihr unmissverständlich zu verstehen gegeben,

dass sie bis spätestens heute Abend das Haus zu verlassen hat, ich habe ihr bereits über einen befreundeten Makler eine Wohnung in der Innenstadt beschafft. Sie wollte noch eine Menge Geld, doch darauf lasse ich mich nicht ein, sie bekommt ohnehin eine großzügige Abfindung, wie es üblich ist, wenn die Kündigungsfrist vom Arbeitgeber nicht eingehalten wird. Sie ist eine Schlange.«

»Ist sie da?«

»Ja, oben.«

»Hätten Sie etwas dagegen, wenn ich mich mit der Dame kurz unterhalte?«

»Meinen Sie, das wäre eine gute Idee?«

»Ich würde ihr die Konsequenzen vor Augen führen, sollte sie Informationen an die Medien geben, die Ihnen schaden würden. Mehr nicht.«

»Sie hat mich vom ersten Moment an gehasst, als ich dieses Haus betreten habe. Sie hasst mich immer noch.«

»Zeigen Sie mir doch bitte, wo Frau Hundt sich aufhält.«

»Im ersten Stock, gehen Sie einfach die Zimmer ab.«

Santos erhob sich, verließ den Raum und begab sich nach oben. Frau Hundt war im Schlafzimmer und schien etwas im Schrank zu suchen.

»Guten Tag, Frau Hundt«, sagte Santos, worauf die Angesprochene zusammenzuckte und rot anlief.

»Ja, bitte?« Rasch schloss sie die Schranktür.

»Suchen Sie etwas?«

»Nein, warum?«

»Sah so aus. Um es kurz zu machen, ich habe mit Frau Bruhns gesprochen, die mir von gestern Abend berichtet hat. Warum drohen Sie ihr?«

»Behauptet sie das?«, erwiderte Frau Hundt mit abfälligem Blick. »Sie lügt.«

»Ach ja? Das heißt, Sie verfügen nicht über heiße Informationen für die Presse?«

»Und wenn?«

»Oh, dann würde ich mal sagen, dass wir als Erste Anspruch darauf haben, diese Informationen zu erhalten, denn sie könnten für unsere weiteren Ermittlungen relevant sein. Ich gebe Ihnen hiermit die einmalige Chance, sich mir gegenüber zu öffnen«, sagte Santos mit kaltem Lächeln.

»Was soll ich schon für Informationen haben? Das war doch nur so dahingesagt.«

»Ah, Sie geben also zu, Frau Bruhns gedroht zu haben. Ich sage Ihnen jetzt eins, und das sollten Sie gut im Gedächtnis behalten: Sollten Sie über Informationen verfügen, die für unsere Ermittlungen relevant sind, und diese zurückhalten, um sie später meistbietend an die Medien zu verhökern, werden Sie keine ruhige Minute mehr haben, das versichere ich Ihnen. Sie werden keine Anstellung mehr finden, denn Mund-zu-Mund-Propaganda funktioniert immer noch hervorragend in unserem Land. Glauben Sie mir, ich werde notfalls den Zünder auslösen. So, nun haben Sie zwei Möglichkeiten: Entweder Sie nehmen das großzügige Angebot von Frau Bruhns an und verlassen bis heute Abend dieses Haus, oder Sie werden in Zukunft ein kümmerliches Dasein fristen. Sie haben die Wahl. Ach ja, Frau Bruhns hat natürlich auch die Möglichkeit, Sie zwangsweise entfernen zu lassen. Ein Anruf bei uns genügt. Aber diese Schmach wollen Sie sich vor den Pressefritzen da draußen bestimmt ersparen. Habe ich recht?«

»Aber …«

»Kein Aber. Hier ist meine Karte, rufen Sie mich an, falls Sie mir etwas mitzuteilen haben, was die privaten und beruflichen Beziehungen von Herrn Bruhns betrifft. Dazu zählen auch Affären mit Minderjährigen. Haben Sie mich verstanden?«

»Ja«, quetschte sie zwischen ihren schmalen Lippen hervor.

»Was haben Sie eigentlich in diesem Schrank gesucht? Das ist doch gar nicht Ihr Zimmer.«

»Ich dachte nur, ich hätte etwas verlegt.«

»Gut. Sie haben es nicht gefunden, also brauchen Sie sich ja nicht mehr hier aufzuhalten. Sie haben ohnehin nicht mehr viel Zeit, um Ihre Sachen zu packen.«

Ohne ein Wort zu verlieren, ging Frau Hundt an Santos vorbei und die Treppe hinunter.

Na, hoffentlich hat sie's kapiert, dachte Santos und ging ebenfalls nach unten.

»Sie wird gehen und Sie in Ruhe lassen. Sollte sie trotzdem Schwierigkeiten machen, rufen Sie einfach an. Aber ich denke, ich habe ihr die Konsequenzen deutlich genug aufgezeigt, falls sie private Informationen an die Medien weitergibt. Bitte, verschließen Sie die Zimmertüren, soweit möglich, ich hatte das Gefühl, dass Frau Hundt eben geschnüffelt hat.«

»Ich weiß gar nicht, wie ich Ihnen danken soll. Diese Frau bringt mich noch um den Verstand. Seit ich hier eingezogen bin, hat sie mich behandelt wie ein kleines Kind oder wie eine seiner kleinen Nutten. Ich habe sie nicht ein einziges Mal lächeln oder gar lachen sehen. Ich hoffe, dieser Alptraum ist bald vorbei. Nach der Beerdigung meines Mannes werde ich definitiv weggehen, auch wenn ich noch nicht genau weiß, wohin.«

Henning blickte auf die Uhr und gab Santos ein Zeichen.

»Frau Bruhns, wir müssen los, wir haben einen wichtigen Termin in Mönkeberg. Falls irgendetwas ist, Sie wissen, wie Sie uns erreichen können. Einen schönen Tag noch.«

»Ihnen auch und nochmals danke für alles.«

»Sie brauchen uns nicht zu danken, wir tun nur unsere Pflicht. Tschüs.«

Victoria Bruhns begleitete die Beamten bis zur Tür und fragte dort: »Sollte nicht heute eine Hausdurchsuchung bei mir stattfinden?«

»Oh, das haben wir ganz vergessen. Das war unter anderem der Grund, weshalb wir hier sind. Nein, es wird keine Hausdurchsuchung geben, und wenn doch, werden wir Sie natürlich rechtzeitig informieren. Außerdem wollten wir Ihnen kurz mitteilen, dass Herr Weidrich letzte Nacht bei einem Schusswechsel getötet wurde. Er hat offenbar Ihren Mann ermordet.«

»Weidrich? Wirklich? Kann ich mir irgendwie nicht vorstellen. Aber gut, Überraschungen gibt es immer wieder. Machen Sie's gut.«

»Eine Frage noch: Wissen Sie inzwischen, ob Ihr Mann ein Testament hinterlassen hat und wie Sie darin bedacht wurden?«

»Unser Anwalt hat mir mitgeteilt, dass es kein Testament gibt, lediglich ein notariell beglaubigtes Dokument mit dem, was ich Ihnen bereits erzählt habe. Er hat angedeutet, dass mir mindestens dreißig Prozent des Erbes zustünden. Er wird heute noch vorbeikommen und alles mit mir besprechen.«

»Dann viel Glück für die Zukunft. Aber ich denke, wir werden uns noch mal sehen.«

Victoria Bruhns schloss die Tür und begegnete im Flur Frau Hundt.

»Sie sind mich bald los. Und keine Angst, ich werde

nichts über die kleinen und großen Schweinereien in diesem Haus ausplaudern, Frau Bruhns!«

»Was haben Sie gegen mich? Habe ich Ihnen jemals etwas getan? Wenn ja, dann sagen Sie's mir doch geradeheraus.«

»Sie verstehen die Welt nicht, Kleine. Erinnern Sie sich noch, wie ich Sie gewarnt habe, Ihren Mann zu heiraten? Sie waren angetrunken, aber ich habe Sie gewarnt, denn ich habe schon zu viele Frauen hier in ihr Unglück rennen sehen …«

»Sie haben das nie gesagt, Sie haben mich von der ersten Sekunde an gehasst. Sie wissen nicht, was Sie da reden.«

»Ich glaube, ich bin die Einzige hier, die weiß, was sie redet. Wenn Sie mich jetzt bitte entschuldigen wollen, ich muss packen, die Zeit drängt.«

Victoria Bruhns ging wieder ins Wohnzimmer und setzte sich zu Pauline auf den Boden. Das Mädchen lag auf dem Rücken und spielte mit einem kleinen Teddy.

»Wir werden bald umziehen«, sagte Victoria Bruhns und streichelte ihrer Tochter über die Wangen. »Wir verschwinden aus diesem Höllenloch und gehen ganz weit weg. Ich hoffe, du wirst nie erfahren, wie dein Vater war.«

DIENSTAG, 12.45 UHR

Da ist das gelbe Haus mit dem blauen Dach«, sagte Henning und parkte auf der fast autofreien Straße. Das Haus war von einem großen Grundstück umgeben, ein mittelhoher weißer Holzzaun bot keinen wirklichen Schutz vor Einbrechern. Doch bei genauem Hinsehen entdeckte Henning Videokameras, Bewegungsmelder und Sensoren, die ein unbemerktes Eindringen fast unmöglich machten.

Auf dem Klingelschild stand nur *Albertz,* der Summer ertönte, ohne dass Henning den Klingelknopf berührt hatte. Sie gingen die etwa zwanzig Meter bis zum Eingang, wo sie von einem grauhaarigen, sehr schlanken Mann empfangen wurden, der Mitte fünfzig oder auch schon Anfang sechzig sein mochte. Er war mittelgroß und hatte eisgraue Augen, mit denen er die Beamten eingehend musterte.

»Sie sind sehr pünktlich, eine Eigenschaft, die ich schätze. Bitte, treten Sie ein und folgen Sie mir.«

Sie kamen in eine Bibliothek, Bücherregale an zwei sich gegenüberliegenden Wänden waren bis unter die Decke mit Büchern gefüllt, in der Nähe des Fensters, das einen grandiosen Blick auf den Garten bot, standen ein Tisch und vier grüne Ledersessel mit Nieten am Rückenteil und an den Lehnen. Auf dem Tisch ein Aschenbecher, daneben eine Schachtel Zigaretten und ein Feuerzeug.

»Bitte, nehmen Sie Platz«, sagte Albertz und setzte sich auf den dem Fenster am nächsten stehenden Sessel. Er nahm sich eine Zigarette und hielt den Beamten die Schachtel hin, doch Henning und Santos lehnten dankend ab. Er zündete sich die Zigarette an, inhalierte tief und blies den Rauch zur Seite hin aus.

»Herr Albertz, wieso wollten Sie sich mit uns treffen?«, fragte Henning.

»Geben Sie mir ein paar Sekunden, ich muss erst meine Gedanken sortieren ... Ja, ich bin so weit. Wie ich bereits andeutete, hat ein Ihnen wohlgesinnter Mensch mich kontaktiert und gebeten, mit Ihnen zu sprechen. Bitte fragen Sie nicht, den Namen werde ich nicht nennen, der tut nichts zur Sache. Sie ermitteln beziehungsweise haben in der Sache Bruhns ermittelt?«

»Ja, aber das dürfte Ihnen ja bekannt sein, sonst säßen wir jetzt nicht hier«, erwiderte Henning mit einer Spur Sarkasmus in der Stimme, denn die ganze Situation war ihm suspekt.

»Richtig. Mir wurde gesagt, dass Sie absolut vertrauenswürdig seien. Ich möchte die Bestätigung gerne aus Ihrem Mund hören.«

»Ich gebe Ihnen mein Wort, dass alles, was wir besprechen, unter uns bleibt. Sie können es auch gerne schriftlich haben«, sagte Henning, sein Zynismus war nicht zu überhören.

»Nicht nötig. Ein paar Worte vorab zu meiner Person: Ich heiße Karl Albertz, bin achtundfünfzig und werde aller Voraussicht nach den nächsten Winter nicht mehr erleben, der Krebs hat mich besiegt, aber noch lebe ich und kann meine Zigaretten rauchen, das einzige Vergnügen, das mir geblieben ist. Ich arbeite seit fast dreißig Jahren für den Verfassungsschutz – wenn in den letzten Monaten auch nur noch in gedrosseltem Tempo –, und es gibt wohl kaum etwas, was ich in der Zeit nicht erlebt hätte. So viel zu mir. Wie mir mitgeteilt wurde, ist der Fall Bruhns seit vergangener Nacht offiziell abgeschlossen.«

»Da sind Sie richtig informiert«, entgegnete Henning und schlug die Beine übereinander.

»Korrigieren Sie mich, wenn ich es falsch wiedergebe. Es heißt, ein ehemaliger Mitarbeiter habe den Mord an Bruhns und seiner jungen Geliebten begangen.«

»Wie ich sehe, sind Sie bestens informiert. Aber das ist vom Verfassungsschutz wohl nicht anders zu erwarten.

Nur zur Ergänzung, falls diese Information noch nicht bis zu Ihnen vorgedrungen sein sollte: Frau Santos und ich waren gestern bei Herrn Weidrich, so heißt dieser ehemalige Mitarbeiter, und wir sind zu hundert Prozent sicher, dass er die Tat unmöglich begangen haben kann. Er war schwerer Alkoholiker, und die kunstvolle Drapierung der Leichen, das wäre nicht sein Ding gewesen, diese Phantasie hätte er niemals aufgebracht, schon gar nicht in seinem permanenten Rauschzustand ...«

»Ja, ich habe davon gehört. Lassen Sie mich Ihnen ein paar Informationen zukommen, und unterbrechen Sie mich nur, wenn Sie wirklich wichtige Fragen haben. Und bitte, Herr Henning, sparen Sie sich Ihren Sarkasmus oder Zynismus, weder das eine noch das andere steht Ihnen, denn wahrer Zynismus kommt aus dem tiefsten Innern, und Sie sind kein echter Zyniker ... Nun, ich schweife ab. Sie haben recht mit Ihrer Überzeugung, dass Weidrich nicht der Täter sein kann. Für die Morde an Bruhns und seiner Geliebten zeichnet ein Auftragskiller verantwortlich, der seit über zwei Jahrzehnten weltweit Auftragsmorde ausführt und dabei unzählige Namen verwendet. Zudem verändert er permanent sein Aussehen, er ist, und das ist unbestritten, ein Meister der Verwandlung ...«

»Sie kennen ihn?«, fragte Santos mit kritischem Blick.

»Nein, ich bin ihm nie persönlich begegnet, allein die Kontaktaufnahme zu ihm ist recht kompliziert. Ich kann Ihnen nicht einmal sagen, wo er wohnt, es heißt jedoch, dass er eine Wohnung oder ein Haus in Kiel hat. Aber ich gehe davon aus, dass er auf der ganzen Welt zu Hause ist, ein Reisender zwischen den Kontinenten. Seine Auftraggeber kommen in der Regel aus Politik und Wirtschaft, wobei das auch nicht ganz korrekt ist, da – und ich spreche hier von Deutschland – der Verfassungsschutz beauftragt wird, den Kontakt herzustellen ...«

»Bitte?«, stieß Henning fassungslos hervor. »Ihre Dienststelle arbeitet mit einem Auftragskiller zusammen?«

»Nicht nur mit einem«, erwiderte Albertz gelassen, »aber für besondere Missionen heuern wir diesen einen an. Er ist darüber hinaus für Nachrichtendienste rund um den Globus tätig, unter anderem für den BND. Seine Kunst liegt darin, seine Identität bis heute geheim zu halten und absolut sauber zu arbeiten, wenn man denn bei Mord von ›sauber‹ sprechen kann. Er ist ein Perfektionist und deshalb weltweit gefragt. Offiziell wird er mit internationalem Haftbefehl gesucht, inoffiziell bewegt er sich in einem rechtsfreien Raum, das heißt, man will ihn gar nicht fassen, weil er viel zu wertvoll ist. Aber wie das mit Preziosen so ist, es kann schnell zu einem Wertverfall kommen, und dann wird sich auch dieser Mann nicht mehr vor uns verstecken können. Wir finden jeden, sofern wir das möchten.« Albertz drückte die Zigarette aus und steckte sich gleich eine weitere an, bevor er fortfuhr: »Soweit mir bekannt ist, handelt es sich um eine höchst angesehene Person und damit um jemanden, dem niemand aus seinem näheren und weiteren Umfeld Auftragsmorde zutrauen würde ...«

»Wenn Sie so viel über ihn wissen, dann können Sie mir nicht weismachen, dass Sie ihn nicht kennen«, wandte Santos ein und musterte Albertz, der wieder einen langen Zug nahm und den Rauch durch Mund und Nase ausblies.

»Ich kann Ihre Zweifel nachvollziehen, aber ich bin ihm tatsächlich nie persönlich begegnet, und wenn doch, dann habe ich ihn nicht erkannt. Streichen Sie das Bild des einsamen Wolfs aus Ihrer Vorstellung, es wird gerne für

Filme oder Romane verwendet, aber die Realität sieht anders aus. Natürlich gibt es innerhalb des organisierten Verbrechens Auftragskiller, die diesem Klischee entsprechen, aber die arbeiten fast ausschließlich auf der unteren Ebene, wo wir sie gewähren lassen, sofern sie nicht allzu viel Unheil anrichten. Eine Ratte bringt die andere um, wen kümmert's? Außerdem habe ich nie einen Mord in Auftrag gegeben, dafür sind andere bei uns zuständig, deren Namen ich Ihnen aber nicht nennen werde, es ist auch unwesentlich, denn irgendjemand muss ja die Drecksarbeit machen …«

»Toll«, sagte Henning trocken, »unser Verfassungsschutz und Nachrichtendienst bedienen sich eines Auftragskillers, und Sie tun so, als wäre das ganz normal …«

»Es ist normal, Herr Henning«, antwortete Albertz ruhig. »Unser Geschäft ist schmutziger als das eines Kanalreinigers. Viel schmutziger, aber die Gesellschaft kriegt davon nichts mit, weil es wie so vieles im Geheimen geschieht. Die meisten unserer Mitarbeiter tragen Anzug und Krawatte, treten seriös auf, sind eloquent, sehr gebildet und haben eine harte Schule hinter sich. Wir sind kein Kloster, sondern dienen in erster Linie der Sicherheit des Landes Schleswig-Holstein und insgesamt auch der Bundesrepublik Deutschland. Und dazu zählt nun mal leider auch die Beseitigung bestimmter Personen, die den Interessen des Bundeslandes oder Staates schaden oder schaden könnten. Ersparen Sie mir bitte weitere Erläuterungen, vielleicht ein andermal, denn ich möchte zum Wesentlichen kommen …«

»Bruhns?«

»Unter anderem. Noch kurz zu dem Auftragskiller: Ich kann Ihnen nicht sagen, wo er sich momentan aufhält, aber er ist kein Phantom, er ist so real wie Sie und ich. Ein ganz normaler Mann mit einem etwas ausgefallenen Beruf ...«

»Das klingt geradezu menschenverachtend, Herr Albertz«, konnte sich Santos nicht verkneifen zu sagen.

»Für Ihre Ohren vielleicht, aber die ganze Welt ist menschenverachtend bis ins Mark. Jeder Krieg oder Konflikt wird mit Gewalt ausgetragen, und dabei kommen Tausende unschuldiger Menschen ums Leben, darunter Kinder, Jugendliche, Frauen, Alte ... Menschen, die nie jemandem etwas zuleide getan haben. Ein Auftragskiller wie der, von dem wir gerade sprechen, kommt in seiner Laufbahn auf vielleicht zwei- oder dreihundert Opfer, und ich kann Ihnen versichern, es handelt sich zumeist um Personen, die alles andere als Unschuldslämmer sind. So wie Bruhns.«

Albertz stand auf und verzog das Gesicht, als hätte er Schmerzen. Er fasste sich an den Bauch, zog eine Tischschublade hervor und entnahm einen bereits gedrehten Joint, zündete ihn an und sog den Rauch auf.

»Sie rauchen Gras?«, stieß Santos hervor, zog die Stirn in Falten und fragte sich, ob sie sich in einem schlechten Film befand.

»Entschuldigen Sie, das hat mir mein Arzt gegen die Schmerzen verordnet. Glauben Sie mir, es hilft. Ich hätte nie im Leben für möglich gehalten, jemals mit Rauschgift zu tun zu haben, aber in meiner Situation tut man alles, um wenigstens den Schmerz zu besiegen, wenn man schon den Krebs nicht besiegen kann. Ich hoffe, es stört Sie nicht ...«

»Nein, nein, überhaupt nicht, ich habe auch schon davon gehört, dass Marihuana in der Schmerztherapie eingesetzt wird.«

»Ja, in der Tat. Wo war ich stehengeblieben? Ah, richtig,

bei Bruhns. Er war nicht nur ein äußerst erfolgreicher Musikproduzent, er war zugleich ein angesehenes Mitglied des organisierten Verbrechens. Wir wissen von mehreren Bereichen, in denen er die Finger im Spiel hatte, unter anderem Geldwäsche, Drogen, aber leider auch Kinder. Nachdem er begonnen hatte, seine Pädophilie auszuleben, und nach immer mehr Frischfleisch verlangte, stand er ständig unter unserer Beobachtung. Als wir dann auch noch den Hinweis erhielten, dass er für den Tod eines elf- oder zwölfjährigen Mädchens verantwortlich zeichnete, mussten Mittel ergriffen werden, um wenigstens andere Kinder vor ihm zu schützen ...«

»Aber dieses Mädchen hat er vor einem Jahr umgebracht«, warf Henning ein. »Wieso wurde er nicht festgenommen und vor ein ordentliches Gericht gestellt?«

Albertz ließ sich mit der Antwort Zeit. »Die Strukturen sind zu komplex, um sie Ihnen in der Kürze der Zeit zu erläutern. Nur so viel: Bruhns wurde zu einem Risikofaktor ...«

»Für wen? Das organisierte Verbrechen oder den Verfassungsschutz?«, fragte Santos mit zusammengekniffenen Augen.

Albertz rauchte seinen Joint zu Ende und entgegnete: »Frau Santos, ich sehe, Sie hören genau zu, das ist selten geworden in der heutigen Zeit, selbst bei der Polizei«, sagte er anerkennend. »Wenn ich Ihnen antworte sowohl als auch, genügt Ihnen das?«

»Vielleicht. Hat Bruhns noch mehr Kinder auf dem Gewissen?«

»Gegenfrage: Was glauben Sie?«

»Mein Gott, was für ein Abgrund ...«

»Ich möchte Ihnen da nicht widersprechen. Lassen Sie mich fortfahren. Nach meinen Informationen standen wir unmittelbar davor, Bruhns jemanden ins Haus zu schicken. Doch ein anderer kam uns zuvor, und wir wissen nicht, wer das ist. Es muss jemand sein, der Protektion von höchster Ebene genießt ...«

»Von welcher Ebene sprechen Sie? Verfassungsschutz oder Politik?«, wollte Santos wissen.

»Wo ist der Unterschied?«, entgegnete Albertz lächelnd. »Jedenfalls musste aufgrund dieser Protektion ein anderer den Kopf hinhalten. Dieser Weidrich eignete sich geradezu perfekt, um geköpft zu werden. Auch diese Sachen habe ich schon zigmal miterlebt.«

»Aber es waren Leute aus unseren Reihen, die ihn umgebracht haben!«, echauffierte sich Santos.

»Ja, es war die Art Drecksarbeit, die von kleinen, skrupellosen Typen erledigt wird. An die kommen Sie genauso wenig ran wie an unseren Auftragskiller. Sie haben auch nur auf Anweisung gehandelt, wobei ihr Vorgehen wesentlich transparenter ist als ... Lassen wir das, ich möchte noch etwas anderes ausführen. Ich gebe Ihnen zu bedenken, dass in unseren Gefängnissen nicht wenige Unschuldige schmoren, verurteilt wegen Mordes oder anderer schwerwiegender Delikte, obwohl sie nie einen Mord oder ein anderes Verbrechen begangen haben. Sie wissen so gut wie ich, dass man häufig einen Sündenbock oder auch ein Bauernopfer sucht und auch findet. Im Fall Bruhns war es eben dieser Weidrich gewesen. Weidrich hat keiner Fliege etwas zuleide getan, das wissen Sie, und das weiß ich. Aber Sie wissen auch, dass man die Öffentlichkeit mit Informationen füttern will beziehungsweise muss. Oder man will sie beruhigen. Nein, es hat mit Beruhigung nichts zu tun, eher etwas mit der Befriedigung der Sensationslust. Oder sehen Sie das anders?«

»Ich verstehe nicht, worauf Sie hinauswollen«, sagte Henning.

»Dann strengen Sie Ihren Kopf an, so wie ich es getan habe, als ich noch jünger und unerfahrener war. Ich gebe Ihnen drei Namen – Westermann, Kobert und Zeunig. Klingelt da was bei Ihnen?«

»Schwach. Warum ausgerechnet die drei?«, sagte Henning, doch Santos fiel ihm ins Wort: »Ich kenne die Fälle sehr gut. Die sitzen alle ein, wenn ich mich recht entsinne.«

»Ja und nein. Ich bin müde und habe keine Lust mehr, diesen verdammten und verlogenen Job noch länger zu machen. Vielleicht kommt mein Krebs ja davon, dass ich zu lange mit dem Dreck zu tun hatte, wer weiß? Aber das spielt nun keine Rolle mehr.« Er verzog den Mund, atmete tief durch und steckte sich eine weitere Zigarette an. »Westermann, Kobert und Zeunig, das waren genau solche Opfer wie Weidrich, mit dem Unterschied, dass sie einen scheinbar ordentlichen und fairen Prozess bekommen haben und man sie nicht gleich umgelegt hat. Jeder von den dreien war wegen Mordes angeklagt, die Opfer kamen aus den allerbesten Kreisen, sprich Geld, Macht, Einfluss und unendlich viel Dreck am Stecken. Bei Westermann war ich sogar dabei, als wir ihn aus der Wohnung holten und getürkte Beweise hinterließen, die ihn so eindeutig belasteten, dass nicht einmal der beste Anwalt der Welt ihn da hätte raushauen können. Es waren reine Schauprozesse, bei denen die Angeklagten nicht den Hauch einer Chance hatten. Ich war bei jedem Prozess vom ersten bis zum letzten Tag anwesend, und ich versichere Ihnen, dort ging nichts mit rechten Dingen zu. Alles war abgesprochen. Die armen Kerle auf der Anklagebank wussten nicht, wie ihnen geschah, alles sprach gegen sie.«

»Und das haben Sie mitgemacht?«

»Ich weiß, Sie werden mich dafür verachten, aber ich hatte so wenig eine Wahl wie die drei. Sagen Sie mir, was hätte ich tun können? Mich gegen Anweisungen auflehnen, die nicht einmal aus der Dienststelle, sondern von noch weiter oben kamen? Ich hatte nicht den Mumm, obwohl oder weil ich schon so lange bei der Truppe war. Außerdem, hätte ich mich aufgelehnt oder wäre ich gar ausgestiegen, was, glauben Sie, hätte man mit mir gemacht? Mich einfach gehen lassen? Vergessen Sie's, wer über so viel Insiderwissen verfügt wie ich, kann sich nicht einfach aus der Familie verabschieden.«

Santos meldete sich wieder zu Wort: »Ich kann mich erinnern, dass die Beweise gegen die drei geradezu erdrückend waren ...«

»Frau Santos, machen Sie die Augen auf und glauben Sie nicht alles, was man Ihnen vorsetzt. War ich eben nicht deutlich genug? Keiner von ihnen hatte auch nur die geringste Schuld auf sich geladen, keiner von ihnen war vorbestraft, sie waren das, was man unbescholtene Bürger nennt. Ihr Problem war, sie kannten die Opfer sehr gut, es gab sogenannte Zeugen, die beeideten, dass es Streitereien untereinander gegeben habe et cetera pp. Dass die Zeugen gekauft waren, wussten nur wenige Eingeweihte. Die Angeklagten wurden jeweils zu lebenslanger Haft wegen Mordes verurteilt. Westermann und Zeunig haben sich vor zwei beziehungsweise drei Jahren im Knast das Leben genommen, das ist jedenfalls die offizielle Version, meine Informationen lauten anders. Sie wurden umgebracht, weil sie keine Ruhe gaben. Kobert ist noch im Gefängnis und hält still, er hat sich mit seinem Schicksal abgefunden. Dennoch wird er im Knast verrecken, es sei denn, er ist eines Tages so gebrochen, dass von ihm keine Gefahr mehr ausgeht, so wird man es zumindest der Öffentlichkeit verkaufen. Die Morde, die man ihnen zur Last gelegt hat, wurden von demselben Mann verübt, der auch Bruhns und dessen Geliebte umgebracht hat. Die Morde geschahen in einem Abstand von nicht einmal einem halben Jahr, aber man brauchte für jeden Mord einen anderen Täter, denn alle drei Morde wurden mit unterschiedlichen Waffen verübt. Es durfte ruhig der nette Mann von nebenan sein, egal, um den ist es ja nicht schade.«

»Das klingt aber sehr nach Verschwörungstheorie …«

Albertz lachte kehlig auf. »Ich habe dreißig Jahre lang mit Verschwörern zusammengearbeitet, ich weiß, wovon ich spreche.«

Santos schürzte die Lippen. »Wenn wir hier schon so offen reden, dann können Sie uns doch bestimmt auch etwas zu den verseuchten Wattestäbchen sagen, oder?«

Albertz lachte wieder auf und schüttelte den Kopf. »Frau Santos, glauben Sie an den Weihnachtsmann? Oder den Osterhasen? Falls ja, dann glauben Sie auch, was der Innenminister am Freitag verkündet hat …«

»Ja, aber Bruhns und die Steinbauer wurden doch Ihren Angaben zufolge von einem Auftragskiller getötet. Der hat am Tatort jedoch eine weibliche DNA hinterlassen. Können Sie uns das erklären?«

»Sehr gerne. Mir ist natürlich auch zu Ohren gekommen, dass man *die* DNA gefunden hat …«

»Wie ist Ihnen das zu Ohren gekommen? Es gibt meines Wissens nur zwei Personen, die davon Kenntnis haben.«

»Frau Santos, setzen Sie Ihre rosarote Brille ab. Es gibt nicht nur zwei Personen. Ich habe meine Quellen, das muss Ihnen genügen.«

Santos wurde zunehmend nervöser und zugleich wütend,

ohne das nach außen zu zeigen. »Aber es wurde doch immer von einer Frau als Täterin gesprochen, bis das mit den verseuchten Wattestäbchen ...«

»Ich wiederhole meine Frage: Glauben Sie an den Weihnachtsmann? Oder glauben Sie immer alles, was Sie im Fernsehen sehen oder in der Zeitung lesen?«

»Nein, natürlich nicht, ich habe schon bei der Pressekonferenz meine Zweifel angemeldet.«

»Gut, denn die Zweifel sind berechtigt. Ich hoffe, Sie haben sich nicht damit abgefunden, nur kleine Bullen zu sein, die einem Staatsanwalt oder einer noch höheren Autorität wie dem Innenminister bedingungslos zu gehorchen haben. Natürlich verstehe ich, dass man einer Autorität Respekt entgegenbringen sollte, das war immer so und wird immer so sein, sonst wird man den Löwen vorgeworfen. Ich genieße den Vorteil, dass man mich niemandem mehr vorwerfen kann, nur noch der Erde ... Aber ich schweife schon wieder ab, und ich will Ihre Zeit nicht vergeuden. Vergessen Sie alles, was Sie bisher über das Phantom, die unbekannte weibliche Person, die Wattestäbchen und die Latexhandschuhe gehört und gelesen haben. Diese unbekannte weibliche Person hat es nie gegeben, es war nur ein kleines Spielchen, das der Täter bei seinen Morden gespielt hat. Harmlos und doch irgendwie effektiv. Es hat uns natürlich nicht gefallen, aber wir haben ihn gewähren lassen, was hätten wir schon tun können, er ist auch für uns ein Phantom. Dann begannen die Medien, die Sache aufzubauschen und mit wilden Theorien um sich zu werfen, irgendwann hat die Abstimmung zwischen Politik, Polizei und Medien nicht mehr gepasst, also musste eine Lösung gefunden werden. Das Resultat war diese unsägliche Pressekonferenz ... Für die Medien und die Bürger genau das, was sie brauchten.«

»Moment, aber diese DNA wurde doch auch an Orten sichergestellt, wo keine Morde begangen wurden«, warf Henning ein.

»Ja und? Die DNA wurde in Lauben gefunden, in die eingebrochen wurde, an Türrahmen, in einer Schule, in die ebenfalls eingebrochen wurde, dort übrigens an einer Coladose, an diversen anderen Tatorten, wo keine Menschen zu Schaden gekommen sind, aber auch an Tatorten, wo Lieschen Müller ermordet wurde. Man ließ das Gerücht verbreiten, es mit einer Beschaffungstäterin zu tun zu haben, die Geld brauchte, um ihre Drogensucht zu finanzieren. Klingt plausibel, wäre da nicht die unglaubliche Präzision, mit der gewisse Morde ausgeführt wurden. Eine Drogensüchtige als kaltblütige, organisiert und planvoll vorgehende Mörderin? Höchst unwahrscheinlich, aber wer macht sich darüber schon Gedanken?«

Albertz zündete sich die fünfte Zigarette an, lehnte sich entspannt zurück und fuhr fort: »Hat man die DNA in Lauben, an einer Coladose oder irgendwo sonst gefunden? Was glauben Sie?«

»Warum nicht?«, antwortete Santos zögernd.

»Ja, warum eigentlich nicht? Haben Sie die Coladose gesehen oder irgendeinen anderen DNA-Beweis? Nein, haben Sie nicht, weil es keinen einzigen dieser Beweise gibt. Pure Erfindung, so wie die getürkten Beweise bei Westermann, Kobert und Zeunig. Die DNA wurde ausschließlich an Tatorten sichergestellt, wo unser Auftragskiller tätig war. Nirgendwo sonst, darauf gebe ich Ihnen mein Wort. Streichen Sie alles aus Ihrem Gedächtnis, was mit dieser DNA zu tun hat, denn wie heißt es so schön: Gebt dem Volk Futter, benutzt dazu die Medien – und schon bald herrscht Ruhe. So läuft es seit Menschengedenken. Oder fragt nach zwei Wochen noch jemand, ob da was nicht mit rechten Dingen zugegangen sein könnte? Zwei Wochen sind heutzutage eine verdammt lange Zeit, in der so unglaublich viel passiert, da gibt es wahrhaft Wichtigeres als eine solche Lappalie.«

»Aber warum die DNA einer Frau?«, wollte Santos wissen.

»Sein Spiel. Lassen wir ihm doch den Spaß, er ist schließlich ein hochintelligenter Mensch. Wo immer er diese DNA herhat, es ist sein Geheimnis und wird es wohl auch bleiben. Ich bleibe dabei, es ist sein Spiel, und er hat seinen Spaß daran.«

»Er ist ein eiskalter Killer, und Sie bringen das mit Spaß in Verbindung? Das ist nicht Ihr Ernst, oder?«

»Sie haben nicht richtig zugehört, wie mir scheint. Sie dürfen ihn nicht mit einem x-beliebigen Mörder vergleichen, denn das ist er nicht. Seine Opfer sind fast ausschließlich Täter, die selbst Menschenleben auf dem Gewissen haben. Womit wir wieder bei Bruhns wären …«

»Und die Steinbauer? Haben Sie auch Informationen über sie?«

»Nein, tut mir leid, aber ich könnte leicht an diese Informationen gelangen, obwohl ich nur noch sporadisch in meinem Büro bin.«

»Warum wollten Sie sich mit uns treffen? Nur, um uns mitzuteilen, dass wir ohnehin nichts ausrichten können? Oder habe ich das falsch verstanden?«, sagte Santos spöttisch.

»Ich habe Sie hergebeten, weil die Person, die mich angerufen hat, sagte, dass Sie zu den guten Bullen gehören und sich nicht so leicht beirren lassen.«

»Danke für das Kompliment, aber das bringt uns keinen Zentimeter weiter. Ich glaube, Sie kennen das Phantom und …«

»Stopp, Frau Santos! Ich kenne den Mann nicht …«

»Woher wissen Sie dann, dass es sich um einen Mann handelt?«

Albertz sah Santos aus seinen eisgrauen Augen an und lächelte versonnen, als er antwortete: »Sie überraschen mich schon wieder. Ich weiß es, das muss Ihnen genügen. Er hinterlässt an den Tatorten eine weibliche DNA, aber es ist ein Mann. Weiß der Geier, woher er die DNA hat. Im Grunde ist das unwichtig.«

»Sie werden uns sicherlich sagen können, wie wir an ihn rankommen, oder?«

»Nein, weil ich nie Kontakt zu ihm aufgenommen habe. Ich habe nur von ihm gehört.«

»Tja, das war's dann wohl. Wir haben jetzt auch von ihm gehört und sind keinen Schritt weiter. Die Schnauze müssen wir trotzdem halten, weil man ja nichts gegen die Oberen sagen darf. Gehen wir, Sören, wir werden wieder mal nur verarscht.«

»Halt, nicht so schnell, junge Frau, ich bin noch nicht ganz fertig. Warum so aufbrausend? Glauben Sie nicht mehr an Wunder? Erinnern Sie sich mal zurück an Ihre Kindheit, da wurde so manches Wunder wahr, oder nicht? Es soll auch heute noch welche geben, auch wenn ich selbst noch keins erlebt habe. Oder ich habe sie nicht als solche erkannt, aber das ist wohl der Pragmatiker in mir. Sei's drum.« Er strich sich mit einer Hand übers Kinn, den Blick leicht gesenkt, und sagte: »Warum sind Sie hier? Das ist eine rhetorische Frage, auf die ich keine Antwort erwarte. Mir wurde gesagt, dass Sie gerne gegen den Strom schwimmen. Ich habe Respekt vor solchen Menschen, denn gegen den Strom zu schwimmen bedeutet, sich nicht nur etwas zu trauen, sondern auch zuzutrauen. Ich gehe davon aus, dass unser Mann sich noch in Kiel oder Umgebung aufhält. Einer, vielleicht auch zwei wissen, ob dem so ist.« Er machte eine Pause und hustete, holte sich einen zweiten Joint aus der Schublade unter der Tischplatte und zündete ihn an. »Finden Sie ihn. Bruhns, Steinbauer, Weidrich, die Fälle gehören zusammen. Finden Sie die Stelle, von der die Anweisungen kommen. Gehen Sie unkonventionell vor, aber weihen Sie unter gar keinen Umständen irgendjemanden in Ihre Pläne ein. Es gibt mit Sicherheit einen Weg, diesen Typen aufzuspüren. Wenn ich noch fit wäre, würde ich helfen, aber mein Körper macht nicht mehr mit. Ich habe Sie nur angetippt, den Rest müssen Sie selbst erledigen. Und wenn Sie's nicht schaffen, wird er irgendwann von allein aufhören. Er ist schon lange im Geschäft, für einen Auftragskiller fast schon zu lange. Jeder hört irgendwann auf, so wie ich. Aber einen Tipp habe ich noch: Setzen Sie sich mit Ihren Kollegen in Frankfurt in Verbindung.«

»Warum?«, fragte Santos.

»Tun Sie's einfach.«

»Und mit wem?«

»K 11, Mordkommission. Die können Ihnen vielleicht weiterhelfen, auch wenn sie's noch nicht wissen. Hier ist eine Telefonnummer, die Dame heißt Julia Durant und ist Hauptkommissarin. Nennen Sie aber bitte nicht meinen Namen.«

»Haben Sie etwas zu verbergen?«

»Nein, ich möchte nur im Moment noch im Hintergrund bleiben. Außerdem kenne ich den Kommissariatsleiter, Herrn Berger, recht gut. Sie sollen nicht wissen, dass ich krank bin.«

»Und die Wattestäbchen?«, fragte Santos noch einmal.

»Lüge, nichts als Lüge. Lord Byron hat gesagt: ›Was ist im Grunde die Lüge? Doch nur die maskierte Wahrheit.‹

Dem habe ich nichts hinzuzufügen. Sie finden sicher alleine hinaus, ich bin müde und muss mich hinlegen. Dabei hatte ich in meinem Leben noch so viel vor, und jetzt verbringe ich unzählige Stunden im Bett, ich bekomme Bestrahlungen, und mein Körper verfällt immer mehr, auch wenn man mir's nicht ansieht.«

»Wir gehen sofort«, sagte Henning und beugte sich vor. »Warum sagen Sie uns nicht alles, was Sie wissen? Warum nur die halbe Wahrheit?«

»Weil ich selbst ein Unwissender bin. Ein paar Stufen höher gibt es welche, die mehr oder sogar alles wissen. Jetzt gehen Sie bitte, ich habe Ihnen nichts mehr zu sagen.«

»Wie kommen wir an diese Leute ran?«, ließ Henning nicht locker.

»Gar nicht. Das heißt, es gibt schon Wege, nur, es ist wie in einem Labyrinth, in dem man den richtigen Weg finden muss, um nicht verlorenzugehen. Machen Sie's wie Theseus, nehmen Sie einen Faden, wie er ihn von Ariadne bekommen hat, als er auf der Suche nach dem Minotaurus war. Der Faden hat ihm und seinen Gefährten das Leben gerettet. Es liegt an Ihnen, wagen Sie sich in das Labyrinth, oder wollen Sie so weitermachen wie bisher? Sie können es schaffen, denn das Phantom ist nur ein Mensch. Auf Wiedersehen oder, besser, adieu.«

»Warum sollen wir ausgerechnet in Frankfurt anfangen?«, sagte Henning, ohne sich von der Stelle zu rühren.

Albertz seufzte auf. »Sie geben wohl nie auf, was? Aber gut, ich will Ihre Hartnäckigkeit honorieren, denn nur so gelangen Sie ans Ziel. Nach meinen Erkenntnissen fing alles in Frankfurt an, meines Wissens 1984. Es begann mit dem Mord an einem Immobilienmogul, der zusammen mit seiner minderjährigen Geliebten, einem jungen Ding aus dem Osten, in seinem Landhaus erschossen wurde.

Auch er pflegte intensive Kontakte zum organisierten Verbrechen, wovon die Öffentlichkeit natürlich nie etwas erfuhr. Von dem Täter fehlt bis heute jede Spur, aber vieles deutet darauf hin, dass seine Frau unser Phantom angeheuert hat, um ihren Mann beseitigen zu lassen. Meinen Informationen zufolge besitzt sie eine Wohnung oder ein Haus in Kiel. Die Parallelen zum Fall Bruhns sind nicht zu übersehen, ich meine, was die Pädophilie betrifft.«

»Und der Name der Frau?«

»Ein bisschen Arbeit möchte ich Ihnen schon überlassen. Jetzt verschwinden Sie endlich, ich bin sehr, sehr müde und erschöpft.«

»Danke für Ihre Hilfe«, sagte Henning und reichte Albertz die Hand.

»Danken Sie nicht mir, danken Sie Ihrem Freund und Gönner. Ohne ihn wären wir uns nie begegnet.«

»Ich würde gerne wissen, wer er ist …«

»Das werden Sie noch zur rechten Zeit erfahren.«

»Nur noch eine letzte Frage, dann sind wir weg: Wie konnten Sie das alles mit Ihrem Gewissen vereinbaren? Entschuldigen Sie, aber Sie waren in kriminelle Aktivitäten verwickelt oder zumindest eingeweiht. Wie kommt man damit klar, ohne durchzudrehen?«

»Sie haben recht, und das werde ich mir nie verzeihen. Aber es ist zu spät, jetzt noch Reue zu zeigen, viel zu spät. Ich hoffe nur, ich konnte Ihnen helfen und damit etwas Gutes tun, bevor ich den Weg alles Irdischen gehe. Auf Wiedersehen.«

Henning und Santos gingen zu ihrem Wagen, der Himmel war grau und trist, es hatte die halbe Nacht über geregnet und gestürmt. Doch weder Henning noch Santos nahmen das wahr, zu sehr hatte sie das Gespräch mit Albertz mitgenommen.

Erst im Auto fragte Santos: »Wer hat Albertz informiert? Wer ist unser Freund und Gönner?«

»Interessiert mich nur am Rande. Ich dachte, wir hätten schon in alle Abgründe geblickt, und dann stellt sich mit einem Mal raus, dass es noch viel mehr Abgründe gibt. Das ist mir alles zu viel.«

»Halt an, ich muss noch mal rein«, sagte Santos plötzlich.

»Du kommst da nicht mehr rein, das Haus ist gesichert wie Fort Knox.«

»Lass es mich trotzdem versuchen. Bitte.«

»Was versprichst du dir davon? Aber gut, dein Wille ist mir Befehl.«

Er legte den Rückwärtsgang ein und fuhr zurück, Santos stieg aus und betätigte die Klingel. Es dauerte nur Sekunden, bis sie das Tor aufdrücken konnte. Mit schnellen Schritten lief sie zum Haus, Albertz stand in der Tür, ein mildes, fast väterliches Lächeln auf den Lippen.

»Da hat mich meine Menschenkenntnis doch nicht getrogen.«

»Inwiefern?«, fragte Santos verwirrt.

»Ich habe Sie die ganze Zeit über beobachtet, auch wenn Sie's vielleicht nicht bemerkt haben, aber ich dachte mir, diese Frau ist neugierig und lässt sich nicht so einfach abspeisen. Bitte, treten Sie ein.«

»Danke«, sagte eine etwas überrumpelte Lisa Santos und spürte, wie sie rot wurde, was Albertz wieder mit einem unergründlichen Lächeln quittierte.

»Möchten Sie etwas trinken? Einen Whiskey zur Entspannung oder einen Wodka? Ich werde mir einen genehmigen.«

»Einen Whiskey, auch wenn ich im Dienst bin.«

»Mit Eis?«

»Ja, bitte«, antwortete sie und merkte, wie sie ihre Sicherheit zurückgewann.

Albertz gab Eiswürfel in die Gläser, schenkte ein und reichte Santos ein gutgefülltes Glas. Sie drehte es in der Hand, betrachtete den älteren Herrn genau, hob das Glas und sagte: »Cheers, auf Ihr Wohl und Ihre Gesundheit.«

Albertz lächelte erneut, diesmal versehen mit einer Prise Spott. »Cheers, und danke für Ihren Wunsch.«

Als sie ausgetrunken hatten, sagte Albertz: »Welche Frage wollten Sie mir stellen? Sie sind doch gekommen, weil Ihnen noch etwas auf der Seele brennt. Nichts gegen Ihren Kollegen, aber Sie haben mehr Power und lassen das Ziel nicht aus den Augen.«

»Soll ich das als Kompliment auffassen?«

»Nehmen Sie's, wie Sie wollen. Fragen Sie.«

»Wer beim Verfassungsschutz kennt das Phantom?«

»Was glauben Sie mit dieser Information anfangen zu können?«, war die Gegenfrage.

»Da Herr Henning und ich gegen den Strom schwimmen, eine ganze Menge. Denke ich jedenfalls.«

Albertz schenkte sich nach, während Santos dankend ablehnte, er drehte ihr den Rücken zu und blieb eine Weile beinahe regungslos stehen. »Niemand kennt das Phantom. Doch«, verbesserte er sich, »es gibt jemanden, der Kontakt zu ihm aufnehmen kann. Wenn ich es Ihnen sage, was werden Sie dann unternehmen?«

»Wir werden so diskret und diplomatisch wie nur irgend möglich vorgehen. Wir werden Sie natürlich aus der ganzen Sache raushalten. Wir haben Sie nie getroffen.«

Albertz drehte sich abrupt um und musterte Santos kritisch, indem er ihr lange in die Augen blickte, als wollte er ihr Innerstes ergründen. Sie hielt seinem Blick stand.

»Wie kommt es, dass ich Ihnen das tatsächlich abnehme?

Hm, es muss wohl daran liegen, dass Sie so unglaublich ehrlich rüberkommen. Das ist mir nicht oft passiert, dass ich ehrlichen Menschen gegenüberstand. Also gut, Sie bekommen den Namen, auch wenn ich mich damit womöglich in Teufels Küche begebe. Bernhard Freier. Wie Sie den Kontakt zu ihm herstellen, will ich gar nicht wissen, Sie haben den Namen nicht von mir, wir sind uns sowieso nie begegnet. Lassen Sie sich gesagt sein, Sie spielen mit Ihrem Leben, wenn Sie auch nur den kleinsten Fehler begehen.«

»Ist er auch beim Verfassungsschutz?«, fragte Santos ungerührt, als hätte sie Albertz' mahnende Worte nicht vernommen.

»Ja.«

»Wo, hier in Kiel oder in Berlin?«

»Kiel, er war aber lange in Berlin in beratender Funktion tätig«, sagte Albertz mit sanftem Lächeln.

»Als Berater für wen?«

»Was glauben Sie denn?«

»Okay, jetzt ist er auf jeden Fall hier. Wissen Sie zufällig auch, wo er wohnt?«

»Nein, da muss ich passen.«

»Sie kommen doch an alles ran, auch an Personalakten«, erwiderte Santos lächelnd. »Sie haben uns schon so weit geholfen …«

»Genau, ich habe Ihnen schon weit mehr geholfen, als ich eigentlich wollte. Aber ich werde sehen, was ich für Sie tun kann. So, und jetzt trinken Sie bitte noch einen Whiskey mit mir, als kleines Dankeschön für meine Bemühungen.«

»Gerne.«

Sie tranken, Santos stellte ihr Glas auf den Tisch und verabschiedete sich, blieb an der Tür jedoch stehen und sagte: »Ich hoffe, Sie nehmen mir das nicht übel, aber Sie sind nicht krank. Stimmt's?«

»Wie kommen Sie darauf?«

»Vielleicht kann ich in die Menschen hineinsehen«, entgegnete sie wieder mit diesem charmanten Lächeln, dem sich Albertz nicht entziehen konnte.

»Über diese Gabe verfügen die wenigsten. Ich wünschte, ich besäße diese Gabe. Glückwunsch, Sie werden es weit damit bringen.«

»Ich habe es schon vorhin vermutet. Wenn man beim Verfassungsschutz arbeitet, muss man wohl über schauspielerische Fähigkeiten verfügen. Ich gehe auch davon aus, dass dies nicht Ihr Haus ist ...«

»Sie verblüffen mich. Aber jetzt sollten Sie besser gehen, denn auch ich muss mich auf den Weg machen. Sie hören von mir.«

»Danke.«

Albertz stellte sich ganz dicht vor sie und sagte leise: »Es ist das erste Mal, dass ich jemandem wirklich helfen kann. Es ist ein gutes Gefühl. Ihr Partner wartet auf Sie.«

»Mein Partner ist zwar manchmal ein wenig ungeduldig, aber wenn's drauf ankommt, kann er die Ruhe in Person sein. Rufen Sie mich an, wenn Sie die fehlenden Informationen haben. Hier ist meine Karte«, sagte Santos und reichte sie Albertz.

»Ich werde die Karte in Ehren halten, aber ich habe Ihre Nummer bereits. Sie werden die Erste sein, die ich anrufe. Machen Sie's gut.«

»Sie ebenfalls.«

Santos ging zum Wagen.

»Was hast du so lange da drin gemacht?«, fragte Henning ungehalten. »Du riechst nach Alkohol ...«

»Komm runter. Ich hatte ein paar Fragen an ihn, ich habe

ein paar Antworten bekommen, und ja, wir haben ein Glas Whiskey getrunken, weil er mich darum gebeten hat.«

»Du bist im Dienst!«

»Mein Gott, jetzt tu nicht päpstlicher als der Papst ...«

»Was für Antworten?«, fragte Henning, ohne auf die letzte Bemerkung von Santos einzugehen.

»Ich war mir vorhin auf einmal sicher, dass Albertz den- oder diejenigen kennt, die den Kontakt zu unserem Phantom herstellen. Und siehe da, er hat mir einen Namen genannt.«

»Wer ist es?«

»Bernhard Freier. Nie gehört. Doch etwas über ihn her- auszufinden dürfte nicht allzu schwer sein. Außerdem will Albertz sich die Personalakte von Freier beschaffen und auch seine Adresse. Er wird mich irgendwann anrufen.«

»Wann, in einem Monat, in einem Jahr?«, erwiderte ein sichtlich beleidigter Henning.

»Was stört dich? Dass ich noch mal bei Albertz drin war und ihm noch was rausleiern konnte oder ...«

»Alles stört mich. Die ganze Scheiße geht mir auf den Sack! Dass unser Verfassungsschutz und der BND nicht sauber arbeiten, ist ja nichts Neues, dass sie aber mit Auf- tragskillern zusammenarbeiten, das ist für mich eine neue Dimension.«

»Für mich auch, aber wir werden zumindest neue Er- kenntnisse gewinnen. Vielleicht sogar ein paar Ratten aus ihren Löchern jagen.«

»Optimist. Albertz hat uns doch nur geleimt.«

»Seh ich nicht so. Ich habe zum Glück auf meine innere Stimme gehört«, antwortete Santos und vermied es vor- erst zu erwähnen, dass Albertz seine Krankheit nur vor- gespielt hatte und er über wesentlich mehr Insiderwissen verfügte, als ursprünglich angenommen.

»Dann erklär's mir, damit auch ich Doofkopp es verstehe.«

»Mann, was ist bloß los mit dir? Ist es, weil ich ein paar Minuten mit Albertz allein war? Ist es das?«

»Der Mann ist todkrank, was soll mich daran stören? Keine Ahnung, was los ist, ich habe einfach nur schlechte Laune. Ist das ein Wunder?«

»Nein, aber so kommen wir nicht weiter. Kannst du mal an einem Imbiss anhalten, ich habe seit heute Morgen nichts mehr gegessen. Noch was: Albertz ist nicht todkrank, er hat uns nur was vorgespielt.«

»Bitte? Das meinst du nicht im Ernst, oder?«

»Doch. Er ist kerngesund.«

Henning lachte trocken auf und schüttelte den Kopf. »Da zieht der die Nummer des Todkranken ab, dass er den nächsten Winter nicht mehr erlebt, und ...«

»Reg dich wieder ab, er wollte wahrscheinlich nur herausfinden, inwieweit er uns vertrauen kann. Er steht auf unserer Seite.«

»Woher willst du das wissen?«, sagte Henning ironisch. »Wir sind schon so oft aufs Kreuz gelegt worden, ich traue niemandem mehr.«

»Was bleibt uns anderes übrig, als sein Angebot anzunehmen? Hast du einen besseren Vorschlag?«

»Leck mich doch«, brummte er. »Weißt du was? Ich schmeiß den ganzen Scheiß hin, was interessiert mich ein Auftragskiller, an den sowieso niemand rankommt, und was interessiert mich der Verfassungsschutz oder ein arroganter Staatsanwalt? Mach du, was du für richtig hältst, aber lass mich da raus.«

»Sören, wie soll ich das denn ohne dich schaffen?«

»Du hast doch Albertz«, sagte er störrisch wie ein alter Esel.

»Ach, komm, nicht so! Ich kann verstehen, dass du sauer oder gekränkt bist, aber das ist kein Grund, alles hinzuschmeißen. Wir schaffen das. Außerdem müssen wir ohnehin erst mal abwarten, was Albertz zu bieten hat.«

»Hm«, brummte Henning nur und fuhr vierhundert Meter weiter an den Straßenrand, stieg mit Santos aus und ging auf den Imbisswagen zu. Sie bestellten sich Currywurst mit Pommes frites und Cola, aßen und kamen um zwanzig nach vier im Präsidium an, so dass sie noch ein paar Worte mit Volker Harms wechseln konnten, ohne ihm jedoch von ihrem Besuch bei Albertz zu berichten. Zurzeit war es ganz allein ihr Fall, und Harms schien wenig Interesse daran zu haben, an ihm mitzuwirken.

»Was ist eigentlich aus der Gästeliste vom Samstagabend geworden?«, fragte Henning seinen Vorgesetzten. »Ich weiß, der Fall ist offiziell abgeschlossen, aber ...«

»Es waren insgesamt zweihundertzwölf geladene Gäste beim Grafen, von denen der größte Teil befragt wurde. Aber wir haben keine Informationen erhalten, die uns in irgendeiner Form weiterhelfen könnten, und, wie schon gesagt, ist der Fall abgeschlossen. Um dich zu beruhigen, der allgemeine Tenor lautet: Bruhns kam gegen elf, er stand für eine Weile im Mittelpunkt und ist gegen Mitternacht wieder gegangen. Die Steinbauer wurde auch einige Male erwähnt, obgleich sie von den meisten Gästen nicht beachtet wurde.«

»Irgendwelche Gäste, die wir kennen?«, wollte Santos wissen.

»Hier, sieh dir die Liste an«, sagte Harms und schob sie über den Tisch.

»Schau«, sagte sie zu Henning und deutete auf einen Namen. »Hans Schmidt. Ich dachte immer, in der High Society würde man besondere Namen tragen.«

»Was ist mit Peter Müller? Oder Gerd Wolfram? Sind auch Allerweltsnamen. Vergiss die Liste«, sagte er und deutete dezent auf seine Uhr. »Wir sollten uns lieber auf den Weg machen.«

»Du meine Güte, das hätte ich ja beinahe vergessen. Tschüs, Volker, wir sehen uns morgen.«

»Wohin geht ihr?«

»Frau Bruhns hat uns vorhin angerufen und gebeten, noch mal vorbeizukommen«, log Santos. »Sie hat ziemliche Probleme mit ihrer Haushälterin, ein wahrer Drachen.«

»Und was habt ihr damit zu tun?«

»Das wollen wir ja herausfinden«, entgegnete Santos lächelnd. »Tschüs.«

»Deine Chuzpe möchte ich haben«, sagte Henning, als sie zum Auto gingen.

»Was heißt hier Chuzpe? Hätte ich Volker sagen sollen, dass wir uns mit Günter am Bahnhof treffen, so richtig konspirativ, um mit ihm über die ominöse DNA zu reden?«

»Quatsch, war schon gut so, wie du's gemacht hast.«

Sie fuhren zum Hauptbahnhof und stellten sich um kurz vor fünf Uhr neben den Eingang der Drogerie. Es war kalt, der Wind blies kräftig von draußen durch die ständig auf- und zugehenden Türen. Frierend schlugen sie die Kragen ihrer Jacken hoch. Um diese Zeit herrschte reger Betrieb, viele fuhren nach einem Arbeitstag nach Hause in einen der kleineren Orte der Umgebung, nach Rendsburg, Schleswig oder auch nach Husum, Heide oder Flensburg.

Die Minuten vergingen, bald war es Viertel nach fünf, schließlich halb sechs, doch von Tönnies keine Spur. Mehrfach versuchten sie, ihn in seinem Büro und auf sei-

nem Handy zu erreichen, bis sie um sechs enttäuscht aufgaben und den Hauptbahnhof verließen. Durchgefroren
und wütend.

»Warum ist er nicht gekommen? Warum geht er nicht ans
Telefon?«, fragte Santos mit ratloser Miene

»Angst, eine andere Erklärung habe ich nicht.«

»Hoffentlich ist ihm nichts zugestoßen.«

»Jetzt mal nicht gleich den Teufel an die Wand.«

»Ich mal nicht den Teufel an die Wand, ich bin nur misstrauisch geworden nach dem, was Albertz uns erzählt hat.
Wenn einer vom Verfassungsschutz mir sagt, dass die auch
Auftragskiller beschäftigen, gibt es nichts, was ich nicht
mehr für möglich halte. Kannst du das nicht verstehen?«

»Schon, aber irgendwie ist mir das alles zu viel. Wem soll
ich noch glauben?«

»Weidrich, auch wenn er ein Säufer war. Oder Frau
Bruhns, die uns auch keine Lügengeschichten auftischen
würde. Das Schlimme ist nur, dass ich in unseren Gefil-
den kaum noch einem trauen kann. Das ist so unglaublich
frustrierend. Ich weiß auch nicht, was ich von Albertz
halten soll.«

»Vorhin klang das noch ganz anders«, sagte Henning trocken.

»Mag sein, ich kann mir auch nicht vorstellen, dass
Albertz ein falsches Spiel mit uns treibt, aber ausschließen können wir es nicht. Ach, ich weiß doch auch
nicht.«

Santos, die die Wagenheizung hochgedreht hatte, zog ihr
Handy aus der Tasche und rief Jürgens an. Sie wollte bereits auflegen, als er sich meldete.

»Hi, ich bin's, Lisa. Können wir mit dir reden?«

»Lisa, hör zu, es gibt nichts mehr zu reden, zumindest
nichts, was Bruhns oder seinen Mörder betrifft.«

»Hast du Weidrich obduziert?«

»Nein, Rüter hat einen Rechtsmediziner aus Lübeck holen lassen, der zusammen mit einem Kollegen die Obduktion vorgenommen hat.«

»Wieso hat man für Weidrich ...«

»Keine Ahnung, und ich will auch nicht darüber sprechen«, antwortete er ungehalten.

»Wo bist du jetzt?«

»Ich bin im Aufbruch.«

»Wir wären in zwei Minuten bei dir. Bitte, gib uns eine Minute, dann lassen wir dich ein für alle Mal in Ruhe.«

»Du gibst wohl nie auf, was? Also gut, kommt vorbei, und das sage ich auch nur, weil nur noch Claudia und ich hier sind. Aber verschwendet nicht meine Zeit, das haben heute schon andere erledigt.«

Santos legte auf und sagte zu Henning: »Rechtsmedizin, drück auf die Tube.«

»Ich hab's gehört.«

Kaum zwei Minuten später parkten sie vor dem Institut für Rechtsmedizin. Sie klingelten, und Jürgens öffnete.

»Los, rein hier«, sagte er und machte rasch die Tür wieder zu. Er ging vor ihnen her in sein Büro und meinte: »Glaubt bloß nicht, dass ich euch helfe ...«

»Wir erwarten von dir keine Hilfe«, antwortete Henning und setzte sich auf die Schreibtischkante.

»Warum seid ihr dann hier?«, fragte Jürgens mit gekräuselter Stirn.

»Um kurz mit dir zu reden, wie ich schon am Telefon sagte«, erwiderte Santos, den Blick auf Jürgens gerichtet, der mit regloser Miene vor ihnen stand, seine Nervosität war gut verborgen – zumindest für diejenigen, die nicht über Santos' Intuition und Menschenkenntnis verfügten.

Selbst Henning war unsicher, was er von Jürgens' Zustand halten sollte.

»Schießt los, aber haltet euch kurz. Claudia und ich haben noch was vor, schließlich ist uns das Wochenende gründlich vermiest worden.«

»Kein Problem. Warum hast du Weidrich nicht obduziert?«

»Ich habe dir doch schon gesagt, dass ich nicht darüber sprechen will ...«

»Willst du nicht, oder darfst du nicht? Hat man dir einen Maulkorb verpasst?«

Jürgens lachte gequält auf. »Such dir was raus, es wird schon passen. Dieser gottverdammte Sumpf! Ich kann und ich darf nicht, bitte versteh das.«

»Tu ich. Aber wovor oder vor wem hast du solche Angst? Du brauchst keine Sorge zu haben, dass wir mit deinen Infos hausieren gehen. Du weißt doch, dass du dich auf unser Wort verlassen kannst.«

»Natürlich. Außerdem habe ich keine Angst, das geht mir nur alles auf den Keks.«

»Was denn? Mensch, Klaus, wir konnten doch bisher über alles reden, warum jetzt auf einmal nicht mehr?«

»Okay, ich sag's nur einmal, und dann will ich von euch nichts mehr sehen und hören, bis über alles, was mit Bruhns und Weidrich und diesem ganzen Dreck zu tun hat, Gras gewachsen ist. Ich darf mit euch eigentlich überhaupt nicht sprechen, aber ich tu's, weil wir Freunde sind und es hoffentlich auch bleiben.«

»Wir sind und bleiben Freunde. Aber sag uns bitte, was hier heute los war. Sören und ich behalten es für uns, heiliges Ehrenwort.«

Jürgens verzog den Mund und schüttelte leicht den Kopf. Es dauerte einen Moment, bis er antwortete: »Also gut, doch wehe, einer von euch bricht dieses Ehrenwort, dann gnade euch Gott. Ich habe Anweisungen erhalten, sämtliche Obduktionsergebnisse Bruhns betreffend herauszugeben und sie aus dem Computer zu löschen. Das heißt, es kam jemand vorbei, den ich nie zuvor gesehen habe, und hat das mit dem Rechner für mich erledigt. Ich habe keine Daten mehr über Bruhns.«

»Von wem kam diese Anweisung? Rüter?«

»Kein Kommentar. Heute Nacht wurde Weidrich eingeliefert, aber ich bekam sofort die Order, mich da rauszuhalten. Ich habe nicht nachgefragt, weil mein Bauch mir sagte, dass Fragenstellen in dem Fall gefährlich sein könnte. Also wurde die Obduktion an Weidrich von zwei Kollegen aus Lübeck durchgeführt. Rüter war als Staatsanwalt anwesend. Mehr weiß ich nicht, die beiden Typen sind gekommen und nach vier Stunden wieder gegangen, ohne dass wir auch nur ein Wort miteinander gewechselt haben. Das war schon höchst seltsam.«

Santos warf Henning einen Blick zu, der nickte nur. »Das passt zu dem, was wir über Bruhns in Erfahrung bringen konnten. Wir sind ja offiziell genauso raus wie du, aber wir machen trotzdem weiter, was du hoffentlich auch für dich behältst.«

»Ihr könnt machen, was ihr wollt, solange ihr mich da raushaltet. Ich möchte noch ein bisschen leben, jetzt, wo ich mit Claudia zusammen bin. Scheiße, Mann, ich wüsste auch zu gerne, was hier abgeht, aber das werde ich wohl nie erfahren. So, und jetzt mach ich Feierabend, ihr könnt euch gerne bei mir melden, aber keinen Ton mehr über Bruhns und Konsorten. Einverstanden?«

»Einverstanden. Mach's gut und mach dir nicht zu viele Gedanken, es reicht schon, wenn wir das übernehmen«, sagte Santos lächelnd.

»Passt nur gut auf, dass ihr nicht den Falschen auf die Füße tretet. Ach ja, da wär doch noch was: Meine Kollegen aus Lübeck habe ich nie zuvor gesehen, obwohl ich die meisten Rechtsmediziner in Norddeutschland persönlich recht gut kenne, auch die aus Lübeck. Aber Rüter hat gesagt, sie sind aus Lübeck, also kommen sie aus Lübeck. Nach euch!« Jürgens verließ hinter Henning und Santos das Büro, schloss es ab und gab Claudia, die geduldig im Sektionssaal gewartet hatte, das Zeichen zum Aufbruch.

»Eins noch«, sagte Santos, »hast du heute mit Günter gesprochen?«

»Nein.«

»Komisch. Er wollte sich um fünf mit uns am Hauptbahnhof treffen. Ich habe versucht, ihn im Büro und auf seinem Handy zu erreichen, Fehlanzeige.«

»Das ist ungewöhnlich. Sorry, aber ich weiß nicht, wo er sein könnte.«

»Dann probieren wir's mal bei ihm zu Hause. Hast du seine Nummer?«

»Ja, warte, in meinem Handy. Hier«, sagte Jürgens und hielt ihr das Display hin, sie tippte die Nummer in ihr Handy und wartete. Eine Frauenstimme meldete sich mit »Tönnies«.

»Santos, Kripo Kiel. Frau Tönnies, ist Ihr Mann zu sprechen?«

»Nein, heute nicht. Er ist krank und liegt im Bett. Kann ich etwas ausrichten?«

»Nein, vielen Dank. Wann wird er denn zurück im Dienst sein?«

»Das kann ich nicht sagen, er hat wieder einmal Probleme mit dem Herzen und braucht absolute Ruhe. Es ist auch möglich, dass er in die Klinik geht.«

»Dann wünschen Sie ihm gute Besserung von Lisa Santos und Sören Henning und auch von Professor Jürgens. Er soll sich schonen.«

»Das mach ich, danke schön. Auf Wiederhören.«

Santos sah Jürgens an und fragte: »Wusstest du von seiner Herzkrankheit?«

»Nein, ist mir neu. Er sah auch nie so aus, als hätte er was mit dem Herzen. Macht euch euren eigenen Reim drauf. Ciao.«

»Bis bald«, sagte Santos und ging mit Henning zum Auto. Auf der Fahrt ließen sie den Tag Revue passieren. Je länger sie darüber sprachen, desto größer wurde die Anspannung. Irgendwann sagte Henning: »Lisa, wir sollten den Rat von Volker und Klaus annehmen und die Finger davon lassen. Wir begeben uns nur unnötig in Gefahr. An den Zuständen in diesem Land können wir beide nichts ändern. Oder siehst du das anders?«

»Ich bin davon überzeugt, dass ich die Gefahr recht gut einschätzen kann, und weiß, wann ich aufhören muss. Es geht um Albertz. Ich will wissen, welche Informationen er noch für uns hat. Falls er sich nicht mehr meldet, hören wir auf. Oder wir setzen uns vorher mit den Frankfurtern in Verbindung, und wenn die uns auch nicht weiterhelfen können, ist wirklich Schluss.«

»Du hast doch aber einen Namen von Albertz bekommen.«

»Richtig. Bernhard Freier. Es wird schwierig sein, an ihn ranzukommen, aber einen Versuch ist es wert.«

Zu Hause drehte Santos als Erstes die Heizung auf. Dann schaltete sie den Fernseher ein und zappte sich durch die Programme, bis sie bei einem Spielfilm hängenblieb.

»Du kannst jetzt fernsehen?«, fragte Henning verwundert.

»Reine Ablenkung. Wenn ich die ganze Zeit nur an den Fall denke, dreh ich durch.«

»Ich geh zu Bett, ich bin hundemüde.«

»Jetzt schon? Es ist gerade mal kurz nach acht.«

»Na und? Ich bin total erledigt und brauche ein bisschen Schlaf. Gute Nacht, und bleib nicht zu lange auf.«

»Ich komm später nach, ich bin noch zu aufgedreht.«

Henning beugte sich zu ihr, gab ihr einen Kuss und streichelte ihr durchs Haar, was sie normalerweise nicht mochte, doch jetzt am Abend, wo sie nicht mehr nach draußen musste, war ihr gleich, wie ihr Haar aussah.

»Gute Nacht. Träum was Süßes«, sagte sie.

»Ich will nur schlafen. Gute Nacht. Und versprich mir, nicht mehr zu lange zu machen.«

»Versprochen.«

Sie legte sich auf das Sofa. Sie bekam kaum mit, worum es in dem Film ging. Ihre Gedanken waren bei Albertz, Jürgens, Harms, aber auch bei Sören, der in letzter Zeit seinen Biss verloren zu haben schien. Er wirkte oft melancholisch, hin und wieder sogar depressiv, ohne dass er darüber sprach. Doch sie war schon so lange mit ihm zusammen, dass sie jede noch so kleine Veränderung bemerkte. Es war, als hätte dieser Beruf ihn im Laufe der Jahre allmählich von innen zerfressen, als raube er ihm die Seele. Langsam, still und unbemerkt. Hinzu kamen die langjährigen und mittlerweile größtenteils ausgeräumten privaten Probleme, die an ihm genagt hatten. Viel war in seinem Leben schiefgelaufen, und nun schien die Zeit gekommen, da er nicht mehr konnte. Noch waren sie ein gutes Team, er der Pragmatiker und Analytiker, sie der Bauchmensch. Eine perfekte Kombination.

Sie hoffte inständig, er würde eines Tages nicht so enden wie Volker Harms, als Dienststellenleiter, festgeklebt auf seinem Schreibtischstuhl, und Dienst nur nach Vorschrift machen, obwohl Harms ihnen viele Freiheiten gewährte. Dennoch würde sie einen solchen Sören Henning nicht ertragen, dazu war ihr spanisches Temperament zu dominant. Aber vielleicht bildete sie sich manches auch ein, möglicherweise war es nur eine Phase, die Henning durchlebte. Morgen würden sie sich um Bernhard Freier kümmern und darauf hoffen, dass Albertz sich noch einmal meldete. Er war der Strohhalm, an den sie sich klammerten, um herauszufinden, was wirklich hinter dem Fall Bruhns und Steinbauer steckte. Und sie würden sich mit den Kollegen der Frankfurter Mordkommission in Verbindung setzen, um den Namen des Immobilienmoguls herauszufinden, der in den Achtzigern zusammen mit seiner minderjährigen Gespielin ermordet worden war.

Die folgenden Tage würden arbeitsreich und nervenaufreibend werden. Sie schloss die Augen und versuchte, sich von den Gedanken zu befreien. Sie schlief ein und wachte erst auf, als Henning sie um sieben Uhr sanft an der Schulter fasste und ihr einen Kuss auf die Stirn gab. Sie gab einen knurrenden Laut von sich, drehte sich zur Seite, Henning legte seinen Kopf an ihren, bis sie endgültig erwachte. Sie umarmte ihn und sagte mit müder Stimme: »Ich wollte doch gar nicht hier auf der Couch schlafen.«

»Wie lange warst du noch wach?«

»Weiß nicht.«

»Zwei, drei?«

»Nerv mich nicht, ich weiß es nicht mehr. Außerdem habe ich Hunger und muss mal ganz dringend wo-

hin. Machst du uns Frühstück? Ich habe Appetit auf ein
Ei.«

»Geh ins Bad, ich kümmere mich um den Rest. Wir haben einen langen Tag vor uns.«

»Hm.«

DIENSTAG, 21.45 UHR

Hans Schmidt sah nicht mehr aus wie Hans Schmidt, sondern wie Pierre Doux. Das unter dem Namen Pablo Cas-
tillo gekaufte Prepaid-Handy, das er noch in dieser Nacht
entsorgen würde, klingelte um 21.18 Uhr.

»Ja?«

»Pierre Doux?«, fragte der Anrufer, einer der beiden Bodyguards von Robert, dem Auktionator, wie er sich gestern noch hatte ansprechen lassen.

»Oui, Entschuldigung, ja.«

»Seien Sie um Viertel vor zehn in der Dr.-Hell-Straße,
Spedition Drexler International Transports.«

»Entschuldigung, wo ist diese Straße?«

»Haben Sie kein Navi?«

»Navi?«

»Navigationssystem, GPS. Haben Sie's jetzt verstanden?«, fragte der andere ungehalten.

»Doch, natürlich.«

»Na also. Stadtteil Suchsdorf. Seien Sie pünktlich, wir
warten maximal fünf Minuten.«

Schmidt alias Doux ging zu seinem Wagen, gab die Straße ein und langte um 21.42 Uhr am Zielort an. Er schal-

tete das Licht aus und sah kurz darauf zwei Autos, einen Pkw und dahinter einen 7,5-Tonner, die Straße entlangfahren. Das Tor zur Spedition wurde geöffnet, der Lkw fuhr auf den Hof, der Mercedes folgte, sie blieben an der dunkelsten Stelle stehen. Hans Schmidt lenkte seinen Wagen, einen VW Touran, unmittelbar neben den Mercedes 500.

Auf dem Lkw prangte das Logo der Spedition, ein unauffälliges Auto mit einer heißen Fracht.

Hans Schmidt stieg aus, ebenso einer der Aufpasser von gestern und Robert, der Schmidt mit einem kräftigen Händedruck und einem jovialen Lächeln begrüßte.

»Vier Frauen für Sie. Vor der Übergabe bitte ich wie vereinbart um die andere Hälfte des Kaufpreises.«

»Selbstverständlich«, sagte Schmidt, zog einen Umschlag aus seiner Jackentasche und reichte ihn Robert. Der zählte nach, nickte und wollte bereits seinem Mitarbeiter die Anweisung geben, die Hecktür des Lkw zu öffnen, als Schmidt die Hand hob.

»Bitte, noch einen Augenblick, ich habe noch ein paar Fragen. Wenn ich wieder Frauen möchte, kontaktiere ich Sie wie gehabt?«

»Ja. Wann wird das sein?«

»Ich betreibe sechs Luxusbordelle und brauche ständig gute Ware.« Er zögerte und sagte schließlich: »Nun, wie soll ich es ausdrücken, es gibt ein paar Kunden, die etwas ausgefallene Wünsche haben. Wie sieht es mit Jungs aus? Zwischen sechs und zwölf Jahren?«

»Nichts ist unmöglich, sofern Sie bereit sind, den Preis zu zahlen.«

»Sie haben doch gestern selbst erlebt, dass ich bereit bin, auch sehr hohe Preise zu zahlen. Wenn eine Ware mir besonders gut gefällt, überbiete ich jeden. Geld spielt keine

Rolle, es geht mir einzig und allein um die Zufriedenheit meiner Kunden.«

Robert zündete sich eine Zigarette an. »Eine sehr professionelle Einstellung. Das heißt dann wohl, Sie wollen nicht mehr an Auktionen teilnehmen, sondern die Ware direkt geliefert bekommen, wenn ich Sie recht verstanden habe?«

»Oui.«

»Das ist eigentlich unüblich, aber ich bin flexibel, schließlich betreibe ich eine große Spedition. Allerdings liefere ich nur in Kiel und hundert Kilometer im Umkreis, den Rest müssen Sie schon selbst erledigen.«

»Kein Problem«, sagte Hans Schmidt lächelnd. »Wann könnte ich mir die Ware ansehen?«

»Wie lange werden Sie noch in Kiel sein?«

»Ein paar Tage.«

»Sagen wir Samstag. Wie viele brauchen Sie?«

»Wie viele? Wie viele brauchen denn Ihre anderen Kunden so im Schnitt?«

»Ich verstehe nicht ...«

»Ich brauche zehn Jungs, fürs Erste. Wenn ich und meine Kunden zufrieden sind, gibt es Nachfolgeaufträge.«

»Sie werden zufrieden sein, darauf gebe ich Ihnen mein Wort.«

»Ich hätte da noch einen Wunsch ... Ich habe drei Kunden, die verlangen das zarteste Fleisch auf dem Markt, sehr, sehr jung und sehr, sehr zart.«

»Verstehe. Geschlecht?«

»Weiblich.«

»Wie sind Sie denn bisher an diese Ware gelangt?«

»Über einen großen Kinderhändlerring in Frankreich und Spanien, der aber vor drei Monaten zerschlagen wurde, das heißt, die Bosse hat's erwischt ...«

»Und wieso Sie nicht?«, fragte Robert misstrauisch.

»Robert, was wäre dieses Leben ohne Beziehungen? Außerdem lief alles derart kontrolliert und geheim, im Prinzip wie hier auch, es wurde nur ein einziger Fehler gemacht, und der lag bei der Polizei. Ein unzufriedener Beamter, wenn Sie verstehen …«

»Nicht ganz. Wenn Sie's mir bitte erklären würden.«

»Er glaubte, für seine Verschwiegenheit mehr Geld verlangen zu dürfen. Als er es nicht bekam, ließ er eine Razzia durchführen. Er, der zuständige Staatsanwalt, der alles abgesegnet hat, und ein paar weitere Polizeibeamte wurden kurz darauf aufs Land versetzt.«

»Was ist mit den Bossen passiert?«

»Verhaftet. Sie werden aber nach einem Schauprozess bald wieder auf freien Fuß kommen.«

Robert lachte leise auf. »Verstehe. Bis es so weit ist, brauchen Sie einen anderen Lieferanten.«

»Nein, ich werde nicht mehr mit ihnen zusammenarbeiten, es ist mir zu unsicher geworden. Was ist jetzt mit meinem Wunsch?«

»Für mich ist nichts unmöglich. Drei?«

»Sechs. Ist das machbar?«

»Alles ist machbar. Am Wochenende, ich gebe Ihnen Bescheid, wann die Ware abholbereit ist. Das wird aber teuer, besonders ausgefallene Wünsche haben ihren Preis. Ich schätze mal, so um die …«

Bevor Robert den Satz vollenden konnte, zog Hans Schmidt blitzschnell eine Pistole mit Schalldämpfer und hielt sie Robert an die Schläfe. Den Zeigefinger der anderen Hand legte er an seinen Mund.

»Pst, ganz leise, wir wollen doch keinen Lärm machen, es ist so schön friedlich hier. Robert, es tut mir leid, aber manche Dinge müssen einfach sein.«

Im nächsten Augenblick drehte er sich zur Seite und feuerte zwei fast lautlose Schüsse auf Roberts Bodyguard ab, der nicht den Hauch einer Chance hatte, nach seiner Waffe zu greifen. Er fiel zu Boden, zuckte noch ein paarmal und starb.

»So, und jetzt kümmern wir uns um deinen zweiten Mann. Komm mit zum Auto und lass dir nichts anmerken, dann wird dir auch nichts passieren.«

»Was hast du vor? Willst du mich umbringen?«, fragte Robert ruhig, doch Schmidt wusste, es war eine aufgesetzte Ruhe.

»Nein, nur deine Affen«, sagte Schmidt nun in akzentfreiem Deutsch.

»Und ich?«

»Lass dich überraschen. Mach die Fahrertür auf«, sagte Schmidt leise, »und gib dich völlig normal. Es ist in deinem eigenen Interesse.«

Sie gelangten an die Fahrertür, Robert öffnete sie, der bullige, stiernackige Typ, der am Vorabend Svenjas Blut weggewischt hatte, sah Robert an und wollte etwas sagen, als auch ihn zwei Schüsse wie aus dem Nichts trafen und er aus der Fahrerkabine mit dem Kopf voran auf den harten Asphalt aufschlug. Es gab ein knackendes Geräusch, als sein Schädel barst.

»Nun sind wir allein, nur du und ich.«

»Du hast die Frauen vergessen«, entgegnete Robert, der immer noch gelassen wirkte, entweder war er ein hervorragender Schauspieler oder er hatte tatsächlich keine Angst.

»Habe ich nicht. Dreh dich um, die Hände an den Wagen, die Beine gespreizt.«

»Bist du ein Bulle?«

»Ich weiß, dass du mit Bullen und noch höheren Tieren zusammenarbeitest, sonst würdest du schon längst im

Knast verrotten, aber ich bin weder ein Bulle noch ein Staatsanwalt.«

»Wer dann?«

»Das wirst du noch erfahren.«

»Hey, wir können doch über alles reden. Du kriegst das Geld zurück und kannst die Frauen nehmen und …«

»Halt's Maul, halt einfach nur dein Maul. Du darfst die Hände jetzt ganz langsam runternehmen und sie hinter den Rücken halten. Und keine falsche Bewegung, du hast erlebt, wie es deinen Lakaien ergangen ist. Schnell und schmerzlos. Also, wenn ich bitten darf.«

Robert folgte der Aufforderung, Handschellen klickten um seine Handgelenke. Danach machte Schmidt die Seitentür des Lieferwagens auf, die vier Frauen sahen ihn furchtsam an.

»Kommt raus«, sagte Schmidt, doch die vier Frauen im Alter zwischen siebzehn und zwanzig zögerten. »Nun macht schon, kommt raus, ihr braucht keine Angst mehr zu haben, ihr könnt gehen … Mein Gott, ihr seid frei, ihr dürft nach Hause zu euren Familien!«

Ohne ein Wort zu sagen und immer noch ängstlich, stiegen die vier Frauen von der Ladefläche, eine von ihnen stolperte und konnte im letzten Moment von einer anderen aufgefangen werden.

»Hier ist Geld«, sagte Schmidt und hielt den Umschlag hoch, den er kurz zuvor Robert gegeben und jetzt wieder an sich genommen hatte. »Wer von euch spricht am besten Deutsch?«

»Ich«, sagte Carla, die wie ihre Leidensgenossinnen Highheels, einen Minirock und eine dünne Jacke trug. Langsam trat sie einen Schritt vor.

»Okay, in diesem Umschlag ist eine Menge Geld. Ihr nehmt es und verschwindet so schnell wie möglich aus

Deutschland. Fahrt zurück in die Heimat, morgen früh legt ein Frachter, die ›Eternidad‹, Richtung Sankt Petersburg ab, der Kapitän weiß Bescheid. Auf diesem Zettel hier steht alles drauf, wo das Schiff liegt und so weiter und so fort. Nehmt euch ein Taxi zum Hafen, der Taxifahrer wird wissen, wo der Frachter liegt. Gebt dem Kapitän viertausend Euro, der Rest ist für euch. Lasst euch nie wieder überreden, nach Deutschland oder in ein anderes westliches Land zu kommen, wenn ihr nicht genau wisst, wo ihr landet. Hast du mich verstanden? Habt ihr mich verstanden?«

Carla nickte mit Tränen in den Augen. Sie konnte noch immer nicht fassen, dass sie nun doch nicht in einem Bordell Tag und Nacht geilen Freiern zur Verfügung stehen musste, wo sie jeden Wunsch, auch den perversesten, zu erfüllen gehabt hätte, da sie sonst brutal geschlagen worden wäre. Seit sie ihre Heimatstadt in der Ukraine verlassen hatte, hatte sie in einem Alptraum zu leben geglaubt.

Sie war vergewaltigt worden, bis sie meinte, ohnmächtig zu werden, weil wahnsinnige Schmerzen ihren Körper durchfluteten. Alles in ihr hatte gebrannt, Blut war aus ihrer Vagina und dem Anus geflossen, so dass sie die ersten drei Tage nur noch hatte sterben wollen. Doch Robert und seine Aufpasser hatten dies nicht zugelassen, ein Arzt hatte die Wunden versorgt, ein paar Scheine in die Hand gedrückt bekommen und war, nachdem er sich auch um die anderen Mädchen und Frauen gekümmert hatte, wieder verschwunden. Sie hatte kaum zu essen und zu trinken bekommen, dafür Unmengen Kokain, das zu nehmen man sie gezwungen hatte. Bis vor wenigen Minuten war die Neunzehnjährige noch der festen Überzeugung gewesen, nur noch ein paar Jahre leben zu dürfen, wobei es kein Leben gewesen wäre, sondern nur ein immer wiederkehrender Tagesablauf ohne jede Freiheit.

Die anderen drei jungen Frauen hielten sich fest an den Händen und nickten ebenfalls, auch wenn sie nicht alles von dem verstanden, was er sagte. Noch schienen sie nicht begriffen zu haben, dass der Alptraum vorbei war, obwohl sie in den vergangenen acht Tagen die Hölle auf Erden erlebt hatten.

»Dann erklär das auch deinen Freundinnen. Ihr seid mit dem Leben davongekommen, vergesst das nie. Das Geld teilt ihr durch vier, das sind immerhin zwanzigtausend für jede von euch.«

»Danke … Danke, danke, danke, Herr …«

»Du brauchst mir nicht zu danken, tu einfach nur das, was ich dir gesagt habe. Viel Glück für euch. Und jetzt ab!«

Und an Robert gewandt: »Du steigst in meinen Wagen, und dann fahren wir zu dir, ich habe einiges mit dir – zu besprechen.«

»Ach ja? Du weißt doch gar nicht, wo ich wohne.«

»Du hast ein großes Problem, Robert: Ich weiß alles über dich, während du nicht das Geringste über mich weißt, dabei sind wir uns schon einige Male begegnet. Dein Pech.«

Auch wenn es dunkel war, spiegelte sich zum ersten Mal so etwas wie Angst in Roberts Gesicht wider.

»Wer bist du?«

»Das erfährst du in wenigen Minuten. Steig ein und versuch keine Mätzchen, ich muss nur noch sauber machen.«

Schmidt half Robert auf den Rücksitz, legte ihm Fußfesseln an und schloss die Tür. Anschließend hievte er die beiden toten Männer in den Lkw, machte alle Türen zu und schloss auch Roberts Mercedes ab.

»So, dann fahren wir mal zu dir, ich möchte ungestört mit dir reden, das wirst du sicher verstehen.«

»Können wir das nicht freundschaftlich unter Männern besprechen?«, fragte Robert vom Rücksitz aus.

»Wir und Freunde? Ich brauche keine Freunde. Und jetzt halt die Klappe.«

»Warum hast du meine Leute umgelegt?«

»Weil sie wie Portugiesische Galeeren waren, das sind Quallen, hirnlos, aber extrem gefährlich. Du sagst deinen Quallen, sie sollen jemanden kaltmachen, und sie tun's. Ihnen ist es vollkommen gleichgültig, wen sie umbringen, Kinder, Jugendliche, Frauen, Hauptsache ist, dass sie dir zu Diensten sein dürfen und entsprechend gut entlohnt werden. Ich habe nie solche Quallen gebraucht, ich erledige meine Sachen stets allein.«

Schmidt fuhr aus Kiel heraus nach Mönkeberg und erreichte nach etwa zwanzig Minuten Roberts Zuhause, eine prunkvolle Jugendstilvilla, umschlossen von Bäumen, die jetzt bei Nacht wie finstere Wächter wirkten. Es herrschte Stille, kein Auto, keine Stimmen, nichts. Nicht einmal das Plätschern kleiner Wellen an den Strand war zu hören.

»Wie geht das Tor auf?«, fragte Schmidt.

»Du hättest meinen Wagen nehmen sollen ...«

»Wie geht das Tor auf?«

»Rechts neben dem Tor ist eine Klappe, die schiebst du zur Seite und gibst eins, neun, zwei, acht ein.«

Kurz darauf hielt Schmidt vor der Garage, in der Platz für vier Autos war, das Tor war von allein wieder zugegangen.

»Woher willst du wissen, dass wir nicht allein sind?«, fragte Robert mit belegter Stimme.

»Ich habe dir doch gesagt, ich weiß alles über dich, auch

über deine Lebensumstände. Lass uns reingehen, dort ist es gemütlicher.«

Schmidt löste die Fußfessel und half Robert aus dem Wagen. Er wusste, dass sich Robert nicht sehr häufig hier aufhielt, die meiste Zeit verbrachte er in seinem opulent ausgestatteten vierhundert Quadratmeter großen Penthouse in der Kieler Innenstadt, acht Stockwerke über der Straße. Hier in dieser Villa tätigte er seine Geschäfte, sie war geradezu ideal für den Verkauf von Kindern und Frauen, die in Lieferwagen angekarrt wurden wie Vieh und durch die Garage direkt ins Haus gebracht wurden. Weit und breit nahm niemand Notiz von dem Treiben, das sich ein- bis dreimal pro Woche hier abspielte, es konnte auch keiner etwas merken, da die Rollläden nachts heruntergelassen und die Scheiben zusätzlich durch lichtundurchlässige schwarze Vorhänge verdeckt waren.

»In den ersten Stock«, sagte Schmidt und gab Robert einen Stoß von hinten, dass dieser fast das Gleichgewicht verlor und beinahe auf die Stufen gefallen wäre.

»Und dort?«

»Wirst du schon sehen. Auf, ich habe meine Zeit nicht gestohlen. Du weißt ja, wo's langgeht.«

»Du Arschloch, du kleines, mickriges Arschloch! Du glaubst allen Ernstes, du würdest mit der Nummer durchkommen? Im Leben nicht, die werden dich bei lebendigem Leibe häuten und dann wie ein Schwein am Spieß braten …«

»Wenn du meinst«, erwiderte Schmidt lakonisch und gab Robert erneut einen kräftigen Stoß in den Rücken, sobald sie den großen Raum, in dem die Auktion stattgefunden hatte, erreichten. Diesmal konnte sich Robert nicht mehr halten, er verlor das Gleichgewicht und stürzte mit dem Gesicht voran auf den harten Marmorboden, der so gut gereinigt worden war, als wäre vor gut vierundzwanzig Stunden keine junge Frau namens Svenja brutal ermordet worden. Kein Blut, nichts. Ein großer, hoher Raum, stilvoll mit alten Möbeln eingerichtet, wie gemacht für den Empfang von auserlesenen Gästen.

Schmidt packte Robert von hinten unter den Achseln und hob ihn hoch, als hebe er ein Blatt Papier auf, obgleich Robert nicht nur mindestens zehn Zentimeter größer, sondern auch zwanzig oder fünfundzwanzig Kilo schwerer war.

Robert blutete am Kinn und aus der Nase, doch sein Blick war eisig. »Du verdammtes Arschloch. Du hast keine Ahnung, mit wem du es zu tun hast. Nicht mehr lange, und es wird hier von meinen Leuten nur so wimmeln.«

»Glaub ich kaum.«

Nach diesen Worten rammte ihm Schmidt mit voller Wucht die Faust in die Magengegend, dass Robert auf die Knie fiel und wie ein Ertrinkender nach Luft japste.

»Sagst du mir endlich, was du willst?«, kam es schwer über seine Lippen, während er weiter nach Luft rang.

»Kommt noch. Hoch mit dir.«

Mühsam erhob sich Robert und versuchte ein Grinsen, das jedoch nichts als eine dämonische Fratze war.

»Du hast noch eine Viertelstunde, dann bist du tot.«

»Du hast es noch immer nicht kapiert, oder?«

Wieder schlug er mit der Faust in Roberts Magen, diesmal schrie er auf und wand sich vor Schmerzen auf dem Boden.

»Hör zu, ich tu alles, was du willst«, kam es stockend über seine Lippen, »alles, ich schwöre, ich tu alles, aber hör auf damit, okay?«

Ohne etwas zu erwidern, ging Schmidt nach draußen, machte die Tür hinter sich zu und sah auf die Uhr. Es war nicht derselbe zeitliche Ablauf wie gestern, doch das war nebensächlich. Nach exakt fünf Minuten kam er wieder herein, ging auf den wieder auf den Beinen stehenden Robert zu, der keuchend an der Wand lehnte, zog den schwarzen Nietengürtel, den Robert umgebunden hatte, aus den Schlaufen, faltete ihn einmal und sagte: »Du weißt, was jetzt kommt?«

»Nein, nein, das kannst du nicht machen! Hey, nicht diese Nummer, okay? Nicht diese Nummer! Ich überschreib dir mein ganzes Vermögen, ich gebe dir alle meine Kontaktdaten, du kannst alles haben, aber nicht diese Nummer. Ich flehe dich an«, stammelte Robert mit vor Angst geweiteten Augen. »Nicht den Gürtel!«, schrie er.

»So viele haben dich angefleht, aber dich hat das nicht interessiert. Nur Svenja hat bis zum Schluss ihre Würde gewahrt. Sie hat nicht so erbärmlich gejammert wie du.«

Schmidt packte Robert am Hosenbund, löste den Knopf und zog den Reißverschluss herunter, die Hose rutschte langsam an Roberts weißen Beinen entlang zu Boden. Danach zerriss Schmidt Roberts Hemd, während dieser schrie und um sein Leben bettelte.

»Sei still, du Memme!« Schmidt ließ seine Faust in Roberts Seite krachen, bis dieser sich vor Schmerzen krümmte. Er gab ihm noch einen Tritt, zog Roberts Hose aus und riss das Seidenhemd in kleine Stücke, bis es verteilt auf dem Marmor lag. Zuletzt zog er ihm auch noch die Unterhose aus, nur die Socken ließ er an Roberts Füßen.

»Du bist der Abschaum der Gesellschaft, die Jauchegrube, in der auch Bruhns mitgeschwommen ist. Was du mit Svenja gemacht hast, war das Grausamste, das ich je mit eigenen Augen gesehen habe, und ich versichere dir, ich habe eine Menge Grausames gesehen. Aber ich weiß jetzt auch, dass die Geschichte, die mir über dich berichtet wurde, wahr ist. Ein neunjähriges Mädchen, deine Stieftochter, hast du an eine Heizung gekettet, mit den Händen und mit einem Eisenring um den Hals. Sie hat zusehen müssen, wie du Mädchen und Frauen wie Kühe und Schweine versteigert hast. Sie hat zusehen müssen, wie du eine junge Frau vor ihren Augen umgebracht hast, so wie du Svenja umgebracht hast. Ein Mädchen, für das du hättest sorgen sollen. Stattdessen hast du dich an ihrer Angst geweidet. Ich wollte diese Geschichte erst nicht glauben, doch sie wurde mir von einer dritten Person bestätigt. Dazu hatte ich Einblick in Unterlagen, die bei einem Notar liegen …«

»Das ist eine Lüge! Das ist eine gottverdammte Lüge! Die Schlampe will mich fertigmachen! Glaub ihr kein Wort!«

»Wenn du ein Mann wärst, würdest du zu deinen Taten stehen, so wie ich es tue. Weißt du eigentlich, wer ich bin? Nein? Dann werde ich es dir erklären. Ich war gestern fast acht Stunden bei dir, wegen eines gewissen Niccolò Machiavelli. Was sagst du jetzt?«

»Im Leben nicht …«

»Ich bin Hans Schmidt, ob du's glaubst oder nicht. Normalerweise töte ich Menschen nur im Auftrag, und glaub mir, neunundneunzig Prozent von ihnen sind genau solche Ratten wie du. Aber in deinem Fall handle ich auf eigene Rechnung, bevor ich mich demnächst zur Ruhe setze.«

»Ich kenne Schmidt, der sieht ganz anders aus! Der ist nie im Leben ein Auftragskiller. Verarschen kann ich mich alleine!«

»Du hast recht, aber ich hätte als Hans Schmidt ja niemals miterlebt, was du neben deinem eigentlichen Beruf so treibst, wenn ich gesagt hätte, ich möchte bei einer deiner Auktionen mitbieten. Ich werde meine Maske nicht abnehmen, ich sage dir nur, die beiden Machiavellis sind echt, ich habe eine Altersbestimmung von Papier und Tinte durchgeführt, du hast mir mein Honorar bar in die Hand gedrückt, du hattest gestern eine hellbeige Cordhose und einen beigebraunen Pullover mit V-Ausschnitt an und ein paar Segelschuhe. Ich habe drei Tassen Kaffee und ein Glas Wasser getrunken, und du hast mir ein paar Geschichten aus deinem Leben erzählt. 1959 in Frankfurt geboren und aufgewachsen, Abitur, BWL-Studium, deine Heirat, wobei du ein paar wesentliche Dinge ausgelassen hast, denn die waren ja nicht für Hans Schmidts Ohren bestimmt. Anfang der Neunziger bist du nach Kiel gezogen, wo du angeblich herstammst und vor fünfzehn Jahren eine der größten Speditionen Deutschlands geerbt hast, was natürlich nicht stimmt, aber wie sollte der gutmütige Trottel Hans Schmidt das schon wissen? Der gibt sich doch bloß mit alten Büchern und Handschriften ab. Okay, Schmidt geht in der High Society ein und aus, so wie Bruhns und du, dennoch ist er nur ein einfacher Mann, der seinen Hauptwohnsitz in Lissabon hat. Willst du noch mehr hören?«

»Okay, okay, du bist also Hans Schmidt. Und nun?«

»Steh auf«, sagte Schmidt kalt.

»Ich schaff das nicht alleine.«

»Du hast das doch eben schon mal alleine geschafft. Also, hoch mit dir. Svenja hat es auch beim zweiten Mal geschafft, sie war eine bewundernswert starke Frau, wie ich nur zwei weitere kenne. Ihr Tod wird auch dein Tod sein.«

In Roberts Augen stand nun das nackte Grauen, seine Hände waren nach wie vor hinter dem Rücken mit Handschellen gefesselt. Langsam robbte er sich zur Wand hin und schob sich allmählich nach oben. Als er stand, packte ihn Schmidt am Oberarm und stellte ihn in die Mitte des Raumes.

»Ungefähr hier hat Svenja gestanden. Richtig?«

»Das wagst du nicht! Damit kommst du nicht durch!«, stieß Robert mit heiserer Stimme hervor.

»Du wiederholst dich. Ich komme seit fünfundzwanzig Jahren mit allem durch, und weißt du auch, warum? Weil ich genau wie du Protektion von ganz, ganz oben genieße. Das ist aber auch das Einzige, was wir beide gemeinsam haben. Nun, auch das wird sich womöglich schon sehr bald ändern, denn ich weiß, wie bestimmte Personen darauf reagieren, wenn man nicht nach ihren Spielregeln spielt. Nur bin ich dann längst von der Bildfläche verschwunden und werde mein Leben genießen. Niemand wird mich je finden, weil es nur noch Hans Schmidt, aber keinen Pierre Doux oder eine andere meiner Identitäten mehr geben wird.«

»Sie kriegen dich, verlass dich drauf«, spie ihm Robert entgegen.

Kaum hatte das letzte Wort seinen Mund verlassen, krachte ihm der Gürtel mit lautem Knall und den Nieten voran auf den Rücken. Er schrie vor Schmerzen auf, doch Schmidt peitschte erbarmungslos immer weiter auf ihn ein, bis er sich nicht mehr auf den Beinen halten konnte. Er schrie, jammerte, wimmerte, flehte um Gnade, doch Schmidt ging nicht darauf ein und löste schließlich ungerührt die Handschellen, Robert wälzte sich auf dem Marmorboden, Haut hing in Fetzen an Armen und Oberkörper herunter. Wie bei Svenja.

»Sie kriegen mich nicht«, sagte Schmidt gelassen und stand breitbeinig über Robert. »Na, wie fühlt sich das an, wenn dieser brennende Schmerz durch den ganzen Körper zieht und man weiß, man wird diesen Schmerz nie wieder los? Wie ist das?«

»Bitte«, kam es kaum hörbar über Roberts Lippen, »bitte, hör auf, ich kann nicht mehr.«

»Hast du bei Svenja aufgehört? Ich kann mich nicht erinnern. Ganz im Gegenteil, du hast weitergemacht, ziemlich genau zehn Minuten hast du sie mit dem Gürtel ausgepeitscht, bis sie nur noch ein blutiger Klumpen Fleisch war. So wie du jetzt. Ich habe auf die Uhr gesehen, das eben waren auch zehn Minuten, die dir wie eine Ewigkeit vorgekommen sein müssen. Ich schlage dir nun einen Deal vor, was normalerweise nicht meine Art ist, doch heute will ich eine Ausnahme machen: Wenn du es schaffst, aufzustehen und dich gegen mich zu wehren, lasse ich dich am Leben. Du hast mein Wort darauf«, sagte Schmidt mit maliziösem Lächeln.

Robert antwortete nichts darauf, er versuchte aufzustehen, doch er hatte keine Kraft mehr. Er wollte wie gestern Svenja zur Wand kriechen und sich hochziehen, aber auch das gelang ihm nicht. Wie Svenja blieb er erschöpft liegen, das Gesicht leicht zur Seite gedreht, die Arme nach vorne gestreckt, die Hände zitterten.

»Siehst du, jetzt weißt du, wie Svenja sich gefühlt haben muss. Und sie war ja beileibe nicht die Erste und Einzige, da waren noch viel mehr Mädchen und Frauen, die du kaltblütig umgebracht hast …«

»Lass mich leben, bitte«, flüsterte Robert mit rauher Stimme und hob ganz leicht den Arm, der jedoch sofort wieder auf den Marmor klatschte. »Lass mich leben.«

Ohne etwas zu erwidern, nahm Schmidt ein Messer in die Hand und beugte sich zu Robert hinunter. Er legte seinen Mund an dessen Ohr und sagte: »Siehst du das Messer in meiner Hand? Es ist vorbei. Fahr zur Hölle!«

Er packte Robert von hinten bei der Stirn, riss den Kopf hoch und machte einen langen Schnitt über den Hals, trat sofort danach ein paar Schritte zurück und betrachtete seine Kleidung, doch es war kein Blut darauf zu sehen. Blut floss über den Boden, aber heute war niemand da, um ihn zu reinigen. Schmidt warf einen letzten Blick auf Robert, dessen Augen wie bei Svenja weit offenstanden, als wollte er sich bis zum letzten Augenblick nicht dem Tod ergeben. Aber der Tod ließ sich nicht besiegen.

Zum Abschluss vollzog er sein Ritual.

Danach löschte er das Licht und ging nach unten, lehnte die Haustür an und ging zu seinem Auto. Auf der Rückfahrt hörte er leise »La Mer« von Debussy und dachte an Maria, die er trotz der späten Stunde noch anrufen würde. Und er hatte noch einen anderen Anruf zu tätigen.

DIENSTAG, 23.50 UHR

Hallo, Maria«, sagte Schmidt, nachdem er sich seiner Kleidung entledigt und eine Sporthose und eine Kapuzenjacke übergestreift hatte. Duschen würde er erst nach den beiden Telefonaten, unmittelbar bevor er ins Bett ging. Aber ihm war nicht nach Schlafen, er war weder müde noch erschöpft, sondern seltsam aufgedreht, obwohl er soeben etwas getan hatte, von dem er all die Jahre hinweg überzeugt gewesen war, es niemals zu tun oder tun zu müssen. Normalerweise tötete er schnell und sauber.

»Senhor Schmidt, so spät rufst du noch an«, sagte Maria, doch er vernahm die Freude in ihrer Stimme.

»Bei dir ist es doch erst kurz vor elf. Wie war dein Tag, Liebling?«

»Sehr anstrengend, die Handwerker hatten ein paar Probleme, aber sie sagen, sie werden diese Woche noch fertig mit dem Kamin. Du fehlst mir, Senhor Schmidt. Das Bett ist so leer ohne dich. Wann kommst du zurück?«

»Du fehlst mir auch, aber ich habe noch viel zu tun hier, ich bin sicher noch bis Mitte nächster Woche beschäftigt. Bitte sei nicht traurig, ich kann doch nichts dafür. Ich liebe dich, Maria, und denke den ganzen Tag nur an dich.«

»Lügner«, antwortete sie lachend, »wenn du arbeitest, wie kannst du dann an mich denken?«

»Ich kann es, weil ich mir immer vorstelle, dass du neben mir sitzt und mir bei der Arbeit zusiehst. Ich wünschte, du wärst hier, und das ist nicht gelogen.«

»Soll ich kommen? Ich könnte die Handwerker abbestellen und ihnen sagen, dass sie erst nächste Woche weitermachen sollen. Ich könnte morgen das Flugzeug nehmen und …«

»Maria, das ist doch Unsinn. Ich will nicht nach Hause kommen und ein großes Loch in der Wand vorfinden. Wenn ich zurückkomme, will ich mit dir vor dem fertigen Kamin sitzen und …«

»Und was?«

»Alles mit dir machen, was uns Freude bereitet. Es wird auch garantiert das letzte Mal sein, dass ich so lange von zu Hause weg bin. Schau, wir telefonieren jeden Tag, ich sehe mir jeden Tag dein Foto an, du bist immer bei mir.«

»Senhor Schmidt, du machst immer die schönsten Liebeserklärungen. Deshalb liebe ich dich so sehr. Was wirst du jetzt tun?«

»Duschen und ins Bett gehen, ich hatte einen langen und anstrengenden Tag.«

»Ich hoffe, du gehst allein ins Bett«, sagte Maria lachend, doch er wusste, dass hinter diesem Lachen eine gehörige Portion Ernst steckte.

»Ich muss dich enttäuschen, ich gehe nicht allein ins Bett …«

»Senhor Schmidt, du machst mich sehr wütend und traurig. Wer ist bei dir?«

»Du. Nur du allein. Ich gehe in Gedanken mit dir ins Bett, Maria. In Gedanken umarme ich dich und schlafe mit dir ein und wache morgen früh mit dir auf. Es kann niemals eine andere Frau neben dir geben.«

»Es wird auch nie einen anderen Mann neben dir geben, Senhor Schmidt. Wann rufst du mich wieder an?«

»Morgen früh um acht Uhr deiner Zeit. Natürlich auch wieder morgen Abend. Und kümmere dich darum, dass die Handwerker alles richtig machen.«

»Senhor Schmidt, für wen hältst du mich? Wenn jemand darauf aufpasst, dann ich. Wir werden den schönsten Kamin von ganz Lissabon haben, das verspreche ich dir. Wenn du nach Hause kommst, werden wir uns vor dem Kamin lieben, bis wir total erschöpft sind.«

»Maria, Maria, ich hoffe, wir werden nicht abgehört«, antwortete Schmidt lachend.

»Warum? Es ist doch nicht verboten, sich vor dem Kamin zu lieben. Außerdem verstehen nicht so viele Deutsche Portugiesisch, oder?«

»Nein, natürlich nicht. Ich freue mich auf zu Hause, ich freue mich darauf, dich zu umarmen und deinen Duft einzuatmen. Ich rieche dein Haar sogar durch das Telefon.«

»Senhor Schmidt, wir sollten jetzt besser aufhören, sonst komme ich doch schon morgen zu dir. Geh duschen und dann schlafen. Träum von mir, so wie ich von dir träume. Ich liebe dich mehr als alles andere auf der Welt. Mehr als meine Familie.«

»Ich dich auch. So, ich zähle gleich bis drei, dann legen wir beide gleichzeitig auf, okay?«

»Okay. Ich liebe dich.«

»Ich liebe dich. Eins, zwei, drei.«

Hans Schmidt drückte auf Aus und blickte einen Augenblick versonnen an die Wand. Ich werde mich aus dem Geschäft verabschieden und danach nie wieder eine Waffe anrühren. Maria, was hast du bloß mit mir gemacht? Oder ist es nur, weil ich älter werde? Oder ist es, weil ich nach fünfundzwanzig Jahren endlich kapiert habe, dass ich von allen nur benutzt wurde, außer von Sarah? Ich habe diesem Leben zugestimmt, ich habe Menschen für viel Geld getötet, und bei fast allen war es gerechtfertigt. Nur Julianne Cummings' Tod war ungerecht und ein Verrat an unserer Freundschaft, dachte er bitter und auch traurig, obwohl das schreckliche Ereignis bereits zehn Jahre zurücklag. Auch der Tod des unbekannten Mädchens, das ich mit Schumann zusammen ermordet habe – ich hätte sie nicht töten dürfen, aber ich war noch jung und unerfahren und habe daraus gelernt.

Schmidt schloss kurz die Augen, seine Miene verfinsterte sich für einen Moment, er schüttelte den Kopf. Nein, ich werde und darf nichts bereuen, es würde mich zerstören. Was ich getan habe, ist nicht mehr rückgängig zu machen, es ist nicht rückgängig zu machen, niemals! Ruht in Frieden, Julianne und du, unbekanntes Mädchen, ruht in Frieden.

Ich werde keine Zeit mehr mit Gedanken an die Vergangenheit verschwenden. Nur die Zukunft zählt. Nur die Zukunft. Und die Gegenwart, vor allem aber die kommenden Tage, in denen ich noch so viel zu tun habe.

Er wählte eine andere Nummer und wartete, bis abgehoben wurde. Sie würden wieder verschlüsselt miteinander sprechen, für den höchst unwahrscheinlichen Fall, dass das Telefonat abgehört wurde, obwohl sie über eine sichere Leitung telefonierten.

»Ja?«

»Ich bin's. Es ist leider sehr spät geworden, aber das hatte ich am Sonntag ja bereits angedeutet.«

»Das macht nichts, ich hatte noch längst nicht vor, schlafen zu gehen. Hast du alles erledigt?«

»Aber sicher doch.«

»Wie war es gestern?«

»Sehr unschön, gelinde ausgedrückt.«

»Und heute?«

»Heute habe ich eine Quittung ausgestellt und dem Empfänger überreicht. Es hat ihm nicht gefallen, und ich bin sicher, dass er sich nie mehr davon erholen wird.«

»Der Ärmste. Und sonst?«

»Sonst läuft alles bestens. Ich bin gut in der Zeit und guter Hoffnung, bis spätestens Mitte nächster Woche alles geschafft zu haben. Und bei dir?«

»Wie gehabt, das Leben plätschert so vor sich hin. Manchmal möchte ich einfach nur meine Koffer packen und abhauen. Komm mich doch mal besuchen.«

»Das hatte ich ohnehin vor. Ich kann jedoch noch keinen Zeitpunkt nennen.«

»Ich weiß, du bist so beschäftigt, gib nur Obacht, dass du nicht einen Herzinfarkt erleidest, Männer in deinem Alter sind am gefährdetsten.«

»Ich bin kerngesund, ich war erst vor kurzem wieder beim Rundumcheck. Wie sieht's an der Front aus?«

»Keine Meldung, keine Aktivitäten.«

»Sehr gut. Ich melde mich entweder morgen oder übermorgen wieder, es kommt auf die Gelegenheit an und wie viel ich tagsüber schaffe.«

»Nur keinen Stress, die Arbeit läuft dir nicht davon. Bis bald und danke.«

»Wofür denn? Dass ich dich ab und zu anrufe? Das ist doch selbstverständlich. Ich bin immer für dich da. Ab morgen ganz in deiner Nähe.«

»Ich wünsche dir eine gute Nacht.«

»Gleichfalls. Bis die Tage.«

Er legte auf und ging duschen, putzte die Zähne und absolvierte noch ein paar Übungen, bevor er sich ins Bett legte, einen Schluck Wasser aus der Flasche neben dem Bett trank und mit der Fernbedienung den Fernseher einschaltete.

Nichts von dem, was lief, gefiel ihm, er stand wieder auf und legte eine DVD ein – »Ein Fisch namens Wanda«. Er sah den Film zu Ende, doch diesmal war ihm nicht zum Lachen zumute. Die Aufträge der Vergangenheit waren relativ einfach zu erledigen gewesen. Hinter dem, was er jetzt tat, steckte allerdings kein Auftraggeber, sondern eine Absprache. Beide Parteien waren sich einig, dass sie sich nach Beendigung seiner Tätigkeit nur noch ein Mal treffen und danach nie wiedersehen würden. Das war seine Bedingung gewesen.

Er lag lange wach, dachte nach und ging mehrere Male die kommenden Tage durch, die vielleicht härtesten und gefährlichsten seines Lebens. Schon der kleinste Fehler konnte fatale Folgen haben. Doch er würde keinen Fehler begehen, Hans Schmidt hatte noch nie einen Fehler begangen.

Es war nach drei Uhr morgens, als er endlich einschlief,

und es war neun Uhr, als er aufwachte. Maria, schoss es ihm durch den Kopf, er nahm das Telefon und wählte. Maria schien neben dem Telefon gewartet zu haben und hob nach dem ersten Klingeln ab. Er freute sich, ihre Stimme zu hören.

MITTWOCH

Die Meldung traf um zehn nach neun bei Harms ein, der sofort Henning und Santos informierte.

»Zwei männliche Tote wurden auf dem Gelände der Spedition Drexler in Suchsdorf gefunden. Einem Mitarbeiter der Spedition war aufgefallen, dass ein Lkw an einer ungewöhnlichen Stelle stand. Er hat erst einen Blick in die Fahrerkabine geworfen, die leer war, dann entdeckte er Blut sowohl in der Kabine als auch auf dem Boden neben dem Auto. Dazu kommt, dass der Wagen vom Big Boss, ein Mercedes 500, neben dem Lkw parkte, der Chef selbst aber nicht in seinem Büro war. Er hat schließlich die Ladefläche des Lkw aufgemacht und die beiden Leichen gefunden. Mehr weiß ich noch nicht. Macht euch auf die Socken, bevor Kollegen aus anderen Dienststellen dort sind, die wir lieber nicht dort haben wollen. Sammelt sämtliche Informationen, deren ihr habhaft werden könnt, und besprecht sie mit mir. Nur und ausschließlich mit mir.«

»Wir sind schon weg. Was ist mit der Spusi?«

»Die werde ich wohl oder übel informieren müssen. Ich ruf gleich Tönnies an.«

»Kannst du vergessen, der ist krankgeschrieben und liegt im Bett.«

»Woher wisst ihr das?«

»Er wollte sich gestern Nachmittag mit uns im Hauptbahnhof treffen.«

»Um fünf? Habt ihr mir nicht gesagt, dass ihr zu Frau Bruhns fahren wolltet?«, fragte Harms mit hochgezogenen Brauen.

»'tschuldigung, wir wollten dich gestern nicht damit belasten, du standst so schon ziemlich unter Strom und ...«

»Und was?«

»Mann, Volker«, mischte sich Henning ein und stützte sich mit beiden Händen auf den Tisch, »du warst gestern fix und alle, das haben Lisa und ich doch bemerkt. Oder glaubst du, wir sind taub und blind? Nur deswegen haben wir dir das mit Tönnies verschwiegen. Okay?«

»Schon gut«, sagte Harms leise und mit einem kaum merklichen Nicken. »Und was ist bei dem Treffen rausgekommen?«

»Gar nichts, denn er ist nicht aufgetaucht. Wir haben gewartet und gewartet, und als er auch um sechs noch nicht da war und wir ihn weder in seiner Abteilung noch auf seinem Handy erreichten, haben wir bei ihm zu Hause angerufen. Angeblich hat er Herzbeschwerden und liegt flach.«

»Wieso angeblich?«

»Wir glauben, er hat Angst und sich einen gelben Urlaubsschein besorgt, bis wieder Ruhe eingekehrt ist.«

»Wovor soll er Angst haben?«

»Mein Gott, Volker, Tönnies war der Erste, der am Sonntag die DNA der unbekannten weiblichen Person isoliert hat. Irgendjemand muss das rausgekriegt und mächtig Druck auf ihn ausgeübt haben, denn Günter ist normalerweise keiner, der sofort kuscht. Jürgens hat auch Angst und will mit uns nichts mehr zu tun haben. Das Seltsame ist, dass *wir* bis jetzt noch keinen direkten Druck bekommen haben. Aber was nicht ist, kann ja noch werden.«

»Wir sprechen später noch mal darüber, haut jetzt ab. Und ruft mich sofort an, wenn ihr erste Erkenntnisse habt.«

»Kein Thema.«

Während sie vom Hof rasten, sagte Santos: »Irr ich mich, oder ist Volker heute anders drauf als in den letzten Tagen?«

»Du irrst dich nicht«, antwortete Henning lapidar, den Blick stur auf die Straße gerichtet. Er dachte nach, doch er ließ Santos nicht an seinen Gedanken teilhaben. Nach fünf Minuten wurde es ihr zu still, sie war aufgedreht, ohne sagen zu können, warum. Sie spürte eine Spannung in sich, als würde sie sich auf einen Karate-Wettkampf vorbereiten. Ihr letzter Kampf lag schon fast ein Jahr zurück, und es wurde Zeit, wieder an einem teilzunehmen. Außerdem musste sie dringend mal wieder zum Schießstand, die letzten beiden Termine hatte sie versäumt.

»Erst Bruhns und die Steinbauer und nur drei Tage später zwei Tote in einem Lkw. Bisschen viel für unser beschauliches Städtchen.«

»Hm.«

»Deine Großmutter hat vorhin angerufen.«

»Hm.«

»Und das Präsidium ist in die Luft gesprengt worden.«

»Hm.«

»Zum Standesamt geht es da lang.«

»Hm.«

»Sag mal, Sören, hörst du mir eigentlich zu? Woran denkst du?«

»Was?«

»Hey, was geht in deinem Kopf vor? Hallo, ich bin's, Lisa.«

»'tschuldigung, bin ein bisschen durcheinander.«

»Das ist unverkennbar. Woran denkst du?«

»Keine Ahnung.«

»Doch, du hast eine Ahnung, willst sie aber für dich behalten. Okay, behalt's für dich«, sagte Santos und tat beleidigt.

»Quatsch. Ich frage mich, was in Kiel abgeht. Bruhns und die Steinbauer, jetzt zwei Tote in einem Lkw. Was wiederum bedeuten könnte, dass das noch nicht das Ende der Fahnenstange ist. Wer bekriegt hier wen?«

»Und wenn es sich nicht um einen Krieg handelt?«

»Worum dann?«

»Krieg hört sich gleich so an, als würden rivalisierende Banden gegeneinander kämpfen. Aber wie passen Bruhns und seine kleine Geliebte in das Bild? OK? Nee, Jugendgangs bekriegen sich untereinander, die würden niemals an einen Bruhns rankommen. Ich frage mich die ganze Zeit, warum er nicht wenigstens einen Bodyguard in Schönberg hatte. Hat der sich so sicher gefühlt?«

»Wahrscheinlich, hier bei uns ist die Welt schließlich noch in Ordnung, oder?«, erwiderte Henning grinsend. »Klose müsste wissen, ob im organisierten Bereich was los ist, da würde ich Bruhns eher plazieren.«

»Und die Steinbauer auch?«

»Möglich, denn irgendwoher muss sie ja die Kohle haben. Achtzehn, kaum aus dem Waisenhaus und gleich Millionärin. Da ist doch was faul.«

»Wir sind gleich da und reden nur das Nötigste, okay?«

»Nichts anderes hatte ich vor.«

»Nehmen wir an, die OK mischt Kiel und Umgebung auf …«

»Dann verwette ich mein Jahresgehalt oder zumindest das, was übrig bleibt, dass Rüter oder irgendein anderer Idiot uns die Sache aus der Hand nimmt und dem LKA übergibt.«

»Sei vorsichtig mit deinen Wetten, lieber Sören, du könntest verlieren.«

»Ist doch nur ein Spruch. Volker hat ganz schön Dampf gemacht, so kenn ich ihn gar nicht.«

»Erinnere dich mal an die letzten Jahre, wie oft er uns den Rücken freigehalten hat und die eine oder andere Lüge … Wir haben ihm viel zu verdanken.«

»In anderen Abteilungen wird auch gelogen. Wenn ich Rüter nur sehe, der ist eine wandelnde Lüge. Der biegt sich alles so zurecht, dass es passt. Was nicht passt, wird passend gemacht, heißt es doch so schön.«

»Lass uns für den Moment Rüter mal vergessen und uns auf den Fall konzentrieren. Was in ein paar Stunden sein wird, sollte uns jetzt nicht interessieren.«

Henning sah schon von weitem die drei Streifenwagen auf dem Gelände und mehrere Trucks unterschiedlicher Größe. Sie bogen auf den riesigen Hof der Spedition ein, Beamte hatten den Bereich um einen 7,5-Tonner und einen dunkelblauen Mercedes 500 abgeriegelt.

Sie stiegen aus, gingen auf die Beamten zu und wiesen sich aus.

»Irgendwas angefasst?«, fragte Henning.

»Nein.«

»Okay, wer hat die Leichen gefunden?«

»Ich.« Der ältere Mann trug eine blaue Latzhose, darunter ein blaukariertes Holzfällerhemd und Arbeiterschuhe.

»Bleiben Sie bitte hier, wir sind gleich bei Ihnen, wir wollen uns nur einen ersten Überblick verschaffen.«

Die Hecktür des Lkw stand weit offen, eine Schleifspur aus Blut zog sich über mehrere Meter von der Fahrerkabine über den Asphalt. Vor dem Heck war eine etwas größere Blutlache, Blutspuren am Lkw. Henning und Santos machten Fotos mit ihren Handys und betrachteten die Toten, die so hingelegt worden waren, dass die Einschusslöcher genau zu erkennen waren, ohne dass Henning oder Santos die Ladefläche hätten betreten müssen.

»Das war eine Hinrichtung erster Klasse. Wer die umgelegt hat, versteht was von seinem Handwerk. Bruhns, Steinbauer und jetzt die beiden.« Henning ging so dicht heran, wie er konnte, ohne etwas zu berühren, und fuhr fort: »Der Linke ist etwa fünfundzwanzig Jahre alt, der andere um die dreißig, vielleicht auch ein wenig älter. Je ein Schuss in Kopf und Brust, mehr kann ich nicht erkennen, ich nehme aber an, mehr brauchte der Schütze auch nicht. Was auffällt, ist, dass der Linke von vorne und der Rechte von der Seite getroffen wurde. Das lässt darauf schließen, dass er der Fahrer des Lkw war. Was meinst du?« Henning sah Santos fragend an.

»Könnte hinhauen. Mach noch ein paar Fotos von den beiden.«

Sie wandte sich ab und ging zu dem Mann, der die Leichen entdeckt hatte.

»Mein Name ist Santos, Mordkommission. Wann genau haben Sie bemerkt, dass hier etwas nicht stimmt?«

»Das war schon, als ich um sechs gekommen bin, um den ersten Lkw zu beladen. Meine Kollegen und ich haben uns gewundert, dass der Wagen vom Chef hier steht. Normalerweise kommt der nie vor zehn oder elf in die Firma. Wir haben unsere Arbeit gemacht und wollten gerade frühstücken, da bin ich mal runter und habe erst dann bemerkt, dass der Lkw nicht an der üblichen Stelle geparkt war. Der steht sonst dort hinten und wird nur für Transporte in und um Kiel verwendet, ist ja auch nur 'n 7,5-Tonner. Ich habe die Fahrertür aufgemacht, die war unverschlossen, was mich noch mehr gewundert hat, dann habe ich einen Blick hinten rein riskiert. Da habe ich die beiden dann gesehen.«

»Kennen Sie die Toten?«

»Nein, die habe ich nie gesehen.«

»Ganz sicher?«

»Warum sollte ich Sie anlügen? Ich kenn die beiden nicht, ich habe auch schon alle anderen gefragt, aber hier kennt die keiner.«

»Wie können wir Ihren Chef erreichen?«

»Ich habe keinen blassen Schimmer, wo der sich rumtreibt, wir haben ihn auf allen Nummern, die wir von ihm haben, zigmal versucht zu erreichen, aber keine Chance, der geht nicht ran.«

»Wie viele Nummern haben Sie denn von Ihrem Chef?«

»Vier. Zweimal Handy, zweimal Festnetz. Warum?«

»Würden Sie uns die Nummern bitte geben?«

»Hier, alles schon vorbereitet.«

»Danke, sehr aufmerksam«, sagte Santos und steckte den Zettel ein. »Der Mercedes gehört Ihrem Chef?«

»Hm. Das ist sein Kennzeichen. Der ist auch nicht abgeschlossen.«

»Das heißt, Sie haben ihn angefasst?«

»Klar, warum?«

»Wegen Ihrer Fingerabdrücke. Die Spurensicherung wird welche von Ihnen nehmen. Sagen Sie, wie läuft das Geschäft?«

»Wir kriegen von der Wirtschaftskrise gar nichts mit. Alles wie gehabt. Der Chef hat seine Stammkunden, und er gewinnt immer wieder neue dazu. Wir mussten Anfang des Jahres sogar zwei Lkw dazukaufen und drei neue Leute einstellen.«

»Haben Sie in den letzten Tagen etwas an Ihrem Chef bemerkt, hat er sich anders verhalten als sonst, war er nervös …«

»Nein, der war wie immer. Ich muss dazu sagen, dass er selten länger als drei oder vier Stunden in der Firma war, er hat kurze und knappe Anweisungen erteilt und ist wieder abgerauscht. So wie das aussieht, denke ich, er wurde entweder gekidnappt oder er wurde auch umgelegt«, sagte der Mann trocken.

»Schon möglich. Erst mal danke für Ihre Mithilfe. Wir bräuchten dann noch eine Liste mit sämtlichen hier beschäftigten Personen mit Adresse und Telefonnummer.«

»Die hat der Chef in seinem Büro, aber Frau Kubaschenko, seine Sekretärin, hat Zugang zu den Akten.«

»Wo ist die Dame?«

»Drinnen, sie will sich das hier nicht antun. Die hat vorhin schon die ganze Zeit rumgeheult.«

»Was bedeutet das RK am Kennzeichen des Mercedes?«

»Das sind die Initialen vom Chef, Robert Klein.«

»Hm, ich dachte, Ihr Boss heißt Drexler.«

»Schon ewig nicht mehr. Als der alte Drexler gestorben ist, sollte sein Sohn die Spedition übernehmen, aber bevor es dazu kam, hatte er einen Autounfall.«

»Er ist tot?«

»Hm.«

»Wie lange arbeiten Sie schon hier?«

»Über dreißig Jahre.«

»Wie kam es, dass Herr Klein die Firma übernommen hat?«

»Er und der Alte waren wohl befreundet und …« Er

zuckte mit den Schultern und schüttelte den Kopf. »Ich weiß es nicht, der Chef hat auch nie darüber gesprochen. Er war eines Tages da, hat gemeint, er sei der neue Direktor der Firma, alle Mitarbeiter würden selbstverständlich übernommen, der Name Drexler International Transports würde beibehalten und so weiter.«

»Kommen Sie gut mit Klein aus?«

»Geht so, der Alte war besser drauf. Wenn Klein einen schlechten Tag erwischt, geht's schon mal hoch her. Aber man gewöhnt sich an alles.«

»Gut, das war's fürs Erste. Halten Sie sich bitte weiterhin zu unserer Verfügung. Informieren Sie sämtliche Mitarbeiter, dass sie vorläufig nicht mit der Presse sprechen sollen.«

Die Spurensicherung war bereits eingetroffen, wenig später fuhr Professor Jürgens vor. Der Fotograf schoss eine ganze Serie von Fotos, sowohl von den Toten als auch vom Gelände und den Blutspuren auf dem Asphalt. Während Santos weitere Mitarbeiter der Spedition befragte, unterhielt sich Henning mit Jürgens, der auf die Ladefläche gesprungen war und sich dort in die Hocke begab, um die Toten zu begutachten.

Leise sagte Henning zu ihm: »Dachte nicht, dass wir uns so schnell wiedersehen würden. Ich wette mit dir um drei Runden Whiskey, dass wir es hier mit demselben Täter zu tun haben wie bei Bruhns. Hältst du mit?«

»Nee, weil ich verlieren würde«, antwortete Jürgens genauso leise.

»Wie lange sind sie schon tot?«

»Kannst du nicht mal deiner Ungeduld sagen, dass sie sich bitte ein wenig zügeln möchte?«

»Das hat nichts mit Ungeduld zu tun, für uns zählt jede Sekunde.«

»Warum?«

»Nur so ein Gefühl. Bruhns und das hier ist eine Baustelle. Deshalb.«

»Hatten wir schon. Du fürchtest Rüter. Zu Recht. Jetzt lass mich machen.«

Jürgens nahm eine erste Leichenschau vor und sagte schließlich: »Circa zwölf Stunden, plus minus eine Stunde. Genaueres nach der Obduktion. Die Leichenstarre ist bei beiden vollständig ausgebildet. Der hier«, Jürgens deutete auf den Rechten, »ist mit dem Kopf auf den Asphalt geschlagen, und zwar nicht aus dem Stand, sondern von weiter oben. Ich würde sagen, er wurde entweder in der Fahrerkabine erschossen und ist dort rausgefallen, oder er stand hier oben und ist runtergeknallt. Kennst du einen von den beiden oder beide?«

»Nie gesehen.«

»Haben die für die Spedition gearbeitet?«

»Wenn ich das richtig mitbekommen habe, sind sie hier völlig unbekannt.«

»Und der Boss?«

»Spurlos verschwunden. Hier nebendran steht sein Benz.«

»Pass auf, wenn mir niemand dazwischenfunkt, kriegt ihr das Obduktionsergebnis noch heute. Hast du mich verstanden?«, flüsterte Jürgens.

»Verstanden. Lisa und ich sind fast fertig, wir brauchen nur noch die Personalakten der Angestellten. Danke für deine Hilfe.«

Wenig später betraten Henning und Santos das Speditionsbüro, wo sie eine verweinte junge Frau hinter dem Schreibtisch vorfanden. Das Namensschild der attraktiven Frau Ende zwanzig stand nicht zu übersehen auf dem Schreibtisch: *Anna Kubaschenko*. Sie blickte die Kommissare aus roten Augen an und sagte mit stockender Stimme: »Sie sind von der Polizei?«

»Mein Name ist Santos, das ist mein Kollege Herr Henning. Wir haben ein paar Fragen an Sie, Frau Kubaschenko. Wann haben Sie Herrn Klein zum letzten Mal gesehen?«

»Gestern Vormittag war er im Büro, hat ein paar Telefonate geführt und ist wieder gegangen. Vorher hat er mir noch ein paar Auftragszettel auf den Tisch gelegt.«

»Er kam immer allein?«

»Ich verstehe nicht ganz, was Sie meinen?«

»Nun, da draußen liegen zwei Männer, die niemand kennt und …«

»Ich kenne sie auch nicht, ich habe diese Männer noch nie zuvor gesehen.«

»Ist Herr Klein verheiratet?«

»Nein, ich glaube, er war auch nie verheiratet. Er hat nie darüber gesprochen.«

»Wie lange sind Sie schon für die Spedition tätig, Frau Kubaschenko?«, sagte Santos.

»Seit sieben Jahren.«

»Sie sind Russin?«

»Deutsch-Russin. Meine Vorfahren waren Deutsche, aber ich lebe schon seit 1991 in Kiel.«

»Wie alt waren Sie da?«, fragte Henning.

»Zehn.«

»Haben Sie ein gutes Verhältnis zu Herrn Klein?«

»Ja, auf jeden Fall. Er ist immer nett und freundlich, ein echter Gentleman, wie man sie nur noch selten findet.«

So wie sie redet, ist sie in ihn verliebt, aber er will nichts von ihr, dachte Santos. Ihre Augen leuchten, wenn sie von ihm spricht … Ja, sie liebt ihn, aber ihre Liebe wird nicht erwidert.

»Gab es in den letzten Tagen oder Wochen irgendwelche besonderen Vorkommnisse?«

»Was meinen Sie damit?«

»Anrufe, bei denen sich der Anrufer nicht zu erkennen gegeben hat, Drohungen gegen Herrn Klein oder die Firma. Wirkte Ihr Chef auf Sie anders als sonst? Nervöser, aufgeregter, war er schneller aufgebracht oder war er eher in sich gekehrt? Jede Information könnte uns weiterhelfen. Denken Sie gut nach.«

Sie überlegte und sagte: »Mir fällt nichts ein. Er war wie immer, und es gab auch nichts Besorgniserregendes. Drohungen, nein. Ich wüsste auch nicht, dass er Feinde hat. Herr Klein hat mir gestern sogar einen Blumenstrauß mitgebracht, weil ich gestern vor genau sieben Jahren hier angefangen habe. Er hat bis jetzt nie einen Geburtstag vergessen, ganz gleich, ob meinen oder den eines Lagerarbeiters. Er ist ein guter und aufmerksamer Chef.«

»Sören, würdest du mich bitte für einen Moment mit Frau Kubaschenko allein lassen?«

»Vergiss die Akten nicht«, sagte Henning, während er wieder nach draußen ging und die Tür hinter sich schloss.

»Ich will nicht indiskret erscheinen«, sagte Santos, »aber ich habe den Eindruck, dass zwischen Ihnen und Herrn Klein mehr ist als nur ein reines Arbeitsverhältnis. Sie können es mir ruhig sagen, wir würden es so oder so rausfinden.«

Anna Kubaschenko lief rot an, senkte den Blick und antwortete: »Nein, da ist nicht mehr, aber ich finde ihn sehr nett und denke, er bräuchte eine Frau.«

»Dabei denken Sie an sich?«

»Ich habe bisher noch keinen Mann kennengelernt, der nicht nur gut aussieht, sondern auch so gute Manieren hat und immer höflich ist. Ja, ich wünsche mir, er würde genauso für mich empfinden wie ich für ihn, aber das wird wohl niemals so sein. Schon als ich hier angefangen habe, war …« Sie vollendete den Satz nicht.

»Haben Sie ihn je mit einer Frau gesehen?«

»Nein, und ich weiß auch, dass es keine Frau in seinem Leben gibt.«

»Könnte es sein, dass er sich nichts aus Frauen macht?«

»Nein, das hätte ich schon längst gespürt. Ich kann Ihnen sofort sagen, ob jemand schwul ist. Bitte, finden Sie ihn, ich habe Angst, dass ihm etwas zugestoßen sein könnte.«

»Sollte ihm etwas zugestoßen sein, was wir nicht hoffen, wer würde dann die Spedition weiterführen?«

»Das kann ich Ihnen beim besten Willen nicht sagen, und ich will auch nicht darüber nachdenken. Bitte gehen Sie und lassen Sie mich allein.«

»Gleich. Die Firma heißt Drexler International Transports. Was darf ich mir darunter vorstellen? Wohin liefern Sie Ware beziehungsweise woher holen Sie Ware?«

»Wir fahren hauptsächlich in den Osten, Polen, die baltischen Staaten, Russland, Ukraine, Rumänien, Bulgarien, aber auch nach Frankreich und Spanien.«

»Aber die Ostrouten dominieren?«

»Ja, auf jeden Fall.«

»Welche Güter transportieren Sie?«

»Elektrogeräte, Autoteile für die Autoproduktion, auch hochsensible Geräte wie erst vorige Woche für ein seismologisches Institut in Moskau. Außer Lebensmitteln und Gefahrgütern eigentlich alles.«

»Danke, Sie haben mir sehr geholfen. Ich bräuchte jetzt noch eine Liste mit den Namen, Adressen und Telefonnummern sämtlicher Angestellter sowie eine Liste Ihrer Kunden und Vertragspartner.«

»Benötigen Sie dafür nicht einen richterlichen Beschluss?«

»Oh, Sie kennen sich aus. Nein, bei Gefahr im Verzug brauche ich keinen richterlichen Beschluss. Wenn Sie mir die Unterlagen bitte aushändigen würden, Sie bekommen sie natürlich zurück. Ach ja, wie mir bereits mitgeteilt wurde, hat Herr Klein zwei Handy- und zwei Festnetznummern. Hat er auch zwei Wohnsitze?«

»Er hat sogar mehrere Wohnsitze, er besitzt ein Penthouse in Kiel und eine Villa in Mönkeberg, die früher Herrn Drexler gehört hat. Die anderen Häuser sind im Ausland.«

»Das heißt, Herr Klein ist ein reicher Mann.«

»Ja, kann man so sagen.«

»Würden Sie mir bitte die Adressen vom Penthouse und dem Haus in Mönkeberg geben?«

»Natürlich«, sagte Anna Kubaschenko und notierte die Adressen auf einem Blatt Papier, das sie über den Tisch schob.

»Ist Herr Bruhns jemals hier gewesen?«

»Sie meinen den Herrn Bruhns, der ermordet wurde?«

»Ja.«

»Nein, warum hätte der hierherkommen sollen?«

»War nur eine Frage. Vergessen Sie sie gleich wieder.«

»Hier sind die Unterlagen. Bitte, behandeln Sie sie vertraulich und geben Sie sie mir so bald wie möglich zurück. Normalerweise darf ich sie nicht aus der Hand geben.«

»Kann ich verstehen. Wir machen uns Kopien, und entweder heute Nachmittag oder morgen früh haben Sie sie wieder.«

»Werden Sie ihn finden?«

»Wir finden ihn, darauf gebe ich Ihnen mein Wort.«

»Hoffentlich lebendig.«

»Ja, hoffentlich. Denken Sie positiv«, sagte Santos und dachte, was für ein dummes Geschwätz. Der Mann ist tot, aber er wurde nicht hier umgebracht.

»Ich danke Ihnen und melde mich schnellstmöglich. Ein kleiner Tipp noch: So hübsch, wie Sie sind, könnten Sie an jedem Finger zehn Männer haben. Warten Sie nicht auf ein Zeichen von Herrn Klein, es gibt auch noch andere.«

»Es ist nicht einfach, die Liebe loszulassen.«

»Sie sollen die Liebe nicht loslassen, sondern nur den Mann. Sie arbeiten seit sieben Jahren für ihn, und er hat bisher, wenn ich Sie recht verstanden habe, noch keinerlei Anstalten gemacht, Sie zu umwerben. Er wird es auch in Zukunft nicht tun.« Und als sie an der Tür war: »Ich bitte Sie, nicht mit der Presse zu sprechen, es würde unsere Ermittlungen nur unnötig behindern.«

Anna Kubaschenko zuckte die Schultern, Tränen liefen ihr wieder über das Gesicht. Santos verabschiedete sich von ihr, drehte sich um und ging zu Henning, der ungeduldig auf sie wartete.

»Warum hat denn das so lange gedauert?«, fragte er, während sie zum Auto gingen.

»Die ist bis über beide Ohren in Klein verliebt, was aber nicht auf Gegenseitigkeit beruht. Wenn sie so weitermacht, endet sie noch als alte Jungfer, ohne jemals einen Mann gehabt zu haben.«

»Mann, so hübsch, wie die ist …«

»Sören, hier spielt die Musik«, sagte Santos lächelnd und deutete auf sich.

»Ich bitte dich, ich darf doch wohl sagen, wenn eine Frau hübsch ist. Sie ist nicht mein Typ, reicht dir das?«

»Wie sieht dein Typ denn aus?«

»Dunkle Haare, braune Augen, südländischer Typ, freches Mundwerk …«

»Das Letzte nimmst du sofort zurück.«

»Lisa, wir haben keine Zeit zum Scherzen. Volker hat gerade angerufen, Rüter stand schon wieder bei ihm auf der Matte. Du weißt, was das heißt.«

»Damit war zu rechnen. Aber wir ziehen unser Ding jetzt durch. Rüter kann mich mal.«

»Du kommst nicht an ihm vorbei, er hat das letzte Wort.«

»Das werden wir sehen.«

MITTWOCH, 11.15 UHR

Polizeipräsidium Kiel, Büro Volker Harms.

»Was habt ihr für mich?«, fragte er, erhob sich aus seinem Sessel, ging zum Fenster und öffnete es, doch es nützte nichts, Henning und Santos nahmen auch so den Geruch von Alkohol wahr. Was immer Harms schon vor längerem bewogen haben mochte, zur Flasche zu greifen, es musste einen triftigen Grund geben. Sie hofften nur, es hing nicht mit dem aktuellen Fall zusammen. Es gab zu viele Polizeibeamte, die an ihrem Beruf zugrunde gingen und sich Alkohol oder Drogen hingaben, es gab auch viel zu viele, deren Ehen dem Druck der oft enervierenden und Überstunden fordernden Arbeit nicht standhielten, ein weiterer Grund, weshalb zahlreiche Beamte tranken.

»Was wollte Rüter?«, war die Gegenfrage von Santos, die sich ihre Sorgen um Harms nicht anmerken ließ.

»Eigentlich gar nichts, außer mir mitteilen, dass wir auch den Fall Klein mit äußerster Diskretion zu behandeln haben«, sagte Harms, der in keinster Weise betrunken wirkte, er war nur ein klein wenig lockerer als noch vor zwei Stunden.

»Nichts anderes hatten wir vor. Pass auf, kurzer Bericht«, sagte Santos. »Zwei uns und allen anderen dort Anwesenden noch unbekannte Tote in einem 7,5-Tonner, beide regelrecht hingerichtet, wie Bruhns und die Steinbauer. Wie es aussieht, hat er einen vor dem Lkw erschossen, den anderen in der Fahrerkabine. Anschließend hat er die beiden auf die Ladefläche gehievt. Vom Speditionschef Klein fehlt bis jetzt jede Spur, wir haben allerdings die Adressen seiner Wohnung in Kiel und seiner Villa in Mönkeberg ...«

»Was wollt ihr dann hier?«

»Du hast gesagt, wir sollen kommen und Bericht erstatten«, verteidigte sich Henning.

»Das hättet ihr in diesem Fall auch telefonisch erledigen können. Seht zu, dass ihr Land gewinnt, und ich will euch erst wiedersehen, wenn ihr in Kleins Domizilen wart.«

»Sind schon weg. Hier, diese Unterlagen solltest du kopieren«, sagte Santos und legte die Ordner, die sie von Anna Kubaschenko erhalten hatte, auf den Tisch.

»Was ist das?«

»Das wirst du schon sehen, wir sollen doch verschwinden«, erwiderte sie lächelnd.

Auf dem Weg nach unten sagte Henning: »Wohin zuerst?«

»Mönkeberg.«

»Und warum?«

»Bauchgefühl. Wir haben uns gestern mit Albertz in Mönkeberg getroffen, Klein wohnt auch in Mönkeberg. Zufall?« Sie runzelte die Stirn und schürzte die Lippen.

»Es gibt keine Zufälle. Irgendwer hat gesagt, Zufall ist

das Pseudonym, das Gott benutzte, wenn er nicht mit seinem eigenen Namen unterschreiben will.«

»Komm mir jetzt bloß nicht mit Gott, der mag überall sein, nur im Moment gewiss nicht in Kiel.«

»Okay. Aber Zufall wird auch als Synchronizität der Ereignisse bezeichnet.«

»Hä? Kannst du mal mit dem Mist aufhören?«

»Du bist aber schlecht drauf.«

»Ich frage mich, wie du so gut drauf sein kannst. Wir stolpern über eine Leiche nach der anderen und …«

»Ja, ja, schon gut, auf nach Mönkeberg.«

Keine fünf Minuten nach Verlassen des Präsidiums klingelte Santos' Handy.

»Ja?« Wieder zeigte das Display keine Nummer an.

»Wo sind Sie?«, meldete sich die ihr noch vom Sonntag bekannte anonyme Stimme.

»Das geht Sie nichts an. Ich spreche erst wieder mit Ihnen, wenn ich weiß, wer Sie sind.«

»Waren Sie schon in Mönkeberg?«

»Wieso?«, fragte Santos und runzelte die Stirn, während ihr Herz schneller zu schlagen begann.

»Waren Sie oder waren Sie nicht?«

»Nein«, sagte sie, ohne weitere Erklärungen abzugeben.

»Hören Sie zu, fahren Sie nach Mönkeberg …«

»Wir sind gerade auf dem Weg dorthin«, wurde der Anrufer von Santos schroff unterbrochen. »Sonst noch was?«

»Warum sagen Sie das nicht gleich? Sie gelangen nämlich nicht auf das Grundstück, ohne den Code für das Tor zu kennen. Rechts neben dem Tor befindet sich eine unscheinbare Metallklappe, darunter ist eine Tastatur. Die Kombination ist eins, neun, zwei, acht. Haben Sie's?«

»Ja. Warum verraten Sie uns nicht, wer Sie sind?«

»Passen Sie auf, mit wem Sie in der nächsten Zeit sprechen; nicht jeder, der Ihnen freundlich gegenübertritt, ist es auch. Das Messer hinter dem Rücken sieht man erst, wenn es im Bauch steckt. Ach ja, was Sie suchen, finden Sie im ersten Stock.«

Danach legte der Unbekannte auf, Santos sah Henning ratlos und mit einer Spur Verzweiflung an. Sie fühlte sich beobachtet, als würden sie und Henning permanent beschattet. Es war ein unheimliches Gefühl, das mit jedem Anruf des Unbekannten stärker wurde.

»War er das wieder?«

»Hast du doch mitgekriegt. Es war, als wüsste er, wohin wir fahren, auch wenn er mich gefragt hat, wo wir gerade sind.«

»Was wollte er?«

»Er hat mir die Kombination für das Tor durchgegeben«, antwortete sie etwas konfus und fuhr sich mit beiden Händen durchs Haar. Sie war nervös und machte keinen Hehl daraus.

»Welches Tor?«

Als würde Santos allmählich aus einer Trance erwachen, sagte sie: »Er hat gesagt, wir sollen nach Mönkeberg fahren, und als ich ihm sagte, dass wir dahin unterwegs sind, erklärte er mir, wie wir das Tor zum Grundstück aufkriegen. Wir sollen aufpassen, mit wem wir in der nächsten Zeit sprechen, nein, eigentlich hat er gesagt, wir sollen vorsichtig sein.«

»Das sind wir doch.«

»Hoffentlich.

Sie parkten auf der Straße vor dem gewaltigen Grundstück, hohe Tannen umschlossen die Villa, ein langer, gerader Weg führte direkt zu den Garagen, in die ein kleiner Fuhrpark passte. Ein hochherrschaftliches Anwesen, wie es sich nur ein sehr reicher Mensch leisten konnte.

»Wie war die Kombination?«, fragte Henning.

»Eins, neun, zwei, acht.«

Das Tor ging auf, sie fuhren hinein und hielten vor der breiten Garage. Sie gingen auf das Haus mit den heruntergelassenen Rollläden zu, wie bei Bruhns war die Haustür nur angelehnt.

Sie kamen in eine Diele und von dort in einen großen Vorraum, von dem aus eine Treppe in den ersten Stock führte.

Als Santos schnurstracks zur Treppe ging, fragte Henning: »Wollen wir uns nicht erst mal hier unten umschauen?«

»Der Anrufer hat gesagt, wir würden im ersten Stock das finden, wonach wir suchen.«

»Hast du nicht erwähnt.«

»Entschuldigung, ich bin ziemlich durcheinander. Fällt dir was auf?«

»Meinst du die schwarzen Vorhänge? Ziemlich gruftig, oder was sagt man dazu?«

»Keine Ahnung, ist mir auch egal«, erwiderte sie ungehalten.

Im ersten Stock stand eine Tür halb offen. Santos betrat den Raum. Ihr stockte der Atem, und sie hielt sich die Hand vor den Mund, als müsste sie sich gleich übergeben.

Henning war am Eingang stehen geblieben. »Was ist das?«, stieß er entsetzt hervor und kam ein paar Schritte näher. Auf dem Marmorboden lag ein zusammengekrümmter Mann, dessen Oberkörper nur noch aus blutigem Fleisch und Hautfetzen bestand. Die Augen waren geweitet und starrten ins Leere. Ein tiefer Schnitt zog sich von einem Ohr zum anderen. Eine riesige Blutlache hatte sich um den Kopf gebildet, doch eine Menge Blut war in einem kleinen Abfluss, der sich etwa einen Meter vom Kopf des Toten entfernt befand, versickert.

Rechts von ihm standen dreißig Stühle, davor ein dickfloriger weißer Flokatiteppich; erst jetzt registrierte Henning, dass das Licht brannte und alle drei Fenster vollständig abgedunkelt waren. Er kniff die Augen zusammen und sagte: »Ich gehe mal davon aus, dass das Klein ist.«

»Wer sonst? Aber warum hat man ihn so zugerichtet? Das sieht nicht gerade nach einem schnellen und schmerzlosen Tod aus«, bemerkte sie mit einer Portion Ironie, die verhinderte, dass das Bild, das sich ihr bot, sich zu sehr in ihrem Kopf einbrannte. Kühl und gelassen bleiben, dachte sie, ihr Magen hatte sich wieder beruhigt.

»Der wurde lange gequält, bevor man ihm die Kehle durchgeschnitten hat. Er war noch nicht tot, nachdem man ihn gefoltert hat, sonst gäbe es nicht eine solche Blutlache, und wer weiß, wie viel dort abgeflossen ist«, meinte Henning und deutete auf den Abfluss. »Man hat ihm die Kehle durchgeschnitten, als er noch gelebt hat, deshalb das viele Blut. Er ist förmlich ausgeblutet.«

Ohne darauf einzugehen, sagte Santos: »Was haben er und Bruhns miteinander zu tun? Ein Spediteur und ein Musikproduzent. Der eine im Rampenlicht, der andere eher unauffällig, bis vor ein paar Stunden kannten wir nicht mal seinen Namen. Spedition Drexler, okay, die Aufschrift habe ich schon gesehen, aber Robert Klein sagt mir gar nichts. Dir?«

Henning schüttelte den Kopf. »Was hat er getan, dass man ihn so hat leiden lassen? Bei Bruhns Atropin und die seltsame Drapierung, hier brutalste Gewalt. Zwei völlig unterschiedliche Tötungsarten, und doch gibt es einen Zusammenhang. Aber welchen?«

»Ich weiß es auch nicht, aber wir haben einen Anrufer, der über alle drei Morde Bescheid weiß, also in irgendeiner Form involviert ist. Wo ist die Verbindung? Von Bruhns wissen wir, dass er pädophil war und sich gerne mit jungen Mädchen vergnügt hat. Von Klein wissen wir bis jetzt gar nichts, außer, dass er eine Spedition geleitet hat ...«

»Lisa, mir kommt da eben ein Gedanke. Spedition. Klingelt da was bei dir?«

Santos kniff die Augen zusammen und nickte. »Ich glaube schon. Du meinst, Klein könnte ein Menschenhändler gewesen sein? Mit dem nötigen Bakschisch kannst du doch alles kriegen und alles machen, selbst die größte Schweinerei ...«

»Nicht nur mit Schmiergeld, du musst auch die entsprechenden Beziehungen haben, die Logistik muss stimmen ...«

»Richtig. Beziehungen zu wem? Zoll? Polizei? Oder gar Verfassungsschutz?« Sie hielt inne, fasste sich an den Mund, ohne den Blick von dem Toten zu lassen, und fuhr fort: »Albertz hat uns nur einen Bruchteil von dem gesagt, was er weiß. Ruf die Spusi an, sofort. Und Klaus soll herkommen, nur Klaus. Ich will keinen anderen Rechtsmediziner hier sehen, schon gar keinen normalen Arzt.«

»Ich kümmere mich um die Spusi, du rufst Klaus an«, sagte Henning.

Santos wählte Jürgens' Nummer, es dauerte eine Weile, bis er abnahm. »Klaus, lass alles stehen und liegen und mach dich sofort auf den Weg nach Mönkeberg, hier ist die Adresse …«

»Nicht so hastig, was soll ich da?«

»Wir haben Klein gefunden, wir nehmen es zumindest an. Beeil dich, wir erklären dir später, warum.«

»Ich bin in einer Viertelstunde bei euch. Falls ich ein Knöllchen krieg, übernehmt ihr das.«

»Mein Gott, ja, aber beeil dich.«

Jürgens traf tatsächlich als Erster am Tatort ein.

»Ups, da hat's einen aber schwer erwischt. Seid ihr sicher, dass das Klein ist?«, fragte er.

»Sein Gesicht ist ja noch ziemlich gut zu erkennen«, antwortete Santos lakonisch.

»Warten wir, bis die Fotos im Kasten sind. Woher wusstet ihr, dass ihr ihn hier finden würdet?«

»Intuition.«

»Aha. Wieso wolltet ihr ausgerechnet mich hier haben?«

»Damit du uns in ein paar Stunden sagst, ob du etwas Bestimmtes an ihm gefunden hast«, sagte Santos, fuhr sich mit der Zunge über die Lippen und wartete auf Jürgens' Reaktion.

»Ihr wollt mich also tatsächlich da mit reinziehen. Hätte ich mir denken können. Aber so einfach ist das nicht.«

Er wollte noch etwas hinzufügen, als die drei Männer und zwei Frauen der Spurensicherung eintrafen. Er nahm Santos beiseite und flüsterte: »Glaub bloß nicht, dass ich wegen eurer Verrücktheit meine Karriere aufs Spiel setze und …«

»Das verlangt keiner von dir, außerdem sind wir nicht

verrückt. Verrückt ist, was hier abläuft. Sören und mir geht es ausschließlich um die Wahrheit, auch wenn sie vielleicht nie an die Öffentlichkeit gelangt. Wir wollen von dir nur wissen, ob auch an Klein *die* DNA ist. Wir erwarten nicht, dass du mit uns kooperierst, wir bitten dich lediglich, uns Ergebnisse durchzugeben. Ist das zu viel verlangt?«

»Ihr bekommt die Ergebnisse. Mehr aber auch nicht«, entgegnete Jürgens gereizt.

»Habe ich vielleicht mehr verlangt? Nun mal ganz ehrlich: Möchtest du nicht auch zu gerne wissen, was hier wirklich abläuft?«

Jürgens sah Santos in die Augen, als er fragte: »Gibt's hier einen Raum, wo wir beide, nur wir beide, uns ungestört unterhalten können?«

»Mit Sicherheit. Komm.«

Sie gingen auf den Flur, Santos öffnete eine Tür und stand in einem großen Zimmer mit einem überdimensionalen Wasserbett und zwei schwarzen Nachtschränken, auf dem Sexspielzeug lag. Eine Liege aus Leder und verchromtem Stahl befand sich in einer Ecke, alles, was das SM-Herz begehrte, hing an der Wand: Ketten, Trichter, Handschellen unterschiedlichster Farben, Halskrausen aus Eisen, schwarze und rote Nietenmasken, die nur winzige Öffnungen für Augen, Nase und Mund hatten, Peitschen, Schlingen, ein Andreaskreuz, an dem lange Ketten hingen, Leder- und Stahlbesteck für die ausgefallensten Praktiken. Ansonsten gab es nur noch ein riesiges Bild an der Wand, das ein der Hölle entsprungenes Wesen zeigte. Der Boden bestand aus einem dunkelroten und schwarzen Gummibelag, die Beleuchtung aus unzähligen winzigen Lämpchen, die in die schwarze Decke eingelassen waren.

Jürgens ließ den Blick durch den Raum schweifen, sein Gesicht drückte all das aus, was er dachte. Santos beobachtete ihn und fühlte sich bestätigt.

»Es ist wahrlich nicht das erste Mal, dass ich in einem SM-Zimmer bin, als Rechtsmediziner wohlgemerkt, aber so was habe ich noch nie gesehen«, sagte er leise, fast ehrfurchtsvoll, und doch mit einem angewiderten Gesichtsausdruck. »Ich frage mich, was ein Wasserbett in einem SM-Studio zu suchen hat. Begreif ich nicht. Ich bin normalerweise vorsichtig mit dem Begriff pervers, aber das hier ist pervers.«

»Das ganze Haus ist irgendwie pervers. Nicht, dass ich was gegen SM habe, jeder soll tun und lassen können, was er oder sie will, aber … Sind dir die schwarzen Vorhänge überall aufgefallen?«, fragte Santos.

»Ich bin ja nicht blind. Ob die hier okkulte Spielchen abgehalten haben?«

»Woher soll ich das wissen? Auf jeden Fall ist dieses Haus unheimlich.«

»Okay, halten wir uns nicht weiter mit Spekulationen auf. Was willst du?«

Santos lachte leise auf und meinte geradeheraus: »Dass du nicht den Schwanz einziehst.«

»Du bist vielleicht lustig! Das hat nichts mit Schwanzeinziehen zu tun, sondern mit Eigenschutz. Soll ich mich gegen die Oberen wehren?«

»Ja«, antwortete sie wie selbstverständlich.

»Und meine Karriere aufs Spiel setzen?«

»Sören und ich tun das auch.«

»Ihr seid Bullen, ich bin nur Rechtsmediziner. Wenn die mich auf dem Kieker haben, kann ich für den Rest meines Lebens einpacken. Ihr könnt euch immer noch als Kaufhausdetektive oder Privatschnüffler durchschlagen.«

»Siehst du Gespenster, oder war da schon mehr in den letzten Tagen? Wer sind ›die‹?«, fragte Santos mit einem Gesichtsausdruck, als stünde ihr ein völlig Fremder gegenüber.

»Was meinst du mit mehr?«, fragte er mit zusammengekniffenen Augen. »Wenn du denkst, ich habe mich zulaufen lassen …«

Santos winkte ab. »Jetzt fängst du aber total an zu spinnen. Mannomann! So was käme mir nicht mal im Traum in den Sinn, obwohl, dein Lieblingspub ist doch Murphy's …« Sie grinste, und er konnte sich das Grinsen auch nicht verkneifen, wodurch sich die Situation von einer Sekunde zur anderen entspannte. »Aber Spaß beiseite, mit mehr meine ich, wirst du unter Druck gesetzt?«

»Kein Kommentar, nur noch eins: Denk mal an Günter. Warum wohl hat er sich krankschreiben lassen? Er hat mir irgendwann erzählt, dass er in seiner gesamten Dienstzeit nicht einen einzigen Fehltag hatte. Jetzt auf einmal liegt er im Bett. Na ja, irgendwann erwischt es jeden. Lass mich drüben die Erstbeschau durchführen und … Du bekommst Infos von mir, sobald ich Näheres weiß.«

»Dass Günter nicht krank ist, weiß ich selbst. Wovor oder besser vor wem hast du Angst? Es kann doch nicht sein, dass du dich nur aus einer Vermutung heraus so verhältst. Sören und ich haben das Gefühl, dich überhaupt nicht zu kennen. Wer tritt dir auf die Füße? Oder wirst du gar bedroht?«

»Nein«, flüsterte Jürgens mit gesenktem Blick, doch es klang nicht sehr überzeugend.

»Ach ja? Wenn dir niemand auf die Füße tritt, dann kannst du ja auch ganz normal mit uns reden. So wie bis vor ein paar Tagen.«

Jürgens schüttelte den Kopf, den Mund abfällig heruntergezogen. »Du hast wirklich keine Ahnung, wovon du redest. Ich«, und dabei schlug er sich mit der Faust auf die Brust, »ich bin eine wandelnde Zielscheibe, und da draußen warten einige darauf, endlich auf mich schießen zu dürfen …«

»Erzähl doch nicht so 'n Quark …«

»Lisa, entweder du hältst jetzt sofort deine Klappe, oder ich werde nie wieder ein Wort mit dir wechseln. Habe ich mich deutlich genug ausgedrückt? Lass mich einfach nur ausreden.«

»Okay, okay, ich bin ja schon still.«

Jürgens atmete einmal tief durch und sagte dann: »Nicht nur ich bin eine Zielscheibe, auch du und Sören seid eine, ihr habt's nur noch nicht kapiert, weil ihr auf Gedeih und Verderb einen Fall lösen wollt, der nicht zu lösen ist. Denn gewissen Leuten ist daran gelegen, dass er nie gelöst wird, zumindest nicht von euch. Die regeln so was auf ihre Weise, intern sozusagen.« Als Santos ihn unterbrechen wollte, hob er die Hand. »Nenn mich meinetwegen feige, vielleicht bin ich's ja.« Er zuckte die Schultern. »Weißt du, einige in meinem engeren Umfeld wissen, dass ich ein Zocker bin, ich gehe gern mal ins Kasino oder nehm an einer Pokerrunde teil, ist halt ein Laster, von dem ich nicht loskomme. Nur, ich kenne meine Grenzen und habe noch nie Schulden gemacht. Ich zocke zum Beispiel grundsätzlich nicht mit Leuten, von denen ich weiß, dass sie immer das Gewinnerblatt in der Hand halten. Genau das ist hier der Fall. Habe ich zwei Siebener, hat garantiert ein anderer drei. Habe ich ein Full House, kommt der Gegner garantiert mit einem Royal Flush daher. Die Karten sind gezinkt, und am Ende schulde ich meinen Mitspielern einen Haufen Kohle, metaphorisch gesprochen. Und schon haben sie mich am Wickel.«

»Damit hast du meine Frage nicht beantwortet. Ich schwöre dir, ich werde nicht einmal mit Sören darüber reden, wenn du das nicht willst. Sag mir bitte: War jemand bei dir und hat dich unter Druck gesetzt? Oder hat dir jemand gedroht?«

Jürgens überlegte. »Ich wurde gewarnt und soll keinerlei Informationen über ungewöhnliche Obduktionsergebnisse bei Bruhns nach außen dringen lassen. Nach außen schließt auch dich und Sören ein. Er hat gesagt, manchmal passieren unerwartet ganz schlimme Dinge, und ich könne doch nicht wollen, dass mir ganz unerwartet etwas Schlimmes passiert. Das waren seine Worte.«

»Aber warum? Hat er dich auf die DNA angesprochen?«

»Ich habe ihn gefragt, was er mit ungewöhnlichen Obduktionsergebnissen meint, worauf er geantwortet hat, es handele sich um den genetischen Fingerabdruck einer unbekannten weiblichen Person, die es nicht gibt und niemals geben wird. Dabei solle ich es bewenden lassen.«

»Aber wie können sie von der DNA bei Bruhns erfahren haben?«

»Ich bin das gedanklich mehrfach durchgegangen, und es gibt für mich nur eine Erklärung: Ich hab's in meinen Computer eingegeben, wie ich das mit allen Obduktionsergebnissen mache, und da hat sich wohl jemand in der Nacht oder am frühen Morgen in meinen Rechner eingeloggt, ohne dass ich es bemerkt habe. Bei Günter wird's genauso gewesen sein. Jetzt frage ich mich nur, wie lange ich schon überwacht werde oder ob es nur dieses eine Mal war, weil der Tote eben Bruhns heißt.«

»Du hast doch gesagt, dass jemand gekommen sei, um deine Daten zu löschen.«

»Das war eine Notlüge. Die wissen genau, wie man droht und einschüchtert. Ich habe mir dann diese Story für euch einfallen lassen.«

»Darf ich fragen, wann der Kontakt zustande kam? Hast du die Person jemals zuvor gesehen?«

»Es war niemand bei mir. Ich war auf dem Weg zur Arbeit, als ich angerufen wurde.«

»Die Stimme, kam sie dir bekannt vor?«

»Nein.«

»Könnte es Rüter gewesen sein?«

»Nein, seine Stimme ist unverwechselbar, den hätte ich sofort erkannt. Das einzig Auffällige war, dass er in der Wir-Form gesprochen hat, als stecke eine ganze Organisation dahinter. Hör zu, da kennt mich jemand verdammt gut, ich fühle mich seitdem beobachtet und kann nicht mehr klar denken. So, jetzt weißt du, was mit mir los ist. Und auch mit Günter. Auch er hat am Montag einen Anruf erhalten.«

»Das tut mir leid für euch. Sören und ich haben am Montagmorgen wirklich nur mit Volker darüber gesprochen, sonst mit niemandem. Und du mit Claudia. Hast du eine Vermutung, wer hinter dem Anruf stecken könnte?«

Jürgens schüttelte den Kopf. »Wenn ich eine hätte, wäre mir wohler«, erwiderte er, doch es klang nicht sehr überzeugend. Santos wurde den Eindruck nicht los, als würde er immer noch etwas verschweigen.

»Jetzt hast du schon so viel gesagt, dann kannst du auch den Rest rauslassen. Sind die Leute, von denen du sprichst, zufällig vom Verfassungsschutz, oder arbeiten sie im Innenministerium? War es ein anonymer Anruf?«

Jürgens ließ einen Moment verstreichen, zeigte auf einmal wieder das Santos vertraute verschmitzte, jungenhafte Lächeln und meinte: »Ich sage weder ja noch nein, aber pass gut auf dich auf. Pass sehr gut auf dich auf. Sag das auch Sören, ihr bewegt euch nämlich auf dünnstem Eis. Ist das Antwort genug?«

»Ich denke schon. Ich begreife nur nicht, warum die bis jetzt nicht bei uns waren. Hast du eine Erklärung?«

»Was nicht ist, kann ja noch werden. Außerdem, habt ihr mir nicht erzählt, dass auch ihr am Sonntag angerufen wurdet?«, entgegnete Jürgens.

»Nicht nur am Sonntag«, antwortete Santos nachdenklich. »Aber das war etwas völlig anderes. Das war keine Warnung, er hat uns nur Hinweise gegeben, als wäre er an der Tat beteiligt gewesen. Zumindest verfügte er über detailliertes Hintergrundwissen. Lassen wir uns überraschen. In seinem letzten Anruf hat er uns auf diese Villa hingewiesen und uns den Code für das Tor durchgegeben. Vielleicht ist es tatsächlich der Täter.«

»Gehen wir wieder rüber, sonst kommen die noch auf dumme Gedanken.«

Bevor sie den Raum verließen, hielt Jürgens sie noch mal zurück: »Eins habe ich vergessen: Trau keinem, nicht mal deinem besten Freund, Sören natürlich ausgenommen. Mag sein, dass ich zu viele Spionage- und Verschwörungsthriller gesehen habe, aber …«

»Wir passen auf«, sagte Santos und dachte an Albertz, aber auch an Harms und einige andere. Vor allem Albertz war ihr nicht geheuer, sie vermochte ihn nicht einzuschätzen, war nach wie vor irritiert von seinem gestrigen Auftreten, seiner Lüge über seine vermeintliche Krankheit. Aber er hatte einen Namen genannt – Bernhard Freier. Er hatte gesagt, dass sie und Henning sich mit den Frankfurter Kollegen vom K 11 in Verbindung setzen sollten.

Noch war völlig unklar, welche Rolle Albertz zukam, ob

seine angebotene Hilfe ehrlich gemeint oder er nur ein Blender und Täuscher war, ein gewiefter alter Fuchs vom Verfassungsschutz, der alle Tricks des schmutzigen Geschäfts beherrschte. In jedem Fall würden sie diesen Bernhard Freier ausfindig zu machen versuchen und sich einen Plan zurechtlegen, wie sie am besten an ihn herankommen konnten.

Das, was sie von Jürgens erfahren hatte, erinnerte wirklich stark an einen Agententhriller, wobei ihr unklar war, welche Rolle ihr und Sören in diesem undurchsichtigen, perfiden Spiel zukam.

Der Fotograf hatte seine Arbeit beendet, Bilder des Toten aus allen Blickwinkeln gemacht, den gesamten Raum fotografiert und mit der Videokamera aufgenommen, und bedeutete Jürgens mit einer Handbewegung, dass er mit der Erstbeschau beginnen könne.

Jürgens ging in die Hocke, öffnete seinen Koffer, zog die Latexhandschuhe an und begann, den Toten zu untersuchen. Er prüfte die Beweglichkeit der Gelenke, die komplett versteift waren, und maß mit einem Spezialthermometer die Lebertemperatur. »Die Totenstarre ist komplett eingetreten, gemäß der Lebertemperatur dürfte er zwischen zwölf und vierzehn Stunden tot sein. Die Totenflecke sind nicht mehr wegdrückbar. Genaueres wie immer nach der Obduktion. Der Mann ist über einen längeren Zeitraum hinweg gefoltert worden, beide Tatwerkzeuge liegen neben ihm, ein Nietengürtel und ein …« Er holte ein Maßband aus dem Koffer und fuhr fort: »Fünfundzwanzig Zentimeter langes Tranchiermesser, vermutlich japanischer Herkunft. Todesursache Verbluten durch Schnitt in den Hals mit Durchtrennung der Carotis sowohl links als auch rechts.«

»Hat da jemand seiner Wut freien Lauf gelassen?«, fragte Maren Peters von der Spurensicherung.

»Sieht ganz danach aus.« Jürgens wandte sich an Henning und Santos: »Ihr kriegt das Ergebnis so schnell wie möglich, aber erwartet keine Wunder, ich habe noch zwei weitere Leichen auf dem Tisch. Wir werden Überstunden schieben müssen, es sei denn …«

»Was?«

»Nichts, habe nur laut gedacht. Er kann abtransportiert werden.«

Jürgens zog die Handschuhe aus, schloss den Koffer und erhob sich. »Kann ich dich noch mal kurz unter vier Augen sprechen?«, fragte er Santos.

»Klar, ich begleite dich nach unten, brauch sowieso frische Luft.«

Vor der Tür sagte Jürgens: »Ich werde mein Bestes tun, ich hoffe nur, mir wird nicht wieder ein Kollege aus Lübeck vor die Nase gesetzt. Das wollte ich nur gesagt haben.«

Santos wollte etwas erwidern, als ihr Handy klingelte.

»Ja?«

»Sie haben ihn gefunden?«

»Sie schon wieder. Haben Sie mit seinem Tod zu tun?«

»Vielleicht, vielleicht auch nicht. Sie sollten nur eins wissen – er hat den Tod verdient.«

»Ach ja? Dann werden Sie mir sicherlich auch verraten, warum.«

»Muss ich das? Sie wissen doch inzwischen längst, was Bruhns getrieben hat. Klein war noch schlimmer, viel schlimmer.«

»Was hat er getan?«

»Das erzähl ich Ihnen ein andermal. Machen Sie's gut, ich melde mich bei Gelegenheit wieder.«

Damit legte der Anrufer auf, Santos sah Jürgens an.

»Wer war das?«, fragte er.

»Der, der uns zu Bruhns und hierhergeschickt hat. Ich nehme an, er hat die Morde begangen. Er hat gesagt, dass Klein noch schlimmer als Bruhns gewesen sei.«

»Wieso? Was hat Bruhns denn Schlimmes verbrochen?«

»Kinder.«

»Was Kinder?«

»Was wohl? Stell doch nicht solche Fragen, wenn du die Antwort ohnehin schon kennst.«

»Er hat Kinder missbraucht?«

»Ja, verdammt noch mal! Alles deutet darauf hin. Es ist sogar möglich, dass er ein kleines Mädchen umgebracht hat. Du hast sie vor einem Jahr auf deinen Tisch bekommen, die unbekannte Tote mit …«

»Den Brandwunden, den Hämatomen und den Knochenbrüchen?«

»Ja. Aber dass Bruhns etwas mit ihrem Tod zu tun hat, ist noch nicht erwiesen und schon gar nicht spruchreif.«

»Habt ihr inzwischen einen Namen von der Kleinen?«

»Angeblich heißt sie Nele, einen Nachnamen haben wir nicht. Wenn sie aus Osteuropa stammt, werden wir das ohnehin niemals herausfinden. Aber das sind Informationen, die bis jetzt nur Sören und ich haben, nur damit du Bescheid weißt.«

»Vertrauen gegen Vertrauen. Ich widme mich jetzt denen, die mir keine Fragen stellen, sondern nur zuhören. Ich melde mich. Ciao.« Er war bereits am Gehen, als er noch einmal innehielt: »Nele ist ein für Osteuropa untypischer Name. Vielleicht Nela, oder man hat ihr hier diesen Namen verpasst. Aber das ist ja im Prinzip auch egal, wir werden sowieso nie erfahren, wer sie wirklich war, wo sie herkam, wer ihre Eltern sind, ihre Geschwister. Ihr habt echt einen Scheißjob. Genau wie ich. Jetzt bin ich aber endgültig weg.«

Santos sah ihm nach, bis er durch das Tor getreten war, und ging wieder ins Haus. Sie hörte, wie Henning sich oben mit den Kollegen der Spurensicherung unterhielt, und beschloss, hier unten zu warten, denn sie hatte keine Lust mehr auf Gerede. Sie setzte sich auf die Treppe, den Kopf in die Hände gestützt, unfähig, einen klaren Gedanken zu fassen. Für einen Augenblick meinte sie, die ganze Last dieser Welt auf ihren Schultern zu tragen, und fragte sich nicht zum ersten Mal, warum sie jemals beschlossen hatte, diesen Beruf zu ergreifen, einen Beruf, der sie aufzufressen schien.

Seit Sonntag ergab praktisch nichts einen Sinn: der Tod von Bruhns und seiner jungen Geliebten, der Tod von Weidrich und der Tod von Klein. Sechs Tote innerhalb von vier Tagen. Wo ist der Zusammenhang?, dachte sie und schloss die Augen. Wo ist der verdammte Zusammenhang? Warum dürfen wir nicht einfach auf ganz normalem Weg ermitteln? Warum wurde eine Informationssperre verhängt, und warum wurde ein unschuldiger Mann von Kollegen aus dem LKA umgebracht, um ihn als Mörder von Bruhns auszugeben? Bruhns war tot, der Täter war bei einem Schusswechsel umgekommen. Die perfekte Story für die Medien und die Öffentlichkeit.

Was steckt wirklich hinter all diesen Morden? Welche Rolle kam Kerstin Steinbauer zu? Und, noch wichtiger, welche Rolle spielt Albertz? Haben sie ihn auf uns angesetzt? Ist das der Grund, weshalb wir bis jetzt keine Drohungen erhalten haben?

Verflucht, das ist ein einziges Durcheinander: ein Auftragskiller, ein Mann vom Verfassungsschutz, der uns angeblich was Gutes tun will … Wir sollen uns mit den Kollegen in Frankfurt in Verbindung setzen, hat er gesagt. Er würde uns doch nicht einen solchen Tipp geben, wenn da nichts dran wäre. Oder? Nein, auch wenn ich Albertz noch nicht einschätzen kann, er hat uns zu viele Informationen gegeben. Ob er es wirklich ernst meint, wird sich spätestens dann herausstellen, wenn er uns Näheres zu diesem Bernhard Freier sagt.

Wir müssten die Spedition unter die Lupe nehmen, denn sollte Klein tatsächlich in Menschenhandel verwickelt gewesen sein … Jeder Fahrer müsste befragt werden, und zwar einzeln. Wir müssten eine Großrazzia durchführen, dafür bräuchten wir aber Rüters Segen. Wir müssten, wir müssten, wir müssten! Shit! Wir müssten, aber wir können nicht. Und wo sollten wir anfangen? Ariadnefaden, was für ein Vergleich!

Sie war so in Gedanken versunken, dass sie Henning nicht hatte kommen hören.

»Was machst du denn hier auf der Treppe?«

Sie schreckte hoch. »Nachdenken.«

»Mit Erfolg?«

»Nee, Fragen über Fragen. Können wir?«

»Was habt ihr denn so Geheimnisvolles zu besprechen gehabt?«

»Erzähl ich dir im Auto. Unser Unbekannter hat sich eben wieder gemeldet, er hat gefragt, ob wir Klein gefunden haben.«

»Haben wir. Und nun?«

»Wir rufen in Frankfurt an. Sag mal, ist dir eigentlich klar, an wie vielen Fronten wir gleichzeitig kämpfen? Wir haben es mit einem Auftragskiller zu tun, der womöglich identisch mit dem anonymen Anrufer ist, mit dem Verfassungsschutz, mit Friedmann und Müller vom LKA, mit Rüter … Mehr fällt mir im Augenblick nicht ein.«

»Lisa, wir sollten nicht kämpfen, denn das können wir nicht. Aber wir können versuchen, die Strukturen zu verstehen, und dann eventuell handeln. Ich will nicht kämpfen, nur begreifen, worum es geht.«

»Das genügt mir nicht. Ich bin nicht bereit zu akzeptieren, dass wir so machtlos sind. Lass es uns versuchen, auch wenn es noch so aussichtslos erscheint. Ich werde mich nicht bedingungslos unterwerfen und einfach hinnehmen, dass zwei unserer werten Kollegen eiskalte Killer sind. Nein, Sören, nicht mit mir. Meine Hoffnung ist Albertz.«

»Die Büchse der Pandora«, murmelte Henning.

»Was meinst du?«

»Als sie geöffnet wurde, kam alles Unheil dieser Welt heraus, nur eins blieb – die Hoffnung. Ich hoffe, du wirst nicht enttäuscht.«

»Wir.«

»Okay, wir.«

Auf der Fahrt nach Kiel berichtete Santos von ihrem Gespräch mit Jürgens. Henning hörte aufmerksam zu, ohne sie zu unterbrechen. Als sie geendet hatte, sagte er leise: »Na endlich, jetzt kann ich ihn wenigstens verstehen.« Er straffte sich. »Also gut, dann lass uns den Kampf aufnehmen, vielleicht schließen sich uns ja noch andere an.«

Auf dem Weg ins Präsidium aßen sie eine Kleinigkeit. Harms' Büro war verwaist, ein Kollege teilte ihnen mit, er habe einen Termin mit einem Staatsanwalt, mit welchem, konnte er nicht sagen.

»Schon wieder?«, fragte Santos Henning, als sie allein waren. »Was will Rüter andauernd von ihm?«

»Ist mir egal. Wer ruft in Frankfurt an, du oder ich?«

»Ich mach das.«

Sie begann, die Nummer zu wählen, als Henning ihr den Hörer aus der Hand nahm.

»Nicht von hier«, sagte er mit vielsagendem Blick.

»Schon verstanden. Von wo?«

»Noll, unser Computerfreak«, grinste Henning. »Wir wollen doch nicht, dass jemand mithört.«

»Du hast recht.«

MITTWOCH, 14.05 UHR

Noll hatte eine Tüte Chips und eine große Flasche Cola auf dem Tisch stehen, er trug einen ausgeleierten grünen Sweater und Jeans, die braunen Haare waren zerzaust, als wäre er gerade erst aufgestanden, er war unrasiert, und die Finger tippten in rascher Folge eine Kombination auf der Tastatur.

Henning klopfte an und trat ein, bevor Noll »Herein« sagen konnte.

»Hallo, ihr Lieben, welch Glanz in meiner bescheidenen Hütte. Was verschafft mir die Ehre?«, fragte er und griff in seine Chipstüte. Noll schien sich fast ausschließlich von Junkfood zu ernähren – Pizza, Hamburger, Pommes und literweise Cola – und nahm doch kein Gramm zu, was wohl daran lag, dass er über einen beneidenswerten Stoffwechsel verfügte, denn Noll hasste nichts mehr als Bewegung und brachte mehr Zeit in seinem mit Elektronik vollgestopften Büro zu als irgendwo sonst. Oft traf man ihn mitten in der Nacht an, als wäre er mit seinen Computern verheiratet. Hin und wieder hatte er lose Beziehungen, aber mit seinen achtundzwanzig Jahren schien er in seinem Innern in der Pubertät steckengeblieben zu sein, auch wenn sein Intellekt überaus scharf und analytisch war. Ein Genie, ohne das die Polizei nicht auskam. In einem anderen Unternehmen hätte er das Vier- oder Fünffache verdienen können, aber er liebte seinen Job.

»Dürfen wir mal einen deiner Apparate benutzen?«, fragte Henning.

»Klar.« Noll runzelte die Stirn, hinter der es gewaltig zu arbeiten schien. »Ist euer Telefon kaputt?«

»Nein.«

»Darf ich erfahren …«

»Nicht jetzt. Versprich uns, dass du mit niemandem darüber redest.«

»Worüber denn?«

»Dass wir hier telefoniert haben.«

»Habe ich euch jemals enttäuscht? Nehmt den Apparat da drüben, garantiert abhörsicher«, sagte Noll grinsend und wandte sich wieder seiner Arbeit zu. »Oder soll ich rausgehen?«, fragte er, ohne die Beamten anzusehen.

»Brauchst du nicht.«

»Schön.«

Santos griff zum Telefon, wählte die Nummer vom K 11 in Frankfurt, nach wenigen Sekunden wurde am anderen Ende abgenommen.

»Durant.«

»Santos vom K 1 in Kiel. Bin ich dort beim K 11?«

»Ja. Was kann ich für Sie tun?«

»Frau Durant, ich muss mich auf Ihre Verschwiegenheit verlassen können, da wir in einem äußerst delikaten Fall ermitteln …«

»Sie haben mein Wort. Wie kann ich Ihnen helfen? Hat es mit Bruhns zu tun?«

»Unter anderem. Mein Kollege Herr Henning und ich würden ja nach Frankfurt kommen, aber das würde sofort auffallen. Unsere Ermittlungen werden im Moment stark behindert, wir werden beobachtet und möglicherweise auch abgehört, weshalb ich auch nicht von unserem Dienstapparat aus anrufe …«

»Solche Spielchen kenne ich«, wurde Santos von Durant unterbrochen. »Aber fahren Sie fort.«

»Wir haben Informationen über einen Mordfall erhalten, der sich 1984 im Rhein-Main-Gebiet zugetragen hat und bis heute nicht aufgeklärt ist. Wir könnten natürlich in unserer Datenbank recherchieren, aber selbst das ist uns zu riskant. Es handelt sich um einen Immobilienmogul, dessen Namen wir allerdings nicht kennen. Er wurde zusammen mit einer Minderjährigen, vermutlich aus Osteuropa, in seinem Landhaus erschossen. Können Sie uns den Namen durchgeben und eventuell auch den derzeitigen Aufenthaltsort seiner damaligen Frau?«

»Darf ich fragen, was das mit dem Fall Bruhns zu tun hat?«

»Ein Informant hat uns mitgeteilt, dass dieser Immobilienmensch von einem Auftragskiller umgebracht wurde, der angeblich auch für den Mord an Bruhns verantwortlich zeichnet. Zudem gibt es nicht zu übersehende Parallelen. Dieser Immobilienmakler wurde zusammen mit einem Mädchen ermordet, Bruhns war in der Tatnacht mit einer Achtzehnjährigen aus Düsseldorf zusammen …«

»Das ist doch aber noch keine wirkliche Parallele«, warf Durant ein.

»Wir haben zudem erfahren, dass Bruhns genau wie der andere pädophil war. Bruhns war möglicherweise auch in den Mord an einem etwa elf oder zwölf Jahre alten

Mädchen verwickelt, das vor einem Jahr hier in Kiel tot aufgefunden wurde.«

Für einige Sekunden herrschte Stille am anderen Ende der Leitung, nur Durants Atmen war zu hören. Schließlich sagte sie: »Moment, verstehen Sie mich jetzt nicht falsch, aber der Mörder von Bruhns wurde laut meinen Informationen doch bei einem Schusswechsel getötet.«

»Das ist die offizielle Version. Deshalb wurden auch sofort sämtliche Ermittlungen im Fall Bruhns eingestellt. Klappe zu, Affe tot. Aber Herr Henning und ich wissen mehr, als einigen Leuten lieb ist.«

»Können Sie mir das näher erläutern? Ich bin neugierig und lerne gerne dazu.«

»Da haben wir etwas gemeinsam. Der Mann, der Bruhns und seine Geliebte umgebracht haben soll, kann es unmöglich gewesen sein, er war schwerer Alkoholiker und zu so einer Tat schlicht gar nicht fähig. Wir waren am Nachmittag vor seinem Tod bei ihm und haben ihn befragt. Er hat uns recht detailliert Auskunft über Bruhns erteilt, aber in seinem körperlichen Zustand hätte er nie und nimmer einen solchen Mord begehen können. Ich lasse Ihnen gerne Tatortfotos zukommen, Sie werden auf den ersten Blick erkennen, dass hier ein Profi am Werk war. Mittlerweile haben wir erfahren, dass die beiden Beamten, die ihn umgelegt haben, als äußerst brutal gelten.«

»Das klingt hart. Seien Sie auf der Hut, denn wenn Sie trotz Ermittlungsstopps weiterermitteln, wird man das über kurz oder lang herausfinden. Weiß Ihr Vorgesetzter davon?«

»Er weiß es, er unterstützt uns, wenn auch nur indirekt, aber die Angst geht um, selbst bei dem Leiter der Rechtsmedizin und dem Leiter der KTU ...«

»Was haben die damit zu tun?«

»Ist eine lange und sehr verworrene Geschichte«, versuchte sich Santos um eine Antwort zu drücken, doch Durant ließ nicht locker.

»Ich liebe verworrene Geschichten. Kommen Sie, eine Hand wäscht die andere.«

Durants Stimme klang in Santos' Ohren angenehm und vertrauenswürdig. Als auch Henning ihr aufmunternd zunickte, legte sie deshalb los: »Sie haben bei Bruhns und am Tatort jene DNA gefunden, die angeblich von kontaminierten Wattestäbchen stammt. Sie können sich vielleicht vorstellen, dass das einigen Herren und Damen überhaupt nicht passt, vor allem auf politischer Ebene. Wenn das publik würde, es wäre ein Desaster ohnegleichen …«

»Das ist jetzt kein Witz, oder?« Santos meinte, Durants ungläubiges Gesicht durch das Telefon zu sehen.

»Frau Durant, mir ist im Augenblick nach allem, nur nicht nach Witzen zumute. Verstehen Sie jetzt, warum wir so vorsichtig sind?«

»Natürlich. Aber warum dann diese Pressekonferenz?«

»Wir wissen es nicht. Noch nicht. Wir hatten übrigens heute schon wieder drei Tote, einer von ihnen war so übel zugerichtet, dass einem schlecht werden konnte.«

»Sie meinen, es war wieder dieser Auftragskiller?«

»Bei zwei der Ermordeten war definitiv ein Profi am Werk, ein exzellenter Schütze. Beim dritten Opfer war eine Menge Wut im Spiel, er wurde über einen längeren Zeitraum brutal gefoltert. Mehr können wir zum jetzigen Zeitpunkt nicht sagen.«

»Dagegen geht's bei uns ja im Moment richtig friedlich zu«, sagte Durant. »Aber warum brauchen Sie die Adresse der Frau des ermordeten Immobilienmaklers?«

»Uns wurde der Tipp gegeben, sie habe den Mord an ihrem Mann in Auftrag gegeben. Können Sie uns helfen?«

»Ich werde zusehen, was ich machen kann. Wie soll ich Ihnen die Daten zukommen lassen, wie wäre es für Sie am sichersten?«

»Warten Sie, ich gebe Ihnen eine E-Mail-Adresse. Peter, wir brauchen eine Adresse ...«

»Hier«, sagte Noll, der sie bereits notiert hatte.

Santos buchstabierte, Durant schrieb mit.

»Können Sie eine Weile warten?«

»Ja, sicher.«

Santos hörte, wie Durant den Hörer zur Seite legte und in ein Nebenzimmer ging. Sie klopfte in monotonem Stakkato mit den Fingern auf die Tischplatte. Sie war nervös wie lange nicht mehr, als fürchtete sie, die Tür könnte gleich aufgehen und ungebetene Gäste würden hereinstürmen, um sie und Henning festzunehmen. Nach einer schier endlosen Zeit (es waren zehn Minuten vergangen), kam Durant zurück und nahm den Hörer wieder auf.

»Entschuldigung, dass es etwas länger gedauert hat, aber ich habe meinen Vorgesetzten gefragt, ob er sich noch an den Fall erinnern kann. Ich hatte Glück, denn er war damals direkt in die Ermittlungen eingebunden. Der Name des Mannes, der damals erschossen wurde, ist Manfred Schumann, das Mädchen, das bei ihm war, wurde nie identifiziert. Seine Frau heißt Sarah, ob sie allerdings immer noch Schumann heißt, müssen wir noch eruieren. Sie soll noch in Frankfurt oder Umgebung wohnen. Sobald ich Genaueres weiß, schick ich Ihnen die Daten durch. Wie war noch mal Ihr Name?«

»Santos, Lisa Santos, Hauptkommissarin. Danke für Ihre Hilfe.«

»Nichts zu danken. Wenn ich noch etwas für Sie tun kann, lassen Sie es mich wissen.«

»Wir können darauf zählen, dass Sie das Gespräch vertraulich behandeln?«

»Nur mein Partner und mein Chef werden davon erfahren beziehungsweise haben bereits davon erfahren. Vielleicht brauchen wir ja auch mal Ihre Hilfe. Eins würde mich noch interessieren – wer behindert denn Ihre Ermittlungen?«

»Staatsanwaltschaft bis hin zum Verfassungsschutz. Tun Sie mir nur einen Gefallen, behalten Sie alles, was ich Ihnen gesagt habe, für sich. Es geht um unsere Sicherheit, möglicherweise sogar um unser Leben. Ich weiß, dass wir ein Risiko eingegangen sind, noch mehr Personen einzuweihen, aber uns wurde empfohlen, dass wir uns mit Ihnen in Verbindung setzen. Ich hoffe, es war kein Fehler.«

»Leider sind wir uns bisher nicht persönlich begegnet, denn wenn Sie mich kennen würden, wüssten Sie, dass ich niemals Kollegen anschwärzen würde, es sei denn, sie sind korrupt oder anderweitig in kriminelle Aktivitäten verwickelt. Ich werde versuchen, die Informationen so rasch wie möglich zu beschaffen. Ich hoffe, es klappt heute noch. Scheuen Sie sich nicht, mich erneut zu kontaktieren, wenn Sie Hilfe brauchen. Denn sollte der Fall Schumann tatsächlich mit dem Fall Bruhns zusammenhängen, würde ich, falls erforderlich, sogar mit einem Kollegen oder einer Kollegin zu Ihnen nach Kiel kommen, um Sie zu unterstützen.«

»Was würde das bringen?«

»Sie können doch bestimmt jede Unterstützung gebrauchen.«

»Nein, lassen Sie das, Sie und Ihr Kollege würden sich nur in Gefahr begeben. Die Fälle hängen zusammen, aber

Herr Henning und ich ermitteln praktisch ohne Genehmigung von oben. Sie würde man fragen, warum Sie ausgerechnet eine Dienstreise nach Kiel angetreten haben.«

»Wir haben schon oft genug ungewöhnliche Wege beschritten«, sagte Durant. »Wir könnten es auch so drehen, dass wir einen anderen Zielort benennen …«

»Frau Durant, nichts für ungut, aber lassen Sie uns erst einmal die Lage sondieren. Sollten wir tatsächlich Ihre Hilfe benötigen, werde ich Sie umgehend kontaktieren. Einverstanden?«

»Sie müssen wissen, was Sie tun. Geben Sie nur acht, mit wem Sie sich anlegen. Zurück zu Ihrem eigentlichen Anliegen. Ich kümmere mich sofort um die Daten, damit Sie etwas in der Hand haben. Mit der E-Mail sende ich Ihnen auch meine Handynummer mit, nur für den Notfall. Ich würde mich freuen, wenn Sie mich auf dem Laufenden halten.«

»Erst mal vielen, vielen Dank, und ich melde mich wieder.«

»Nichts zu danken. Viel Erfolg, ich drück Ihnen beide Daumen.«

Santos legte auf und atmete tief durch.

»Wow«, stieß Noll hervor, »wenn das alles stimmt, was ich eben mitgehört habe, dann ist hier aber mächtig die Kacke am Dampfen.«

»Du vergisst es am besten gleich wieder«, sagte Santos müde und setzte sich auf die Tischkante. »Wir hatten eigentlich gar nicht vor, dich da mit reinzuziehen, aber …«

»Ach, ein bisschen Spannung kann ich schon vertragen. Wenn ihr meine Erfahrung als weltbester Computerfuzzi braucht, ich stehe euch jederzeit zur Verfügung.«

»Kann sich jemand in deine Rechner einhacken?«, fragte Henning.

»In meine Lieblinge? Das käme ja einem Missbrauch gleich. Nee, da kommt keiner rein, die sind besser abgesichert als die vom Pentagon. Da müsste jemand durch ungefähr dreißig Schleusen, von denen jeweils mehrere Pfade abgehen. Das schafft niemand, das ist wie ein Computerspiel auf allerhöchstem Niveau, das keiner knacken kann. Ach was, das ist besser als das beste Computerspiel, und ich hab's entworfen. Aber keiner hier weiß das.«

»Wieso? Würde doch deiner Karriere nützen.«

Noll grinste über beide Backen. »Es nützt *mir*, es sind *meine* Babys. Ich arbeite gerne hier, aber für die Feinheiten bin ganz allein ich zuständig. Ich kann mich zum Beispiel leicht bei gewissen Leuten umschauen, virtuell, versteht sich, ich komme in so ziemlich alle Systeme. Aber auch das bleibt unter uns. Manus manum lavat.«

»Was heißt, du kommst in alle Systeme?«, fragte Santos wie elektrisiert.

»Eben in alle, Banken, Großunternehmen et cetera pp. Was glaubt ihr, wo ich schon überall drin war? Ich sag's euch lieber nicht.«

»Regierung?«

»Nichts einfacher als das. Willst du wissen, was unsere Bosse treiben, frag Peter Noll.«

»Verfassungsschutz?«

»Ähm, die haben da sogenannte Spezialisten sitzen … Tatsächlich sind das Landeier, die von Tuten und Blasen keine Ahnung haben. Machen einen auf dicke Hose, ist aber nur heiße Luft.«

»Ach komm, da sitzen doch auch Profis, sonst könnte ja Hinz und Kunz bei denen ein und aus gehen«, sagte Henning mit hochgezogenen Brauen.

»Natürlich sitzen da Profis, aber du weißt ja, auch da gibt es Unterschiede. Die einen sind gut, die anderen besser.

Vergleich's mit Erster und Zweiter Liga. Oder Champions League und … Keine Ahnung. Ich versuch's für euch Laien einfach zu formulieren: Die meisten Systeme sind für den normalen User nicht zu knacken, weil er nicht über das nötige Know-how verfügt. Ich dagegen kenne so ziemlich alle Tricks und Schleichwege, wie auch das scheinbar beste System zu überwinden ist. Bleiben wir beim Verfassungsschutz. Die modifizieren zwar seit Jahren permanent ihr System und halten es auf dem ihrer Meinung nach sichersten Standard, sozusagen Level neun. Das Problem ist nur, sie ändern das System immer mit der gleichen Methode. So sind sie relativ leicht auszurechnen. Ich hingegen verwende nicht nur unterschiedliche Methoden, sondern lege auch neue Straßen an und mache dadurch unser System absolut einbruchssicher …«

»Heißt das, auch unsere Rechner haben diesen Sicherheitsstandard?«, fragte Santos.

»Nicht unbedingt, weil wir ein großes Netzwerk haben und man sich leider in einzelne Rechner einloggen kann, vor allem, wenn der Einbrecher im eigenen Haus sitzt, sprich LKA oder unsere Abteilungen. Aber ich garantiere euch, in meine Rechner hier in diesem Raum kommt keiner rein, da kann er noch so schweres Geschütz auffahren. Kapiert?«

»Nein«, antworteten Henning und Santos unisono, die beide von Computern gerade so viel Ahnung hatten, dass sie ihre Berichte schreiben und im Internet recherchieren konnten. Als sie jedoch vor einiger Zeit versucht hatten, zu Hause ihren Laptop mit dem neuinstallierten WLAN-Router zu verbinden, hatten sie Stunden gebraucht, bis die Verbindung hergestellt war. Noll hätte das in wenigen Sekunden und mit ein paar Tastaturbefehlen geschafft.

»Du kannst uns helfen …«

»Moment, nicht so schnell mit den alten Gäulen. Was springt für mich dabei raus?«

»Woran denkst du denn?«

»Eine Woche lang Hamburger, Pommes, Cola und zum Schluss eine Familienpizza. Ist das ein Deal?«

»Gebongt.«

»Was wollt ihr wissen?«

»Bernhard Freier mit ei.«

»Soll ich den googeln, oder was?«

»Nein, sieh nach, ob er beim Verfassungsschutz arbeitet.«

»Okay. Würdet ihr euch bitte auf die andere Seite des Tisches begeben, ich hab's nicht gerne, wenn man mir über die Schulter schaut.«

Henning und Santos setzten sich Noll gegenüber. Sie schwiegen.

Es dauerte fast zwanzig Minuten, bis Noll sagte: »Gar nicht so leicht, in das System reinzukommen, die müssen da irgendwas gedreht haben, von dem ich noch nichts weiß. Aber ein Peter Noll bleibt nicht vor der Tür stehen, wenn er unbedingt auf die Party will. Voilà, hier habt ihr euren Bernhard Freier.«

Beeindruckt traten sie neben ihn. »Wie hast du das so schnell geschafft?«

»Ich habe mich auf meinen Burger und die Pommes gefreut«, erwiderte er bierernst.

Sie nahmen auf dem Monitor Einblick in Freiers Personalakte, die mehr als zwanzig Seiten umfasste. »Albertz hat uns also nicht angelogen. Schon mal ein Punkt für ihn. Kannst du uns die ausdrucken?«

»Nee, ich kopier die auf einen USB-Stick, und dann verdrück ich mich, die dürfen nämlich nicht merken, dass jemand bei denen rumschnüffelt. Könnte fatale Folgen für mich haben, sollten die in der Lage sein, die Spur zu mir zurückzuverfolgen.«

Nach wenigen Sekunden waren die Daten auf dem Stick, den Noll neben sich legte, danach loggte er sich aus. Er lehnte sich zurück, plötzlich wirkte er besorgt.

»Was ist?«, fragte Henning.

»Möglich, dass die was bemerkt haben. Ich hoffe nur, ich war schnell genug. Scheiß drauf, immer positiv denken, die haben nichts bemerkt, die Dumpfbacken.«

»Gut, wir bräuchten nämlich noch einen Namen.«

»Noch einen? Gebt mir ein paar Minuten, dann probier ich's noch mal, diesmal aber auf einem anderen Weg.« Mit einem Mal zog ein verschmitztes Lächeln über sein Gesicht. »Oh ja, Jungs, ich weiß auch schon, wie ich diesmal an euch vorbeikomme. Ihr werdet denken, jemand aus eurem eigenen Haus würde sich einloggen. Das habe ich schon mal gemacht, und keiner hat's gemerkt.«

»Wo?«

»War privat, nur ein kleines Spielchen. Wie heißt es doch so schön, Probieren geht über Studieren.«

Nach weiteren fünf Minuten sagte er: »Was wollt ihr jetzt?«

»Jetzt such nach einem Karl Albertz mit tz.«

»Auf die andere Seite«, sagte Noll und streckte den Finger aus.

»Ja, ja, schon gut.«

Diesmal dauerte es einen Tick länger, bis Noll enttäuscht sagte: »Freunde, ich muss euch enttäuschen, einen Karl Albertz spuckt der Rechner nicht aus. Entweder …«

»Entweder hat er uns einen falschen Namen genannt, oder er arbeitet nicht für den Verfassungsschutz.«

»Nicht so voreilig, es gibt noch eine andere Möglichkeit«, sagte Noll und fasste sich an den Mund. »Beim VS und auch beim BND gibt es Mitarbeiter, die nicht in den Personalakten geführt werden, zumindest nicht in den offiziellen. Die werden zwar vom Staat bezahlt, tauchen aber nicht in den Akten auf. Man hat ihm vermutlich eine Nummer zugewiesen, über die er identifiziert werden kann. Das macht man nur mit Leuten, die ganz oben in der Hierarchie stehen, oder solchen, die häufig Geheimaufträge ausführen und dabei ständig ihren Namen wechseln.«

»Aber die ganz oben kennt man doch«, warf Santos ein.

»Sicher, doch es gibt noch Schattenmänner und -frauen, die genauso mächtig sind, aber eben nicht auf der offiziellen Liste erscheinen. Ziemlich kompliziert, aber effektiv. So kann vieles vertuscht werden, und die offiziell geführten Personen waschen ihre Hände in Unschuld. Insofern ist es gar nicht mehr so kompliziert, wenn man das System einmal verstanden hat.«

»Woher weißt du so viel darüber?«, fragte Henning misstrauisch, dem Noll fast unheimlich war.

»Mann, keine Bange, ich bin keiner von denen, und wenn ich etwas weiß, was ihr nicht wisst, heißt das noch lange nicht, dass ich für zwei Seiten tätig bin. Wie lange kennen wir uns jetzt schon, und wie oft habe ich meinen Arsch für euch riskiert? Okay, okay, eigentlich nur ein Mal, vor zwei Jahren oder so, aber warum sollte ich ein falsches Spiel mit euch treiben?«

»Schon gut, du hast ja selbst mitgekriegt, was hier abläuft, da ist Misstrauen vorprogrammiert. Danke für deine Hilfe.«

»Ihr schuldet mir was. Solltet ihr weitere Wünsche haben – ist im Preis inbegriffen.«

Santos holte einen Fünfzigeuroschein aus der Tasche und legte ihn vor Noll auf den Tisch.

»Reicht das?«

»Locker, ich bin doch genügsam«, sagte er grinsend. »Was für ein geiles Gefühl, bestechlich zu sein.«

»Mach uns jetzt kein schlechtes Gewissen …«

»Leute, da kommt eben eine Mail an. Für euch. Ich druck sie aus. Dann verschwindet, ich habe noch andere Sachen zu erledigen.«

Die Mail von Julia Durant umfasste nur wenige Zeilen.

> *Liebe Frau Santos,*
> *nach unserem Telefonat hier die von Ihnen ge-*
> *wünschten Daten. Manfred Schumann, geboren*
> *am 24.01.1935, von unbekannt erschossen am*
> *17.10.1984. Bei ihm befand sich ein ca. dreizehn-*
> *bis vierzehnjähriges Mädchen, das ebenfalls*
> *erschossen aufgefunden wurde.*
> *Sollten Sie weitere Informationen wünschen, so*
> *setzen Sie sich bitte direkt mit mir in Verbindung,*
> *am besten heute noch.*
>
>

Mit kollegialen Grüßen
Julia Durant
>

Santos sah Henning ratlos an, die Zeilen waren vollkommen nutzlos, sie enthielten nur Informationen, die sie bis auf die exakten Daten bereits kannten.

»Was ist das denn? Spinnt die?«

Henning schüttelte den Kopf. »Sie spinnt nicht. Sie will, dass du sie umgehend anrufst. Steht doch klar und deutlich da. Mach schon, die Frau wird schon ihren Grund haben.«

»Wenn du meinst.«

Sie wählte die Nummer von Julia Durant, die bereits nach dem ersten Läuten abhob.

»Durant.«

»Santos. Ich sollte mich bei Ihnen melden.«

»Sie rufen von der sicheren Leitung aus an?«

»Ja.«

»Gut. Bestimmte Informationen wollte ich nicht per Mail schicken, es könnte immerhin sein, dass jemand anderes sie in die Finger bekommt, und dann hätten auch wir ein dickes Problem. Es handelt sich nämlich um eine äußerst delikate Angelegenheit, die eigentlich unter Verschluss gehalten wird, aber mein Vorgesetzter hat ein exzellentes Gedächtnis, speziell was diesen Fall betrifft. Wenn ich Sie vorhin richtig verstanden habe, sind Sie der Überzeugung, dass der Fall Schumann und der Fall Bruhns zusammenhängen ...«

»Ja, so wurde es uns erklärt«, entgegnete Santos, die sich nun fragte, ob Julia Durant sie beim ersten Telefonat auch wirklich verstanden hatte.

»Dann werde ich Ihnen jetzt einiges zu Schumann sagen. Schumann war eine der absoluten Größen im Immobilien- und Grundstücksgeschäft in Deutschland, vornehmlich im Frankfurter Raum. Er hat hier 1957 als junger Mann bei null angefangen, wenige Jahre später gehörten ihm bereits ganze Straßenzüge in den besten Lagen, unter anderem im Westend, im Bahnhofsviertel und im Villenviertel auf dem Lerchesberg. Seit Ende der Sechziger bis zu seinem Tod wurden gegen ihn über zwanzig Ermittlungsverfahren wegen Spekulationsgeschäften sowie wegen des Verdachts der Erpressung und Korruption eingeleitet, ohne dass es jemals zu einer Anklage geschweige denn zu einer Verurteilung gekommen wäre. Schumann genoss Rückendeckung von politischer Seite, er durfte sich praktisch alles erlauben, ohne dafür belangt zu werden. Ermittlungen gegen ihn wurden ständig behindert, die Kollegen vom OK hatten sogar konkrete Hinweise, dass Schumann in Menschen-, insbesondere Kinderhandel involviert war, allerdings wurden die Ermittlungen in jedem einzelnen Fall vonseiten der Staatsanwaltschaft, in einem Fall sogar vom BND, gestoppt. Er galt sogar, und das ist eine höchst vertrauliche Information, als einer der Drahtzieher im Kinderhandel und der damals stark aufkommenden Kinderpornografie, obwohl es noch kein Internet gab.

Doch keiner kam an ihn ran, in der Öffentlichkeit waren stets zwei Bodyguards an seiner Seite. Nur in gewissen privaten Situationen – wie am Tag seiner Ermordung – wollte er allein sein. Wie es aussieht, fühlte sich Schumann an jenem 17. Oktober ausgesprochen sicher, ihm gehörten mehrere hundert Hektar um das Landhaus herum, allerdings war das Gebiet nicht abgesperrt. Er hatte an diesem Tag ein Mädchen bei sich, das von den damaligen Ermittlern auf maximal vierzehn Jahre geschätzt wurde, zum gleichen Ergebnis kamen auch die Rechtsmediziner. Sie sagten, das Mädchen sei zwischen zwölf und vierzehn gewesen, bestimmten Merkmalen zufolge slawischer Herkunft. Der Presse gegenüber wurde das Alter zwischen achtzehn und zwanzig angegeben, man wollte den guten Ruf des werten Herrn nicht beschmutzen.

Frau Schumann befand sich zum Zeitpunkt der Ermordung ihres Mannes in Südfrankreich und wurde dort über seinen Tod informiert. Sie wurde mehrfach von den Ermittlern befragt, doch sie schied als Tatverdächtige oder Auftraggeberin aus, da sie von vornherein bekundete, von den zahlreichen Affären ihres Mannes gewusst und sie geduldet zu haben. Was sie angeblich nicht wusste, war, dass er auch einen starken Hang zu Minderjährigen hatte. Sie war einverstanden oder bestand sogar darauf, dass dies nicht an die Öffentlichkeit gelangte, allein schon ihres guten Rufes wegen. Den Rest kennen Sie.«

»Wo lebt Frau Schumann heute?«, wollte Santos wissen.

»Sie bewohnt nach wie vor eine Villa im Frankfurter Westend und besitzt darüber hinaus mehrere Wohnungen und Häuser in Deutschland und im Ausland. Ihr Vermögen wird auf etwa dreihundert Millionen Euro beziffert, die Immobilienwerte nicht eingerechnet. Sie hat die Mehrheitsanteile an dem Unternehmen vor ein paar Jahren an einen russischen Investor verkauft, ist aber immer noch mit neunundvierzig Prozent beteiligt. Erwähnenswert ist vielleicht außerdem, dass sie zurückgezogen lebt und als Wohltäterin und Mäzenin bekannt ist. Was für Sie besonders interessant sein dürfte, ist, dass sie auch in Kiel eine Immobilie besitzt. Hier scheint sich ein Kreis zu schließen.«

»Uns wurde bereits angedeutet, dass sie ein Haus in Kiel hat. Haben Sie die Adresse?«, fragte Santos, sie zitterte geradezu, meinte sie doch zu spüren, dass die Nebel sich zu lichten begannen.

»Nein, aber es dürfte für Sie kein Problem sein, die herauszufinden. Ich kann Ihnen die Frankfurter geben. Haben Sie was zu schreiben zur Hand?«

»Ja.«

»Und wenn das Haus hier in Kiel nicht unter ihrem Namen eingetragen ist?«

»Es ist unter ihrem Namen eingetragen, sonst wüssten wir nicht davon. Ich habe allerdings meine Zweifel, ob Frau Schumann in irgendeiner Weise mit den Morden zu tun hat, schließlich sind seit dem Tod ihres Mannes fast fünfundzwanzig Jahre vergangen. Außerdem, wo sehen Sie die Verbindung zu Bruhns? Sollte sie den Mord an ihrem Mann tatsächlich in Auftrag gegeben haben, so werden Sie das niemals beweisen können, nicht nach so einer langen Zeit …«

»Frau Durant, es gibt eine Verbindung. Ich bin davon überzeugt, dass es sich bei Bruhns' Killer und dem ihres Mannes um ein und denselben handelt. Wenn Sie von Kinderhandel und -pornografie sprechen, so wird die Verbindung noch deutlicher.«

»Sicher, ich kann Ihre Argumentation nachvollziehen, das Problem ist nur, dass Sie sich mit einer höchst einflussreichen Frau aus der High Society anlegen. Das allein kann gefährlich werden. Nehmen Sie es als freundschaftlich gemeinte Warnung, denn ich habe bittere Erfahrungen mit solchen Menschen gemacht. Mit denen ist nicht zu spaßen, auch wenn sie Ihnen freundlich ins Gesicht lächeln. Zudem gebe ich zu bedenken, weder Sie noch wir haben irgendwelche Beweise für eine Beteiligung von Frau Schumann an einem Verbrechen. Ich wüsste nicht, wie ich ein solches Gespräch beginnen sollte, deshalb überlegen Sie sich gut, wie Sie vorgehen. Wir hier in Frankfurt ermitteln fast ständig in der Grauzone der High Society und haben uns mittlerweile eine Menge Feinde dort geschaffen. Aber ich will Ihnen natürlich nicht in Ihren Job reinreden. Nur, seien Sie um Himmels willen vorsichtig, und sollten Sie unsere Hilfe benötigen, zögern Sie nicht, mich anzurufen. Wir finden einen Weg, nach Kiel zu kommen, wir sind höchst erfinderisch, was Ausreden angeht.«

»Vielen Dank für Ihre Hilfe. Ich melde mich bei Ihnen.«

»Und ich mich bei Ihnen, falls ich weitere Infos bekomme. Tschüs und schönen Gruß an Ihren Kollegen.«

Santos hielt den Hörer noch einen Moment in der Hand, bis sie ihn ablegte.

»Was glaubt die eigentlich, wer sie ist, dass sie uns sagt, wie wir ermitteln sollen? Klar, Kiel ist nicht Frankfurt, aber wir sind doch keine Dorftrottel! Ich pfeif auf die Hilfe von dieser arroganten …«

»Lisa, ohne diese arrogante Frau Durant hätten wir nicht mal einen Bruchteil der Infos, die sie uns freundlicherweise gegeben hat«, versuchte Henning, sie zu beschwichtigen. »Frankfurt ist anders als Kiel, laut Statistik …«

»Was interessiert mich die Statistik? Ich …«

»Sie war überaus freundlich und kooperativ, sie hat uns ihre Hilfe angeboten, sie ist sogar bereit, sich über Vorschriften hinwegzusetzen, um nach Kiel zu kommen, und du machst einen auf beleidigt. Warum? Wir sollten auf die Knie gehen und ihr dankbar sein. Oder ihr einen großen Strauß Blumen schicken.«

»Mach doch.«

»Sorry, Lisa, aber Sören hat recht«, mischte sich Noll ins Gespräch ein. »Mit dem Material könnt ihr doch eine ganze Menge anfangen. Hey, sie klang auch nicht so, als hättet ihr keine Ahnung von eurem Job oder als wollte sie euch belehren. Ich hab's zumindest nicht so empfunden. Das Gespräch habe ich übrigens mitgeschnitten.«

Lisa Santos ließ sich auf den Stuhl fallen und schloss die Augen. »Entschuldigung, meine Nerven liegen blank. Wie gehen wir weiter vor?«

»Nicht lange warten. Peter, such uns doch mal die Adresse dieser Sarah Schumann raus«, sagte Henning. »Wenn die so reich ist und in Kiel ein Haus hat, dann kommt doch eigentlich nur Düsternbrook in Frage.«

»Wir haben auch noch ein paar andere schöne Ecken mit schönen Häusern«, entgegnete Noll und meinte nur kurz darauf: »Du hast gewonnen, Düsternbrook. Hier, gleich um die Ecke von das Hotel von die Stadt. Weißt du, Alder, is voll krass.«

Henning konnte sich ein Grinsen nicht verkneifen. »Lisa

und ich machen uns vom Acker. Mal sehen, ob Volker wieder in seinem Büro ist. Nochmals danke.«

»Ich werd's mir schmecken lassen, der Burger und die Fritten warten schon.«

»Wie lange bist du heute hier?«, wollte Henning wissen.

»Kann Mitternacht werden. Warum?«

»Nur so. Vielleicht sieht man sich noch mal.«

»Muss nicht unbedingt sein, habe unheimlich viel zu tun, ihr habt mir etwa zwei Stunden geklaut.«

»War für 'ne gute Sache«, erwiderte Henning und machte die Tür hinter sich zu.

Schweigend gingen sie zurück zu ihrem Büro, am Getränkeautomaten machte Santos halt und holte für sich und Henning je einen Becher schwarzen Kaffee. »Ich brauch das jetzt.«

MITTWOCH, 16.15 UHR

Volker Harms war wieder in seinem Büro, das Fenster stand sperrangelweit offen. Er blickte auf den Innenhof, die Hände in den Taschen seiner Cordhose vergraben, und drehte sich nicht einmal um, als Henning und Santos den Raum betraten. Eine greifbare Spannung lag in der Luft.

»Wo kommt ihr her?«, fragte er mit leiser Stimme.

»Von draußen«, antwortete Henning und merkte im selben Moment, dass diese scherzhafte Bemerkung nicht angebracht war. Nicht hier und jetzt.

»Ihr seid schon lange weg aus Mönkeberg. Wo wart ihr?«

»Unterwegs.«

»Und wo, wenn ich fragen darf?«, sagte Harms, wandte den Kopf zur Seite und blickte seine besten Mitarbeiter, wie er sie immer nannte, aus dem Augenwinkel an. »Und bitte, seid ehrlich.«

»Was ist passiert? Volker, was ist passiert?«

»Was passiert ist? Wir stecken bis zum Hals in der Scheiße und merken's nicht, das ist passiert. Und ihr treibt euch irgendwo rum und …«

»Augenblick, du hättest uns anrufen und fragen können, wo wir sind«, wehrte sich Santos. »Außerdem hast du uns freie Hand gelassen.«

»Ja, ich weiß. Aber das kann ich jetzt nicht mehr. Wir sind raus aus der Nummer, ein für alle Mal. Das LKA übernimmt die Ermittlungen im Fall Klein.«

Henning verengte die Augen zu kleinen Schlitzen. »Ich frage dich noch mal: Was ist passiert? Wir waren vor gut zwei Stunden hier, und du warst nicht da. Uns wurde nur mitgeteilt, dass du bei der Staatsanwaltschaft bist. Hat dich Rüter mal wieder zu sich zitiert?«

»Sören, ich habe keinen Bock mehr auf diese Scheiße, ich habe einfach keinen Bock mehr. Rüter hat mir irgendeinen Quatsch erzählt, von wegen organisiertes Verbrechen und so weiter, und dass ihr nicht erfahren genug seid, in dem Fall zu ermitteln.«

Als Harms nicht weitersprach, sagte Santos: »Das ist ein Mordfall und hat mit organisiertem Verbrechen meines Erachtens noch nichts zu tun. Woher will Rüter das mit der OK überhaupt wissen?«

»Danach habe ich ihn auch gefragt, worauf er geantwortet hat, er sei mir gegenüber keinerlei Rechenschaft schuldig. Solltet ihr euch dennoch weiter mit Klein oder gar Bruhns befassen, werdet ihr vorläufig vom Dienst sus-

pendiert, und es wird möglicherweise zu einem Diszipli-
narverfahren kommen. Das soll ich euch ausrichten.«

»Wie schön. Lisa, was hältst du davon, wenn wir Rüter
bitten, uns das ins Gesicht zu sagen? Wir sind nicht erfahren genug, was für ein Schwachsinn! Außerdem können
wir gar nicht vom Dienst suspendiert werden, wenn wir
in einem Mordfall ermitteln, solange wir nicht gegen die
Regeln verstoßen.«

Harms setzte sich, seine Haut war fahl, sein Blick resigniert. Der ehemalige Kämpfer hatte seine Kraft verloren.

»Ich würde euch davon abraten, zu Rüter zu gehen, der
hat sich auf euch eingeschossen, und ich habe keine Ahnung, warum. Habt ihr ihm irgendwas getan, von dem
ich nichts weiß?«

»Im Gegenteil, wir gehen ihm aus dem Weg, wo wir nur
können. Dieses Arschloch. Entschuldige, aber ich hab so
'n Hals. Jetzt mal Butter bei die Fische. Bist du noch aufnahmefähig?« Henning nahm ebenfalls Platz, während
Santos sich ans Fenster stellte und ihren Kaffee trank.

»Wenn du mir nicht gerade die Relativitätstheorie erklären willst.«

»Wir haben noch nicht über Klein gesprochen. Interessiert dich gar nicht, was wir vorgefunden haben?«

»Schieß los.«

»Klein wurde bestialisch umgebracht, ich hoffe, wir kriegen wenigstens noch mal die Fotos zu Gesicht …«

»Du hast doch welche mit deinem Handy gemacht«, warf
Santos ein.

»Stimmt, hab ich ganz vergessen. Ich lad sie auf meinen
Rechner, dann kannst du sie sehen. Hast du Rüter irgendwas über unsere Aktivitäten erzählt?«

»Bist du von allen guten Geistern verlassen? Keinen Ton.«

In den folgenden Minuten berichteten Henning und Santos abwechselnd vom Tatort. Santos erzählte auch von ihrem Gespräch mit Jürgens und von den Drohungen, die er ebenso wie Tönnies erhalten hatte.

Harms sah sie beide lange an, bevor er seine Frage stellte: »Wer sind die Bösen?«

»Das versuchen wir herauszufinden. Dazu brauchen wir aber dein Okay. Wir werden dich auch nicht in Schwierigkeiten bringen, versprochen.«

»Auf Samtpfoten?«

»Auf Samtpfoten.«

»Ich kann euch ja nicht in Ketten legen, ich könnte euch höchstens dazu verdonnern, endlich den Aktenberg abzuarbeiten, wie Rüter mir vorgeschlagen hat.«

Santos trat an den Schreibtisch. »Da wäre noch etwas. Du hast gefragt, wo wir gewesen sind. Wir waren nicht nur bei Klein, wir haben auch hier im Präsidium recherchiert und uns mit Frankfurt kurzgeschlossen …«

Sie berichtete von ihrem Telefonat mit Julia Durant, von Sarah Schumann und deren Haus in Kiel.

»Habe ich was vergessen?«, fragte sie Henning zum Schluss.

»Ich glaube, nein.«

Harms zog wortlos die untere Schublade seines Schreibtischs heraus, entnahm eine Flasche Wodka und ein Glas und schenkte sich ein, als wäre es das Selbstverständlichste der Welt.

»Darauf muss ich einen trinken.«

»Im Dienst?« Henning tat verwundert, obwohl er seit Wochen ahnte, dass Harms trank.

»Tu doch nicht so, ihr wisst das doch längst. Ich habe dauernd das Fenster auf, lutsche Pfefferminz und diesel mich mit Eau de Toilette ein. Ich hör auch wieder auf damit, nur im Augenblick wächst mir hier alles über den Kopf. Und nicht nur hier. Scheißleben!«

Er trank das Glas in einem Zug leer, ließ die Flasche aber auf dem Tisch stehen.

»Pack die weg, wenn jemand reinkommt …«

»Um die Zeit kommt nie jemand rein.«

»Hast du auch private Probleme?«, fragte Santos vorsichtig.

Harms verzog den Mund, es war, als würde er gleich anfangen zu weinen. Er drehte den Kopf zur Seite und sagte nach einer Weile mit stockender Stimme: »Ich hab's eigentlich nicht erzählen wollen. Marion liegt seit drei Wochen in der Klinik. Krebs im Endstadium, keine Chance, dass sie die nächsten sechs Monate überlebt, wahrscheinlich wird sie es nicht mal mehr bis zum Sommer schaffen. Sie wird mit Schmerzmitteln und Morphium vollgepumpt und kommt morgen auf die Palliativstation. Was das bedeutet, brauche ich euch nicht zu erklären. Zweiunddreißig Jahre Ehe einfach so zu Ende. Aus und vorbei. Das ist alles. Das Haus ist leer, ich halt's dort nicht aus, ich dreh fast durch, wenn ich es nur betrete. Ich wohne zurzeit bei einem Freund, der eine Pension betreibt.«

»Was für einen Krebs hat sie?«

»Lungenkrebs. Ich habe ihr immer und immer wieder gesagt, sie soll doch bitte nicht so viel rauchen, aber die Sucht war stärker. Zwei bis drei Schachteln am Tag, und das, seit wir uns kennen. Tja, dann kam vor einem Jahr der Husten, dann die Atemnot, sie hat rapide abgenommen und so weiter und so fort. Aber erst als ich sie gezwungen habe, ist sie zum Arzt gegangen, ich musste sie förmlich hinschleifen. Das Röntgenbild war eindeutig, ein mächtiger Tumor im rechten Lungenflügel. Metastasen in der Leber, den Nieren, eigentlich überall. Dabei ist

376

sie gerade mal zweiundfünfzig, sie sieht aber aus wie siebzig. Ich bin jeden Tag bei ihr, doch ohne dieses Teufelszeug ertrage ich das alles nicht«, sagte er und deutete auf die Flasche Wodka. »Manchmal erkennt sie mich gar nicht mehr, da ist sie so mit Medikamenten zugedröhnt, dass sie nichts mehr um sich herum wahrnimmt. Sie wird künstlich beatmet, nur noch ein kleines Häuflein Mensch … Deswegen kipp ich mir seit Tagen regelmäßig einen hinter die Binde. So viel zum ach so starken Volker Harms, der immer alles unter Kontrolle hat.«

»Warum hast du nie darüber gesprochen?«, fragte Santos mitfühlend. »Wir sind doch immer für dich da. Mensch, Volker …«

»Habe ich doch eben. Tut mir nur einen Gefallen und posaunt es nicht in der Gegend rum, ich brauche kein geheucheltes Mitleid.«

»Das darfst du jetzt nicht falsch verstehen, aber fühlst du dich überhaupt noch in der Lage …«

»Ich fühle mich in der Lage, es ist das Einzige, was mich am Leben hält, auch wenn's mich am Ende vielleicht umbringt. Ich zermartere mir die ganze Zeit das Hirn, warum sie sich und mir das angetan hat. Ich krieg keine Antwort darauf.«

»Können wir irgendwas für dich tun?«

»Ja, das könnt ihr. Zeigt diesen verfluchten Schweinehunden, dass ihr besser seid. Ich werde mich nicht dem Diktat eines Rüter oder wem auch immer beugen, nur damit die ihre Vertuschungsaktionen durchziehen können. Wenn ihr Verstärkung braucht, dann holt euch die Frankfurter. Verdammt noch mal, ich habe die Schnauze voll … Jetzt fahr ich in die Klinik, mit dem Taxi, nur zu eurer Beruhigung.«

»Du musst wissen, was du tust«, sagte Santos, die Angst

hatte, dass ihr Vorgesetzter, den sie über alles schätzte, etwas Unbedachtes tat. »Aber wenn irgendwas ist …«

»Ja, ja, schon recht, aber ich komm klar. Macht ihr lieber euren Kram, aber so, dass ihr nicht ins offene Messer lauft. Habt ihr mich verstanden?«

»Haben wir. Danke, dass du uns eingeweiht hast«, sagte Henning und klopfte Harms auf die Schulter. »Das Leben ist manchmal wirklich ungerecht.«

»Nein, wir sind viel zu oft ungerecht zum Leben. Es wurde uns geschenkt, und wir treten es mit Füßen.«

Harms trank noch einen Schluck, legte die halbvolle Flasche und das Glas in die Schublade, schloss ab und steckte den Schlüssel ein, zog seine Jacke über und verließ ohne ein Wort des Abschieds das Büro, ein gebrochener Mann. Nichts schien von seiner Stärke geblieben, vielleicht würde sie eines Tages zurückkehren, wenn er nicht mehr jeden Tag in die Klinik fahren musste, wenn er sich damit abgefunden hatte, dass seine Marion nicht mehr zurückkehren würde.

Santos' Handy klingelte, die Nummer des Anrufers war unterdrückt.

»Ja?«

»Hallo, Frau Santos. Hier Albertz. Können wir uns heute noch treffen? Sie, Herr Henning und ich?«

»Wann und wo?«

»In Bruhns' Haus in Schönberg. Dort sind wir garantiert ungestört. Um halb neun?«

»Einverstanden. Sie kommen allein?«

»Ich sehe den Hintergrund Ihrer Frage und kann Ihre Bedenken nur zu gut verstehen. Aber denken Sie einmal darüber nach: Hätte ich Ihnen eine Falle stellen wollen, hätte ich dies bereits gestern getan. Bis nachher.«

Santos steckte das Handy wieder in die Tasche und sagte:

»Albertz. Er will sich mit uns treffen. Um halb neun in Schönberg.«

»Wo in Schönberg?«, fragte Henning, als kannte er die Antwort bereits.

»In Bruhns' Haus.«

»Was? Das ist versiegelt.«

»Wenn Albertz tatsächlich ein hohes Tier ist, wird ihn das nicht abhalten. Lass uns nach Hause fahren, ich möchte mich vorher frisch machen und was essen.«

MITTWOCH, 16.20 UHR

Hans Schmidt hatte nur etwa vierhundert Meter zu laufen, bis er am Haus anlangte. Er drückte dreimal kurz hintereinander die Klingel, leise ertönte der Torsummer. An der Haustür wurde er von der Hausherrin bereits erwartet. Sarah Schumann war elegant und zugleich sportlich gekleidet, der Jahreszeit angemessen, doch in hellen Farben, sie war dezent geschminkt, ihre braunen, feurigen Augen hatten nichts von ihrer Leuchtkraft eingebüßt, seit sie sich vor fast fünfundzwanzig Jahren zum ersten Mal begegnet waren. Im November war sie sechzig geworden, doch niemand hätte sie auf dieses Alter geschätzt, sah sie doch mindestens fünfzehn Jahre jünger aus. Sie lebte gesund, ernährte sich vegetarisch, hatte das Rauchen schon vor mehr als zwanzig Jahren aufgegeben, trank kaum Alkohol, und sie hielt sich fit, indem sie jeden Tag wenigstens eine Stunde Sport trieb. Zudem verfügte sie über einen wachen Verstand, der nicht zuletzt dem Um-

stand zu verdanken war, dass sie aus einer Akademiker-
familie stammte (ihr Vater war ein hohes Tier beim Frankfurter Finanzamt gewesen), aber auch der Tatsache, dass
sie nie aufgehört hatte, sich weiterzubilden. Soweit möglich, vermied sie es, sich auf Partys sinnlosem Smalltalk
hinzugeben, sie liebte vielmehr die Ruhe und Abgeschie-
denheit oder das Zusammensein mit ein paar wenigen
guten Freunden. Sie war eine außergewöhnliche Frau.

»Hallo«, wurde Schmidt von ihr begrüßt, sie küsste ihn
rechts und links auf die Wange, ein strahlendes Lächeln
überzog ihr beinahe faltenloses Gesicht, an dem noch
kein Chirurg Veränderungen vorgenommen hatte. Sie
duftete nach einem sinnlichen und doch unaufdringlichen
Parfüm, als wollte sie sich zur Paarung bereitmachen,
dabei hatten sie und Schmidt nur selten miteinander geschlafen, das letzte Mal im vergangenen Sommer in Nizza, in ihrem Haus über dem Meer. Er war zu dem Zeitpunkt zwar schon eine ganze Weile mit Maria zusammen
gewesen, aber Sarah konnte er einfach nicht widerstehen.
Diesmal würde es anders sein, er hatte sich vorgenommen, Maria nicht mehr zu betrügen.

»Ich freue mich, dich zu sehen. Mehr, als du dir vorstellen
kannst«, sagte sie, neigte den Kopf zur Seite und bat ihn
einzutreten.

»Du siehst wie immer wunderschön aus«, sagte Schmidt
und meinte es ehrlich, denn Sarah war für ihn seit ihrem
ersten Treffen eine der schönsten und aufregendsten
Frauen, die er je getroffen hatte. Die Einzige, die mit ihr
mithalten konnte, war Maria, auch wenn diese aus einem
eher einfachen Elternhaus stammte und nur über geringe
finanzielle Mittel verfügt hatte, als sie sich kennenlernten.
Während Marias Intelligenz mehr aus dem Herzen kam,
war Sarah eher kopfgesteuert, was ihrer Sinnlichkeit je-

doch keinen Abbruch tat. Maria war trotz ihres Stolzes von einnehmendem Wesen, während Sarah äußerst kühl und abweisend, distanziert und unzugänglich sein konnte, Eigenschaften, die sie schützten und womöglich verhinderten, dass sie ihren wahren Gefühlen zu viel Raum gewährte.

»Danke. Das Kompliment nehme ich gerne an. Frauen in meinem Alter tun solche Schmeicheleien gut.«

»Sarah, ich bitte dich, das hast du doch nicht nötig …«

»Aber die Streicheleinheiten sind das Sahnehäubchen auf einem guten Kaffee. Wobei ich gestehen muss, dass auch du dich nicht ein Stück verändert hast seit unserem letzten Treffen voriges Jahr.«

»Es ist gerade mal sieben Monate her.«

»Ich kenne Menschen, die sich in sieben Monaten unglaublich verändert haben. Wir beide scheinen nicht zu altern, es kommt mir jedenfalls so vor«, sagte sie lächelnd.

»Das liegt wohl daran, dass wir nicht nur Vorsätze fassen, sondern sie auch in die Tat umsetzen.«

»Ich kann dir nicht ganz folgen«, sagte Sarah Schumann, während sie sich in das blaue Zimmer begaben, die Bibliothek, in der sich mehr als viertausend Bücher befanden und wo dennoch so viel Platz war, dass man nicht das Gefühl hatte, erdrückt zu werden. Sarah Schumann lebte im Luxus, aber er bildete nicht den Mittelpunkt ihres Lebens, sie war keine jener High-Society-Ladys, deren Lebensinhalt aus nichts als Shopping rund um den Globus, Protzen und Verachtung anderer bestand. Sie hatte die Mittel, sich vieles leisten zu können, aber sie war auch eine der großzügigsten Frauen aus der Oberschicht, die Schmidt kannte. Sie war eine Mäzenin für Kunst und Kultur, sie hatte mehrere Stiftungen ins

Leben gerufen, unter anderem für misshandelte und missbrauchte Frauen und für Lernbehinderte, die trotz allem eine Chance im Leben haben sollten, doch mehr als alles andere lagen ihr Kinder am Herzen, deren Körper und Seele durch traumatische, meist sexuelle Übergriffe schwersten Schaden genommen hatten.

Im Raum dominierten Blautöne, angefangen beim Teppichboden über die Sitzgarnitur und die Tapete bis hin zu den Vorhängen. Dennoch war die Atmosphäre alles andere als kühl.

»Nimm Platz. Ich habe uns einen Tee gekocht, eine sanfte, seltene Mischung aus Peru. Du wirst ihn lieben, auch wenn es kein Pfefferminztee ist.«

Auf dem runden Tisch standen zwei Tassen und eine kleine Schale mit Gebäck und ein Stövchen, auf dem die Teekanne warm gehalten wurde.

Sarah Schumann schenkte ein und setzte sich in den Sessel neben Schmidt. Sie streichelte ihm über die Hand und sagte: »Ich freue mich sehr über deinen Besuch, mehr, als du dir vorstellen kannst.«

»Ich mich auch.« Schmidt blickte ihr in die Augen. »Aber lass uns zum geschäftlichen Teil übergehen, sonst tue ich noch etwas Unbedachtes.«

»Und das wäre?«, fragte sie mit dem Anflug dieses spöttischen Lächelns, das er so sehr an ihr mochte, seit dem ersten Abend und der ersten Nacht des 12. Oktober 1984.

»Ich bin in festen Händen, und ich liebe Maria über alles, das habe ich dir schon ein paarmal gesagt.«

»Ich weiß, aber du kannst mir nicht verbieten, dich trotzdem zu lieben. Ich bleibe dabei, wir sind Seelenverwandte und sind uns nicht umsonst begegnet. Ohne mich wärst du mit Sicherheit nicht da, wo du heute bist, und ohne dich wäre ich vermutlich schon längst tot. Manchmal wünschte ich mir, zehn oder fünfzehn Jahre jünger zu sein.«

»Es ist gut so, wie es ist, Sarah. Das Wichtige ist doch, dass wir uns aufeinander verlassen können.«

»Ja, natürlich, du hast recht. Entschuldige, wenn ich etwas sentimental klinge, aber ...«

»Was?«, fragte er, als Sarah nicht weitersprach.

»Nichts, nichts, vergiss es.«

»Nun sag schon!«

»Also gut, wenn du's unbedingt wissen willst – die Zeit läuft mir davon. Jedes Jahr vergeht ein Stückchen schneller und ...«

»Sarah, du bist sechzig und siehst aus wie Anfang oder Mitte vierzig. Die meisten Frauen können sich eine Scheibe von dir abschneiden.«

»Das ist es nicht. Die Zahl steht, und in meiner Familie gibt es niemanden, der älter als siebzig wurde. Ich habe Angst vor dem Älterwerden und ein wenig auch vor dem Tod. Oh, oh, ich hatte mir doch geschworen, nie darüber zu sprechen, und jetzt habe ich's doch getan.«

»Gut, dass du darüber sprichst. Und merke dir: Ausnahmen bestätigen die Regel. Du wirst steinalt, du wirst es sehen.«

»Dein Wort in Gottes Ohr.« Sie trank ihren Tee und schenkte sich nach, während Schmidts Tasse noch unangetastet auf dem Tisch stand. »Themenwechsel: Wann darf ich Maria endlich einmal kennenlernen? Ich möchte wissen, wie die Frau beschaffen ist, die es fertiggebracht hat, dich sesshaft werden zu lassen. Sie muss eine außergewöhnliche Frau sein.«

»Maria ist außergewöhnlich. Ich denke, du wirst sie noch in diesem Sommer kennenlernen. Fast wäre sie sogar mit nach Kiel gekommen, aber es ist gut, dass sie in Lissabon geblieben ist. Sie hätte womöglich zum ersten Mal Fragen gestellt. Sie darf nie erfahren, was ich getan habe. Niemals, hörst du?«

»Was denkst du von mir? Glaubst du allen Ernstes, ich würde irgendjemandem verraten, wer du bist und was du tust? Warum sollte ich das tun?«

Sie nippte an ihrem Tee und stellte die Tasse wieder zurück. »Warum trinkst du nicht? Der Tee wird noch kalt, und man sollte ihn trinken, solange er heiß ist. Ich hoffe, du verzeihst mir, dass ich hin und wieder etwas sentimental werde, auch wenn es sich in Zeiten wie diesen nicht geziemt. Ich bin nun mal eine Frau und erinnere mich gerne an die schönen Zeiten zurück. Nun lass uns in medias res gehen. Ich bin froh, dass wir uns nicht länger verklausuliert am Telefon unterhalten müssen, sondern Klartext sprechen können. Erzähl mir von Bruhns und Klein.«

»Erspare mir Details, ich habe nur getan, was ich für angemessen gehalten habe. Es tut mir nur leid, dass ein vollkommen Unschuldiger für Bruhns' Tod herhalten musste. Es war wohl, wie du im Vorfeld prophezeit hattest, nicht anders zu erwarten. Mich interessiert nun sehr, was sie sich für Klein einfallen lassen werden.«

»Das ist unwichtig. Es geht in allererster Linie um dich.«

»Was ist denn auf einmal los?« Schmidt war ihre Besorgnis nicht entgangen.

»Wir hatten einen Plan, und der war gut. Aber ich bin mir nicht mehr sicher, ob er auch bis zum Ende durchgehalten werden kann. Ich fürchte, sie werden dir auf die Spur kommen.«

Schmidt lachte leise auf. »Schon möglich, in meinem Job

muss man mit allem rechnen. Ich bin vorsichtig und werde es weiterhin sein. Aber ich kann jetzt nicht aufhören, wenn es das ist, was du willst. Du hast mir ja erst die Augen geöffnet und …«

»Darum geht es doch gar nicht. Ich habe Angst um dich. Sie werden alle Mittel ausschöpfen, um dich zu kriegen. Ich fühle mich sicher, tust du das auch? Fühlst du dich sicher?«

»Noch, ja. Aber mir gefallen deine Stimme und dein Blick nicht. Was ist los?«

»Was soll schon sein?«, fragte sie mit gequältem Lächeln.

»Du verschweigst mir doch etwas. Wie kommst du darauf, dass sie mir auf den Fersen sein könnten? Was verschweigst du?«

Sarah Schumann lehnte sich zurück und schlug die Beine übereinander. »Ich verschweige dir gar nichts. Ich denke nur manchmal, dass wir diesmal einen Schritt zu weit gegangen sein könnten. Bruhns wäre, wenn ich es richtig einschätze, so oder so fällig gewesen, du bist ihnen nur zuvorgekommen. Aber Robert war für sie ein ungemein wichtiger Kontaktmann und Lieferant, dessen Tod ein Loch in die Organisation gerissen hat. Wie hast du ihn beseitigt?«

Schmidt ließ einen Moment verstreichen, bevor er antwortete: »Wie du weißt, war ich vorgestern bei einer seiner Auktionen. Da war eine bildhübsche junge Frau, Svenja, nicht nur bildhübsch, sondern auch ungemein stolz. Sie hat ihm unmissverständlich zu verstehen gegeben, dass sie nicht gewillt sei, als Hure zu arbeiten. Er hat sie vor aller Augen in den Bauch geboxt, sie ist aber wieder aufgestanden. Er hat noch einmal zugeschlagen, und sie ist wieder aufgestanden. Dann hat er seinen mit

Nieten besetzten Gürtel genommen und hat auf sie eingeprügelt, bis sie endgültig am Boden lag. Er war wie eine Bestie im Blutrausch, genau so, wie du ihn mir geschildert hast. Danach ging er kurz raus, kehrte zurück und schnitt ihr einfach die Kehle durch. Niemand hat eingegriffen, nicht einmal ich, weil ich es nicht wagen konnte, es waren zu viele Personen im Raum. Svenja war kaum tot, da fragte einer der Käufer Robert ganz ungeniert nach ganz zartem Fleisch, wenn du verstehst, was ich meine. Dieselbe Frage habe ich Robert gestern auch gestellt, er wäre sogar bereit gewesen, mir dieses extrazarte Fleisch zu beschaffen.«

»Ich weiß, welche unglaublichen Schweinereien Robert betrieben hat, so war er schon drauf, als ich ihm das erste Mal begegnet bin. Er hat mit allem gehandelt, auch mit Menschen, angefangen von Kindern bis zu jungen Frauen. Dieser Mistkerl hatte keinerlei Skrupel, Menschen waren für ihn nur Ware, nichts als Ware.« Sie hielt kurz inne und fuhr dann fort: »Aber du hast meine Frage noch nicht beantwortet.«

»Ich habe mit ihm das Gleiche gemacht wie er mit dieser Svenja. Er hatte es nicht anders verdient.«

Es entstand eine Pause, bis Sarah Schumann sagte: »Du solltest aufhören und zurückfliegen nach Lissabon. Hier bist du nicht mehr sicher. Tu mir den Gefallen.«

»Nein, ich bringe das zu Ende. Bis vor kurzem hatte ich keine Ahnung, was wirklich gespielt wird. Doch dann hast du mir die Geschichte erzählt, und mir wurde klar, dass ich nur eine Marionette in einem absurden Theater bin. Gut, ich habe eine Menge Vorteile als Marionette dieser Theatertruppe, ich habe finanziell ausgesorgt, aber ich habe begriffen ... Nein, das klänge jetzt wie eine Rechtfertigung. Ich habe im Auftrag diverser Organisationen Menschen getötet. Bis auf zwei waren es alle Schwerstkriminelle, aber das Mädchen, das bei deinem Mann war, hätte nicht sterben müssen. Genauso wenig wie Julianne Cummings.«

»Du denkst noch oft an sie?«

»Zu oft. Wie du weißt, wollte ich danach alles hinschmeißen, aber ich konnte es nicht. Sarah, ich habe Pläne für die Zukunft, ich möchte mit Maria ein ruhiges und beschauliches Leben führen, wenn das alles hier vorüber ist. Mag auch sein, dass ich es nicht überlebe. Nur, ich muss es zu Ende bringen. Die sollen sehen, dass sie nicht unverwundbar sind.«

»Du hast bis jetzt immer ihren Schutz genossen ...«

Schmidt winkte ab. »Nein, nein, ich habe mich all die Jahre über selbst geschützt ...«

»Und ich dich, ich habe stets für deine Anonymität gesorgt.«

»Ja, schon. Trotzdem, wenn ich nicht will, dass sie mich finden, finden sie mich auch nicht. Und falls doch, dann nur, weil ich einen Fehler gemacht habe. Ich werde aber keinen Fehler machen, es ist alles bis ins kleinste Detail durchgeplant. Wie ist es eigentlich um deine Sicherheit bestellt?«

Sarah Schumann lachte auf. Ihre Stimme klang wieder warm und weich, als sie antwortete: »Ich habe nichts zu befürchten. Ich pflege weiterhin den Kontakt zu bestimmten Personen, mein Einfluss reicht sehr, sehr weit ... Nun, ich denke, ich stehe nicht auf ihrer Liste, denn sie brauchen mich, auch wenn sie's eigentlich gar nicht wissen. Das ist der einzige, aber entscheidende Unterschied zwischen dir und mir. Du bist entbehrlich, ich hingegen bin ›nur‹ eine sehr vermögende und einflussreiche Frau, die es versteht, Kontakte zu pflegen und Informationen zu sammeln und zu streuen. Versteh das bitte nicht falsch, ich wollte …«

»Ich bin mir dieses Unterschieds sehr wohl bewusst. Du bist die Frau im Hintergrund, ich stehe an der Front. Nur eine Frage: Wirst du weiter zu mir halten?«

»Lass es mich so ausdrücken – du wirst der Letzte sein, den ich fallenlasse. Ich werde sogar dafür sorgen, dass sie falschen Fährten nachjagen. Ich habe übrigens ebenfalls vor, mich allmählich zu verabschieden und meine Zelte in Deutschland abzubrechen. Ich kann und will nicht mehr mitmachen, auch wenn ich in den letzten Jahren kaum noch was gemacht habe. Die haben mich in Ruhe gelassen.«

»Sarah, tu mir einen Gefallen, fahr wieder zurück nach Frankfurt. Kiel ist momentan kein gutes Pflaster für dich.«

»Nein, ich werde noch mindestens zwei Wochen bleiben. Glaub mir, ich bin hier sicher.«

»Wenn du meinst, ich habe dich aber gewarnt.« Schmidt sah auf die Uhr. »Ich muss leider los, ein wichtiger Termin. Dann sehen wir uns vielleicht schon morgen wieder.«

»Aber ruf bitte vorher an, ich habe vor, mich mit einigen Freunden zu treffen. Du kannst mich jederzeit auf meinem Handy erreichen, auch nachts.«

Schmidt erhob sich und reichte Sarah Schumann die Hand, die ebenfalls aufstand. Sie legte ihre Arme um seinen Hals und gab ihm völlig unvermittelt einen Kuss, den er erwiderte, obwohl er es sich anders vorgenommen hatte.

»Ich würde gerne mit dir schlafen. Ich bin mir bewusst, es ist vermessen, diese Bitte auszusprechen, aber ich wünsche es mir«, sagte sie und sah ihn an, als wäre er ein kostbares Juwel, das sie unbedingt besitzen wollte. »Du würdest Maria doch nicht betrügen. Ich hatte lange keinen Mann mehr, und keiner ist wie du. Überleg's dir, ich werde heute sehr lange wach sein.«

»Mal sehen«, entgegnete Schmidt und löste sich vorsichtig aus der Umarmung.

»Das hört sich wie ein Nein an. Ist es ein Nein?«

»Es ist ein Vielleicht. Du verwirrst mich. Ciao, bella.«

»Ciao, Liebster. Pass auf dich auf. Noch etwas: Ich werde versuchen herauszufinden, ob sie dir schon auf den Fersen sind oder ob sie dich mit den Morden noch gar nicht in Verbindung gebracht haben. Mein Kontaktmann ist sehr zuverlässig. Wenn du nachher kommst, weiß ich vielleicht sogar schon mehr.«

Schmidt stand bereits in der Tür, als er sich noch einmal umdrehte, Sarah Schumann ansah und sagte: »Etwas stimmt nicht mit dir. Was ist es?«

»Was soll mit mir nicht stimmen? Ich bin doch wie immer. Solltest du auf meine Avancen anspielen, das ist ein Teil meines Wesens. Ich bin eine Skorpionfrau und spreche die Dinge direkt an. Ich dachte immer, das magst du an mir.«

»Schon, das ist es aber nicht allein. Sarah, ich habe gelernt, in die Menschen hineinzuschauen, das bringt mein – Beruf mit sich. Wir sprechen nachher noch mal darüber. Ich muss jetzt los.«

»Wohin?«

»Das erfährst du noch.«

Als Schmidt das Haus verließ, sondierte er unauffällig die Umgebung, doch da war niemand, nur ein paar Kinder und ein älteres Ehepaar auf der anderen Straßenseite. Er war verunsichert und sagte sich: Ich darf es nicht tun, ich darf nicht zulassen, dass meine Hormone mit mir durchgehen. Du wirst einen klaren Kopf bewahren. Nur noch ein paar Tage. Sarah hat vermutlich recht, wenn sie behauptet, dass sie mich jagen.

Zu Hause absolvierte er seine Übungen, duschte, zog sich um und veränderte abschließend sein Aussehen. Hans Schmidt war, wie so oft in den vergangenen fünfundzwanzig Jahren, nicht mehr Hans Schmidt. Er hatte noch ein paar Minuten Zeit, setzte sich in seinen Sessel, die Arme auf die Lehnen gelegt, und dachte nach. Irgendetwas war anders gewesen bei Sarah Schumann. Sie war anders gewesen, auch wenn sie es bestritt. Warum beharrte sie darauf, zwei Wochen in Kiel zu bleiben? Warum wollte sie unbedingt mit ihm schlafen, wo sie doch wusste, dass er in festen Händen war und seinen Treueschwur Maria gegenüber ernst nahm? Vielleicht würde er ihn heute Abend brechen, er wusste es nicht.

Ein seltsames Gefühl beschlich ihn. Sarah Schumann hatte sich anders als sonst verhalten. Es war, als brannte ihr etwas auf der Seele, das sie ihm unbedingt mitteilen wollte, aber noch scheute sie sich davor, es zu tun. Er meinte, Angst in ihren Augen gesehen zu haben.

Er konzentrierte sich und zwang sich, nicht weiter an Sarah zu denken. Nun ging es um die vor ihm liegenden drei Stunden.

Für den Abend hatte er etwas Besonderes geplant, etwas, mit dem niemand rechnete, denn Hans Schmidt war unberechenbar.

Nein, ihr werdet mich nicht kriegen, aber ich kriege euch und werde euch zeigen, dass ihr verwundbar seid.

Er trommelte mit den Fingern der rechten Hand ungeduldig auf den Tisch, sein Blick hatte etwas Bedrohliches. Er hatte die Krawatte gelockert, der oberste Knopf seines weißen Hemdes stand offen. Seit zehn Minuten saßen sie zu dritt beisammen und diskutierten.

»Wie kommen wir an ihn ran?«, fragte er mit gefährlich leiser Stimme.

»Woher sollen wir das wissen? Er ist uns bei Bruhns zuvorgekommen und jetzt …«

»Das interessiert mich einen feuchten Dreck. Ich will wissen, wie wir an ihn rankommen. Unser Boss will das auch endlich wissen. Wie?«, wurde er plötzlich sehr laut, sein Gesicht lief rot an, er beugte sich vor und musterte einen nach dem anderen. »Wer kennt ihn? Wer hat ihn schon einmal zu Gesicht bekommen?«

»Wir haben doch schon alles versucht und es bis heute nicht geschafft. Der Kontakt wurde bisher immer entweder über eine dritte Person oder seit den Neunzigern übers Internet hergestellt.«

»Mein Gott, erzähl mir was Neues! Ich will, dass ihr diesen Bastard findet und ihn herschleift. Lebend! Damit *ich* ihn in seine Bestandteile zerlegen kann.« Er hielt inne, stand auf, ging zum Fenster und wieder zurück, den Kopf gesenkt, um in gemäßigterem Tonfall fortzufahren: »Zugegeben, er hat in der Vergangenheit hervorragende Arbeit geleistet, aber jetzt zieht er ganz offensichtlich sein eigenes Ding durch, und ich habe keine Ahnung, was ihn dazu bewogen hat. Es ist mir auch völlig egal, warum er auf einmal austickt, wichtig ist, dass er aus dem Verkehr gezogen wird. Bei Bruhns hat er uns die Arbeit abgenommen, aus welchem Grund auch immer. Ich kann mir nur vorstellen, dass er von seiner Vorliebe für kleine Mädchen erfahren hat, aber ich habe ihm keinen Auftrag erteilt. Oder war das etwa jemand von euch?«, fragte er in die Runde.

Kopfschütteln.

»Dachte ich mir. Das ergibt alles überhaupt keinen Sinn. Sollte er wegen der Mädchen töten, dann bedeutet das, er weiß auch von unseren Aktivitäten. Irgendwer muss ihm da was gesteckt haben, da bin ich mir sicher. Und dann auch noch Klein. Klein stand zu keiner Zeit für uns zur Debatte, und ich kann mir auch nicht vorstellen, dass die beiden sich jemals zuvor über den Weg gelaufen sind, geschweige denn gekannt haben … Klein hat doch so unauffällig im Hintergrund gearbeitet … Ich begreife das nicht.«

»Keiner von uns begreift das«, bemerkte einer der beiden Männer, die ihm gegenübersaßen. »Wenn die sich tatsächlich nie begegnet sind und …«

»Moment«, warf der andere ein. »Kann es nicht sein, dass er den Auftrag von einer ganz anderen Stelle erhalten hat? Erst Bruhns, dann Klein. Bruhns pädophil und für uns gefährlich geworden, Klein, der Lieferant. Hast du schon mal die Möglichkeit in Betracht gezogen, dass wir es mit einem kleinen Krieg zu tun haben, Schauplatz Kiel? Wir kennen das doch aus der Vergangenheit. Immer mehr drängen auf den Markt, man bekriegt sich, und erst wenn alles bereinigt ist, läuft das Geschäft wieder reibungslos. Nur eine Idee.«

»Und wer um alles in der Welt sollte ihn angeheuert haben? Kannst du mir das auch erklären, du Klugscheißer?«

»Tu mir einen Gefallen und mäßige dich in deinem Ton.

Auftragskiller gibt es viele, es muss nicht unbedingt unserer sein. Ich halte es sogar für ziemlich ausgeschlossen, schließlich weiß er genau, dass wir ihn bis ans Ende der Welt jagen werden. Meine Theorie: Irgendjemand von der Gegenseite will nicht nur in den Handel einsteigen, sondern ihn kontrollieren. Klein war bis gestern unser Hauptlieferant, und wir haben ihm den Rücken freigehalten. Nehmen wir an, Russen, Rumänen oder Albaner wollen den Markt übernehmen, wie würden die vorgehen? Sie würden sich erst mal ein genaues Bild der Lage machen und vor allem Informationen sammeln. Sie bräuchten also einen Spitzel, der ihnen diese Informationen zukommen lässt. Dieser Spitzel wäre ausschließlich in unseren eigenen Reihen zu suchen. Ganz neuer Ansatzpunkt, oder?«

»Schöne Hypothese. Aber erstens ist es eben auch nicht mehr als das, solange nichts bewiesen ist, und zweitens: Wer soll dieser Spitzel denn bitte schön sein?«

»Jeder von uns kommt in Frage, wir drei eingeschlossen.«

»Idiot! Wer außer ihm könnte dann noch in Frage kommen? Gehen wir deine Theorie mal Punkt für Punkt durch: Wer will auf den Markt, oder wer könnte auf den Markt wollen?«

»Habe ich doch eben schon gesagt. Russen, Rumänen, Albaner, aber wir sollten auch die Italiener nicht unterschätzen, deren Gewaltbereitschaft hat in den letzten Jahren enorm zugenommen, nichts mehr mit Don soundso, der sonntags schön brav in die Kirche geht und seine Beichte ablegt, so läuft das bei denen nicht mehr. Die sind in den letzten zehn Jahren extrem brutal geworden und räumen alles aus dem Weg, was ihrem Geschäft schadet. Dann hätten wir noch die ebenfalls nicht zu unterschätzenden Asiaten, allen voran die ganzen Schlitzaugen, aber auch die Inder und Pakis haben dazugelernt. Selbst aus Amiland strömen immer mehr rüber und machen sich hier breit, manchmal scheint es mir, als wären wir der Nabel der Welt. Du kannst sagen, was du willst, aber die Globalisierung ist nicht aufzuhalten, schau dir Berlin oder Frankfurt an, das Organisierte hat die Deutschen längst verdrängt, was uns im Prinzip egal sein kann, solange gewisse Regeln eingehalten werden. Ich würde mich jedenfalls nicht auf unseren Mann versteifen. Was macht dich denn so sicher, dass er es ist? Meines Wissens hat er in den letzten sechs Monaten keinen Auftrag von uns erhalten, weshalb sollte er ausgerechnet jetzt in Kiel sein?«

»Das ist ja alles schön und gut, aber was ist mit der DNA? Sie spricht doch eine eindeutige Sprache …«

Der andere lachte auf. »Da gibt es tausend Mittel und Wege, um so was zu türken. Wenn wir es können und die Leute draußen es uns abkaufen, dann können das auch andere. Außerdem gebe ich zu bedenken, dass die Drapierung von Bruhns und der Steinbauer nicht zu unserem Mann passt. So etwas hat er noch nie getan. Seine Arbeitsweise ist still, unauffällig, perfekt – in manchen Fällen auch mal sehr laut, dass man automatisch an Terroristen denkt. Die Art und Weise, wie Klein plattgemacht wurde, passt erst recht nicht zu ihm. Wie hat er in der Vergangenheit getötet? Er hat die gesamte Palette geboten: erschießen, erdrosseln, erstechen, er hat mit Kontaktgiften gearbeitet, Autounfälle herbeigeführt, zweimal war Sprengstoff im Spiel. Ich kenne keinen aus der Branche, der so variabel ist wie er. Aber eins hat er nie getan, er hat nie jemanden gefoltert. Bei ihm ging immer alles sauber und schnell vonstatten. Genau so, wie wir es wollten.«

»Also gut«, gab der Angesprochene nach. »Schließen wir zunächst mal unseren alten Freund aus, auch wenn mir das mit der DNA Kopfzerbrechen bereitet. Bisher hat er häufig seine DNA hinterlassen, sozusagen als persönliche Duftnote ...«

»Tut mir leid, wenn ich dich unterbreche, aber es war nicht seine, sondern die DNA einer Frau. Was wissen wir denn über ihn? Doch so gut wie nichts. Keiner von uns hat ihn je zu Gesicht bekommen. Ergo wissen wir auch nicht, ob er allein unterwegs ist oder von einer Frau begleitet wird.«

»Ich kenne einige Auftragskiller, und keiner von ihnen arbeitet mit einer zweiten Person zusammen. Das wäre etwas völlig Neues. Die sind allesamt Einzelgänger, weil sie sonst fürchten müssten, irgendwann durch einen Fehler des Partners aufzufliegen. Nee, ausgeschlossen, der arbeitet alleine.«

»Ich halt's trotzdem nicht für unmöglich. Ausnahmen bestätigen nun mal die Regel.«

»Himmel noch mal, mir ist es scheißegal, ob es möglich ist oder nicht, und spar dir deine dummen Sprüche, ich will endlich wissen, mit wem wir es zu tun haben! Wenn das so weitergeht, sehen wir bald sehr, sehr alt aus, sollte er auch noch anfangen, in unseren Reihen zu wildern. Wie steht's um unsere Freunde vom K1? Die sollen ziemlich hartnäckig sein, wie mir zu Ohren gekommen ist.«

»Die sind raus. Rüter hat den Deckel draufgemacht. Blieb ihm ja auch nichts anderes übrig«, sagte der Angesprochene grinsend.

»Ich find das alles andere als lustig. Kapiert?«

»Sei doch nicht so gereizt, damit lösen wir das Problem nicht. Machen wir's wie immer, analysieren, umhören, einschleusen, den Markt sondieren. Und Informanten befragen.«

»Klar. Um noch mal auf Henning und Santos zurückzukommen, meint ihr, die halten sich dran? Ihr kennt sie besser als ich.«

»Was sollen die schon tun? Von denen ist nichts mehr zu befürchten. Andernfalls finden die sich schneller auf der Straße wieder, als sie gucken können, und dürfen Knöllchen verteilen. Sie stehen unter Beobachtung.«

»Also gut, dein Wort in Gottes Gehörgang. Ich lasse mir was einfallen, und ihr denkt ausnahmsweise auch mal mit, wie wir die Kuh vom Eis kriegen. Ich erwarte euch morgen um dieselbe Zeit hier.« Er warf einen Blick auf die Uhr. »Ich habe noch einen wichtigen Termin. Ihr kümmert euch persönlich um die Lieferung, die heute Nacht eintrifft. Nehmt aber vorher noch eine Mütze voll Schlaf, damit ihr wach seid. Und jetzt verzieht euch, ich habe vor meinem Treffen noch einige Telefonate zu tätigen.«

Um Viertel nach fünf verließ er das Büro, schloss hinter sich ab und ging zu seinem Wagen. Sein Handy klingelte, als er gerade den Motor gestartet hatte.

»Ja?«

»Sind Sie schon auf dem Weg?«, fragte der Anrufer mit amerikanischem Akzent.

»Im Prinzip ja. Warum fragen Sie?«

»Weil bei mir leider etwas dazwischengekommen ist. Ist die Leitung sicher?«

»Selbstverständlich.«

»Ich befinde mich noch mitten in einem Meeting, das erst in etwa anderthalb Stunden beendet sein wird. Passt es Ihnen auch etwas später?«

»Wenn's unbedingt sein muss. Wann?«

»Um sieben?«

»In der Hotellobby?«

»Natürlich. Danach gehen wir in mein Zimmer, so sagt man doch, oder?«

»Auf mein Zimmer. Auf, nicht in. Ich bin um sieben im Hotel. Lassen Sie mich bitte nicht zu lange warten.«

»Sollte ich mich wider Erwarten verspäten, nehmen Sie einen Drink auf meine Rechnung. Oder auch zwei. Aber ich werde versuchen, pünktlich zu sein.«

»Scheißamis«, fluchte er, nachdem er aufgelegt hatte, und beschloss, doch schon jetzt zum Hotel zu fahren und dort an der Bar einen oder zwei Drinks zu sich zu nehmen.

Ab sieben blickte er immer wieder auf die Uhr, um halb acht wurde er wütend und bestellte sich noch einen Wodka Lemon. Um Viertel vor acht ging er zur Rezeption und fragte nach George Hamilton.

»Es tut mir leid, aber Herr Hamilton ist leider nicht auf seinem Zimmer«, antwortete die Dame hinter dem Schalter.

»Er hat doch Zimmer 242, oder?«

»Ja.«

»Darf ich fragen, wann er eingecheckt hat?«

»Moment«, sagte die Dame und sah im Computer nach. »Herr Hamilton ist gestern eingetroffen. Soll ich eine Nachricht für ihn hinterlassen?«

»Nein danke, nicht nötig. Oder teilen Sie ihm mit, dass ich über eine Stunde vergeblich auf ihn gewartet habe und er mich bitte umgehend kontaktieren möchte.«

»Und Ihr Name?«

»Unwichtig. Er weiß schon, wer ich bin. Trotzdem vielen Dank und auf Wiedersehen.«

Er begab sich mit dem Fahrstuhl in die Tiefgarage und betätigte die Fernbedienung, nur ein leises, dezentes

Klacken war zu vernehmen, als die Türen entriegelt wurden. Er öffnete die Fahrertür und stieg ein. Er wollte den Startknopf drücken, doch seine Hand fing urplötzlich an zu zittern, er war kaum in der Lage, den Arm zu heben. Alles an ihm zitterte, mit letzter Kraft gelang es ihm, die Krawatte zu lockern, dann fiel er kraftlos zurück in den Sitz. Sein Atem ging schwer, er fragte sich, ob er vielleicht zu viel getrunken hatte, doch es waren nur zwei Bourbon und ein Wodka gewesen. Ihm war übel, aber nicht so, dass er sich hätte übergeben müssen.

Mit einem Mal ging die Beifahrertür auf, und ein Mann mit braunen Handschuhen setzte sich neben ihn und zog die Tür zu.

»Hallo, Dieter – oder sollte ich besser Bernhard sagen«, sagte der Fremde mit kaltem Lächeln und klopfte dem Mann hinter dem Steuer auf die Schulter, als wären sie beste Freunde. »Sie sehen schlecht aus, verdammt schlecht sogar. Geht es Ihnen nicht gut?«

Er wollte etwas sagen, doch nur seine Lippen bewegten sich, ohne dass ein Laut seinen Mund verließ.

»Soll ich einen Arzt rufen?«

Keine Antwort, nur ein Luftholen, das wie Rasseln klang.

»Nein, ein Arzt könnte dir auch nicht mehr helfen. Es ist dir doch recht, wenn ich dich duze? … Dachte ich mir. Ich bin George Hamilton, na ja, vielleicht auch nicht. Ich habe viele Namen. Ich bin nur gekommen, um dir mitzuteilen, dass du sterben wirst. Ich weiß, du bekommst alles mit, was ich dir sage, und es wird noch ungefähr fünf, maximal sechs Minuten dauern, bis du tot bist. Deshalb will ich auch keine Zeit verlieren, denn jede Sekunde zählt, im wahrsten Sinn des Wortes. Aber sei mal ehrlich, es ist wahrlich kein Verlust für die Menschheit, wenn du nicht mehr unter den Lebenden weilst. Nach all der Scheiße, die du gebaut hast, siehst du das doch sicherlich ein, oder?«

Keine Antwort.

»Oh, entschuldige bitte, ich habe vergessen, dass du ja nicht mehr sprechen kannst. Erst Bruhns, dann Klein und jetzt du. Ich will dir nur kurz erklären, dass du der Dritte auf meiner Liste, aber nicht der Letzte bist. Falls du wissen möchtest, was mit dir los ist, nun, ganz einfach, du bist mit einem Kontaktgift in Berührung gekommen. Ein rein chemisches Produkt, das schon wenige Minuten nach deinem Tod nicht mehr nachweisbar ist. Es geht sofort in die Blutbahn über, und das Üble ist, es gibt kein Gegenmittel, nichts, womit man dir helfen könnte. Dumm gelaufen, was? Und noch etwas zum besseren Verständnis, auch wenn es dir nicht mehr viel bringt, ich bin diesmal in eigenem Auftrag unterwegs, weil ich eure schmutzigen Spielchen erst jetzt durchschaut habe. Na ja, jedenfalls halbwegs, denn mir ist klar, dass ich auch kaum mehr als den Rand des Abgrunds sehe. Alle möglichen Aufträge habe ich für euch erledigt, aber damit ist jetzt Schluss. Wenn ich gewusst hätte, dass ihr Kinder opfert, um Geschäftspartner zufriedenzustellen, ich wäre schon längst ausgestiegen. Solltet ihr mich jagen und irgendwann erwischen, dann wirst du das garantiert nicht mehr erleben. Hast du mich verstanden? Ich weiß, dass du mich verstanden hast, auch wenn es dich innerlich förmlich zerreißt. Die Katalepsie wird bald vorbei sein, dein Herz wird wie ein Formel-1-Bolide rasen, und dann ist alles aus. Aus und vorbei.«

Er hörte die Worte, aber er war unfähig, sich zu bewegen, als wäre er in seinem eigenen Körper gefangen, sein Blut schien zu kochen und wie Lava durch seine Adern zu kriechen. Er war es gewohnt, kühl und gelassen zu agieren, und mahnte sich zur Ruhe, doch die unbändige Angst vor dem Tod war stärker, vor allem, nachdem ihm dieser George Hamilton unmissverständlich zu verstehen gegeben hatte, dass er sterben würde. Alles verschwamm vor seinen Augen, die er nicht mehr schließen konnte, weil auch dieser Reflex nicht mehr funktionierte, ihm wurde schwindlig, wie von Hamilton prognostiziert, begann sein Herz zu rasen, Schweiß drang aus jeder Pore, sein Gesicht lief für wenige Sekunden tiefrot an, er wollte um Hilfe schreien, doch nur leises, heiseres Krächzen drang aus seiner Kehle und wurde zu einem seltsam klingenden Röcheln, alles Schreien spielte sich allein in seinem Innern ab. Ein Eisenpanzer war um seine Brust gelegt und wurde immer fester zusammengezogen, bis er keine Luft mehr bekam und sein Herz in immer wilderem Staccato hämmerte, als wollte es seinen Brustkorb mitsamt dem Panzer zersprengen. Ein letztes verkrampftes Aufbäumen und Zucken, dann war es vorbei, und die unnatürlich geweiteten Augen hatten jeglichen Glanz verloren.

George Hamilton alias Hans Schmidt stieg mit versteinerter Miene aus, vergewisserte sich, dass er noch allein war, zog die Handschuhe hoch, holte ein Tuch aus der Tasche, beträufelte es mit einer Flüssigkeit aus einer kleinen Flasche und wischte den Türgriff des BMW ab. Er war zufrieden. Ein letzter verächtlicher Blick auf den Toten, dessen Augen jetzt nur noch einen winzigen Spalt offen standen, bevor er zu Fuß nach oben ging, beinahe unbemerkt die große Eingangshalle durchschritt und sich nach draußen begab. Gut hundert Meter vom Hotel entfernt parkte sein Wagen.

Es war weit nach Mitternacht, als der Tote in dem nagelneuen BMW 760i von einer jungen Frau gefunden wurde, die sich über den reglos dasitzenden Mann wunderte, der in dieser Luxuskarosse zu schlafen schien, wo es doch zu den Zimmern mit den komfortablen Betten nur ein Katzensprung war. Sie trat näher, klopfte ein paarmal an die Scheibe, doch der Mann reagierte nicht. Sie sah die halbgeöffneten Augen, rannte nach oben und erklärte aufgeregt, dass in der Tiefgarage vermutlich ein Toter in seinem Auto sitze. Zehn Minuten später war die Polizei vor Ort und kurz darauf ein Arzt, der nur noch den Tod feststellen konnte.

»Ich möchte mich nicht festlegen, aber nach meinem Dafürhalten ist er einem Herzinfarkt erlegen oder einem plötzlichen Herzversagen«, sagte er nach der ersten Leichenschau. »Er weist keine äußeren Verletzungen auf, es gibt keine Kampfspuren … Ich stelle einen vorläufigen Totenschein aus mit dem Vermerk ›Todesursache unklar‹. Alles Weitere müssen Sie entscheiden, ob er in die Rechtsmedizin kommt oder ob Ihnen meine Aussage genügt.« Nachdem der Arzt sich verabschiedet hatte, riefen die Beamten beim KDD an, die zwei Leute schickten.

»Wer ist das?«, fragten sie.

»Dieter Uhlig, vierundfünfzig Jahre alt, Inhaber einer Import-Export-Firma. Mehr geht aus dem, was wir bei ihm gefunden haben, nicht hervor. Wir haben auch nur seine Brieftasche angefasst.«

»Okay, wir kümmern uns um ihn. Habt ihr das Kennzeichen überprüft?«

»Haben wir, ist auf seinen Namen zugelassen.«

»Tja, hier sieht tatsächlich nichts nach einem Gewaltverbrechen aus, er wurde so in seinem Auto aufgefunden, der Arzt diagnostiziert Herzinfarkt … Wir überstellen ihn trotzdem der Rechtsmedizin, dann soll die Staatsanwaltschaft entscheiden, ob er obduziert wird.«

Uhlig wurde mit einem Leichenwagen in das Institut für Rechtsmedizin gebracht, wo er am nächsten oder übernächsten Tag obduziert werden würde oder auch nicht. Ein normaler Todesfall, dessen Bearbeitung nicht sonderlich eilig war.

MITTWOCH, 20.30 UHR

Henning und Santos waren seit sechs Minuten in Schönberg, gut fünfzig Meter von Bruhns' Haus entfernt. Sie saßen im Auto, hörten leise Musik und schwiegen. Sie waren nervös. Die Straße war nur schwach beleuchtet, die Fenster der meisten Häuser verdunkelt, kein Mensch hielt sich draußen auf. Seit dem Nachmittag regnete es fast unaufhörlich, so dass man sich am liebsten in den eigenen vier Wänden verkroch, die Heizung aufdrehte oder den Kamin anmachte.

»Ob er schon im Haus ist?«

»Das werden wir gleich sehen. Komm!« Henning zog den Zündschlüssel ab.

Um Punkt halb neun stiegen sie aus und gingen auf das Haus zu. Das Tor war nur angelehnt, die Haustür ebenfalls. Ein schwacher Lichtschein drang aus dem Wohnbereich zu ihnen.

Als sie näher traten, sagte eine Stimme: »Wie schon gestern pünktlich auf die Minute. Willkommen.« Albertz kam ihnen entgegen und reichte erst Santos, dann Henning die Hand. »Nehmen Sie Platz, ich hoffe, Sie haben etwas Zeit mitgebracht.«

»Warum treffen wir uns ausgerechnet hier?«, fragte Santos, bevor sie sich setzte. Drei Gläser standen auf dem Tisch.

»Wie ich bereits sagte, hier sind wir garantiert ungestört. Darf ich Ihnen etwas zu trinken anbieten? Bruhns hat eine gutsortierte Bar. Einen Whiskey vielleicht? Sie würden mir einen großen Gefallen tun.«

»Was soll das? Wird das ein gemütliches Beisammensein? Ein Plausch unter Freunden?«, fragte Henning mit kaum verhohlener Ironie.

»Das liegt ganz an Ihnen. Wir können auch hier und jetzt abbrechen und so tun, als wären wir uns nie begegnet. Ich bin da flexibel.« Kühl lächelnd musterte er Henning, dem bewusst wurde, dass er es mit einem Menschenkenner zu tun hatte, der sein Gegenüber in kürzester Zeit einzuschätzen vermochte.

»Wir nehmen einen Whiskey«, durchbrach Santos das Schweigen, »aber mit Eis, sofern welches da ist. Sonst Soda.«

Als wäre Albertz schon oft hier gewesen, öffnete er eine kleine Tür an der Bar und nickte. »Da ist auch Eis. Mal sehen, wir hätten hier einen Single Malt … Noch nicht einmal angebrochen. Damit Sie mir auch trauen, öffnen Sie bitte die Flasche und schenken ein. Selbstverständlich werde ich meinen auch mit Eis trinken.«

»Ich kann mir nicht vorstellen, dass Sie uns vergiften wollen«, sagte Santos lächelnd. »Welchen Nutzen hätten Sie davon? Wir sind nur ein paar kleine Polizisten.«

»Tun Sie mir trotzdem den Gefallen«, entgegnete Albertz und reichte Santos die Flasche und den Eiskübel.

»Wie Sie wünschen.« Santos gab ein paar Eiswürfel in

jedes Glas und schenkte ein, Albertz hob sein Glas und lächelte: »Cheers, auf einen gewiss sehr informativen Abend.«

»Cheers«, brummte Henning, ohne sein Misstrauen zu verbergen. Er trank sein Glas in einem Zug leer, Sekunden später durchzog ein wohlig warmes Gefühl seinen Körper.

»Ein exzellenter Tropfen«, sagte Albertz, lehnte sich zurück und schlug die Beine übereinander. »Ich denke, wir können beginnen, ich möchte Ihre Zeit auch nicht über Gebühr in Anspruch nehmen. Haben Sie sich schon mit Frankfurt in Verbindung gesetzt?«

»Heute Nachmittag«, antwortete Santos knapp.

»Welche Informationen haben Sie erhalten, wenn ich fragen darf?«

»Darf ich Ihnen zuerst eine andere Frage stellen?« Henning räusperte sich. »Wieso wollen Sie ausgerechnet mit uns sprechen, die wir doch mit den Fällen gar nichts mehr zu tun haben? Oder sollte ich sagen: kooperieren? Wir sind seit heute Nachmittag ganz offiziell dazu verdonnert, uns aus allem rauszuhalten, was mit Bruhns und Klein zu tun hat. Also, wieso wir?«

»Das werde ich Ihnen gleich erklären«, erwiderte Albertz mit stoischer Ruhe.

»Sind Sie vom Verfassungsschutz? Ja oder nein?«, fragte Henning mit plötzlich aggressivem Unterton und beugte sich vor, ohne Albertz aus den Augen zu lassen.

Albertz nickte ein paarmal, bevor er mit regungsloser Miene antwortete: »Ja und nein. Wieso stellen Sie mir diese Frage? Haben Sie recherchiert?«

»Haben wir, und wir haben keinerlei Informationen über Sie bekommen. Mich würde sehr interessieren, was Sie mit ›ja und nein‹ sagen wollen.«

»Wenn Sie mir die Gelegenheit geben, Ihnen einiges zu erläutern, werden sich manche Fragen von alleine beantworten. Darf ich, oder haben Sie noch etwas?«

»Bitte, ich hoffe nur, wir sind nicht vergebens hier.«

Albertz schenkte sich noch einen Whiskey ein. »Denken Sie jetzt bitte nicht, ich sei Alkoholiker, ich trinke in der Regel nur in Gesellschaft, und auch da nur wohldosiert. Und das mit den Joints gestern, ich habe ein paar kleine Macken, die ich mir einfach nicht abgewöhnen kann und will.«

»Sie sind uns keine Erklärung schuldig«, sagte Santos. »Es ist Ihr Leben.«

»Da haben Sie allerdings recht. Warum treffe ich mich mit Ihnen?« Albertz erwartete keine Antwort. »Um es kurz zu machen: Sie wurden mir als mutig, kämpferisch und loyal geschildert, Eigenschaften, die in dieser Kombination selten geworden sind. Glauben Sie mir, ich kann das beurteilen, ich bin schließlich lange genug in dem Geschäft und habe die Menschen kennengelernt …«

»In welchem Geschäft?«

»In einem schmutzigen, ekligen, widerwärtigen Geschäft, in dem Sie niemals einkaufen möchten. Überall Ratten, Kot und Hinterhältigkeit. Ich habe Sie um dieses Treffen gebeten, um Ihnen ein wenig über dieses Geschäft und die Menschen, die es betreiben, zu berichten. Doch vorab beantworten Sie mir bitte meine Frage: Was haben Sie von den Frankfurtern erfahren?«

Santos stellte ihr Glas ab, Albertz erhob sich, nahm es, gab Eis hinein und goss Whiskey darüber.

»Ich wollte eigentlich keinen mehr.«

»Dann lassen Sie ihn stehen. Sie haben mir gestern übrigens sehr imponiert. Das mit dem Whiskey war ein Test, den Sie mit Bravour bestanden haben. Ich wollte sehen, inwieweit Sie bereit sind, sich über Regeln hinwegzusetzen. Sie haben es getan und tun auch sonst alles, um Ihr Ziel zu erreichen. Ich hoffe nur, ich habe Sie damit nicht überfordert, mit dem Whiskey, meine ich?«

»Nein, ich kann einiges vertragen«, log sie und verschwieg, dass sie den ganzen Nachmittag eine leichte Übelkeit verspürt hatte. »Der Mann, von dem Sie gestern sprachen, heißt Manfred Schumann, Immobilienmakler, Menschenhändler und Pädophiler. Seine Witwe heißt Sarah Schumann, sie wohnt immer noch in Frankfurt, hat aber auch ein Haus in Kiel. Mehr konnten wir nicht in Erfahrung bringen.«

»Eine kurze, knappe und überaus treffende Beschreibung von Schumann, es fehlt höchstens noch, dass er ein menschenverachtender Krimineller war sowie ein Baulöwe, der gerne mit den Behörden kooperiert hat. Mit wem haben Sie gesprochen?«

»Mit einer Kommissarin vom K 11«, antwortete Santos zurückhaltend, ihre Skepsis und ihr Argwohn waren noch immer nicht gänzlich gewichen.

»Mit Hauptkommissarin Durant?«, fragte er mit einem rätselhaften Lächeln.

»Ja, diesen Namen hatten Sie uns ja genannt.«

»Sehr gut. Dann haben Sie vermutlich auch erfahren, dass Frau Durants Vorgesetzter in der Sache Schumann ermittelt hat?«

»So wurde es uns gesagt.«

»Frau Santos, ich bemühe mich, so offen wie möglich zu sein, dann seien Sie es bitte auch. Das gilt auch für Sie, Herr Henning. Was hat Frau Durant Ihnen über Schumann gesagt? Dass er eine große Nummer im Bereich Frauen- und Kinderhandel war?«

»Unter anderem. Und dass das Mädchen, das mit ihm erschossen wurde, zwischen zwölf und vierzehn Jahre alt war, gegenüber den Medien das Alter jedoch mit achtzehn bis zwanzig angegeben wurde, angeblich, weil Frau Schumann um ihren guten Ruf fürchtete, sollte die Wahrheit über ihren Mann ans Licht kommen ...«

»Das ist richtig, aber nur zum Teil. Es hieß damals auch, dass sie nichts von den abnormen Neigungen und Aktivitäten ihres Gatten wusste, was aber nicht ganz zutrifft. Er war ein notorischer Fremdgänger, war sehr viel geschäftlich unterwegs und brauchte seine Frau lediglich als Vorzeigeobjekt. Sollten Sie sie je kennenlernen, werden Sie wissen, was ich meine, denn sie ist auch heute noch eine ausgesprochen schöne und attraktive Frau, obwohl sie bereits sechzig ist, was man ihr wahrlich nicht ansieht. Tatsache ist, dass sie hinter die Machenschaften ihres Mannes kam und beschloss, der Sache ein Ende zu setzen. Also machte sie sich auf die Suche nach jemandem, der ihren Mann beseitigte, denn sie konnte und wollte nicht länger zulassen, dass ihr Mann sich im Kinderhandel betätigte und Kinder missbrauchte.«

Albertz nippte an seinem Whiskey und behielt das Glas in der Hand, sein Blick ging von Henning zu Santos.

»Okay, Frau Schumann wusste von dem Treiben ihres Göttergatten. Warum ist sie nicht zur Polizei gegangen?«

»Herr Henning, ich bitte Sie!«, lachte Albertz beinahe mitleidig auf. »Schumann war nicht nur schwerreich, sein größter Trumpf waren seine exzellenten Beziehungen, die bis nach Bonn und zu den höchsten Stellen vornehmlich im östlichen Ausland reichten. Er bewegte sich in einem rechtsfreien Raum, er genoss Narrenfreiheit, wie so viele in diesem Land, wobei die Zahl im Übrigen stetig zunimmt. Nicht nur hier, gehen Sie in irgendein anderes

Land, Sie werden genau dasselbe vorfinden. Was glauben Sie, für wen die Kinder und Frauen bestimmt waren? Für Hinz und Kunz? Nein«, stieß er kopfschüttelnd hervor, »seine Abnehmer gehörten zur Crème de la Crème der Gesellschaft. Seine Frau hatte nicht die geringste Chance, zur Polizei zu gehen, weil das mit ziemlicher Sicherheit ihr Todesurteil bedeutet hätte. Ich sollte vielleicht noch erwähnen, dass er ihr gegenüber auch gewalttätig wurde und sie außerdem große Angst um ihre Töchter hatte, die damals zehn und zwölf Jahre alt waren. Eine berechtigte Angst, wie ich Ihnen versichern darf ...«

»Woher wissen Sie so viel über die Schumanns?«

»Als Schumann und das junge Mädchen umgebracht wurden, war ich noch beim BKA in Wiesbaden, und zwar in einer Abteilung, die es offiziell gar nicht gab und auch heute noch nicht gibt. Nur wenige Eingeweihte wissen davon. Die Transparenz, die stets propagiert wurde und wird, existiert nicht und hat nie existiert. Wie auch immer, der Mord an Schumann brachte uns ins Spiel, wir durften nicht zulassen, dass zu viele pikante und kompromittierende Details an die Öffentlichkeit gelangten, dazu war Schumann eine viel zu wichtige Persönlichkeit. Also taten wir alles, um seinen und den Ruf seiner Familie zu schützen ...«

»Entschuldigung, das ist mir jetzt zu hoch«, fiel ihm Henning ins Wort. »Sie sagen, Sie waren beim BKA in einer Abteilung, die es nicht gibt. Da komme ich ja noch mit, aber was nach dem Mord passiert ist, das versteh ich nicht. Vielleicht bin ich auch zu naiv, ich bin eben nur ein einfacher Kommissar«, sagte er höhnisch. »Aber wenn wir einen Mordfall bearbeiten und den Täter kennen, dann verhaften wir ihn, er kommt vor Gericht und wird verurteilt. So läuft das doch, so habe ich es gelernt und ...«

»Herr Henning«, sagte Albertz und sah ihn wieder mit diesem mitleidigen Blick an, »Sie ermittelten vor etwa zwei Jahren in einem Fall, der nie von Ihnen gelöst wurde, weil man Sie permanent in die Irre geführt hat. Sie wissen, wovon ich spreche?«

»Sicher. Aber woher wissen Sie das?«

»Von der Person, die mich über Sie informiert hat und nur Gutes über Sie zu berichten wusste. Lassen Sie mich meine Ausführungen zu Ende bringen, es geht schließlich um den Fall Schumann und nicht um Ihre Vergangenheit, die ohnehin nicht mehr zu ändern ist«, sagte er mit einer Stimme, die keinen Widerspruch zuließ. »Wir kamen sehr schnell dahinter, dass Frau Schumann von den Mordabsichten wusste, und waren bald ziemlich sicher, dass sie den Mord sogar in Auftrag gegeben hatte. Doch sie hatte ein wasserdichtes Alibi, sie war zwei Tage vor dem Mord nach Südfrankreich geflogen und erhielt dort die Nachricht vom Ableben ihres Mannes. Nach ihrer Rückkehr zeigte sie sich sehr kooperativ, sie teilte uns mit, von den außerehelichen Aktivitäten ihres Mannes gewusst zu haben ...«

»Es tut mir leid«, wurde er erneut von Henning unterbrochen, »aber irgendwas an Ihrer Geschichte stimmt nicht. Sie waren beim BKA, und wann sind Sie beim Verfassungsschutz gelandet? Oder gehören Sie gar nicht zu der Truppe?«

»Doch, ich gehöre dazu. Ich kenne die Truppe in- und auswendig, die meisten der dortigen Mitarbeiter jedenfalls. Und um einer weiteren Frage von Ihnen zuvorzukommen, ich arbeitete damals sowohl für das BKA als auch für den Verfassungsschutz. So, ich denke, damit wäre Ihre Frage hinreichend beantwortet ...«

»Nein, nicht ganz. Ist Ihr Name Karl Albertz?«

»Das tut nichts zur Sache. Entweder lassen Sie mich jetzt ausreden, oder wir gehen wieder unserer eigenen Wege: Sie rennen gegen Gummiwände an, und ich gehe weiter meiner Arbeit nach, so wie ich das seit nunmehr dreiunddreißig Jahren tue. Was ist Ihnen lieber, endlich einmal einen Blick hinter die Kulissen werfen zu dürfen oder weiter erfolglos Phantomen hinterherzujagen? Es ist Ihre Entscheidung«, sagte Albertz kühl.

»Wir hören zu«, sagte Santos schnell und warf Henning einen mahnenden Blick zu.

»Gut. Schumann genoss eine besondere Protektion, die auch heute nur wenige genießen. Er durfte tun und lassen, was er wollte, ohne jemals fürchten zu müssen, dafür belangt zu werden. Der Grund hierfür war, dass Schumann unter anderem im Auftrag meiner Dienststellen handelte.« Er hob die Hand, als er merkte, dass Henning etwas einwerfen wollte, und fuhr sogleich fort: »Ich weiß, Sie würden jetzt am liebsten aufschreien und sagen, das kann nicht sein …« Er fuhr sich mit der Zunge über die spröden Lippen. »Es ist aber so. Es war damals so, und es ist auch heute noch so. Wobei es heute noch intensiver ist als Mitte der achtziger Jahre.« Er zog eine Zigarette aus seiner Hemdtasche, zündete sie an und nahm einen tiefen Zug. »Als Schumann ermordet wurde, war ich bereits seit über drei Jahren für ihn zuständig. Das heißt, ich kannte ihn, ich kannte seine Aktivitäten, ich kannte auch seine Frau Sarah und die beiden Töchter. Von Beginn an hat mich Frau Schumann fasziniert, sie ist eine außergewöhnliche Frau, die über einen langen Zeitraum mit ansehen musste, wie ihr Mann nicht nur sie, sondern auch viele andere Menschen auf das Schlimmste behandelt hat. Sie wurde von ihm des Öfteren misshandelt, und sie fürchtete, er könnte sich auch an den beiden

Töchtern vergreifen, da sie um seine Neigungen wusste. Er war nicht wie ein großer Drogendealer, der andere mit Stoff versorgt, selbst aber nichts nimmt. Er hat Kinder und Frauen beschafft, und er war selbst pädophil, oder, um es anders auszudrücken, er bumste alles Weibliche zwischen zehn und zwanzig, sofern die Mädchen und Frauen seinem Geschmack entsprachen. Er genoss es, sich mit Mädchen zwischen zehn und vierzehn zu vergnügen. Er war ein verkommenes, gewissenloses Subjekt, und er wurde gedeckt, unter anderem von mir. Nebenbei liefen seine dubiosen Immobilien- und Grundstücksgeschäfte hervorragend, seine Bautätigkeiten sowieso, nun, er war ja auch schon seit 1957 in der Branche tätig. Fahren Sie nach Frankfurt, über die Hälfte des heutigen Rotlichtviertels befand sich in seiner Hand, dazu kamen bis Mitte der sechziger Jahre ganze Straßenzüge in den besten Lagen, die auch heute noch nur von Reichen und Superreichen bewohnt werden. Alles, was er anfasste, wurde zu Gold. Ende der sechziger Jahre lernte er seine zukünftige Frau kennen, sie heirateten, 1972 wurde die erste Tochter geboren, zwei Jahre darauf die zweite. Die Ehehölle begann schon vor der Hochzeit. Sie wollte ihn nicht heiraten, aber er setzte sie massiv unter Druck …«

»Sie hätte doch ganz einfach nein sagen können«, warf Henning ein.

»Herr Henning, wenn einer wie Schumann kommt und Druck ausübt, dann haben Sie nicht den Hauch einer Chance. Sarah Schumanns Vater war ein hochgestellter Finanzbeamter mit Doktortitel, die Mutter Hausfrau, und dennoch lebten sie eher bescheiden. Schumann drohte ihr: Sollte sie sich weigern, ihn zu heiraten, würde er sie umbringen. Auch ihre Eltern wagten es nicht, sich gegen

einen wie ihn aufzulehnen, da der Vater sehr wohl wusste, mit wem er es zu tun hatte. Also gab sie nach. Die
folgenden Jahre wurden zu einem einzigen Martyrium,
dem sie nicht entfliehen konnte, da die Gesetze damals
noch anders waren als heute. Sie hätte auch keine Möglichkeit gehabt, sich mit den Kindern abzusetzen, Schumann hatte seine Schergen überall. Ich denke, damit habe
ich Ihnen einen kleinen Einblick in eine große Tragödie
gegeben.«

Er hielt erneut inne, rauchte seine Zigarette zu Ende und
drückte sie aus. Er trank von seinem Whiskey.

»Hatten Sie sich in Frau Schumann verliebt?«, wollte
Santos aus einem Gefühl heraus wissen.

Albertz lachte leise auf und nickte. »Oh ja, ich hatte mich
in sie verliebt. Ich dachte immerzu, diese Frau ist einma-
lig, so wunderschön, so intelligent, dazu dieser Charme
und dieses Charisma, aber ich wusste, es würde nie eine
Zukunft für uns geben. Das ist meine ganz persönliche
Tragödie, die ich bis heute nicht verwunden habe. Eines
Tages jedenfalls beschloss sie in ihrer Verzweiflung, sich
ihres Mannes zu entledigen, weil sie, wie bereits erwähnt,
panische Angst hatte, er könnte sich an den Töchtern vergreifen. Sie hat mit mir nicht darüber gesprochen, wir
hatten uns ja auch nur ein paarmal gesehen, zu selten, als
dass sie Vertrauen zu mir hätte schöpfen können. Am
17. Oktober 1984 wurde ihr Mann erschossen. Wir konnten direkt nach der Polizei und der Staatsanwaltschaft mit
ihr sprechen. Für meinen Partner war die Sache damit abgehakt, ich aber ging noch einmal allein zu ihr. Da beging
ich den Fehler meines Lebens, sonst hätten wir vielleicht
doch eine Chance gehabt. Ich sagte ihr, ich wisse, dass sie
hinter dem Tod ihres Mannes stecke und sie mir ruhig die
Wahrheit sagen könne, ansonsten …«

Als er nicht weitersprach, fragte Santos nach: »Ansonsten was?«

»Ansonsten hätten wir alle Mittel, sie für den Rest ihres Lebens hinter Gitter zu bringen, und sie würde ihre Töchter niemals wiedersehen. Ich könnte mich noch heute ohrfeigen für das, was ich damals zu ihr gesagt habe. Ich begreife selbst nicht, warum ich so hart zu ihr war, ich liebte sie und tat ihr so weh. Ich sagte ihr auf den Kopf zu, dass sie jemanden engagiert habe, um ihren Mann beseitigen zu lassen. Ich sagte ihr auch, dass dieser Jemand hervorragende Arbeit geleistet habe und wir dringend einen solchen Mann suchten. Wissen Sie, was sie antwortete? Sie sagte lapidar: Ja, ich habe meinen Mann umbringen lassen. Sie dürfen mich jetzt verhaften.«

Albertz seufzte auf. »Mein Gott, ich hatte niemals vor, sie zu verhaften, ich weiß nicht, was mich geritten hat, sie so in die Enge zu treiben. Ich hatte doch keinerlei Interesse daran, sie ins Gefängnis zu bringen, im Gegenteil, ich war ja froh, dass dieses Schwein endlich tot war. Aber nun war es zu spät, und hätte ich jemals die Möglichkeit gehabt, mit ihr zusammenzukommen, sie war vertan. Innerhalb weniger Sekunden hatte ich alles verspielt.

Nun, ich will nicht jammern, das steht mir nicht zu, wahrscheinlich wären wir so oder so nie … Gut, abgehakt. Ich fragte sie nach dem Namen des Mannes, der so perfekt arbeitet. Doch sie verschloss sich wie eine Auster. Ich bedrängte sie, ich sagte ihr mehrfach, dass wir einen wie ihn dringend brauchen könnten. Schließlich machte sie mir einen Vorschlag: Sie würde mit dem Killer Kontakt aufnehmen, aber seine Identität niemals preisgeben. Niemals. Sie hat ihr Wort gehalten, ich kenne bis heute weder seinen Namen noch seinen Aufenthaltsort, ich weiß nichts über ihn. Über alles, was in den darauffolgenden Jahren passierte, weiß ausschließlich Sarah Bescheid. Sie hat die Kontakte geknüpft, später, als das Internet aufkam, gab sie mir seine E-Mail-Adresse, aber sosehr ich und meine Kollegen uns auch bemüht haben, uns ist es nie gelungen, seine Identität zu lüften. Wir wissen nur, dass er viele Zwischenstationen geschaltet hat, die im Sekundentakt wechseln, wir gehen von achtzig bis hundert aus, und das ist einfach zu viel, um diese Stationen innerhalb von ein oder zwei Minuten bis zum Empfänger nachzuverfolgen, und das, obwohl wir mit den modernsten Rechnern arbeiten …«

»Warum erzählen Sie uns das alles?«, fragte Santos, nachdem Albertz aufgestanden war und ihnen den Rücken zugewandt hatte. Sie flüsterte Henning zu: »Lass mich mal machen«, und stand ebenfalls auf.

»Warum ich Ihnen das erzähle? Ich weiß es nicht. Ich habe noch nie darüber gesprochen, mit niemandem. Danach lebte ich nur noch für meine Arbeit. Ich war auch nie verheiratet. Aber irgendwann musste ich mit jemandem darüber reden. Sie sind die Ersten.«

»Weiß Frau Schumann von Ihren Gefühlen?«

»Was spielt das für eine Rolle? Vielleicht, vielleicht auch nicht, es ist müßig, darüber zu spekulieren, es ist eine Ewigkeit vergangen seitdem. Lassen Sie uns jetzt bitte nicht mehr darüber sprechen.« Er wandte sich zu ihr um und fuhr fort: »Das Thema Sarah Schumann ist abgehakt. Kommen wir zum Wesentlichen. Wir waren damals tatsächlich auf der Suche nach einem Mann für alle Fälle. Es musste jemand sein, der unauffällig und lautlos tötete. Er sollte jung und kaltblütig sein und jeden Auftrag annehmen. Ich hatte ihn gefunden. Ich tischte meinem Vorgesetzten eine hanebüchene Story auf, die zu lang wäre, sie jetzt wiederzugeben, aber ich habe Sarah Schumann rausgehalten, das war ich ihr schuldig. Jedenfalls arbeitet dieser Auftragskiller seit Anfang 1985 für uns.«

»Aber welche Relevanz hat das für die Fälle Bruhns und Klein? Sie haben doch von Klein gehört, oder?«

»Ja, ja, ein übler Bursche, nach außen seriös, innen verrottet bis ins Mark. Bis 1991 lebte er in Frankfurt, dann kam er nach Kiel. Den Rest brauche ich Ihnen nicht zu erzählen, das haben Sie längst herausgefunden. Er hat im Prinzip das fortgeführt, was Schumann begonnen hatte. Nach Schumanns Tod organisierte er die Transporte, verlagerte schließlich seinen Wohnsitz nach Kiel und übernahm die Spedition Drexler. Er hatte sich einige Zeit vorher mit dem alten Drexler angefreundet, und da er über Erfahrung im Speditionsgewerbe verfügte, entschloss sich Drexler, nicht seinem etwas labilen Sohn, sondern Klein die Firma zu überschreiben. Drexler junior war natürlich alles andere als erfreut und wollte gegen Klein vor Gericht ziehen, doch bevor es zur Verhandlung kam, verunglückte er tödlich. Das Fahrzeug wurde nie kriminaltechnisch untersucht, das konnten wir verhindern. Bitte, ersparen Sie mir Ihre Vorwürfe, die habe ich mir selbst schon reichlich gemacht. Ich war und bin eingebunden in einen Apparat, in dem man bedingungslos zu gehorchen und zu funktionieren hat, und irgendwann hinterfragt man die Dinge, die einem aufgetragen werden, nicht mehr.«

»Moment, wenn ich Sie recht verstanden habe, kannten Schumann und Klein sich?«, fragte Henning, ohne auf Albertz' letzte Bemerkung einzugehen.

»Ja. Sie waren wie Vater und Sohn, und sie hatten die gleichen Neigungen. Merken Sie allmählich, worauf ich hinauswill?«

»Noch nicht ganz.«

»Dann kommen wir zum Kern des Ganzen. Schumann, Bruhns und Klein hatten eines gemeinsam – sie waren Verbrecher auf höchster Ebene, sprich, sie waren unantastbar. Ihre Opfer waren vornehmlich Kinder und Frauen. Bruhns war ein Mittelsmann, der aufgrund seiner Popularität einen riesigen Bekanntenkreis hatte. Im Laufe der Jahre konnte er immer mehr Männer mit den gleichen perversen Neigungen für, wie er es nannte, Kinderprojekte gewinnen. Was damit gemeint war, brauche ich Ihnen wohl nicht näher zu erläutern. Es wurden mehr und mehr. Sie glauben gar nicht, wie viele Pädophile und Päderasten es in diesem Land gibt! Aber Bruhns wurde zu einem Risikofaktor, nachdem er im vergangenen Jahr ein elfjähriges Mädchen nicht nur missbraucht, sondern auch ermordet hat ...«

»Woher wissen Sie, dass sie elf war?«

»Ich weiß es, das muss Ihnen genügen. Darf ich fortfahren?«

»Sicher, aber Sie haben es zugelassen, dass ...«

»Ich weiß, und es tut mir unendlich leid. Er hat behauptet, die Kleine wäre unglücklich gestürzt, als sie wegrennen wollte, doch die Obduktion ergab etwas anderes, den Bericht von Professor Jürgens kennen Sie. Er hat zwar bestritten, sie misshandelt zu haben, doch die Beweise waren eindeutig. Nun, er war einer unserer besten Männer ...«

Henning sprang auf und hatte Mühe, die Fassung zu bewahren. »Habe ich das richtig verstanden, Bruhns war einer Ihrer besten Männer? Ein Mörder? In was für einem Film bin ich hier eigentlich? Sagen Sie, dass das nicht wahr ist. Los, sagen Sie's!«

»Tut mir leid, Herr Henning, aber es ist wahr. Wenn Sie mir weiter zuhören, werden Sie auch begreifen, worum es geht. Klar, Sie sehen nur den Mörder Bruhns, doch es steckt viel, viel mehr dahinter … Seit dem Vorfall im März vergangenen Jahres stand er unter ständiger Beobachtung, denn Bruhns war nicht der starke Mann, den er im Fernsehen spielte, ganz im Gegenteil, er war eher von der labilen Truppe. Dennoch war er wertvoll für das Geschäft. Bis er vor vier Wochen erneut zuschlug, und wieder handelte es sich um ein Mädchen, zwölf Jahre alt. Sie wurde fachgerecht entsorgt, aber damit war Bruhns natürlich erledigt. Er hatte sich offensichtlich nicht mehr unter Kontrolle, ganz im Gegensatz zu Klein, der seine Geschäfte mit stoischer Ruhe abwickelte. Er handelte mit Menschen wie mit Bananen. Wenn er jemanden beseitigte, dann unauffällig und nur vor Zeugen, die ohnehin niemals plaudern würden, da sie selbst alle Dreck am Stecken hatten. Nun sind beide tot, inklusive Kleins Leibwächter. Bruhns sollte eigentlich bei einem Flugzeugabsturz ums Leben kommen, man hatte vor, seinen Hubschrauber zu manipulieren. Jemand ist der Organisation zuvorgekommen. Jetzt fragen sich natürlich alle, wer da noch mitspielt.«

»Wieso sind Sie niemals ausgestiegen?«, wollte Santos wissen.

»Auf meiner Ebene steigt man nicht aus, da wartet man, bis das Pensionsalter erreicht ist, begibt sich in den wohlverdienten Ruhestand und hält die Klappe. Wer vorher aussteigt, macht sich verdächtig, und wer sich verdächtig macht, wird beseitigt. Es gibt keinen anderen Weg.«

»Ich glaube, ich brauche doch noch was zu trinken.« Henning schenkte sich ein und kippte den Inhalt in einem Zug hinunter.

»Glauben Sie mir, ich habe lange darüber nachgedacht, ob ich Ihnen das alles sagen soll, und ich habe mich letztendlich schweren Herzens dafür entschieden. Glauben Sie mir bitte auch, dass ich erst vor etwa zehn, zwölf Jahren so richtig begriffen habe, in welchem Saustall ich arbeite.«

»Warum? Ich begreife nicht, warum Organisationen, die für die Sicherheit unseres Landes zuständig sind, in verbrecherische Aktivitäten verwickelt sind. Ich krieg das nicht in meinen Kopf«, stieß Henning hervor.

»Sie werden es gleich besser verstehen. Es geht ausschließlich um zwei Dinge – um Geld und Macht. Wenn ich von Geld spreche, dann nicht von hunderttausend oder einer Million Euro, nein, es geht um Milliarden oder Billionen, die genaue Zahl weiß niemand. Deutschland ist ein ganz wesentlicher Puzzlestein im Weltspiel, wir stehen mit an der Spitze der Global Players. Ohne uns läuft gar nichts. Ohne uns sind die Amis aufgeschmissen, auch die Russen und Chinesen. Andersherum läuft auch ohne die nichts, es ist wie eine Vielzahl von Zahnrädern, die ineinandergreifen und das Uhrwerk am Laufen halten. Politische Scharmützel sollten nicht zu ernst genommen werden, sie wecken allenfalls das Medieninteresse und sollen dem Volk zeigen, schaut her, wir tun was für euch, wir mahnen die Russen, Amis, Chinesen oder wen auch immer ab. In Wahrheit ist alles nur ein Spiel. Ein Beispiel: Schumann begann schon in den siebziger Jahren, Frauen und Kinder aus dem Osten in den Westen zu bringen. Damals gab es noch den Eisernen Vorhang, aber gegen Devisen hat er und haben wir von den Russen alles bekommen. Nach dem Fall der Mauer boomte das Geschäft dann richtig und tut es bis heute. Es ist ein Geben und Nehmen auf höchster Ebene, da, wo sich niemand weh tut, weil sie alle ein und dasselbe Ziel verfolgen – Macht und Geld.«

»Wollen Sie damit andeuten, dass wir machtlos sind?«

»Wen meinen Sie mit ›wir‹? Wenn Sie sich und mich meinen, lautet die Antwort ja, wenn Sie jedoch Leute wie Schumann oder Klein meinen, die durften tun und lassen, was sie wollten. Ich sage Ihnen ganz ehrlich, der Tod von Klein hat die Organisation bis ins Mark getroffen, für die gilt es jetzt, ganz schnell einen adäquaten Ersatz zu finden. Und Kleins Mörder muss eliminiert werden. Ich glaube jedoch, die werden ihn nicht kriegen.«

»Was macht Sie da so sicher?«, fragte Henning.

»Weil es sich meines Erachtens um das sogenannte Phantom handelt. Mir ist nur sein Motiv ein Rätsel. Was hat ihn dazu gebracht, Bruhns und Klein umzubringen? Er hat nie einen entsprechenden Auftrag erhalten, und doch bin ich mir zu hundert Prozent sicher, dass er die Morde begangen hat. Aber wie gesagt, das Motiv, ich steige nicht hinter sein Motiv. Irgendetwas muss ihn umgedreht haben, oder er hat die wahren Strukturen begriffen und nimmt sich jetzt jene vor, von denen er sich vielleicht hintergangen fühlt ... Nein, vergessen Sie das wieder, es gibt nach meinem Dafürhalten nichts, was ihn und seine Opfer verbindet.«

»Fragen Sie doch Frau Schumann«, bemerkte Henning sarkastisch. »Sie hat bestimmt eine Antwort darauf.«

»Möglich, ich habe aber leider keinen Kontakt mehr zu ihr.«

»Wie schade. Soll ich Ihnen ihre Adresse geben?«

»Nein danke, die habe ich selbst. Eine Frage noch zum Abschluss. Wann waren Sie das letzte Mal auf einem Rock- oder Popkonzert? Oder stehen Sie eher auf Klassik oder Schlager?«

»Vor ein paar Monaten. Wieso?«

»Ich könnte Ihnen jetzt, ohne nachzudenken, zwanzig berühmte nationale und internationale Stars nennen, die sich für den Klimaschutz einsetzen, für die Rechte der Kinder kämpfen, Kindesmissbrauch anprangern und, und, und ... Diese Stars lassen sich nach ihren Auftritten Kinder bringen oder Zwangsprostituierte. Das ist die Verlogenheit und Heuchelei der Großen dieser Welt. Ich könnte Ihnen genauso gut zwanzig Politiker und Wirtschaftsbosse nennen, die nur einen hochkriegen, wenn sie Macht über ein Kind oder eine verängstigte Frau ausüben können. In der Öffentlichkeit spielen sie die Moralapostel und Unschuldslämmer, die nie etwas Unrechtes tun würden ... Glauben Sie mir, ich habe sie alle kennengelernt, und ich habe eins begriffen: Jeder, dem Macht über andere gegeben wurde, hat den Boden unter den Füßen verloren. Politiker, Finanzjongleure, sie alle aufzuzählen würde zu weit führen. Sie wissen gar nicht mehr, wie sich der Boden anfühlt, auf dem sie selbst einmal gegangen sind.«

Santos hatte sich wieder gesetzt. »Herr Albertz, Sie haben uns jetzt sehr viele Informationen über Bruhns und Klein gegeben. Was können Sie uns über Kerstin Steinbauer sagen?«

Albertz wirkte mit einem Mal müde und ausgelaugt, als er nickte und antwortete: »Gut, dass Sie mich nach ihr fragen. Sie war seit etwa anderthalb Jahren für die Organisation tätig. Bruhns hat sie angeschleppt, eine sehr attraktive junge Dame, die sich jedoch alles andere als damenhaft verhalten hat, auch wenn sie über ausgezeichnete Umgangsformen verfügte. Aus dem Waisenhaus direkt in ein Luxusapartment, eine steile Karriere. Natürlich ging das nicht ohne Gegenleistung. Die bestand darin, Kinder und Jugendliche zu beschaffen. Sie hatte ein offenes, einnehmendes Wesen, sie sah blendend aus, und sie war nicht auf den Mund gefallen. Sie konnte sich blitzschnell jeder Situation anpassen. Sie hatte im Prinzip alle Eigenschaften, die jemand mitbringen musste, um für die Organisation von Nutzen zu sein.«

»Sie kannten sie persönlich?«

»Ja. Kein Außenstehender hätte jemals vermutet, dass in diesem prachtvollen jungen Körper ein solch verdorbener Geist wohnen könnte. Sie wollte mit allen Mitteln nach oben, und sie hätte es beinahe geschafft. Sie hat eine Menge Minderjährige rekrutiert, wenn ich das so sagen darf, die meisten davon waren deutsche Kinder aus zerrütteten Familien, Kinder, die in sozialen Brennpunkten leben und so weiter …«

»Wie hat sie die Kinder ›rekrutiert‹?«, wollte Santos wissen.

»Sie war ein wunderhübscher Teufel. Sie hat so getan, als würde sie sich um die Kinder kümmern, sie hat ihnen Versprechungen gemacht, sie gelockt wie die Hexe in ›Hänsel und Gretel‹, sie ist mit ihnen zu McDonald's gegangen, hat ihnen hier und da einen Euro zugesteckt, ihnen Geschenke gemacht, eben all das, was diese Kinder zu Hause nicht bekamen. Wie sollen diese armen Kreaturen wissen, dass sie manipuliert werden? Wie im Musikgeschäft hat Bruhns auch hier ein feines Näschen bewiesen. Er hat die Steinbauer kennengelernt, sofort ihre Qualitäten entdeckt und sie für die Organisation gewonnen. Sie wurde für ihre Dienste fürstlich entlohnt, aber das wissen Sie ja bereits. Wenn Sie mich fragen, hat sie den Tod verdient, denn ich mag mir nicht vorstellen, was aus ihr geworden wäre in fünf oder zehn Jahren.«

»Wenn ich das so höre, frage ich mich, wem man noch trauen kann.«

»Frau Santos, es sind nicht alle schlecht, das gilt sowohl für meinen jetzigen Arbeitgeber als auch für das BKA, alle LKAs und so weiter. Die meisten Beamten dort machen einen guten Job, aber die wenigen schwarzen Schafe haben die Macht. Begehen Sie jetzt bloß nicht den Fehler, allen zu misstrauen.«

Albertz blickte auf die Uhr. »Ich denke, alles Wichtige ist gesagt. Oder haben Sie noch Fragen?«

»Ja, haben wir«, sagte Henning. »Erklären Sie uns noch die Strukturen. Ich will wissen, wie es beim Verfassungsschutz, beim BKA und anderen Ämtern aussieht. Wenn es mir einer erklären kann, dann Sie. Haben Sie den Mut?«

»Herr Henning, ich habe die ganze Zeit über Mut bewiesen, allein schon, als ich Kontakt mit Ihnen aufnahm. Ich habe mit dieser Frage gerechnet. Die Aufgabe des Verfassungsschutzes ist, den Staat zu schützen und Schaden von ihm abzuwenden. Wir unterwandern die rechtsextreme Szene und beobachten deren Aktivitäten, wir bespitzeln bestimmte sogenannte religiöse Gruppierungen, auch Linksextremismus ist ein Thema, Ausländerextremismus, Spionageabwehr und so weiter. Aber wir sorgen auch dafür, dass unsere in- und ausländischen Freunde zufrieden sind.« Er machte eine Pause, bevor er fortfuhr. »Und jetzt hören Sie sehr gut zu. Diese Zufriedenheit gewährleisten wir über Geschenke. Wie bereits erwähnt, ist es ein Geben und Nehmen. Wir geben ihnen Informationen und Devisen, wobei ich über die Informationen nicht sprechen möchte. Die Devisen bekommen sie unter anderem, indem wir deren Öl oder Aluminium oder andere Rohstoffe kaufen, aber auch Menschen. Nehmen wir die Russen. Der von ihnen propagierte Wohlstand existiert nicht, er hat nie existiert, es ist nach wie vor nur eine Elitegruppe, die sich alles leisten kann. Der Großteil der Bevölkerung lebt unterhalb der Armutsgrenze. Es gibt unzählige Familien, die ihre Kinder nicht mehr ernähren können und froh sind, wenn sie eins oder zwei dieser

Kinder loswerden. Wir kaufen sie und verschachern sie an Leute, die auf Kinder stehen. Natürlich läuft das nicht unter dem Namen des Verfassungsschutzes, wie Sie sich denken können. Wir haben unsere Leute auf allen Ebenen, dazu zählten unter anderem Klein, Steinbauer und Bruhns. Wir holen uns aber auch Studentinnen, denen ein sorgloses Leben im Westen versprochen wird ...«

»Das ist uns bekannt«, sagte Santos.

»Stimmt, ich habe schon wieder vergessen, dass Sie mit einem solchen Fall zu tun hatten. Das wird alles unter strengster Geheimhaltung durchgeführt, nur ganz wenige sind eingeweiht. Natürlich arbeiten wir auch mit den zuständigen Behörden in den jeweiligen Ländern zusammen. Wir haben das Geld, die haben die Ware für unsere anspruchsvollen Kunden. Deutschland ist einer der wichtigsten Plätze für die großen wirtschaftlichen Transaktionen.«

»Das heißt im Klartext, Deutschland als einer der großen Wirtschaftsstandorte muss, um seine Waren loszuwerden, ein paar Gefälligkeiten drauflegen. Habe ich das richtig verstanden?«

»Genau so ist es. Es geht aber nicht nur um ausländische Kunden, sondern auch um deutsche. Man trifft sich zur Abwicklung eines Geschäfts in einem Hotel, und nach dem Meeting beginnt der vergnügliche Teil. Sie können sich nicht vorstellen, wie viele Kinder an jedem Tag in diesem Land missbraucht werden. Es gibt eine offizielle Zahl und eine inoffizielle. Letztere stimmt.«

Henning fuhr sich mit einer Hand übers Kinn, sein Blick ging ins Leere, als er fortfuhr: »Kennen Sie Friedmann und Müller vom LKA?«

»Was für eine Frage, die beiden arbeiten seit etwa zehn Jahren für uns.«

»In wessen Auftrag haben sie Weidrich umgelegt?«

»Das war eine ziemlich dumme Frage, und das wissen Sie auch«, war die knappe Antwort.

»Stimmt, Sie haben recht. Was sind das für Typen?«

»Friedmann und Müller sind sogenannte Sklaven. Sie erledigen gegen gutes Geld jede Drecksarbeit. Sie werden nicht reich davon, das ist auch nicht beabsichtigt, denn wir behandeln sie wie Hunde, die hinter einer Wurst herrennen, die an einem Stock befestigt ist. Die Hunde wissen aber nicht, dass sie die Wurst nie bekommen werden, und sie rennen und rennen und rennen. Solche Typen sind Friedmann und Müller. Gehorsam und somit extrem gefährlich. Sie sind wie Pitbulls, die man darauf abgerichtet hat, nur auf das Wort ihres Herrchens zu hören. Sie führen jeden Befehl aus, ohne ihn zu hinterfragen. Oder vergleichen Sie sie mit Giftschlangen, die zubeißen und ihr tödliches Gift injizieren. Wenn Sie sie unschädlich machen wollen, müssen Sie sie töten. Ich warne Sie, die beiden sind sehr wachsam und nicht unintelligent, ganz im Gegenteil. Sie haben eine hervorragende Ausbildung genossen, sowohl hier als auch in Israel.«

»Meine Kollegin hat ebenfalls eine exzellente Ausbildung genossen«, sagte Henning. »Sich mit ihr anzulegen kann für jeden gefährlich sein.«

»Ich weiß. Das ist mit ein Grund, warum ich mich bereit erklärt hatte, mit Ihnen zu sprechen. Falls überhaupt jemand Friedmann und Müller unschädlich machen kann, dann Sie.«

»Heißt das, wir sollen die beiden beseitigen?«, fragte Henning entsetzt.

»Es liegt an Ihnen. Haben Sie den Mumm?«

»Das hat doch nichts mit Mumm zu tun, sondern mit dem, was wir …«

»Mein Gott, ich kenne diese Leier in- und auswendig. Sie haben einen Eid abgelegt, aber das haben Friedmann und Müller auch. Wenn sie nicht gestoppt werden, werden sie weiter wie dressierte Pitbulls sein. Ich verrate Ihnen jetzt etwas, was nur wenige wissen: Friedmann und Müller gehören zu den wichtigsten Personen im äußeren Kreis. Meines Wissens haben sie in den letzten zehn Jahren mindestens dreißig Morde begangen. Das ist weit mehr, als die meisten Serienkiller aufweisen. Sie sind gewissenlose Roboter, die jeden noch so dreckigen Auftrag ausführen. Denken Sie nach und geben Sie mir innerhalb der nächsten vierundzwanzig Stunden Nachricht.«

»Was meinen Sie mit ›äußerer Kreis‹?«, fragte Santos. »Und woher wissen wir, dass Sie die Wahrheit sagen?«

»Auf das mit dem äußeren Kreis komme ich noch zurück, lassen Sie mich zunächst Ihre zweite Frage beantworten. Ich habe Ihnen einige Unterlagen mitgebracht, die eindeutiger nicht sein könnten.« Er zog eine Aktentasche hinter dem Sessel hervor, entnahm eine dicke Mappe und breitete den Inhalt auf der Glasplatte aus. Das meiste waren Fotos.

»Hier, das ist eine junge Frau aus der Ukraine. Sie war unter anderem für uns tätig, aber als sie aufgefordert wurde, jemanden zu liquidieren, zog sie sich zurück. Es wurde auf sie eingeredet, ihre Entscheidung noch einmal zu überdenken, doch sie blieb dabei, sie wollte partout aussteigen. Sie wurde zu einem Risiko, also wurden Friedmann und Müller beauftragt, sie zu beseitigen. Nach jedem Mord machten sie Fotos, um zu beweisen, dass sie den Auftrag auch wirklich erledigt hatten. Hier, sehen Sie selbst«, sagte er und legte alle Fotos nebeneinander, nur das von Weidrich fehlte.

Schweigend betrachteten Henning und Santos die Fotos,

die allesamt tote Menschen zeigten, etwa ein Drittel davon Frauen.

»Die wurden alle von Friedmann und Müller umgebracht?«, fragte Henning fassungslos, erhob sich und stützte sich auf den Tisch. Er sah Albertz mit dem Blick eines zornigen Stiers an, es war, als wollte er sich gleich auf ihn stürzen.

»Ja«, war die knappe Antwort. Albertz hielt dem Blick stand und rührte sich nicht einen Millimeter von der Stelle, Hennings Drohgebärde flößte ihm keine Angst ein.

»Wieso wurden die nie zur Rechenschaft gezogen?«, schrie Henning.

»Weil wir es nicht wollten«, war die gelassene Antwort.

»Na wunderbar! Da laufen ein paar kaltblütige Killer herum, die auch noch bei der Polizei arbeiten. Wie schäbig! Mein Gott, in was für einem Land leben wir eigentlich?«

»Ich kann Ihre Wut verstehen«, sagte Albertz ruhig, »aber ich versichere Ihnen, ich bin nicht derjenige, der die Morde in Auftrag gegeben hat.«

»Das ist mir scheißegal, ob Sie oder jemand anderes die Morde in Auftrag gegeben haben! Und nein, Sie können meine Wut nicht im Geringsten verstehen, nicht im Geringsten! Aber ich habe einen Eid abgelegt, und an den halte ich mich auch ...«

»Ich weiß, ich weiß, ich weiß, ich weiß. Sie gehören zu den Guten. Aber was ist mit den Bösen? Schauen Sie weg oder sagen Sie, ich werde alles tun, damit sie keinen weiteren Schaden anrichten? Was bedeutet Ihnen dieser Eid?«

»Alles schön und gut. Nein«, verbesserte sich Henning, »weder schön noch gut. Das ist eine Riesensauerei. Ich habe Sie das gestern schon gefragt: Wie können Sie das mit Ihrem Gewissen vereinbaren?«

Albertz trank einen Schluck und blickte in den kleinen Rest der bernsteinfarbenen Flüssigkeit in seinem Glas. »Gar nicht. Ich werde Ihnen auch keine Erklärung abliefern, es wäre unnütz. Die Vergangenheit lässt sich nicht rückgängig machen, aber wir können versuchen, die Gegenwart und die Zukunft zu beeinflussen. Was immer geschehen ist, ist geschehen, und ich wünschte mir, ich wäre nie beteiligt gewesen. Bitte glauben Sie mir das. Jetzt wünsche ich mir, dass ein paar der Verantwortlichen zur Rechenschaft gezogen werden.«

»Wer sind denn die Verantwortlichen?«, fragte Santos. »Sie etwa nicht?«

»Wenn die Frage lautet, ob ich je einen Mord in Auftrag gegeben habe, dann wiederhole ich es gerne: nein. Verantwortlich zeichnet auch nicht Sarah Schumann oder der ominöse Auftragskiller, es sind ganz andere. Unter anderem Bernhard Freier. Oder die Innenminister der vergangenen fünfundzwanzig Jahre, Klause, Wehmeier, Christensen, um nur ein paar zu nennen. Ich sage Ihnen, Frau Schumann hat der Welt einen großen Dienst erwiesen, indem sie ihren Mann beseitigen ließ, denn er war ein Mörder, Kinderhändler und Kinderschänder ...«

»Und dann kam Klein«, konnte sich Santos nicht verkneifen zu sagen.

»Ja, Sie haben recht, dann kam Klein. Ich habe Frau Schumann gedrängt, mir den Namen des Mannes zu nennen, der ihren Mann getötet hat, aber sie hat sich beharrlich geweigert. Sie hat sich jedoch bereit erklärt, mit uns zu kooperieren.« Albertz lachte trocken auf. »Frau Schumann ist unvergleichlich. Sie ist stolz, nicht einmal unter Folter hätte sie den Namen des Mörders preisgegeben. Ich wusste das und wandte deshalb eine andere Taktik an. Seit Anfang der neunziger Jahre können wir über das Internet Kontakt zu ihm aufnehmen, aber wir wissen nach wie vor nicht, wer er ist und wo er sich aufhält, das heißt, wir kennen sein Gesicht nicht. Aber ich bin davon überzeugt, dass er Bruhns und Klein liquidiert hat, denn bei Bruhns hat er sein Markenzeichen hinterlassen, die DNA. Seit zehn Jahren spielt er dieses Spiel, und wir haben keine Ahnung, wem diese DNA zuzuordnen ist. Die einzige, wenn auch sehr unwahrscheinliche Theorie ist, dass es sich bei dem Täter um eine Frau handelt, was ich und auch meine ehemaligen und jetzigen Kollegen jedoch ausschließen, dazu ist das Vorgehen zu … männlich. Außerdem wendet er unterschiedliche Tötungsarten an, die zum Teil eine größere Kraftanstrengung erfordern. Wir haben ein Profil erstellt und sind zu dem Ergebnis gelangt, dass der Täter sehr kräftig und durchtrainiert sein muss. Zudem hat Frau Schumann ja selbst gesagt, dass es sich um einen Mann handelt, und ich zweifle nicht an dieser Aussage.«

»Verstehen Sie mich nicht falsch, aber da draußen läuft ein Auftragskiller herum, der viele Menschen umgebracht hat. Mord bleibt für mich immer noch Mord, und ein solcher Killer gehört für den Rest seines Lebens eingesperrt«, sagte Santos.

»Ja, aber machen wir doch bitte einen Unterschied. Unser Mann ist ein Auftragskiller, daran ist nicht zu rütteln. Doch er hat meines Wissens nur Personen liquidiert, die selbst einen oder mehrere Morde in Auftrag gegeben haben. Er ist kein Killer, der aus einem Trieb oder niederen Beweggründen heraus handelt. Ihm geht es nicht um Neid, Eifersucht, Gier, es ist für ihn ein Job, den er seit fünfundzwanzig Jahren erledigt.«

»Er ist ein Gutmensch, der die Menschheit vom Abschaum befreit«, bemerkte Henning höhnisch und ballte die Fäuste, als wollte er sie Albertz ins Gesicht schlagen.

»Ich wiederhole mich, ich kann Ihre Wut nachvollziehen, denn auch ich bin wütend, allerdings aus anderen Gründen, nämlich weil wir alle ein paar Mächtigen ausgeliefert sind, die uns wie Marionetten bewegen. Ich trage diese Wut seit vielen, vielen Jahren mit mir herum und kann sie doch nicht rauslassen. Ich bin nicht wütend auf das Phantom, denn auch er ist nur eine Marionette, ohne es zu wissen. Allerdings wird er hervorragend entlohnt und hat gewiss ein paar Millionen auf dem Konto. Wie ich schon sagte, ich kenne den Mann nicht persönlich, aber ich kenne seine Vorgehensweise. Glauben Sie mir, er ist ein Vollprofi.«

»Nennen Sie mir doch mal ein paar Namen, die von ihm umgebracht wurden, Bruhns und Klein einmal ausgenommen.«

»Herr Henning, ich kenne Namen, aber ich werde mich hüten, sie Ihnen unter die Nase zu reiben. In dem Zustand, in dem Sie sich momentan befinden, würden Sie vermutlich nur etwas Unbedachtes mit diesem Wissen tun. Daran kann keinem von uns gelegen sein …«

»Dürfte ich bitte kurz mit meinem Kollegen unter vier Augen sprechen?«, sagte Santos.

»Selbstverständlich.« Albertz verließ den Raum und schloss die Tür hinter sich.

Santos legte Henning eine Hand auf die Schulter und sagte mit leiser Stimme: »Sören, hör auf, dich wie ein bockiges Kind zu benehmen. Albertz ist dabei, uns etwas zu erklären, worüber wir uns bisher nie Gedanken zu machen brauchten …«

»Halt den Mund, halt einfach nur den Mund«, sagte Henning und entfernte sich ein paar Schritte von ihr. »Ich bin kein bockiges Kind, ich bin ein erwachsener Mann mit einem gereiften Verstand. Genau deshalb begreife ich nicht, wie man von einem Auftragskiller sprechen kann, als wäre er eine Art Heiliger! Und du widersprichst nicht mal, oder habe ich da was missverstanden? Da muss irgendwas an mir vorbeigegangen sein, dabei dachte ich, ich hätte schon in alle Abgründe geschaut.«

Lisa antwortete ruhig: »Stell die Frage nicht mir, sondern Albertz. Ich bin sicher, er wird dir auf jede deiner Fragen eine Antwort geben, wenn du ihn lässt und wenn du deine Aggressionen unter Kontrolle hältst. Setz dich zu mir, hör einfach nur zu, stell gezielte Fragen, aber ohne diesen Henningschen Sarkasmus. Vielleicht begreifst du dann, dass es noch viel mehr Dinge in unserem Umfeld gibt, als wir bisher zu glauben gewagt haben. Gib Albertz diese Chance, sonst wird er uns mit einer Unzahl unbeantworteter Fragen zurücklassen, und das wäre für mich noch frustrierender als das, was ich bisher gehört habe. Bitte, halt dich ein bisschen zurück. Tu's mir zuliebe. Bitte.«

Henning zog die Stirn in Falten und meinte nach einer Weile des Überlegens: »Meinetwegen. Aber wirklich nur dir zuliebe.«

»Willst du denn gar nicht wissen, was hinter den Kulissen abläuft? Wer die Fäden in der Hand hält? Warum Auftragskiller engagiert werden, die so clever arbeiten, dass viele Morde wie Unfälle oder natürliche Tode aussehen? Ich habe das Gefühl, als beträten wir gerade eine völlig neue Welt, und ich will erfahren, wie ich darin überleben kann. Wir wissen jetzt schon mehr als die meisten unserer Kollegen, und das haben wir Albertz zu verdanken.« Sie zögerte einen Moment und fuhr dann fort: »Na ja, ich hoffe jedenfalls, dass es ein Vorteil ist und wir nicht wieder gelinkt werden. Nein, Albertz legt uns nicht rein, sonst hätte er sich nicht mit uns getroffen.«

»Ja, ja, ja, schon gut, Lisa. Hören wir uns an, was er noch zu sagen hat. Danach werde ich mir mein Urteil bilden.« Santos ging zur Tür und sah Albertz rauchend im Flur stehen.

»Können wir fortfahren?«, fragte er lächelnd und steckte seine Zigarette in den mit Sand gefüllten Standaschenbecher.

»Bitte.«

»Keine Fragen?«

»Nein, aber wir hätten gerne ein paar Informationen über den äußeren Kreis.«

»Im äußeren Kreis bewegen sich die sogenannten Sklaven, die Befehlsempfänger, so wie Friedmann und Müller. Sie bilden den Schutzwall für den inneren Kreis. Dort finden Sie Leute, die über eine unvorstellbare Macht verfügen. Macht, Einfluss, Geld – eine unheilvolle Symbiose. Es handelt sich zum größten Teil um Personen, die fast nie oder nur selten in den Medien erwähnt werden. Wenn über sie berichtet wird, dann nur Positives, sie treten als Wohltäter auf, als Schirmherren oder Mäzene. Natürlich zählen auch Politiker und Topmanager dazu, aber sie sind in der Minderheit, die meisten von ihnen gehören zum äußeren Kreis. Ich weiß, das klingt wieder wie eine Verschwörungstheorie, ist aber leider die Wahrheit …«

»Und Ihre Organisation?«

»Was meinen Sie damit?«, fragte Albertz leicht ungehalten.

»Wo stehen Sie? Innen oder außen?«

»Sowohl als auch.«

»Und Sie ganz persönlich?«

Albertz nickte und sah Henning durchdringend an. »Was denken Sie?«

»Gar nichts.«

»Gut, dann belassen wir's dabei …«

»Ich denke, Sie gehören zum inneren Kreis«, warf Santos ein.

»Oh, das heißt, Sie trauen mir zu, zu den Entscheidern zu gehören. Das ehrt mich.«

»Damit haben Sie meine Frage nicht beantwortet«, sagte Santos lächelnd.

»Stimmt. Aber ganz ehrlich, ist es nicht unwichtig, ob ich zum äußeren oder inneren Kreis gehöre?«

»Nein, denn wenn ich Sie recht verstanden habe, sind die im äußeren Kreis reine Befehlsempfänger und … Sklaven. Sie erscheinen mir aber nicht wie ein Sklave, dazu haben Sie zu viel Insiderwissen. Sie gehören zum inneren Kreis, dort, wo die großen Entscheidungen getroffen werden. Und …«

»Frau Santos …«

»Lassen Sie mich ausreden. Auch wenn ich nun wie eine Laienpsychologin klingen mag, so glaube ich, dass Sie ein für alle Mal einen Schlussstrich ziehen wollen …«

»Blödsinn! Jetzt hören Sie mir gut zu. Ich kann keinen Schlussstrich ziehen, ich muss warten, bis ich in Pension gehe, was noch ein paar Jährchen dauert. Das Einzige, was ich tue, ist, dass ich Ihnen ein paar vertrauliche Informationen an die Hand gebe in der Hoffnung, dass Sie sorgsam damit umgehen. Ich hätte vor zwanzig Jahren aussteigen sollen, als ich noch nicht über dieses Insiderwissen verfügte, aber irgendwann kommt man an diesen berühmten Point of no Return. Ich bin schon lange darüber hinaus, es gibt kein Zurück mehr. Ich bin kein Entscheider im klassischen Sinn, ich bin nur hin und wieder dabei, wenn Entscheidungen von großer Tragweite getroffen werden …«

»Was für Entscheidungen?«

»Ich möchte Sie nicht noch mehr verwirren …«

»Zu spät, nun wollen wir alles wissen«, entgegnete Santos.

»Also gut. Zum Beispiel Entscheidungen über Kriegseinsätze, über Waffenlieferungen an Staaten, die auf der schwarzen Liste stehen, aber irgendwohin müssen die Waffen ja, sonst würden unsere Lager aus allen Nähten platzen. Außerdem gilt es auch, Arbeitsplätze in der Waffenindustrie zu erhalten. Oder wenn es um hochsensible Produkte geht wie Plutonium, angereichertes Uran oder Osmium, oder aber auch nur um schnöden Aluminium- und Nickelhandel. Auch wenn es sich um Menschen handelt, wobei Handel hier doppeldeutig zu verstehen ist. Und vieles, vieles mehr, wirtschaftliche Transaktionen von nationaler oder globaler Bedeutung. Sollten Sie der Auffassung sein, unsere Politiker würden allein die großen Entscheidungen treffen, muss ich Sie enttäuschen, die großen, die ganz großen Entscheidungen werden auf einer Ebene gefällt, zu der keiner von uns Zutritt hat. Ich erinnere nur an Waffenhändler und Geldwäscher, die nie juristisch belangt wurden, weil sie von einer Lobby unterstützt werden, die für die Justiz zu mächtig ist.

Erinnern Sie sich an den Bürgerkrieg in Sierra Leone? Dort ging es im Wesentlichen um Diamanten. Wer, glauben Sie, hat am meisten von diesem Krieg profitiert? Die dortigen Machthaber? Falsch, die haben zwar gutes Geld bekommen, aber die eigentlichen Profiteure waren wir und unsere Freunde im westlichen Ausland. Wir haben diesen und auch andere Kriege finanziert, die Menschen spielten dabei eine untergeordnete Rolle, sie waren nur Mittel zum Zweck. Bevor Sie sich wieder echauffieren, lassen Sie sich gesagt sein, dass es so seit Tausenden von Jahren läuft, ganz gleich, ob bei den alten Ägyptern, den Römern, Griechen oder anderen Kulturen. Die Geschichte wiederholt sich eben immer wieder, es ist ein ewiger Kreislauf. Warum ist das so? Weil die Menschen sich nicht verändern.«

»Und Frau Schumann?« Santos gab sich unbeeindruckt.

»Sie diente lediglich als Vermittlerin.«

»Das klang vorhin aber noch ganz anders. Sie ist die Einzige, die das Phantom kennt, das haben Sie selbst gesagt ...«

»Und? Was haben Sie vor? Wollen Sie den Namen aus ihr herausprügeln? Mit welcher Begründung würden Sie das tun? Wir haben gehört, dass Sie einen Auftragskiller kennen, der seit fünfundzwanzig Jahren auf der ganzen Welt Menschen umbringt? Der auch Ihren Mann umgebracht hat, in Ihrem Auftrag? Bitte, versuchen Sie Ihr Glück, aber welchen Beweis haben Sie schon? Nicht den geringsten, außerdem genießt sie sozusagen Immunität. Sie werden sie nie wegen einer Straftat belangen können, wie auch immer Sie es anstellen, es wird immer jemanden geben, der sie beschützt.«

»So wie Sie«, bemerkte Santos lakonisch.

»Zum Beispiel. Ich denke, unser Gespräch ist hiermit beendet, Sie haben genügend Informationen erhalten, um damit arbeiten zu können ...«

»Stopp«, wurde er von Henning unterbrochen, »was um alles in der Welt sollen wir denn tun?«

»Kümmern Sie sich um Friedmann und Müller, aber seien Sie vorsichtig. Die beiden sind verdammt gefährlich. Wenn sie spitzkriegen, dass ihr Doppelspiel aufgeflogen ist, werden sie nicht zögern, die ihnen am bedrohlichsten erscheinenden Personen aus dem Weg zu räumen. Glauben Sie mir, die sind nicht zimperlich in der Wahl ihrer Mittel.«

»Wunderbar. Heißt das, wir sollen die beiden umbringen?«

»Tun Sie, was getan werden muss. An das Phantom kommen Sie so oder so nicht ran. Aber Sie können diese Welt von zwei widerlichen Schmeißfliegen befreien.«

»Wieso tun Sie's nicht?«

»Herr Henning, ich bin ein reiner Schreibtischtäter.«

»Nein, nein, vergessen Sie's, wir lassen uns nicht vor Ihren Karren spannen und setzen dabei unser Leben aufs Spiel. Das mit Friedmann und Müller hat doch in der Vergangenheit wunderbar funktioniert, warum sollte man das System ändern?«

»Sie sind ein Zyniker vor dem Herrn, das imponiert mir. Die beiden haben Weidrich umgebracht, sie haben die Soko unterwandert und … Nun, Sie haben Weidrich kennengelernt und wissen, dass er niemals Bruhns' Mörder gewesen sein kann. Auch ich weiß das. Denken Sie an meine Worte: Sie werden noch öfter mit Friedmann und Müller zu tun haben, denn die beiden haben Sie auf dem Kieker.«

»Wieso?«, fragte Henning mit zusammengekniffenen Augen.

»Weil eine Order so lautet. Sie werden beobachtet, denn man traut Ihnen nicht. Es heißt, Sie könnten gewisse Operationen gefährden.«

»Wer sagt das?«

»Unwichtig. Zeigen Sie diesen Typen, dass Sie stärker und vor allem cleverer sind. Nun muss ich aber los. Lassen Sie uns vorher noch die Gläser abwaschen und in den

Schrank stellen, um das Polizeisiegel kümmere ich mich.«

»Ich übernehme die Gläser«, sagte Santos und ging in die Küche.

Henning sagte: »Beantworten Sie mir bitte nur noch eine Frage: Wieso ausgerechnet Kinder?«

»Darauf gibt es mehrere Antworten. Zum einen haben die werten Herren alles, was das Herz begehrt, und sind nun auf der Suche nach der Erfüllung ihrer geheimsten Wünsche, und das sind häufig Kinder. Zum Zweiten wollen sie unter allen Umständen ihren Trieb ausleben, sie haben verlernt, sich zurückzunehmen und zu mäßigen und die Menschenwürde zu achten. Und manche sind einfach nur verkommen. Das betrifft vor allem jene, die sich an Kindern vergehen. Kennen Sie den Fall des Kinderbordells Yvonne in Dresden? Politiker und andere honorige Bürger gingen dort ein und aus. Irgendwann flog die Sache durch einen dummen Zufall auf, aber bis heute gab es keinen Prozess, denn es wurde dafür gesorgt, dass wichtiges Beweismaterial vernichtet wurde. Die Eltern der Kinder wurden entweder mit Geld abgefunden oder, wenn sie nicht darauf eingingen, massiv eingeschüchtert. Einen ähnlichen Fall hatten wir vor einem Jahr auch hier in Kiel ...«

»Davon weiß ich nichts.«

»Können Sie auch nicht, es wurde sofort der Deckel draufgemacht, und zwar von einem gewissen Staatsanwalt Rüter ...«

»Rüter? Warum?«

»Warum wohl? Wie der Vater, so der Sohn. Nur dass der Sohn noch ein wenig ehrgeiziger ist, während der Vater in Berlin die Fäden zieht. Rüter ist enorm wichtig für die Organisation, für ihn ist sie so etwas wie eine zweite Familie. Er würde nie etwas tun, was der Firma schaden könnte. Im Gegenzug springt für ihn eine Menge dabei raus. Dresden und Kiel sind beileibe keine Einzelfälle, in ganz Deutschland gibt es diese Bordelle.«

»Erzählen Sie mir mehr über Rüter«, forderte Henning Albertz auf.

»Da gibt es nicht viel zu erzählen. Sein Vater war Generalstaatsanwalt, bis er beschloss, sich stärker politisch zu engagieren. Er hat seinen Sohnemann gleich in die richtige Position gebracht ... Die beiden arbeiten hervorragend zusammen. Ein echtes Dreamteam.«

»Ich habe Sie das vorhin schon einmal gefragt und frage es jetzt noch einmal: Von wem haben Friedmann und Müller die Anweisung erhalten, Weidrich umzulegen? Nein, lassen Sie mich raten – es war Rüter. Stimmt's?«

»Möglich. Ich weiß es aber nicht, und das ist die Wahrheit. Ich traue Rüter jede Schweinerei zu. Die Anweisung kann auch aus unserem Haus gekommen sein. Ich müsste mich schlaumachen.«

»Rüter ist auch für Sie tätig?«

»Legen Sie Ihren Tunnelblick ab, Herr Henning. Es gibt nicht diese Organisation und jene Organisation und diese Person und jene Person, es geht um Vernetzung. Natürlich ist Rüter auch für uns tätig, doch er trifft eigene Entscheidungen, die allerdings meist mit uns abgesprochen werden. Und um Ihre nächste Frage vorwegzunehmen, Rüter gehört zum inneren Kreis, genau wie sein Daddy. Damit dürfte alles klar sein.«

Santos kehrte mit den gespülten Gläsern zurück und stellte sie in den Schrank.

»Gehen wir?«

»Gleich«, entgegnete Henning. »Das würde bedeuten,

dass Rüter sowohl bei der Staatsanwaltschaft als auch beim LKA und bei uns Leute sitzen hat, die ihm bedingungslos gehorchen, wie zum Beispiel Friedmann und Müller.«

»Korrekt, aber ich kann Ihnen jetzt aus dem Stegreif keine Namen nennen. Tut mir leid.«

»Was wäre, wenn Rüter eliminiert würde? Wäre das ein harter Schlag gegen die Organisation?«

»Herr Henning, ich rate Ihnen, diesen Gedanken gleich wieder zu verwerfen, Sie begeben sich in Teufels Küche.«

»Da sind wir doch ohnehin schon drin. Was würde passieren?«

»Man würde Sie jagen bis ans Ende der Welt, dafür würde schon sein alter Herr sorgen …«

»Ich spreche doch nicht davon, dass *wir* Rüter kaltmachen …«

»Egal wer, er wäre seines Lebens nicht mehr sicher. Rüter ist ein wesentlicher Bestandteil der Organisation. Die Verbindungen zur Staatsanwaltschaft, zum LKA und so weiter wären bis auf weiteres eingefroren. Bis man einen würdigen Nachfolger gefunden hätte. Wir hatten diesen Fall vor drei Jahren in Köln, und es dauerte immerhin drei Jahre, bis dort wieder alles im Lot war.«

»Rüter. Ich wusste von Anfang an, dass mit dem Typen was nicht stimmt. Gehen wir, Lisa. Wiedersehen und danke für Ihre Kooperation.«

»Auf Wiedersehen, es war mir eine Ehre, Sie kennengelernt zu haben«, sagte Albertz, reichte erst Santos, dann Henning die Hand und begleitete sie zur Tür, holte ein Polizeisiegel aus seiner Jackentasche und klebte es exakt über das andere, nicht ohne vorher das Datum darauf vermerkt zu haben. Das Datum von Sonntag.

Henning und Santos gingen schweigend zum Wagen, stiegen ein, Henning startete den Motor und fuhr aus Schönberg heraus.

»Das war der Hammer«, sagte Santos.

»Ich will jetzt nicht darüber reden, ich muss nachdenken«, brummte Henning.

»Und worüber?«

»Sag ich dir morgen. Bitte, quatsch mich jetzt nicht voll, das hat schon Albertz übernommen. Nimm's nicht persönlich, ich bin einfach fertig.«

Für den Rest der Fahrt schwiegen sie, sie schwiegen, als sie am Haus anlangten und ausstiegen, sie schwiegen beim Treppensteigen und schwiegen, als sie sich für die Nacht fertigmachten. Zum ersten Mal, seit sie zusammen waren, wünschten sie sich nicht einmal eine gute Nacht, jeder drehte sich auf seine Seite, sie lagen Rücken an Rücken.

Mitten in der Nacht stand Henning auf, nahm eine Flasche Wasser aus der Kiste neben dem Kühlschrank, schraubte den Verschluss ab und setzte sich ins Wohnzimmer. Er trank einen langen Schluck, stellte die Flasche auf den Boden neben sich und vergrub den Kopf in den Händen. Er konnte nicht begreifen, dass er und Santos schon wieder in einen Fall verwickelt waren, der sie an und für sich nichts anging. Ihm schien, als zögen sie das Unglück magisch an. Es war doch nur ein Mord an einem Prominenten und seiner Geliebten gewesen, doch auf einmal steckten sie wieder mitten im organisierten Verbrechen. In diesem Moment hasste er seinen Job – und das nicht zum ersten Mal.

Er betrat sein Haus und verwandelte sich wieder in den unscheinbaren Hans Schmidt, den viele kannten, und zog sich um. Er legte sich aufs Bett, rief Maria an und genoss es, ihre Stimme zu hören.

»Hallo, meine Liebe.« In diesem Augenblick wünschte er sich nichts lieber, als bei ihr zu sein.

»Senhor Schmidt, ich habe sehnsüchtig auf deinen Anruf gewartet. Der Kamin ist fertig, und ich würde so gerne mit dir zusammen …«

»Ich auch mit dir. Haben sie ordentliche Arbeit abgeliefert?«

»Oh ja, du wirst es sehen. Das Zimmer ist vollkommen verändert. Ich mache ihn erst an, wenn du wieder hier bist. Aber was ist los mit dir, du klingst anders als sonst?«

»Ich bin nur müde. Es ist kalt und nass, ich mag das überhaupt nicht mehr. Außerdem fehlst du mir.«

»Soll ich kommen?«

»Nein, ich müsste dich viel zu oft alleine lassen. Ich versuche, so schnell wie möglich wieder bei dir zu sein, und dann machen wir uns eine schöne Zeit vor dem Kamin.«

»Das Haus ist so leer, wenn du nicht da bist. Ich schlafe auch nicht sonderlich gut ohne dich. Komm bald zurück.«

»Maria, ich habe noch einige wichtige Dinge zu erledigen, sehr wichtige Dinge. Dabei würde ich lieber heute als morgen wieder bei dir sein. Lass uns lieber aufhören zu telefonieren, sonst werde ich zu traurig. Ich habe in jedem Fall eine Überraschung für dich, wenn ich nach Hause komme.«

»Eine Überraschung? Was ist es?«

»Wenn ich es dir jetzt sage, ist es doch keine Überraschung mehr«, antwortete Schmidt lachend. »Du wirst dich noch ein wenig gedulden müssen.«

»Ich bin schrecklich neugierig, das weißt du.«

»Ich weiß, aber ich bin ja bald zu Hause. Maria, lass uns morgen wieder telefonieren, ich habe noch einen wichtigen Termin.«

»Jetzt, um diese Zeit? Bei dir ist es doch schon Viertel nach neun.«

»Manche Kunden haben eben erst sehr spät Zeit. Bis morgen. Schlaf gut und träum was Süßes.«

»Ich werde von dir träumen, nur von dir. Gute Nacht, Senhor Schmidt, und vergiss nie, dass ich dich liebe.«

»Maria, wie könnte ich das jemals vergessen? Pass auf dich auf. Und denk dran: Ich liebe dich auch.«

Er legte auf, ohne eine weitere Erwiderung abzuwarten. Er hielt den Hörer noch eine Weile in der Hand und überlegte, ob er bei Sarah Schumann anrufen sollte. Eine innere Stimme sagte ihm, er solle es tun, eine andere, er solle es besser lassen. Schließlich tippte er ihre Nummer ein.

»Hallo, Sarah. Ich wollte mich nur bei dir melden …«

»Kommst du?«, fragte sie schnell.

»Warum?«

»Um mir Gesellschaft zu leisten. Ich fühle mich heute sehr, sehr einsam. Nur ein wenig Gesellschaft. Ich bitte dich darum, und du kennst mich, ich bitte nur selten um einen Gefallen.«

»Also gut. Ich bin in zehn Minuten bei dir.«

»Danke.«

Er ging noch einmal ins Bad, kämmte sich und legte etwas Eau de Toilette auf.

Er schüttelte den Kopf. Du bist wahnsinnig, dachte er und betrachtete sein Gesicht im Spiegel. Du bist wirklich wahnsinnig. Du sagst zu Maria, dass du sie liebst, und dann gehst du zu Sarah. Das ist nicht fair, aber ich kann Sarah auch nicht einfach ignorieren.

Er ließ das Licht brennen und sah nach allen Seiten, als er das Haus verließ, es war nichts Auffälliges zu erkennen. Mit ausgreifenden Schritten lief er die vierhundert Meter bis zu Sarahs Villa. Er klingelte dreimal kurz hintereinander, ein Zeichen, das sie bereits vor vielen Jahren ausgemacht hatten und das nicht nur für Kiel, sondern auch für Frankfurt, Nizza und alle anderen Orte galt, wo Sarah Schumann ein Haus oder eine Wohnung besaß.

Ein leises Summen, eine helle Beleuchtung ging an, und er drückte das Tor auf, das sich von allein wieder schloss. Die Haustür stand einen Spalt offen. Sarah saß mit angewinkelten Beinen in einem schwarzen Hausanzug aus Seide auf dem langgestreckten Ledersofa. Vom Dienstmädchen, das das ganze Jahr über das Haus hütete, war weit und breit nichts zu sehen.

»Schön, dass du gekommen bist. Ich habe Sabine gesagt, dass ich sie nicht mehr brauche, falls du dich wunderst, wo sie ist.«

»Es gibt nichts, worüber ich mich noch wundern könnte.«

»Setz dich zu mir. Darf ich dir etwas zu trinken anbieten? Kaffee, Tee oder Saft?«

»Einen Pfefferminztee, wenn du einen hast«, antwortete Hans Schmidt und setzte sich neben Sarah, die nach einem exotischen Parfüm duftete, nicht aufdringlich, sondern dezent und deshalb umso verführerischer.

»Trinkst du eigentlich auch noch etwas anderes außer Pfefferminztee und Wasser?«, fragte Sarah Schumann mit einem spöttischen Lächeln, das jedoch nichts Verletzendes hatte.

»Natürlich, aber jetzt ist mir nach Pfefferminztee.«

»Den sollst du haben«, sagte sie und ging in die Küche. Sie war barfuß, und es war nicht zu übersehen, dass sie unter dem Hausanzug nackt war. Ihre Figur konnte sich mit jeder jungen Frau messen: die schlanke Taille, das weibliche Becken, die wohlgeformten und noch immer festen Brüste, die perfekten Beine. Sie tat auch etwas dafür, sie trieb viel Sport, ernährte sich gesund und unterließ Ausschweifungen jeglicher Art, trieb sich nicht auf Partys herum und umgab sich nur mit ausgewählten Menschen.

Mit einem Mal wurde ihm bewusst, wie einsam sie war. Eine schöne, reiche Frau, die an jedem Finger zehn Männer hätte haben können, die aber seit dem Tod ihres Mannes keine feste Beziehung mehr eingegangen war, entweder aus Angst, wieder an den Falschen zu geraten, oder weil sie es einfach nicht mehr wollte. Genannt hatte sie ihm den Grund nie, sie war dieser Frage stets ausgewichen.

Sie hatte Freunde und Bekannte auf der ganzen Welt, sie hatte zwei verheiratete Töchter, die in den USA beziehungsweise Neuseeland lebten, sie reiste viel, und es gab kaum einen Flecken auf der Erde, den sie noch nicht gesehen hatte. Dennoch war eine Leere in ihr, die sie selbst nicht genauer zu beschreiben vermochte, wie sie Hans Schmidt vor nicht allzu langer Zeit erklärt hatte. Er hatte sie in ihrem Haus in Nizza besucht, und sie hatten auf der Terrasse gemeinsam den Sonnenuntergang genossen. Es war einer jener seltenen Momente gewesen, in denen Sarah Schumann nicht die starke, unantastbare Frau gab, sondern melancholisch, fast depressiv wirkte. Hans

Schmidt hatte einfach nur seine Hand auf ihre gelegt. An diesem Abend hatte er zum ersten Mal begriffen, dass sie nicht kühl und unnahbar war, sondern sich nach etwas sehnte, von dem sie wusste, dass sie es niemals bekommen würde – Liebe. Und wenn sie es auch nicht direkt ausgesprochen hatte, so spürte er doch, wie sehr sie Maria darum beneidete, mit Hans Schmidt zusammen zu sein, mit dem Mann, mit dem sie schon einige Male geschlafen hatte und der sich doch nie für sie entschieden hatte. Aber das war auch kein Wunder, schließlich trennten sie dreizehn Jahre, mindestens sechs oder sieben Jahre zu viel.

Hans Schmidt hörte Sarah in der Küche hantieren, es klang, als würde sie ein opulentes Mahl kochen, doch es war nur eine Kanne Pfefferminztee, mit der sie kurz darauf zurückkehrte. Sie stellte sie auf ein Stövchen, nahm zwei erlesene Tassen und Untertassen aus der Glasvitrine und schenkte ein, wobei sie sich so weit nach vorne lehnte, dass er in den Ausschnitt ihres Hausanzugs blicken konnte. Ihm war klar, dass sie testen wollte, ob das, was sie ihm zeigte, ihn erregte.

Sie nahm wieder Platz, ihre Haare schimmerten rötlich im Licht der vielen Kerzen, die eine gemütliche und warme Atmosphäre schufen, während es draußen wie schon die ganzen Tage und Wochen zuvor nasskalt und wenig vorfrühlingshaft war.

»Was hast du heute Abend gemacht?«, fragte sie.

»Das weißt du doch.«

»Erzähl's mir trotzdem. Du hast mir bisher nicht verraten, wer es diesmal war.«

»Lass uns über etwas anderes sprechen. Bitte.«

»Verrat mir wenigstens eins: Wie hast du's gemacht?«

»Also gut, du lässt ja sowieso nicht locker. Mit einem Kontaktgift, das nach einer halben Stunde im Körper nicht mehr nachweisbar ist, nicht einmal an der Hand, mit der er den Autogriff angefasst hat. Dafür ist der Tod recht langsam eingetreten, ich habe mich eine Weile mit ihm unterhalten«, sagte er mit einem beinahe entrückten Lächeln, »das heißt, ich habe geredet, denn er konnte nicht, weil er sich in einer katatonischen Starre befand. Kein schöner Tod, das kann ich dir sagen, gegen dieses Gift ist kein Kraut gewachsen. Am Ende wird die Diagnose Herzinfarkt lauten. Reden wir nicht mehr darüber. Mit allem, was ich noch vorhabe, hast du nichts mehr zu tun, okay?«

»Wenn du meinst. Trink deinen Tee, er wird sonst kalt.«

Sie rückte näher an ihn heran und legte den Kopf an seine Schulter. Er streichelte ihr durchs Haar, das fast so gut duftete wie das von Maria. Im nächsten Moment korrigierte er sich: Es duftete anders als Marias, aber nicht schlechter.

»Hast du es dir überlegt?«, fragte sie leise, ohne ihn anzusehen.

»Was meinst du?«

»Ich habe dir heute Nachmittag eine Frage gestellt. Du weißt schon«, sagte sie und strich mit der Hand über seinen Oberschenkel.

»Du duftest gut«, antwortete er ausweichend.

»Ich weiß. Es ist nur für dich. Kommst du mit nach oben?«

Sie setzte sich aufrecht hin, nahm seine Hand und zog ihn hoch. »Komm, tu mir den Gefallen, nur dieses eine Mal.«

»Es ist immer nur dieses eine Mal.«

»Na und? Hat es der Beziehung zwischen dir und Maria etwa geschadet? Du liebst sie, und das respektiere ich, du brauchst auch kein schlechtes Gewissen zu haben, warum auch? Du tust niemandem weh. Oder hast du schon jemals ein schlechtes Gewissen gehabt, nachdem du jemanden … Entschuldige, das war ein unpassender Vergleich, bitte vergiss es wieder.«

»Ist schon gut, du hast ja recht.«

»Na also. Es ist nur Sex, nichts als Sex. Ich will dich nicht besitzen, ich werde dir auch nie Steine in den Weg legen oder Dinge tun, die dir schaden könnten, dazu mag ich dich viel zu sehr.« Sie vermied das Wort »lieben«, um ihn nicht zu verschrecken. »Maria wird nie etwas davon erfahren.«

»Sicher, aber …«

»Kein Aber. Nicht diesmal. Ich will es, und ich weiß, du willst es auch. Es war doch jedes Mal schön. Oder hast du es anders empfunden? Hast du mich jedes Mal angelogen, wenn du gesagt hast, dass es dir gefallen hat?«

»Nein, ich habe es immer ehrlich gemeint.«

»Ich lasse dir die Wahl: Entweder du kommst mit nach oben, oder du gehst wieder zu dir. Aber ich halte es an deiner Seite heute nicht aus, ohne von dir berührt zu werden. Bitte, auch wenn ich es hasse zu betteln …«

Hans Schmidt schürzte die Lippen. »Du weißt, dass ich dich liebe, auch wenn ich es dir nie gesagt habe. Aber es gibt eine Frau, die liebe ich noch mehr. Sie darf niemals von uns erfahren. Schwöre es.«

»Ich schwöre es bei allem, was mir heilig ist. Wie oft muss ich dir noch sagen, dass ich deine Beziehung zu Maria niemals gefährden würde? Niemals, denn ich liebe dich auch. Nie im Leben würde ich dir schaden. Ich sehne mich nach dir, und das ist mehr, als ich dir eigentlich sagen wollte. Kommst du jetzt mit?«

Hans Schmidt stand wortlos auf und nickte. Er reichte ihr die Hand, um ihr hochzuhelfen, und küsste sie.

»Maria …«

»Denk jetzt nicht an Maria. Im Moment gibt es nur noch uns.«

Sie gingen in den ersten Stock und liebten sich über zwei Stunden. Es war weit nach Mitternacht, als Sarah Schumann ihren Kopf auf den Arm stützte und Schmidt lange ansah, als wollte sie seine Gedanken lesen.

»Was ist?«, fragte er.

»Ich muss etwas mit dir besprechen.«

»Worum geht's?«

»Es ist kompliziert. Ich trage mich schon lange mit dem Gedanken, dir etwas ganz Wichtiges zu … erklären.« Ursprünglich hatte sie das Wort »beichten« verwenden wollen.

Als sie innehielt und den Blick senkte, erschien sie ihm mit einem Mal wie ein junges, unschuldiges Mädchen. Sanft ließ er seine Finger über ihr Gesicht gleiten. »Nun mach's nicht so spannend, ich werde dir schon nicht den Kopf abreißen.«

»Darum geht es gar nicht.« Sie hob den Blick und sah Schmidt lange und schweigend an, als überlegte sie, wie sie ihre nächsten Worte am besten formulieren konnte. Schließlich sagte sie: »Du hast mich noch gar nicht gefragt, warum ich nach Kiel gekommen bin. Willst du das gar nicht wissen?«

»Ich habe mir nicht viel dabei gedacht, vielleicht ist es dir in Frankfurt langweilig geworden«, antwortete er unsicher. Sarah war die einzige Person auf der ganzen Welt, die ihn tatsächlich verunsichern konnte.

»Es hat einen Grund, weshalb ich ausgerechnet jetzt hier bin. Wie lange kennen wir uns schon? Im Oktober werden es fünfundzwanzig Jahre, und du hast mich nie gefragt, wer ich *wirklich* bin. Du hast mir immer blind vertraut, oder sehe ich das falsch?«

»Nein, aber … Nein, das heißt, ja, ich habe dir immer vertraut«, antwortete er noch eine Spur unsicherer.

»Lass mich dir etwas erklären, und es kann sein, dass du mich hinterher verfluchen wirst. Aber da muss ich durch, ich werde auch das verkraften.« Nach einem Augenblick fuhr sie mit angehobener Stimme, in der auch Wut und Verzweiflung mitschwangen, fort: »Warum hast du nie Fragen gestellt? Warum, verdammt noch mal, hast du nie Fragen gestellt?«

»Welche Fragen hätte ich denn stellen sollen?«, fragte Schmidt mit ratloser Miene.

»Zum Beispiel, wie es nach dem Tod meines Mannes mit mir weitergegangen ist. Du hast mich nie gefragt, wer meine Kontaktleute sind oder wie der Kontakt zustande gekommen ist … Du hast nie Fragen gestellt, niemals, sondern immer nur die Aufträge zur vollsten Zufriedenheit der Auftraggeber erfüllt. Wie ein Roboter, wobei ich das nicht despektierlich meine, das weißt du. Ich denke, es ist an der Zeit, dir endlich alles zu erklären. Bist du bereit für die Wahrheit?« Sie sah ihn aus ihren braunen Augen an, es schien für einen Moment, als kämpfte sie mit den Tränen, doch dann hatte sie sich wie stets unter Kontrolle.

»Natürlich«, antwortete er verwirrt. Eine Gefühlsregung, die ihm, dem Pragmatiker, eher fremd war. Emotionen leistete er sich nur, wenn er mit Maria zusammen war. Doch das hier war Sarah, die er fast sein halbes Leben lang kannte, und mit einem Mal wurde ihm bewusst, dass auch sie ihn besser kannte als irgendjemand sonst, denn im Gegensatz zu Maria wusste sie auch um seine dunklen Seiten, die Abgründe, in denen er sich bewegte. »Eine Frage: Hast du mich all die Jahre über belogen?«

»Nein, ich habe dich nie belogen, ich habe dir nur einige

Dinge vorenthalten. Dich anlügen, nein, das würde ich niemals tun. Auch ich habe eine Frage an dich: Was hättest du getan, wenn keine Aufträge gekommen wären, nachdem du meinen Mann getötet hast? Warte, ich glaube, ich kenne die Antwort. Du hättest dein Studium beendet, was du ja auch getan hast, und danach wärst du ganz normal ins Berufsleben eingestiegen und hättest heute mit Sicherheit eine Frau, Kinder und ein geregeltes Leben. Ihr würdet in einem Reihenhaus in einer langweiligen Vorstadt leben und … Wir hätten uns längst aus den Augen verloren, wir wüssten nichts mehr voneinander. Denn anfangs war von meiner Seite aus nur geplant, dass du mir meinen Mann vom Hals schaffst. Korrigier mich, wenn ich falschliege.«

»Nein, so ungefähr wäre mein Leben wohl verlaufen. Obwohl ich Reihenhäuser schon immer gehasst habe, ich hätte zumindest versucht, es bis zu einem Bungalow zu schaffen. Ich verstehe trotzdem nicht, was du mit dieser Frage bezweckst. Du hast mich in den folgenden Jahren weitervermittelt, und ich habe mein Bestes gegeben.«

»Ich weiß. Aber ich hätte dich niemals weitervermittelt, hätte es dafür nicht einen Grund gegeben oder, besser gesagt, einen Auslöser. Glaub mir, es hatte nichts mit Dankbarkeit zu tun, sondern es steckte etwas anderes dahinter.« Sie stockte, senkte den Blick und schien für einen Augenblick weit weg zu sein. Mit einem Mal sah sie Schmidt direkt an, es war ein trauriger Blick. »Als ich alles geplant hatte, dachte ich, mir könne nichts passieren. Dabei hatte ich einen wesentlichen Punkt nicht berücksichtigt, nämlich die exzellenten Beziehungen meines Mannes … Möchtest du auch etwas trinken? Ich habe eine ganz trockene Kehle. Ein Glas Wasser?«

»Ja. Warte, ich hole es.« Schmidt stand auf – er war splitternackt –, ging drei Schritte zu einem Schrank und holte eine Flasche Wasser und zwei Gläser heraus. Er schenkte ein und reichte Sarah ein Glas.

»Danke«, sagte sie und trank. »Natürlich wurde ich von der Polizei mehrfach verhört, und schließlich war für die klar, dass ich nichts mit seinem Tod zu tun hatte. Nicht lange danach standen zwei Beamte vom Verfassungsschutz bei mir auf der Matte und befragten mich nach Manfreds Tod. Sie wollten wissen, ob ich eine Vorstellung hätte, wer hinter seiner Ermordung stecken könnte. Sie wüssten zwar, dass ich ihn nicht selbst umgebracht habe, aber sie wüssten genauso gut, dass er eine Menge Feinde hatte und ich doch sicherlich Namen nennen könne, denn gerade als Ehefrau bekomme man doch so einiges mit. Natürlich nannte ich ihnen Namen von Menschen, die meinem Mann nicht wohlgesinnt waren, was hätte ich auch sonst tun sollen, aber einer der beiden blieb misstrauisch. Das Schlimme war, ich kannte diesen Typen schon, da er des Öfteren bei uns zu Hause gewesen war. Und ich merkte natürlich auch, dass er sich in mich verguckt hatte.«

Sie ließ ihre Finger über die Brust von Hans Schmidt gleiten und küsste ihn kurz auf den Mund. Er lag auf dem Rücken, die Bettdecke bis zum Bauchnabel hochgezogen, die Arme hinter dem Kopf verschränkt, und blickte zur Decke. Er reagierte kaum auf die Berührung.

»Tja, dieser Mann stand am nächsten Abend ohne seinen Partner vor meiner Tür. Ich ließ ihn eintreten und bot ihm etwas zu trinken an, ich redete und redete und redete, weil ich nicht hören wollte, was er zu sagen hatte, denn ich wusste, weshalb er gekommen war. Er wartete geduldig, bis ich keine Gesprächsthemen mehr fand. Ich erinnere mich noch genau, wie er sich nach vorn beugte, die

Hände faltete und mich mit seinen graublauen Augen fixierte. Er sagte: ›Frau Schumann, Sie wissen, wie sehr ich Sie schätze. Es gibt etwas, worüber ich mit Ihnen unter vier Augen sprechen muss, deshalb bin ich heute Abend auch ohne meinen Partner gekommen. Um es kurz zu machen: Ich weiß, dass Sie Ihren Mann umbringen ließen, aber ich kann es nicht beweisen. Doch ich kann eins tun, ich kann Beweise präsentieren, die Sie für den Rest Ihres Lebens hinter Gitter bringen. Ich denke, Sie verstehen, was ich meine.‹«

Sarah Schumann trank den Rest Wasser und schenkte sich nach. Sie wischte sich mit einer Hand über die schweißnasse Stirn, obwohl es nicht sonderlich warm im Schlafzimmer war.

»In dem Moment ist mir das Herz in die Hose gerutscht. Ich wusste, ich würde aus dieser Nummer nicht mehr rauskommen, denn er hatte mich in der Hand. Selbst wenn ich unschuldig gewesen wäre, hätte er alle Macht der Welt gehabt, mir getürkte Beweise unterzujubeln. Er machte mir dann noch einige Komplimente, wie schön ich sei und dass er mich schon vom ersten Blick an gemocht habe und sich stets eine Frau wie mich gewünscht habe. Doch es war, als würden seine Worte aus unendlicher Ferne zu mir dringen. Nach einer Weile kam er wieder auf das eigentliche Thema zurück und sagte mit ziemlich scharfer Stimme, es gäbe für mich nur eine einzige Möglichkeit, dem Gefängnis zu entkommen: Ich müsse ihm den Namen desjenigen verraten, der den Mord begangen hat.«

Als sie nicht weitersprach, fragte Hans Schmidt: »Wie heißt der Mann?«

»Nicht jetzt, später. Plötzlich war ich wieder ganz klar im Kopf. Mir wurde bewusst, dass da mehr dahintersteckte, als nur einen Killer dingfest machen zu wollen. Ich fragte ihn, warum er den Namen haben wolle. Er zögerte einen Moment, aber dann sagte er, er wolle wissen, wer diesen perfekten Mord begangen habe, denn beim Verfassungsschutz und anderen Organisationen wäre man permanent auf der Suche nach einem solchen Mann. Er brauche nur den Namen, dann würde mir nichts passieren …«

»Hast du ihm meinen Namen gegeben?«, fragte Hans Schmidt ungewohnt nervös.

»Nein, nein, keine Sorge, natürlich nicht. Aber ich habe ihm einen Deal vorgeschlagen: Ich würde in Zukunft für den Verfassungsschutz arbeiten, indem ich jeweils den Kontakt zu dir herstellen würde. Etwas anderes käme gar nicht in Frage … Wenn mir jemand ein paar Tage zuvor gesagt hätte, ich würde einmal für den Verfassungsschutz tätig sein, hätte ich demjenigen den Vogel gezeigt. Aber von jetzt auf gleich war ich mittendrin. Der Typ überlegte und ging schließlich auf mein Angebot ein. Den Rest kennst du.«

»Nein, ich glaube, ich kenne den Rest noch immer nicht. Okay, du hast die Vermittlerin gespielt, und ich habe Menschen liquidiert, die unbequem geworden waren. Das ist aber noch immer nicht die ganze Wahrheit. Sarah, da ist noch mehr, und ich habe das Recht zu wissen, was das ist.«

Sie zupfte an ihrer Bettdecke, es schien, als sortierte sie ihre Gedanken. »Ja, da ist noch mehr. Er hat mich bedrängt und von mir verlangt, mit ihm zu schlafen. Ich wollte das nicht, weil er mich angeekelt hat, aber ich hatte auch da keine Wahl. Er sagte, damit würden wir unseren Deal besiegeln. Er kam danach noch einige Male, bis seine Besuche von jetzt auf gleich aufhörten und wir nur noch telefonisch Kontakt hatten. Er nannte mir jeweils die Zielperson und gab mir alle anderen Angaben durch, ich setzte mich mit dir in Verbindung, und du hast den Rest erledigt.«

»Okay, wie heißt der Typ?«

»Karl Albertz.«

»Karl Albertz?«, fragte Schmidt mit zusammengekniffenen Augen. »*Der* Karl Albertz? Groß, hager, Mitte, Ende fünfzig, graublaue Augen, graue Haare, ziemlich viele Falten, Whiskeytrinker ...«

»Du kennst ihn?«, stieß Sarah Schumann verwundert hervor.

»Allerdings. Er wohnt gleich hier um die Ecke, nur ein paar Minuten von mir entfernt, in der Bismarckallee, da, wo der Kreisel ist. Wir sind sozusagen Nachbarn. Ich habe für ihn zwei Expertisen erstellt. Ich hatte bis eben nicht den leisesten Schimmer, dass er beim Verfassungsschutz ist, mir gegenüber hat er stets behauptet, bis vor zehn Jahren ein großes Unternehmen besessen zu haben und jetzt im Ruhestand zu sein. Ganz offensichtlich weiß auch er nicht, dass ich der Mann bin, den er seit beinahe fünfundzwanzig Jahren sucht. Er war am Samstag übrigens auch auf dem Fest beim Grafen. Interessantes Spiel.«

»Nein, mein Lieber, das ist kein interessantes Spiel, denn Albertz ist eines der höchsten und gefährlichsten Tiere innerhalb der Organisation. Er ist Logistiker und bestimmt den Kurs. Er pflegt Kontakte bis in die Spitzen von Politik und Wirtschaft, er ist einer von denen, die aus dem Hintergrund agieren und die Fäden in der Hand halten, sich aber nie zu erkennen geben. Mit ihm ist nicht zu spaßen, das kann ich dir versichern. Er ist hinterlistig und verschlagen und spielt sein eigenes Spiel. Ihm geht es allein um *seinen* Vorteil, andere interessieren ihn nicht. Er hat seine Handlanger, die alles für ihn tun, sogar töten. Nur die großen und besonders wichtigen Aufträge überlässt er anderen, wie zum Beispiel dir.«

»Woher weißt du das alles?«

»Ich habe auch meine Beziehungen. Glaub mir, ich war in all den Jahren nicht untätig und habe mir das Vertrauen von so manch einem erschlichen und manchmal auch erkauft. Das vorletzte Mal haben Albertz und ich uns vor fünf Jahren gesehen, eine zufällige Begegnung, als er in Nizza war und wir uns in deinem Restaurant über den Weg gelaufen sind. Du warst leider nicht da …«

»Du hast mir nie davon erzählt.«

»Es schien mir bisher nicht wichtig. Er ist später bei mir vorbeigekommen. Ich habe ihm jedoch deutlich zu verstehen gegeben, dass ich keinen Wert auf seine Gesellschaft lege, ich konnte mir das leisten, denn ich hatte drei Bekannte im Haus. Daraufhin ging er wieder. Er ist ein eiskalter Hund, gefühllos, furchtlos, hinterhältig, verkommen … Such dir irgendein negatives Attribut aus, es trifft auf ihn zu. Er benutzt Menschen, wie es ihm beliebt. Wenn er etwas sagt, weißt du nie, ob es die Wahrheit ist. Das ist Albertz. Er ist unglaublich intelligent und den meisten intellektuell um Längen voraus. Für Albertz ist alles ein Spiel, und er ist immer der Gewinner … Bist du jetzt sauer auf mich?«

»Du hast eben gesagt, das vorletzte Mal war in Nizza. Wann habt ihr euch das letzte Mal gesehen?«, fragte Schmidt mit zusammengekniffenen Augen.

»Kurz vor Weihnachten in Frankfurt. Er kam wie immer unangemeldet und hat mir ein Geschenk überreicht, eine goldene Pistole für die Handtasche als Wertschätzung für meine treue Mitarbeit über all die Jahre. Ich habe mich bedankt, ihm einen Whiskey spendiert, nach zehn Minuten war er wieder verschwunden. Und jetzt sag, bist du sauer auf mich?«

Ohne auf die Frage einzugehen, antwortete Schmidt: »Moment, er hat ein Haus hier, du hast ein Haus hier. Ihr wohnt zu Fuß keine zehn Minuten voneinander entfernt. Er wird doch wohl wissen, wo du wohnst, oder?«

»Er war noch nie in diesem Haus, das schwöre ich dir.«

»Das kann sich aber schnell ändern, wenn er tatsächlich so intelligent und verschlagen ist, wie du sagst …«

»Wieso?«

»Nachdem ich Bruhns und Klein eliminiert habe, wird er alles daransetzen, Informationen über mich einzuholen. Er wird, wenn ich ihn richtig einschätze, dann auch mit dir in Verbindung treten, da er sich denken kann, wer hinter den Morden steckt, und da du für ihn die einzige Person bist, die mich kennt, wird er nichts unversucht lassen, den Namen aus dir herauszubekommen … Wen kennst du noch beim Verfassungsschutz?«

»Eigentlich nur Albertz. Als das Internet aufkam, hat er ja den Kontakt mit dir direkt aufgenommen …«

»Nein, nicht direkt, ich habe hundertzwei Zwischenstationen geschaltet, aber das spielt jetzt keine Rolle. Was ist mit Bernhard Freier?«

»Natürlich kenne ich den, Entschuldigung, habe ich ganz vergessen. Er ist Albertz' rechte Hand. Die beiden bilden eine perfekte Einheit. Sie sind die wichtigsten Figuren in diesem Spiel. Wie kommst du auf Freier?«

Schmidt zuckte die Schultern und lächelte. »Albertz wird sich jemand Neuen suchen müssen.«

»Du hast auch Freier beseitigt?«, stieß Sarah Schumann entsetzt hervor. »Das ist Wahnsinn, wenn sie es nicht schon tun, dann werden sie dich spätestens jetzt jagen ...«

»Sie werden mich aber nicht kriegen. Ich sage nur: noch eine Ratte weniger. Aber dass Albertz der große Zampano ist, damit hätte ich im Leben nicht gerechnet. So kann man sich täuschen, ich habe mich schon die ganze Zeit über gefragt, wer ist der große Unbekannte, der alles lenkt. Jetzt weiß ich's. Das heißt aber auch, er weiß alles über dein Leben, alles bis ins letzte Detail.«

»So sieht's wohl aus. Er weiß alles über mich und ...«

Als sie nicht weitersprach, sagte Schmidt: »Was ist mit deinen Töchtern?«

»Was meinst du?«

»Haben sie je Missbrauch erfahren, oder sind sie vergewaltigt worden?«

»Wie kommst du ausgerechnet darauf?«

»Instinkt. Wenn Albertz dich zum Sex zwingt, dann ...«

»Ja, sie haben sowohl das eine als auch das andere erlebt, aber nicht durch Albertz. Bitte, ich möchte nicht weiter darüber sprechen, es zerreißt mir jedes Mal das Herz, wenn ich nur daran denke. Lass es auf sich beruhen. Es ist mit ein Grund, weshalb sie so weit weg von mir wohnen und ich sie kaum noch zu Gesicht bekomme.«

»Von wem wurden sie missbraucht?«, ließ Schmidt nicht locker.

»Hör auf. Bitte.«

»Nein, wir ziehen das jetzt durch. Sie sind beide ans andere Ende der Welt gezogen, weil sie ...«

»Was immer du jetzt sagen willst, es ist falsch. Ich habe sie ans andere Ende der Welt verfrachtet, damit sie in Sicherheit sind. Ich war immer erpressbar, aber ich wollte meine Kinder aus der Schusslinie bringen. Vor ein paar Jahren habe ich ihnen erklärt, warum ich diesen Schritt für sie gewählt habe. Albertz weiß nicht, wo sie sich aufhalten. Mein Gott, ich habe drei Enkelkinder, zwei wundervolle Schwiegersöhne, ich könnte es niemals verwinden, wenn einem von ihnen meinetwegen etwas zustoßen würde.«

»Klein?«, ließ Schmidt nicht locker.

»Lass es auf sich beruhen, es ist eine lange Zeit seitdem vergangen. Bitte.«

»Okay, fassen wir zusammen: Albertz ist die Schlüsselfigur, und ich dachte die ganze Zeit über, es wäre Freier oder gar der Innenminister. Dabei ist Albertz das Oberhaupt der Familie. Er bewegt sich ungehindert auf allen Parketten, niemand kann ihm an den Karren fahren, er ist der Kopf des Kinder- und Frauenhandels, weshalb ihn Kleins Tod besonders hart getroffen haben muss. Auch der Tod von Bruhns und der Steinbauer muss ein Schlag für ihn gewesen sein, denn die Steinbauer war ein ehrgeiziges und machtgeiles junges Ding, das für Geld alles getan hat. So jung und so verdorben ... Nun, wie auch immer, ich habe dem alten Sack und seinem Clan jetzt schon mächtig Schaden zugefügt. Ich schwöre dir, es wird noch mehr werden. Bald ist er fällig.«

Schmidt fuhr sich über das Kinn. »Moment, irgendwo ist da ein Denkfehler. Albertz der Kopf? Traust du ihm das zu?«

»Auf der einen Seite ja, auf der anderen Seite denke ich, es gibt immer noch welche, die mächtiger sind. Ganz ehrlich, ich weiß es nicht.«

»Ich werde es herausfinden«, sagte Schmidt und holte tief Luft. »Ich kenne Albertz und kann mir vorstellen, dass er ein Alphatier ist. Albertz als Chef-Logistiker, das glaube ich sofort. Aber als einer, der eine ganze Organisation nicht nur logistisch, sondern auch politisch führt ... Nein, oder Albertz ist der beste Schauspieler der Welt. Ich werde ihn mir auf jeden Fall vorknöpfen.«

»Wie willst du an ihn rankommen?«

»Das lass mal meine Sorge sein. Wenn ich Albertz den Kopf abschlage, wird auf jeden Fall das ohnehin schon große Loch in der Organisation noch größer werden. Ich muss jetzt schnell handeln, damit die sich nicht absprechen können … Sarah, ich bitte dich, verschwinde aus Kiel und tauche für eine Weile irgendwo unter. Geh am besten ins Ausland. Du bist hier nicht sicher. Albertz wird eher heute als morgen bei dir auf der Matte stehen, das habe ich im Urin.«

»Nein«, sagte sie mit einem milden Lächeln, »ich werde hierbleiben, bis alles vorüber ist. Ich bin immer davongelaufen, wenn es kritisch wurde, diesmal nicht. Das bin ich nicht nur meinen Töchtern, sondern auch vielen Kindern und Frauen schuldig, vor allem aber meiner Nichte. Du bist wirklich nicht sauer auf mich?«

»Nein, das Einzige, was ich dir ein wenig übelnehme, ist, dass du mir nicht schon längst von Albertz erzählt hast. Warum hast du das die ganze Zeit für dich behalten? Ich verstehe das nicht. Ich dachte, wir wären so«, sagte Schmidt und überkreuzte Zeige- und Mittelfinger.

»Sind wir doch auch. Ich kann dir nicht sagen, warum ich es dir verschwiegen habe. Wahrscheinlich war es die Angst vor ihm. Ich habe Angst vor ihm, und ich habe Angst, dass er stärker und cleverer sein könnte als du. Ich möchte dich nicht verlieren, du bist mein bester Freund und in wenigen glücklichen Stunden auch mein Geliebter. Ich habe vieles in meinem Leben bereut, jedoch niemals, dich kennengelernt zu haben. Wie ist es bei dir?«

»Hätte ich mit dir geschlafen, wenn ich es bereuen würde?«

Sarah Schumann kämpfte wieder mit den Tränen und konnte sie diesmal nicht zurückhalten. Sie nahm ein Taschentuch vom Nachtschrank, wischte sich die Tränen ab und putzte sich die Nase. »Danke, das hat mir gutgetan. Ich möchte so gerne Maria kennenlernen, diese Frau von einem anderen Stern … Komm wieder ins Bett, ich möchte in deinen Arm.«

Schmidt legte sich hin, Sarah Schumann schmiegte sich wie eine Katze an ihn.

»Sie ist nicht von einem anderen Stern, sie ist nur etwas ganz Besonderes. Wir werden heiraten, sobald das alles hier vorüber ist. Du bist herzlich eingeladen, uns schon vorher zu besuchen.«

Sarah Schuman hörte sein Herz in ruhiger Gleichmäßigkeit schlagen und sagte leise: »Hör auf, lass es einfach gut sein. Du kannst nicht die ganze Organisation besiegen, du bist nicht Rambo oder irgendein Comic-Held, der alle Bösen der Welt besiegt, ohne selbst Schaden zu nehmen. Lass es sein.«

»Sarah, hättest du mir nicht von deiner Nichte erzählt und was Klein ihr angetan hat, würde ich das alles nicht tun. Ich kann nicht mehr zurück, denn ich würde mich für den Rest meines Lebens als Feigling fühlen. Jemand muss denen die Stirn bieten und ihnen zeigen, dass sie nicht unverwundbar sind. Ich weiß, dass sie trotz allem weitermachen werden, aber ich kann sie zumindest für eine Weile außer Gefecht setzen. Noch zwei, nur noch zwei, dann gehe ich zurück nach Lissabon. Versprochen.«

»Wie willst du das mit Albertz machen?«

»Du hast doch selbst gesagt, er kennt meinen Namen nicht. Er weiß nicht, wie ich aussehe, wo ich wohne, er weiß nichts, es sei denn, du hast ihm doch von mir erzählt.«

»Habe ich nicht, wie oft soll ich das noch sagen?«, fuhr Sarah Schumann ihn an.

»Na also. Ich habe schon eine Idee. Simpel, aber sehr effektiv. Ich hoffe nur, ich komme ihm zuvor ... Was machst du da?«, fragte er, als ihre Hand immer tiefer glitt.

»Ich will noch einmal mit dir schlafen. Gefällt dir das?«

»Ich würde lügen, wenn ich nein sagen würde.«

Hans Schmidt blieb bis zum Morgen. Um acht sah er erschrocken auf die Uhr, es war schon hell, und er wollte nicht dem Hausmädchen über den Weg laufen.

»Ich muss mich sputen«, sagte er und gab Sarah einen Kuss. »Es war eine wunderschöne Nacht. Aber ich habe heute noch sehr viel vor. Sehr, sehr viel. Ich halte dich auf dem Laufenden.«

»Es war die schönste Nacht seit einer halben Ewigkeit. Komm, noch eine Umarmung, dann darfst du gehen«, flüsterte sie in sein Ohr.

Um Viertel nach acht verließ er unbemerkt das Grundstück, nur zwei Autos parkten auf der gegenüberliegenden Straßenseite, doch beide waren leer, die Scheiben leicht beschlagen. Zu Hause duschte er, zog sich um und rief Maria an. Er hatte kein schlechtes Gewissen und brauchte sich deshalb auch nicht zu verstellen, als er ihr versicherte, wie sehr er sie liebte.

Er frühstückte zwei Scheiben Toast mit Putenschinken, dazu trank er eine Tasse Pfefferminztee. Er machte sich einige Notizen, ging in die Kammer hinter der Bücherwand, entnahm zwei Utensilien und blieb noch eine Stunde im Wohnzimmer sitzen, um alles mehrmals durchzuspielen. Als er sicher war, dass sein Plan keinen Fehler hatte, stand er auf, um zu gehen. Er war bereits an der Tür, als das Telefon klingelte.

»Ja?«

»Ich bin's, Sarah. Ich wollte dir nur viel Glück wünschen, du wirst es brauchen. Ich werde den ganzen Tag Angst haben, denn du hast mir nicht gesagt, was du heute vorhast. Bitte sag mir, dass ich keine Angst zu haben brauche.«

»Du brauchst keine Angst zu haben. Du wirst sehen, bald herrscht Ruhe, denn ich werde dafür sorgen.«

»Ich weiß, ich verhalte mich wie ein kleines Kind, aber ich kann nichts dagegen tun. Darf ich dich noch etwas fragen?«

»Nur zu.«

»Hast du jemals bereut, so viele Menschen getötet zu haben?«

»Nein, denn sie waren keinen Deut besser als ich. Eine andere Antwort kann ich dir nicht geben.«

»Du bist kein schlechter Mensch, ein schlechter Mensch kann nicht so lieben wie du. Sei vorsichtig und pass auf dich auf. Ich werde in Gedanken immer bei dir sein. Immer, hörst du?«

»Danke. Lenk dich ab, sitz nicht einfach rum und grüble. Das macht dich nur noch nervöser. Die Sonne scheint. Setz dich ins Auto und fahr irgendwohin. Tu etwas. Heute Abend telefonieren wir, oder ich komm bei dir vorbei. Abgemacht?«

»Mal sehen, ob ich mich aufraffen kann. Mach's gut und denk daran, die Gefahr kann hinter jeder Ecke lauern.«

»Damit kenne ich mich aus. Ciao, meine Liebe, und mach dir einen schönen Tag.«

»Tschüs.«

Hans Schmidt überprüfte ein letztes Mal den Inhalt seiner Jackentaschen, bevor er nach draußen ging, die Tür abschloss und mit dem Jaguar vom Grundstück fuhr. Sein Ziel war die Innenstadt. Dort angelangt, überlegte er es sich anders, verwarf seinen Plan und fuhr zurück zu seinem Haus. Heute war nicht der Tag, heute würde er es nicht tun. Er strich den Namen von seiner Liste und beschloss, nur noch einen zu beseitigen. Albertz.

DONNERSTAG

DONNERSTAG, 7.10 UHR

Henning war auf der Couch eingeschlafen und wurde durch ein sanftes Rütteln an der Schulter geweckt.

»Was tust du hier im Wohnzimmer?«, fragte Lisa ihn verwundert. »Hast du hier übernachtet?«

Henning öffnete langsam die Augen, setzte sich vorsichtig auf und nahm den Kopf zwischen beide Hände. Er fühlte sich wie gerädert. Sein Mund und seine Kehle waren trocken, und er hatte leichte Magenschmerzen, wie schon seit Monaten, ohne dass Santos etwas davon wusste. Erst wenn er etwas gegessen hatte, klangen die Schmerzen ab, bis der nächste Hunger kam. Er hätte längst zum Arzt gehen müssen, doch er scheute diesen Gang, die Untersuchung, und er hatte Angst vor dem Ergebnis. Dabei, so hatte er es im Internet recherchiert, handelte es sich aller Wahrscheinlichkeit nach um einen nervösen und gereizten Magen, im schlimmsten Fall um ein Magengeschwür. Die letzten Jahre waren ihm im wahrsten Sinn des Wortes auf den Magen geschlagen, der Absturz in das soziale Niemandsland, die Abkapselung von der Außenwelt, in die er erst durch Lisa wieder geführt wurde. Die Selbstvorwürfe, einen Unschuldigen in den Selbstmord getrieben zu haben, während der wahre Täter noch frei herumlief, die anschließende Selbstkasteiung und schließlich die Scheidung von einer Frau, die ihn bis vor kurzem ausgenommen hatte wie eine Weihnachtsgans. Nun, da die Kinder fast erwachsen waren, war sie gezwungen, arbeiten zu gehen, schließlich hatte sie einen guten Beruf erlernt.

All dies war nicht spurlos an Henning vorübergegangen, wenn er in den Spiegel schaute, sah er es an den grauer werdenden Haaren, an den tiefen Falten auf der Stirn und um den Mund herum, die sich allmählich bildenden Altersflecken auf den Handrücken, dabei war er noch nicht einmal fünfzig Jahre alt. Spuren eines ereignisreichen und lange Zeit frustrierenden Lebens, die sich sowohl außen als auch innen zeigten. Er war hart geworden, lachte nur selten und ließ kaum jemanden an seinem Leben teilhaben. Nicht einmal Lisa Santos, mit der er schon seit vier Jahren zusammen war, wusste alles über ihn. Es gab Dinge, die seiner Meinung nach nur ihn betrafen und die er auch allein regeln musste. Obwohl Lisa von Beginn an bewusst gewesen war, worauf sie sich einließ, war sie hin und wieder traurig, dass er so verschlossen war. Dabei hatte er auch andere Seiten, er war zärtlich, verständnisvoll, ein guter Zuhörer und ein bisweilen phantasievoller Mann, der ihr jeden Wunsch von den Augen ablas. Und für sie besonders wichtig: Er war kein Macho.

Henning kannte seine Schwächen, er kannte sein Inneres. Dieses Innere wollte aber noch nicht zulassen, dass jemand anderes hineinblicken konnte.

»Ich bin mitten in der Nacht aufgewacht und ins Wohnzimmer gegangen. Irgendwann muss ich hier eingepennt sein.«

»Was war los?«, fragte Santos, setzte sich zu ihm und legte ihm den Arm um die Schulter. »Macht dir der gestrige Abend zu schaffen?«

»Hm.«

»Und was genau? Traust du Albertz nicht?«

Henning wandte den Kopf und sah Santos an. »Ich weiß nicht, was ich von der ganzen Sache halten soll. Nicht nur ich, auch du, wir sind gebrannte Kinder …«

»Ja, da hast du recht, aber …«

»Nein, nein, das ist nicht nur mein übliches Misstrauen. Es gibt da einige Fragen, auf die ich partout keine Antworten finde. Zum Beispiel, warum Albertz nicht offiziell beim Verfassungsschutz als Mitarbeiter geführt wird. Wir wissen nicht das Geringste über ihn, weder in welcher Position er tätig ist noch was sein Aufgabenbereich ist. Alles, was er uns vorgestern und gestern erzählt hat, ist schwammig …«

»Ich geb dir ja recht, nur was sollen wir jetzt tun?«

»Ich bin noch nicht fertig. Ist dir gestern Abend bei Albertz etwas aufgefallen?«

»Ich weiß nicht genau, worauf du hinauswillst …«

»Ich habe ihn beobachtet. Er war die Beherrschung pur. Erinnerst du dich daran, wie ich fast auf ihn losgegangen wäre? Was ich natürlich niemals getan hätte, aber er sollte ruhig merken, wie sauer ich war.«

»Ja, sogar ich dachte, du würdest ihm gleich eine reinhauen.«

»Wie war seine Reaktion?«

Santos überlegte und schüttelte den Kopf. »Er hat nur dagesessen …«

»Genau, es gab keine. Er saß da, sah mich an, und ich hatte das Gefühl, hätte ich versucht, ihn zu schlagen, er hätte dagegengehalten. Er hat einen auf lässig und cool gemacht, dachte ich zuerst, bis ich heute Nacht zu dem Schluss gekommen bin, dass er tatsächlich lässig und cool ist – im negativen Sinn. Warum hat er sich ausgerechnet uns als Kontaktpersonen ausgesucht? Weißt du's?«

»Nein, aber …«

»Überleg doch mal. Angeblich ist der Kontakt über einen uns wohlgesinnten Menschen zustande gekommen. Ich habe mir das Hirn zermartert und finde niemanden aus unserem beruflichen oder gar privaten Umfeld, der uns Albertz hätte anempfehlen können. Niemanden. Warum erzählt er uns die ganze Geschichte, darunter auch, dass er angeblich Frau Schumann liebt?«

»Ich habe ihn danach gefragt.«

»Das weiß ich. Aber als er so ausführlich von seiner großen Liebe erzählte, da haben bei mir mit einem Mal sämtliche Alarmglocken geläutet. So was macht keiner, wenn er nicht etwas verbergen will …«

»Das verstehe ich nicht.«

»Er lässt uns an seinem Leben und seinen Gefühlen teilhaben, um damit etwas zu verschleiern, nämlich seine wahre Persönlichkeit. Der Mann hat keine Gefühle, hat wahrscheinlich nie welche gehabt, sein Blick war die ganze Zeit über gleich, ausdrucks- und emotionslos. Keine Tränen, keine zittrige Stimme, nichts. Nicht einmal, als er von Frau Schumann sprach, die er angeblich so sehr liebt. Kannst du mir jetzt folgen?«

»Ja, ich denke schon.«

»Okay. Aber, und jetzt kommt für mich das große Fragezeichen – warum hat er ausgerechnet uns, die er doch überhaupt nicht kennt, seine Liebesgeschichte erzählt? Angeblich wären wir die Ersten, denen er davon berichtet hat. Das ist doch alles höchst dubios, finde ich.«

»Angenommen, du hast recht, was will er dann von uns?«

»Das hat er doch überdeutlich zum Ausdruck gebracht, oder hast du das schon wieder vergessen? Er will, dass wir Friedmann und Müller kaltmachen. Wie geht das mit seiner Aussage zusammen, er habe noch nie einen Mord in Auftrag gegeben? Für mich passt das alles vorne und hinten nicht. Ich sage dir ganz offen, was ich von ihm halte – er ist ein Blender und Täuscher. Er versucht, uns zu manipulieren, ich bin aber noch nicht dahintergestiegen, was er wirklich vorhat.«

»Und wenn er es doch ernst meint?«

»Wie …«

»Na ja, der alte Wolf will endlich seine Ruhe haben. Kann doch sein.«

»Dann soll er ins Kloster gehen und eine Million Rosenkränze beten«, entgegnete Henning zynisch. »Ich wette mit dir, nicht irgendeiner aus seiner Abteilung hat die Mordaufträge gegeben, sondern Albertz höchstpersönlich. Albertz ist die Schlüsselfigur, nur steige ich noch nicht hinter seine wahren Absichten. Dazu kommt noch ein weiteres Problem, wir können nicht mal mit jemandem darüber reden, weil wir wieder einmal ganz auf uns allein gestellt sind.«

»Volker …«

»Nein, ich will Volker da raushalten, der hat genug eigene Probleme. Was sollen wir tun? Abwarten, bis Albertz sich wieder meldet? Wird er sich überhaupt noch mal melden? Ich hasse dieses Rumgeeiere, es treibt mich in den Wahnsinn! Ich bleibe dabei, der Typ ist nicht koscher, er versucht, uns in sein Spiel einzubeziehen, wobei wir nur die Bauern sind, die beliebig ausgetauscht werden können. Wenn er sagt, wir sollen uns um Friedmann und Müller kümmern, ist das eine Aufforderung zum Mord. Wie hat er die beiden bezeichnet? Als Sklaven! Was macht man mit Sklaven, wenn sie ausgedient haben? Man entledigt sich ihrer. Und Rüter, er hat letztlich kein gutes Haar an ihm gelassen, obwohl er doch angeblich zum inneren

Kreis gehört. Ich sage dir, die Sache stinkt zum Himmel, das sagt mir nicht nur mein gesunder Menschenverstand, sondern auch mein ziemlich hungriger Bauch. Wir werden verarscht, und zwar nach Strich und Faden, und ich werde rausfinden, wer dieser Albertz in Wirklichkeit ist. Ich werde garantiert niemanden umbringen, schon gar nicht, wenn ein undurchsichtiger Typ wie Albertz das quasi von uns verlangt. Auch wenn Friedmann und Müller tatsächlich aus dem Verkehr gezogen gehören.«

»Findest du nicht, dass du zu hart in deinem Urteil bist? Ich meine, er hat uns einen ziemlich verstörenden Einblick in die Machenschaften von Verfassungsschutz und BKA gegeben ...«

Henning lachte auf und schüttelte den Kopf. »Das ist es doch! Reine Manipulation. Hat er uns wirklich einen Einblick in die Machenschaften dieser Organisationen gegeben, oder dienen diese Informationshäppchen nur dazu, uns vor seinen Karren zu spannen? Er benutzt uns, das heißt, er will uns benutzen, und denkt wohl, wir sind nur kleine hirnlose Bullen, die ihm jeden Mist abkaufen. Da hat er sich aber geschnitten.«

»Ich weiß nicht ...«

»Lisa, ich erinnere dich an unseren Freund Wegner. Ich war ...«

»Oh Mann, jetzt ist gut. Warum hältst du mir immer wieder vor, ich wäre damals zu gutgläubig gewesen? Ich hab's kapiert und fertig, ich will damit nichts mehr zu tun haben, ich will's einfach nur noch ausblenden und vergessen, weil ich mich selbst ohrfeigen könnte, dass ich nicht auf dich gehört habe.«

»Ich wollte dich nicht angreifen oder olle Kamellen aufwärmen, ich meinte damit nur, dass ich auch jetzt wieder dieses ungute Gefühl habe, und ich habe mir heute Nacht geschworen, diesmal auf meine innere Stimme zu hören. Das ist alles. Lass uns was frühstücken, damit wir fit für den Tag sind. Wir fahren ins Präsidium, melden uns kurz bei Volker und machen ab dann Außendienst. Hey, ich kann sogar verstehen, dass du Albertz okay findest, schließlich hat er dir mehrfach geschmeichelt«, sagte Henning mit dem Anflug eines Grinsens und nahm sie in den Arm.

»Idiot«, entgegnete Santos und boxte ihm leicht gegen die Brust.

»Ja, schlag mich ruhig. Eins habe ich noch vergessen: Albertz hat den Verfassungsschutz und das BKA so dargestellt, als würden dort ausschließlich Gangster arbeiten, auch wenn er versucht hat, das später zu relativieren, aber der Grundtenor war doch, dass alle dort Verbrecher sind. Zumindest sollte es bei uns so ankommen. Das ist hirnrissig, die meisten dort sind saubere Mitarbeiter, die nur ihren Job machen. Klar, es wird auch beim Verfassungsschutz und beim BKA oder BND schwarze Schafe geben wie überall, aber die sind in der Minderheit, das hoffe ich zumindest. Ich hätte mir alle Punkte aufschreiben sollen, die mir vorhin eingefallen sind, es fehlen wohl noch zwei oder drei. Belassen wir's dabei. Frühstück, mein Magen knurrt. Außerdem muss ich dringend ins Bad.«

»Beeil dich bitte, ich muss auch.«

Lisa Santos hielt sich ein Kissen vor die Brust und dachte nach. Hennings Zweifel an Albertz waren berechtigt. Es gab Fälle, wo ihr Bauch deutlich zu ihr sprach und sie auf ihn hörte, und dann wieder welche, wo sie sich blenden ließ, obwohl ihre innere Stimme sie gewarnt hatte – Albertz gehörte zur zweiten Kategorie. Ich werde in Zukunft vorsichtiger sein, dachte sie, froh darüber, dass Henning kühl und pragmatisch an die Sache heranging. Als er aus dem Bad kam, sagte sie: »Ist dir eigentlich klar, dass wir es mit mehreren Fällen gleichzeitig zu tun haben? Das Phantom, Albertz, Friedmann und Müller, Rüter …«

»Das hatten wir gestern oder vorgestern schon mal. Es sind aber nicht mehrere Fälle, es ist ein einziger, aber Albertz will uns in die Irre führen. Doch diesmal hat er sich zu weit aus dem Fenster gelehnt. Er ist der Denker und Lenker, kein anderer. Er bestimmt den Kurs, er berät hohe Tiere, natürlich ohne sich als Verbrecher zu outen. Er ist der Meister, und dabei bleibe ich, bis ich vom Gegenteil überzeugt werde.«

»Ich geh ins Bad, machst du Frühstück? Ich hätte gerne ein Ei, sieben Minuten wie immer. Danke.«

Santos legte das Kissen zur Seite und ging ins Bad. Während Henning das Frühstück zubereitete, überlegte er, wie sie den Tag gestalten sollten. Letztlich hoffte er, dass Albertz sich noch einmal melden würde, um sich mit ihnen zu treffen. Am liebsten würde er Sarah Schumann einen Besuch abstatten, um die Frau kennenzulernen, die ihren Mann von einem Auftragskiller umbringen ließ, der jetzt eine Blutspur durch Kiel und Umgebung zog.

Henning wartete nun ungeduldig darauf, dass Santos aus dem Bad kam, damit er mit ihr den Tag durchsprechen konnte.

DONNERSTAG, 9.15 UHR

Wo, zum Teufel, ist Bernhard?«, polterte Albertz los, kaum dass Friedmann und Müller das große Büro mit der erlesenen Einrichtung betreten hatten. »Er sollte um

Punkt neun hier sein und Bericht erstatten. Wir haben aber bereits Viertel nach, und unser Zeitplan ist heute extrem eng gesteckt. Ich kann ihn weder auf dem Festnetz noch auf seinem Handy erreichen. Hat einer von euch eine Vermutung, wo er sich rumtreiben könnte?«

»Nein, wir haben ihn gestern so gegen fünf zuletzt gesehen«, sagte Friedmann achselzuckend. »Er wollte noch ein paar Telefonate führen und sich anschließend mit jemandem treffen, mit wem, hat er uns allerdings nicht verraten.«

»Es handelt sich um einen gewissen George Hamilton, einen Unternehmer aus Philadelphia, mit dem wir in Zukunft auf höchster Ebene zusammenarbeiten möchten. Habt ihr den Namen schon mal gehört?«

»Ich kenne nur einen Schauspieler, der so heißt. Der wird's aber wohl kaum gewesen sein«, entgegnete Müller grinsend.

»Können wir ernst bleiben?«, zischte Albertz und sah sein Gegenüber kalt an. »Bernhard und Hamilton wollten sich im Steigenberger treffen. Findet heraus, ob es dazu kam, ob Bernhard gesichtet wurde und so weiter. Seid freundlich, höflich und zuvorkommend, und benutzt um Himmels willen *unsere* Ausweise. Ich erwarte von euch innerhalb der nächsten Stunde einen vorläufigen Bericht. Habe ich mich deutlich genug ausgedrückt?«

»Hast du. Welchen Namen hat er benutzt?«, fragte Müller.

»Dieter Uhlig. Also, macht euch auf die Socken.«

»Sind schon weg.«

»Stopp«, hielt Albertz sie zurück, als sie bereits an der Tür waren. »Ich habe ganz vergessen, nach vergangener Nacht zu fragen. Ist alles reibungslos über die Bühne gegangen?«

»Null Probleme. Die Ware ist in relativ gutem Zustand angekommen und wurde sofort angemessen untergebracht. Um die kleinen Bälger kümmert sich Rosa. Ansonsten alles roger!«, sagte Friedmann.

»Wie viele?«, fragte Albertz.

»Fünfundzwanzig, wie abgemacht, einige werden ja noch heute weiter nach Berlin verfrachtet. Darf ich mal was ganz Blödes fragen?«

»Bitte«, sagte Albertz und dachte, das machst du doch andauernd.

»Wieso werden die nicht direkt nach Berlin gebracht, die Grenze ist doch nicht weit?«

»Wirklich eine saudumme Frage. Die meisten Bälger, wie du sie nennst, kommen aus Polen, was du eigentlich wissen solltest, und unsere Spedition fährt seit Jahren dieselbe Route, alles andere würde auffallen und nur unnötig Zeit und Geld kosten. Jetzt kapiert?«

»War ja nur 'ne Frage.«

»Hast du's kapiert oder nicht?«

»Ja, und entschuldige, dass ich überhaupt gefragt habe.«

»Gut. Um alles Weitere kümmern sich andere, ihr habt damit ab sofort nichts mehr zu tun. Das Geld erhaltet ihr nachher, ich bin bis eins hier, anschließend nur über Handy zu erreichen. Ich will keine schlechten Nachrichten hören.«

»Wir tun unser Bestes.«

»Das reicht manchmal nicht. Abmarsch, und kriegt raus, was mit Bernhard ist. Wenn ihr ihn findet, schleppt ihn her oder richtet ihm zumindest aus, dass er mich umgehend anrufen soll.«

Im Auto fragte Friedmann seinen Kollegen: »Was ist denn heute mit dem Alten los? So gereizt habe ich ihn lange nicht erlebt.«

»Vielleicht hat ihn seine Alte nicht rangelassen, ist ja auch ein heißer Feger«, antwortete Müller grinsend. »Brasilianerin, dreißig Jahre jünger. Wenn die ihren Arsch bewegt, geht so richtig die Post ab. Junge, die würde ich auch gerne mal …«

»Denk nicht mal daran, Albertz würde dich sofort einen Kopf kürzer machen, aber vorher würde er dich foltern lassen. Such dir lieber 'ne andere heiße Braut.«

»Du glaubst doch nicht allen Ernstes, dass ich mich an Albertz' Schnecke vergreifen würde? Ich bin doch nicht lebensmüde. Aber träumen darf man ja wohl, oder?«

»Ja, träum und hol dir einen runter«, sagte Friedmann genervt und lenkte den Wagen vor das Hotel.

Bei der jungen Frau an der Rezeption wiesen sich Friedmann und Müller mit ihren Ausweisen vom Verfassungsschutz aus.

»Wir haben eine Frage: Ist ein George Hamilton Gast bei Ihnen?«

Sie sah in ihrem Buch nach: »Er war unser Gast, hat gestern Abend noch ausgecheckt. Darf ich fragen, ob es um den Toten geht, der vergangene Nacht in der Garage gefunden wurde?«

»Welcher Tote?«, fragte Friedmann.

»Ein Herr Uhlig wurde gegen Mitternacht von einer Frau in seinem Wagen tot aufgefunden. Mehr kann ich Ihnen leider nicht sagen, da müssten Sie mit dem Geschäftsführer sprechen.«

»Ist er da?«

»Ja. Warten Sie, ich hole ihn.«

Friedmann flüsterte Müller zu: »Bernhard ist also tot.

Jetzt bin ich mal gespannt, ob der werte Herr uns sagen kann, woran unser Kollege gestorben ist. Ich wette hundert Euro, dass es kein natürlicher Tod war.«

»Und wenn doch?«

»Nach all dem, was in den letzten Tagen abgelaufen ist, glaubst du das doch wohl selbst nicht.«

»Der Geschäftsführer hat sicher keine Akteneinsicht.«

»Vielleicht ja doch.«

Ein großgewachsener, fülliger Mann kam auf sie zu, reichte erst Müller, dann Friedmann die Hand und stellte sich vor: »Schneidham. Wie mir Frau Reichert sagte, möchten Sie etwas über den Vorfall von gestern Nacht erfahren. Nun, alles, was ich weiß, ist, dass Herr Uhlig an einem Herzanfall gestorben sein soll. Er wollte sich mit Mr. Hamilton treffen, wie mir eine Kollegin mitteilte, mehr Informationen habe ich nicht.«

»Sind Tiefgarage und Lobby videoüberwacht?«, fragte Friedmann.

»Selbstverständlich, wir sind schließlich ein First-Class-Hotel und sehr um die Sicherheit unserer Gäste bemüht«, versicherte der Geschäftsführer.

»Dann hätten wir gerne die Bänder von gestern Abend, damit wir sie analysieren können.«

»Darf ich fragen, warum?«

»Wir möchten ausschließen, dass Herr Uhlig einem Verbrechen zum Opfer gefallen ist.«

»Haben Sie einen Gerichtsbeschluss?«

»Nein, den brauchen wir nicht, wenn Gefahr im Verzug ist. Außerdem sind wir nicht von der Polizei, sondern vom Verfassungsschutz. Genügt Ihnen das? Oder wäre es Ihnen lieber, wenn es hier in einer Viertelstunde von unseren Männern und uniformierter Polizei nur so wimmeln würde?«

»Einen Moment, ich hole die Bänder«, sagte der Geschäftsführer eilfertig und wirkte mit einem Mal nervös. Das Letzte, was er brauchte, war eine Horde Polizisten, die für Unruhe in seinem Haus sorgte. »Aber das ist nicht die Regel. Bekomme ich sie zurück?«

»Herr … Schneidham, wir wollen doch nicht Ihr Hotel auseinandernehmen, wir wollen nur die Bänder. Selbstverständlich erhalten Sie sie zurück. Vielleicht dürften wir noch einen Blick in das Zimmer von Herrn Hamilton werfen? «

»Natürlich, allerdings wurde dort schon sauber gemacht. Sie werden nichts finden.«

»Nur einen Blick, das reicht schon«, sagte Friedmann mit einem unverbindlichen Lächeln.

»Wie Sie wünschen. Wenn Sie mir bitte folgen wollen, zweiter Stock, Zimmer 242.«

Sie fuhren mit dem Aufzug in die zweite Etage, das Zimmer wurde mit der Schlüsselkarte geöffnet.

»Bitte schön, sehen Sie sich um. Mr. Hamilton hat gestern am späten Abend ausgecheckt, nachdem er sich nach Herrn Uhlig erkundigt hatte. Unsere Empfangsdame hat ihm mitgeteilt, dass Herr Uhlig sich eine ganze Weile an der Bar aufgehalten hat und schließlich nach Mr. Hamilton fragte. Die beiden hatten ein Treffen vereinbart und sich verpasst. Eine andere Erklärung habe ich nicht. So leid es mir tut, das Zimmer wurde gegen neun Uhr gereinigt.«

»Haben Sie Herrn Hamilton persönlich kennengelernt?«, fragte Friedmann, während er und Müller sich kurz umsahen und dann dem Geschäftsführer das Zeichen gaben, wieder nach unten zu fahren.

»Sicher, er war ja nicht zum ersten Mal in unserem Haus. Er traf am Montag ein und …«

»Ja, und gestern Abend reiste er wieder ab. Beschreiben Sie ihn mir, bitte.«

»Etwa eins fünfundsiebzig, vielleicht auch eins achtzig, ich kann das nicht genau einschätzen, weil ich über zwei Meter bin und …«

»Egal. Beschreiben Sie mir einfach sein Äußeres«, sagte Friedmann, als sie wieder in der Empfangshalle waren.

»Vollbart, leicht untersetzt, ein Geschäftsmann. Was sollen diese Fragen?«

»Sie haben seine Personalien?«

»Selbstverständlich, er hat ja schon des Öfteren bei uns eingecheckt.«

»Wie oft?«, sagte Friedmann und trommelte mit den Fingern auf den Tresen der Rezeption.

»In den vergangenen Jahren bestimmt zwanzigmal oder öfter, ich müsste nachsehen.«

»Ist Ihnen etwas Ungewöhnliches an ihm aufgefallen?«

»Was meinen Sie?«

»War er gestern anders als sonst?«

»Hören Sie, ich habe keine Ahnung, was Sie von mir wollen, Mr. Hamilton ist ein gerngesehener und absolut vertrauenswürdiger Gast, für den ich meine Hand ins Feuer legen würde. Er war stets großzügig, ordentlich, hat die Minibar nie angerührt und auch das Pay-TV nicht genutzt. Einige Male hat er einen unserer kleinen Konferenzräume gebucht.«

»Und Herr Uhlig?«

»Den kenne ich nicht, ich habe seinen Namen gestern Abend zum ersten Mal gehört. Es tut mir leid, wenn ich Ihnen nicht weiterhelfen kann, aber wir sind keine Detektei, die ihren Gästen hinterherschnüffelt.«

»Schon gut«, beschwichtigte Müller den zusehends aufgebrachten Geschäftsführer. »Wenn Sie uns bitte die Videos aushändigen würden, danach sind wir weg.«

»Selbstverständlich.«

Selbstverständlich, selbstverständlich, selbstverständlich, dachte Friedmann und hätte dem Geschäftsführer am liebsten die Faust ins Gesicht geschlagen, hielt sich aber zurück.

Würde er sich auch nur für einen Moment gehenlassen, würde man ihn nicht lange danach in irgendeiner dunklen Gasse oder in der Förde finden. Er konnte Typen wie diesen in seinen Augen ekelhaft schmierigen Geschäftsführer, die übergroßen Wert auf die Etikette legten, die ihre Gäste in Schutz nahmen und eine geradezu penetrante Loyalität gegenüber dem Hotel und den Gästen zeigten, nicht ausstehen. Schlips und Kragen und eine devote Haltung, wie es ihm beigebracht worden war.

Sie folgten Schneidham in sein Büro, wo er ihnen die Videobänder aushändigte. »Bitte schön. Wann bekomme ich sie wieder?«

»Sobald sie ausgewertet sind«, erwiderte Friedmann nur. »Auf Wiedersehen und einen schönen Tag noch.«

Im Auto sagte Friedmann: »Dieses gottverdammte Stinktier!«

»Wen meinst du? Schneidham?«

»Den von mir aus auch. Nee, ich meine den, der Bernhard um die Ecke gebracht hat. Der arbeitet sich von unten nach oben vor. Erst Bruhns und die Steinbauer, dann Klein, jetzt Bernhard ... Wer ist als Nächstes dran?«

»Ich weiß es nicht. Aber ich würde mich an deiner Stelle nicht auf diesen Hamilton versteifen.«

»Tu ich auch nicht. Ich frage mich nur, warum er gestern Abend schon wieder abgereist ist. Kommt dir das nicht auch spanisch vor? Ich habe da so ein komisches Jucken unter den Achseln, das habe ich immer, wenn …«

»Halt's Maul, okay?«, fuhr Müller ihn an. »Die Sache ist nicht unser Bier, die letzte Entscheidung trifft immer noch Albertz. Du solltest dich endlich damit abfinden, dass wir nur Befehlsempfänger sind und keine Entscheider.«

»Hör zu, du Idiot, ich bin zwar nur ein kleiner Furz in dem Riesenarsch, aber das Denken lasse ich mir deshalb nicht verbieten. Wenn dir das nicht passt, kannst du dir ja einen anderen Partner suchen. Fragt sich nur, ob Albertz das so recht wäre, wenn wir beide nicht mehr zusammenarbeiten würden. Also, halt den Rand und sperr die Ohren auf. Drei unserer Leute sind umgelegt worden …«

»Du weißt doch gar nicht, ob Bernhard umgebracht worden ist«, warf Müller ein. »Der hat's doch schon länger mit dem Herzen gehabt und …«

»Und was? Du willst mir doch nicht weismachen, dass du an Zufälle glaubst! Vier Tote in vier Tagen! Nee, mein Lieber, das ist kein Zufall. Stellt sich nur die Frage, wer der Mörder ist und wo wir ihn finden.«

»Da gebe ich dir recht. Ich glaube allerdings nicht, dass der Auftragskiller unser Mann ist. Warum sollte er das tun? Er hat keinen Grund, schließlich arbeitet er seit Jahren für uns und verdient sich dumm und dämlich. Es sei denn, er hat die Seiten gewechselt. Dann frage ich mich allerdings, für wen er jetzt arbeiten könnte. Es kann ja nur das Organisierte sein, aber auch die zahlen nicht so gut wie wir.«

»Woher willst du wissen, wie gut wir zahlen? Ich habe keinen blassen Schimmer, was der pro Auftrag kriegt.«

»Wenn unsere Konten schon so gut gefüllt sind, dann hat er bestimmt zehn- oder zwanzigmal so viel. Oder sogar mehr. Nein, ich bleibe dabei, er ist es nicht, man will uns aber glauben machen, dass er es ist. Kannst du mir folgen?«

»Schon. Bloß, keiner hat ihn je zu Gesicht bekommen, und das macht mich stutzig. Aber okay, schauen wir uns die Bänder an und lassen Albertz entscheiden, was zu tun ist.«

»Sehr klug, Charly Friedmann. Irgendwann kommt auch unsere Zeit, wir müssen uns nur in Geduld üben, und das haben wir in der Vergangenheit doch schon des Öfteren getan. Unsere sündhaft teure Ausbildung beim Mossad darf nicht umsonst gewesen sein.«

Friedmann lachte auf und gab Müller recht. »Stimmt, wir haben schon ein paarmal unter Beweis gestellt, wie gut wir sind. Manchmal gehen mit mir einfach die Gäule durch.«

Sie fuhren auf den Parkplatz, stiegen aus und begaben sich in den zweiten Stock, durchschritten einen langen Gang, von dem eine unscheinbare Tür ohne Namensschild abging. Müller klopfte kurz an und trat nach Aufforderung mit Friedmann ein. Albertz war in Akten vertieft, er blickte kurz auf, las weiter, schlug die Mappe zu und gab den beiden mit einem Handzeichen zu verstehen, dass sie sich setzen sollten.

»Was gibt's?«

»Bernhard ist nicht mehr«, antwortete Friedmann trocken.

»Ich weiß«, sagte Albertz mit unbeweglicher Miene. »Ich habe es vor zehn Minuten erfahren. Ein Dieter Uhlig liegt in der Rechtsmedizin im Kühlfach. Ich weiß nur nicht, wann, wo und wie es passiert ist. Klärt mich auf.«

»Gestern Abend in der Tiefgarage vom Steigenberger. Über das Wie haben wir auch keine Infos. Dafür haben wir die Überwachungsbänder von der Lobby und der

Tiefgarage. Bernhard ist meiner Meinung nach ermordet worden. Sag uns, was wir tun sollen, und …«

»Zieht euch die Bänder rein und seht nach, ob ihr außer Bernhard ein bekanntes Gesicht erkennt …«

»Hamilton, mit dem Bernhard sich treffen wollte, hat gestern Abend ausgecheckt. Das kann ja wohl kein Zufall sein«, bemerkte Friedmann.

»Hamilton ist eine unternehmerische Größe, in jeder Hinsicht. Er wurde von uns bis in den Mutterleib durchleuchtet, der Mann ist absolut sauber. Na ja, sauber nach unserem Verständnis. Vergesst ihn, es muss jemand anderes …«

»Wenn ich dich unterbrechen darf: Peter und ich haben vorhin überlegt, ob unser Mann die Seiten gewechselt haben könnte. So was macht einer wie er aber nur, wenn die Kohle stimmt. Was verdient so ein Auftragskiller?«

Albertz schürzte die Lippen. »Wenn du wissen willst, was wir ihm zahlen, muss ich dich enttäuschen, diese Zahlen sind top secret. Aber glaub mir, der Mann ist durch uns reich geworden. Sehr reich. Da müsste schon jemand ein Wahnsinnsangebot hinlegen. Doch wofür? Es ergibt keinen Sinn, denn er liquidiert grundsätzlich nur Leute aus den oberen Etagen von Politik und Wirtschaft, und damit ist er nicht mit gewöhnlichen Auftragskillern zu vergleichen. Sollte das OK Interesse an ihm bekundet haben, dann frage ich mich außerdem, woher sie seine Kontaktdaten haben. Dann müsste es eine undichte Stelle innerhalb unseres Zirkels geben, meines Wissens kennen jedoch nur drei Personen seine Kontaktdaten, und einer dieser drei ist tot.«

»Und wenn er von sich aus den Kontakt zu anderen Organisationen gesucht hat?«, fragte Müller.

»Auch hier wieder die Frage: Warum sollte er? Wir sind

die Hand, die ihn füttert, und zwar nur mit den köstlichsten Leckereien. Nein, er ist es nicht, es sei denn, jemand überzeugt mich vom Gegenteil.«

»Dann will uns, und das habe ich vorhin schon zu Jürgen gesagt, jemand glauben machen, dass er es ist. Oder?«

»So wird es sein. Es ist auch müßig, darüber zu spekulieren, jetzt geht es einzig und allein um Schadensbegrenzung. Irgendjemand wildert in unserem Revier, und ich will wissen, wer es ist. Analysiert die Bänder – und wenn ihr die ganze Nacht durcharbeitet. An allererster Stelle gilt es herauszufinden, ob Bernhard unmittelbar vor seinem Tod Kontakt zu irgendeiner uns möglicherweise unbekannten Person hatte, Hamilton ausgenommen. Alles Weitere braucht euch nicht zu interessieren. Ich muss gleich weg und glaube kaum, dass ich heute noch mal zurückkomme.«

»Dann pass mal gut auf dich auf«, meinte Friedmann mit süffisantem Unterton.

»Das mit dem Aufpassen gilt auch für euch. Wenn ihr mich jetzt bitte entschuldigen würdet, ich wäre gerne noch einen Moment allein.«

»Eine Sache noch«, sagte Friedmann, während er sich erhob. »Es wäre vielleicht ratsam, den Kontakt zu unserem Mann herzustellen, um sicherzugehen, dass wir ihn ausschließen können.«

»Das habe ich bereits getan«, erwiderte Albertz gelassen. »Wir können ihn ausschließen. Also, fangt an zu suchen, dafür werdet ihr schließlich bezahlt. Unter anderem. Es könnte allerdings auch sein, dass ihr noch einen anderen Auftrag erhaltet. Das heißt, ihr müsst rund um die Uhr erreichbar und verfügbar sein. Rund um die Uhr! Habe ich mich deutlich genug ausgedrückt?«

»Natürlich, wir sind ja nicht taub«, entgegnete Müller.

Albertz öffnete die Mappe, setzte seine Lesebrille auf und vertiefte sich in die Akte, auf der in großen Lettern »streng geheim« vermerkt war.

Auf dem Weg zu ihrem Büro sagte Müller: »Lassen wir uns eine Pizza kommen und am besten gleich noch eine Kiste Cola, das wird ein verflucht langer Tag werden.«

»Von mir aus.« Friedmann wirkte abgelenkt.

»Was ist los?«

»Nichts, und jetzt hör auf, mir irgendwelche blöden Fragen zu stellen. Okay?«

»Albertz?«

»Der Schwachkopf kann mich mal. Seine Arroganz und Selbstherrlichkeit kotzen mich an, besonders heute.«

»Wir kennen ihn doch nicht anders.«

»Ja, ja, ist schon recht.«

DONNERSTAG, 9.40 UHR

Henning und Santos hatten ein spärliches Frühstück zu sich genommen und waren ins Präsidium gefahren. Sie waren sich einig, Harms nichts von gestern Abend zu berichten, auch nichts von ihren Vermutungen. Sie wollten ihn nicht mit etwas behelligen, das seinen ohnehin miserablen Zustand noch verschlimmern könnte.

»Hi«, sagte Henning, als sie sein Büro betraten. Harms nickte nur. Tiefe Ringe hatten sich unter seine Augen gegraben, er wirkte übernächtigt oder hatte zu viel getrunken – oder beides. Das Fenster stand weit offen, es waren höchstens zwölf oder dreizehn Grad im Büro.

»Was gibt's?«, fragte er schließlich mit müder Stimme.

»Wir wollten nur mal reinschauen. Wie geht's dir heute?« Henning und Santos setzten sich ihrem Chef gegenüber. Beiden tat dieser große, starke Mann unendlich leid. Er schien nur noch ein Schatten seiner selbst.

»Ist das eine ernstgemeinte Frage?«

»Entschuldigung, war dumm von mir. Und Marion?«

»Ich war die ganze Nacht bei ihr und habe ihre Hand gehalten. Heute wird sie auf die Palliativstation verlegt, die Endstation vor dem Tod. Ich kann's noch immer nicht begreifen. Es ging alles so rasend schnell. Ständig frage ich mich, ob ich alles getan habe, um diesen Menschen glücklich zu machen. Ich komme zu keinem Ergebnis.« Mit einem Mal hielt er inne, verengte die Augen und fuhr fort: »Aber ihr seid nicht hier, um euch meine Geschichte anzuhören. Was kann ich für euch tun?«

»Volker, es ist wichtig, dass man mit jemandem über seine Gefühle spricht, sonst geht man kaputt. Ich weiß, wovon ich spreche, ich wäre vor ein paar Jahren beinahe auch an mir selbst kaputtgegangen. Wenn Lisa nicht gewesen wäre ...«

»Sören, ich danke euch für euer Mitgefühl, aber das ist eine Sache, die ich ganz allein mit mir ausfechten muss. Zweiunddreißig Jahre lassen sich nicht von jetzt auf gleich wegwischen oder ausblenden. Sie war immer da, wenn ich nach Hause kam, sie hat mir das Essen gekocht, unsere Kinder großgezogen ... Aber sie war nicht glücklich, sonst hätte sie nicht so viel geraucht. Ich glaube, sie hat es getan, weil ich zu viel gearbeitet habe, weil ich mehr Zeit für meinen Beruf aufgewendet habe als für sie und die Kinder. Ich Idiot habe es nicht gemerkt. Ich dachte immer, alles wäre gut, dabei war es das ganz offensichtlich nicht. Das ist das Leben, und das ist

483

der Tod. Scheiße! Jetzt ist es zu spät, es gibt kein Zurück.«

»Volker ...«

»Lassen wir das jetzt. Ich habe euch gestern gesagt, dass ihr es diesen Schweinehunden zeigen sollt. Gibt es etwas Neues?«

»Nein. Wir kennen die Schweinehunde ja nicht mal.«

»Lisa, du solltest einen Kurs belegen zu dem Thema: Wie lüge ich meinen Chef so an, dass er es nicht merkt. Also?«

»Wir wollten dich nicht unnötig aufregen ...«

»Ich will aber, dass ihr mich aufregt, so werde ich wenigstens abgelenkt. Nun rück schon raus mit der Sprache!«

»Also gut. Wir haben uns gestern noch mit einem Mann vom Verfassungsschutz getroffen, der uns eine Menge über die Machenschaften dort und in anderen Dienststellen berichtet hat. Sein Name ist Karl Albertz, sagt dir das was?«

»Nie gehört. Aber ich habe auch noch nie mit dem Verfassungsschutz zu tun gehabt, außer dass einige Male ein paar Schnösel von denen hier aufgetaucht sind und ... Ihr kennt die Geschichten. Nein, ich kenne keinen Karl Albertz oder irgendwen sonst bei dem Verein.«

»Wir haben Informationen über die dortigen Mitarbeiter eingeholt, aber einen Albertz gibt es dort offiziell nicht«, sagte Henning. »Als ich ihn darauf angesprochen habe, hat er uns die Strukturen dort erläutert. Angeblich ist er in einer Abteilung, die offiziell gar nicht existiert ... Mittlerweile bin ich davon überzeugt, dass er ein falsches Spiel spielt, kann das aber an nichts konkret festmachen. Vor allem begreife ich nicht, welche Rolle uns in diesem Spiel zukommt.«

»Wie ist der Kontakt überhaupt zustande gekommen?«

»Er ist an uns herangetreten. Angeblich habe er unsere Namen von einem ... Mein Gott, vorhin wusste ich's noch ... Wie hat er sich gleich noch mal ausgedrückt?«

Santos kam ihm zu Hilfe: »Er hat gemeint, wir hätten einen Gönner und von ihm hätte er unsere Namen. Er wollte uns allerdings nicht verraten, wer dieser ominöse Herr ist ...«

»Also, ich kann nur immer wieder betonen: Passt auf euch auf, und das meine ich sehr ernst. Ihr seid *nur* zwei Beamte von der Mordkommission, und ich frage mich, was ein hohes Tier vom Verfassungsschutz ausgerechnet von euch will? Habt ihr euch das schon mal gefragt? Warum ihr?«

»Ja, diese Frage haben wir uns auch gestellt und ...«

»Gut, dann denkt daran, es gibt in diesem Fall nur zwei Seiten, die Guten und die Bösen. Passt um Himmels willen auf, dass ihr nicht in eine Falle tappt, aus der ihr nicht mehr rauskommt. Schaut nicht nur geradeaus, sondern auch nach links und rechts und mal nach hinten. Ich habe weder dem BND noch dem Verfassungsschutz jemals getraut, und dafür habe ich meine Gründe.«

»Wir werden aufpassen, Ehrenwort. Dieser Albertz hat gestern auch von Friedmann und Müller gesprochen, du weißt schon, die beiden, die Weidrich umgenietet haben.«

»Moment, sie haben in Notwehr gehandelt«, warf Harms ein. »Bei euch hört sich das ja an, als ...«

»Vergiss es! Weidrich brauchte man nur anzutippen, da wäre er schon umgefallen. Der hatte doch einen permanenten Pegel von zwei bis drei Promille. Volker, hier ist eine Riesensauerei am Laufen, Bruhns hat möglicherweise ein kleines Mädchen umgebracht oder wusste zumindest von dem Mord, Klein war, die Hinweise verdichten sich immer mehr, Kinder- und Frauenhändler, vielleicht sogar einer der größten in Deutschland. Die Steinbauer war trotz ihrer zarten achtzehn Jahre ausgebuffter als die meisten von uns. Und jetzt kommt's: Albertz hat uns quasi en passant gebeten, uns um Friedmann und Müller zu kümmern. Auf Nachfrage ließ er durchblicken, dass wir die beiden umlegen sollen. Schmeißfliegen hat er sie genannt ...«

»Stopp, stopp, stopp!« Harms hob die Hand und blickte Henning und Santos ungläubig an. »Ihr sollt zwei unserer Männer töten? Habe ich das richtig verstanden?«

»Ja, das alles ergibt nicht den geringsten Sinn. Die beiden arbeiten seit zehn Jahren für den Verfassungsschutz, neben ihrer normalen Tätigkeit bei der Drogenfahndung. Angeblich haben sie im Auftrag des VS etwa dreißig Morde begangen und hätten nun Lisa und mich auf dem Kieker. Albertz, dieses hohe Tier, will angeblich reinen Tisch machen und brauche dafür unsere Hilfe. Ich habe mir die ganze Nacht den Kopf zermartert, was an der Geschichte nicht stimmen kann, und bin zu der Erkenntnis gelangt, dass überhaupt nichts stimmt. Oder aber alles, was nicht weniger erschreckend wäre. So oder so bin ich der festen Überzeugung, dass Lisa und ich in ein Boot gezogen werden sollen, in das wir nicht einsteigen möchten.«

Harms hatte sich zurückgelehnt, die Augen geschlossen, die Arme auf der Stuhllehne. Henning und Santos sahen sich an, nur die Geräusche, die durch das offene Fenster drangen, waren zu hören. Schließlich durchbrach Harms die Stille: »Habt ihr vor, Friedmann und Müller ...«

»Wo denkst du hin? Natürlich nicht, es sei denn, wir werden von ihnen angegriffen. Albertz hat noch etwas Interessantes gesagt, nämlich, dass Rüter ebenfalls zur Organisation gehört. Rüter und sein Vater, der ja bekanntlich im Bundestag sitzt. Was ist Wahrheit, was Lüge? Ich weiß es nicht.«

»Beschreibt mir diesen Albertz!«

»Äußerlich?«

»Nein, was für einen Eindruck habt ihr von ihm? Wie hat er sich gegeben, habt ihr auf seine Körpersprache geachtet, wirkte er zu irgendeinem Zeitpunkt nervös oder unsicher?«

Santos dachte einen Moment nach. »Er war die Ruhe in Person. Von Nervosität keine Spur, er hatte sich die ganze Zeit vollständig unter Kontrolle. Nur als er von Sarah Schumann sprach, schien es, als würde er emotional, aber mittlerweile glaube ich, dass auch das nur gespielt war. Der Mann hat keine Gefühle … Tja, und er hat gelogen, als wir uns mit ihm am Dienstag zum ersten Mal getroffen haben. Er spielte einen Todkranken, der angeblich Klarschiff machen wolle. Schließlich stellte sich heraus, dass er kerngesund ist, er habe uns nur auf die Probe stellen wollen. Ich spreche bewusst im Konjunktiv, weil ich mir bei ihm nicht sicher bin, dazu gibt es zu viele Ungereimtheiten in seinen Erzählungen, aber auch in seinem Verhalten. Er hat viele Insiderinformationen an uns weitergegeben, und ich frage mich, wie viel davon stimmt. Sören hat völlig recht, nichts von alledem passt. Das ist das eigentlich Beängstigende an der ganzen Sache. Wir wissen nicht, ob die Geschichte über Friedmann und Müller der Wahrheit entspricht, wir wissen nicht, ob Rüter in die Sache verwickelt ist …«

»Ich habe eine simple Frage: Worum geht es überhaupt? Es hat mit dem Mord an Bruhns und der Steinbauer begonnen. Nur zwei Tage später wurde Weidrich als Täter identifiziert …«

»Ganz einfach.« Henning beugte sich vor. »Es hat nicht nur mit dem Mord an Bruhns und Steinbauer begonnen, sondern auch mit der ominösen DNA, die es eigentlich gar nicht mehr geben dürfte. Schon am Montag wurden Jürgens und Tönnies massiv eingeschüchtert, so dass sie mit uns nicht mehr reden wollten, wobei Jürgens gestern übrigens doch noch mit Lisa gesprochen hat. Dann kamen die Morde an dem Spediteur Robert Klein und seinen beiden Bodyguards. Laut Albertz war Klein in Kinder- und Frauenhandel verstrickt. Die Kinder waren angeblich als Geschenke gedacht, weil viele Männer und auch manche Frauen ihre Triebe nur im Geheimen ausleben könnten …«

»Wenn ich kurz unterbrechen darf.« Harms hob die Hand. »Inwiefern waren oder sind die Kinder als Geschenke gedacht? Oder habe ich da was überhört?«

»Wenn ich Albertz richtig verstanden habe, geht es um große Geschäfte, und die Geschenke waren oder sind für gewisse Geschäftspartner gedacht, solche, die pädophil sind. So richtig kapiert haben Lisa und ich das auch nicht, vielleicht sind wir auch nur zu blöd dafür. Auf jeden Fall ist das die größte Sauerei … Kinder! Kleine Kinder! Ich sage nur, alle, die sich an ihnen vergehen, breitbeinig übern Stacheldrahtzaun ziehen, dann können sie nie wieder Unheil anrichten.«

»Nun, wenn …«

»Aber letztlich geht es um einen Auftragskiller, der seit fünfundzwanzig Jahren rund um den Globus unliebsame Personen aus den höheren Kreisen beseitigt. Da schließt sich der Kreis, denn es soll laut Albertz nur einen Menschen geben, der diesen Killer persönlich kennt, und das ist eine gewisse Sarah Schumann aus Frankfurt, die sich gegenwärtig in Kiel aufhält.

Volker, wir haben nun eine ganz einfache Frage an dich: Was sollen wir tun?«

Harms sah Henning lange an. »Keine Ahnung.« Als hätte er Hennings Worte von vor einer Minute schon wieder vergessen – wahrscheinlich waren seine Gedanken längst wieder bei seiner Frau im Krankenhaus –, fragte er wie abwesend: »Kinder als Geschenke wofür?«

»Habe ich doch eben schon zu erklären versucht. Aber gut, dann noch mal: Wenn es um große Deals geht, will man Geschäftspartnern mit pädophilen Neigungen Gefälligkeiten erweisen. Von diesen Typen soll es eine ganze Menge geben. Die ganze Sache sei, so Albertz, vom Verfassungsschutz gesteuert. Die Kinder und Jugendlichen werden auch in Kinderbordellen untergebracht, wo man sich ungestört und ungeniert an ihnen vergehen kann. Die Schwächsten der Gesellschaft werden gnadenlos geschändet und kaputtgemacht. Allerdings haben wir keinen Beweis dafür, nur das, was wir von Albertz erfahren haben, und natürlich die Aussage von Frau Bruhns, die das unbekannte Mädchen, das im letzten Jahr im März tot aufgefunden wurde, in Begleitung ihres Mannes in ihrem Haus gesehen hat. Mehr haben wir nicht. Wenn ich wüsste, wo sich zurzeit solche Kinder aufhalten, ich würde Himmel und Hölle in Bewegung setzen, um diese zu befreien und die Kinderschänder hinter Gitter zu bringen. Aber das werden wir wohl nie schaffen, dazu sind diese Kriminellen zu straff organisiert. Ehrlich, wir sind ratlos ...«

»Was soll ich sagen? Ich war bei euren Gesprächen mit diesem Albertz nicht einmal dabei. Letztlich kann ich euch nur eins raten: Haltet euch raus, zieht euch zurück und tut gar nichts. Natürlich ist es eure Entscheidung. Ihr könnt auch versuchen, Licht ins Dunkel zu bringen, nur fürchte ich, dass ihr es mit Leuten zu tun bekommen werdet, die keinen Spaß verstehen. Ich hätte Angst«, gab Harms unumwunden zu.

»Meinst du, wir nicht? Das Problem ist, wir können nicht mehr zurück. Albertz wird eine Gegenleistung für seine Informationen einfordern. Ob wir wollen oder nicht, Lisa und ich müssen das Spiel noch eine Weile mitspielen. Ausgang ungewiss.«

»Was habt ihr vor?«

»Erst einmal statten wir Klose einen Besuch ab. Vielleicht können wir dem alten Fuchs noch ein paar Infos entlocken.«

»Tut das. Geht und lasst mich einen Schluck aus meiner Pulle nehmen. Das ist mein Geheimnis, das ich mit euch teile. Raus«, sagte er. Zum ersten Mal seit langer Zeit trat ein Lächeln auf sein Gesicht, das aber gleich wieder verschwand.

»Wir halten dich auf dem Laufenden«, sagte Henning und verließ mit Santos Harms' Büro.

Klose telefonierte, als sie an seine Tür traten, winkte sie aber herein. Nach wenigen Minuten legte er auf. »Ich dachte mir schon, dass ich euch bald wiedersehen würde. Was habt ihr denn schon wieder auf dem Herzen?«

»Friedmann und Müller«, kam Santos ohne Umschweife auf den Punkt. »Erzähl uns mehr von den beiden. Sind das wirklich so schlimme Finger?«

»Wie ich schon sagte, nehmt euch vor ihnen in Acht, das sind harte Hunde, mit denen ich mich nicht anlegen würde. Haltet mich da raus, bitte, ich bin näher an den beiden dran als ihr. Ihr Büro ist nur ein paar Türen weiter.«

»Wir wollten dich auch nicht bedrängen, uns ist nur zu

Ohren gekommen, dass sie schon mehrere Morde begangen haben sollen«, sagte Henning.

Klose hob die Schultern. »Tut mir leid, auf Gerüchte geb ich nichts, und ich werde einen Teufel tun und diese Aussage bestätigen.«

»Sagt dir der Name Karl Albertz etwas?«, fragte Santos.

»Nie gehört. Wer soll das sein?«

»Vergiss es gleich wieder. Sören und ich wollten nur kurz vorbeischauen und guten Tag sagen. Wir waren gar nicht da, du hast uns nicht gesehen ...«

»Verzieht euch, ich kenn euch ja nicht mal«, antwortete Klose mit dem Anflug eines Grinsens.

Während sie nach unten gingen, sagte Henning resigniert: »Jetzt sind wir genauso schlau wie vorher. Machen wir, was wir vorhin beim Frühstück besprochen haben?«

»Klar, wir wollen doch mal sehen, wie eine gewisse Sarah Schumann residiert. Haben wir einen Grund, mit ihr zu sprechen?«

»Was meinst du?«

»Na ja, fällt uns irgendwas ein, das einen Besuch bei der werten Dame rechtfertigen könnte?«

»Lass mich überlegen ... Nein, ich muss passen«, sagte Henning bedauernd.

»Shit. Wir sind doch sonst immer so kreativ ... Ich hab's. Wir sprechen sie auf Bruhns und die Nachbarschaft an. Wir behaupten einfach, dass Weidrich einen Komplizen gehabt haben muss. Sie wird Bruhns ja wohl hoffentlich kennen, schließlich ist Düsternbrook keine Großstadt.«

»Versuchen wir's. Gib's zu, du willst sie eigentlich nur kennenlernen. Warum?«

»Neugierde. Ich will wissen, wie eine Frau aussieht, die

ihren Mann hat umbringen lassen. Wir haben doch sonst nichts weiter vor. Auf, alter Mann.«

»Hey, sag nicht dauernd alter Mann zu mir, ich weiß selbst, wie alt ich bin.«

»Ach ja? Auf mich wirkst du noch ziemlich jung. Dynamisch, die Denkmaschine läuft auf Hochtouren, sportlich … Reicht das?«

»Das mit der Denkmaschine ist so eine Sache. Wenn ich nur endlich den gordischen Knoten zerschlagen könnte. Lisa, wir haben es mit einem Riesengeflecht aus Lügen zu tun. Erst das mit der DNA, dann der Auftragskiller, die Morde an Bruhns, Steinbauer, Klein, dazu noch Albertz, Rüter, Friedmann und Müller. Wie verbinden wir das miteinander?«

»Gib mir den Schlüssel, ich fahre.« Santos ging zur Fahrerseite, Henning warf ihr den Schlüssel zu. Im Auto sagte sie: »Wir haben es auch mit organisierter Kriminalität zu tun. Allein der Gedanke daran, dass irgendwelche perversen Schweine sich an Kindern vergehen, löst in mir einen unsäglichen Zorn aus. Ich schwöre dir, ich garantiere für nichts, sollte ich eins dieser pädophilen Schweine in flagranti erwischen. Andererseits klang doch auch vieles schlüssig, was Albertz uns erzählt hat. Zum Beispiel das mit der Finanzierung von Kriegen …«

»Lisa, das kannst du seit Jahren in jedem Nachrichtenmagazin nachlesen. Jeder einigermaßen Interessierte weiß darüber Bescheid. Er hat uns mit Informationen gefüttert, die wir schon lange kennen. Deshalb ist Albertz mir auch suspekt … Fahr los, ich muss nachdenken.«

»Grübeln.«

»Quatsch, ich grüble nicht, ich denke nach.«

»Darf ich an deinen Gedanken teilhaben?«

»Erst wenn sie spruchreif sind.«

Um kurz nach halb elf erreichten sie das Anwesen von Sarah Schumann in der Lindenallee. Sie warteten noch einen Augenblick, stiegen aus und gingen auf das Tor zu. Lisa Santos war nervös, ohne erklären zu können, woher diese Nervosität kam. Sie fasste Henning kurz an der Hand, bevor sie auf den Klingelknopf drückte.

DONNERSTAG, 10.33 UHR

Ja, bitte?«, meldete sich eine weibliche Stimme durch die Sprechanlage.

»Lisa Santos und mein Kollege Herr Henning, Mordkommission.« Wie schon so oft in ihren nunmehr fast zwanzig Dienstjahren hielt sie ihren Ausweis vor die Kamera. »Wir möchten gerne mit Frau Schumann sprechen, es geht um Peter Bruhns.«

»Einen Moment, bitte.«

Wenig später erschien eine gepflegte, sportlich-elegant gekleidete Dame mit halblangen braunen Haaren und großen braunen Augen am Tor.

»Ich möchte nicht unhöflich erscheinen, aber wenn Sie mir bitte Ihre Ausweise noch einmal zeigen würden?«

»Gerne.« Santos und Henning taten ihr den Gefallen.

»Worum geht es?«

»Sie haben doch sicher von dem Mord an Ihrem Nachbarn Herrn Bruhns gehört. Wir sind dabei, die gesamte Nachbarschaft noch einmal zu befragen, da sich neue Erkenntnisse ergeben haben. Wenn Sie uns vielleicht ein paar Minuten Ihrer Zeit schenken könnten.«

»Ich fürchte, ich werde Ihnen nicht weiterhelfen können, da ich Herrn Bruhns kaum kannte. Ich bin auch erst seit vorgestern Abend in Kiel ...«

»Oh, Entschuldigung, das wussten wir nicht. Würden Sie uns trotzdem ein paar Fragen beantworten?« Santos ließ nicht locker.

Sarah Schumann lächelte geheimnisvoll, was Santos irritierte. »Na gut, wenn's denn sein muss, ich will die polizeilichen Ermittlungen nicht behindern. Bitte, kommen Sie herein, ich habe allerdings nur wenig Zeit, da ich um zwölf eine Verabredung habe und mich nicht hetzen möchte.«

»Wir werden Sie bestimmt nicht lange aufhalten«, entgegnete Santos und lächelte ebenfalls.

Eine schöne Frau, dachte sie anerkennend. Schön, elegant und charmant. So sieht also eine Frau aus, die einen Auftragskiller anheuert.

Sie wurden in den geräumigen und sehr stilvoll eingerichteten Wohnbereich geführt, wo Sarah Schumann ihnen einen Platz anbot. Nachdem sie sich gesetzt hatten, ergriff Santos wieder das Wort: »Sie haben gesagt, Sie kannten Herrn Bruhns kaum. Können Sie das näher erläutern?«

»Das ist ganz einfach zu erklären«, sagte Sarah Schumann und schlug die Beine übereinander. Henning betrachtete sie mit stiller Bewunderung. Noch nie hatte er eine Frau von sechzig Jahren getroffen, die so jung aussah und auch eine gewisse Jugendlichkeit und zugleich erotische Weiblichkeit ausstrahlte. Sie war charismatisch, ihre Augen leuchteten, wie er es nur selten gesehen hatte. Er würde sich jedoch hüten, das Santos gegenüber anzusprechen. Es sei denn, sie schnitt selbst dieses Thema an, um herauszufinden, wie er Sarah Schumann fand. »Mein Hauptwohnsitz ist Frankfurt, ich komme nur hin und wieder nach Kiel, um die klare Luft zu genießen und nach dem Rechten zu sehen, schließlich will man ja sein Haus nicht verkommen lassen. Hinzu kommt, dass ich keine Partygängerin bin und Bruhns auch nicht unbedingt der Umgang ist, den ich üblicherweise pflege, was in Ihren Ohren arrogant klingen mag, aber ich stehe dazu.«

»Nachvollziehbar«, sagte Henning kurz und trocken, woraufhin ihn Sarah Schumann intensiv musterte, als versuchte sie, seine Gedanken zu ergründen.

»Kennen Sie seine Frau?«, wollte Santos wissen.

»Flüchtig, wir sind uns einmal auf einem Fest begegnet. Mein erster Eindruck von ihr war sehr positiv, und ich habe mich gefragt, wie das mit den beiden wohl funktioniert. Sie war jung, hübsch und wirkte sehr feinfühlig, während ich von ihm nach wie vor nur ein negatives Bild habe. Ich dachte darüber nach, wie lange diese Ehe halten mag.«

»Wann war das?«

»Vor anderthalb, zwei Jahren, genau kann ich mich nicht erinnern. Was hat das mit dem Tod von Herrn Bruhns zu tun?«

»Wir gehen davon aus, dass es sich um zwei Täter handelte, einer von ihnen wurde, wie ja überall nachzulesen war, im Zuge der Fahndung erschossen. Und wir sind nun auf der Suche nach seinem Komplizen. Wie gut kennen Sie Ihre Nachbarn?«

Sarah Schumann veränderte leicht ihre Haltung, ihr Blick war kritisch: »Ich habe kaum Kontakt zu ihnen. Wenn ich in Kiel bin, dann nur, um mich zu erholen, und das bedeutet in erster Linie, dass ich allein sein will. Frankfurt ist schon stressig genug. Wieso stellen Sie mir diese Frage? Glauben Sie, dass einer meiner Nachbarn etwas mit Bruhns' Tod zu tun haben könnte?«

»Ja und nein. Wir sind auf der Suche nach dem zweiten Mann … Oder einer Frau.«

»Es tut mir leid, ich kann Ihnen nicht weiterhelfen«, sagte sie immer noch freundlich, aber distanziert, und blickte auf die Uhr. »Zudem gibt es nur zwei Personen in meiner Nachbarschaft, die ich ein klein wenig näher kenne, das sind Herr Albertz und Frau Zimmermann, die mit ihren Töchtern ein paar Häuser weiter wohnt. Das ist auch schon alles.«

Santos und Henning bemühten sich, gelassen zu bleiben, pragmatisch und emotionslos, auch wenn es in ihren Köpfen rotierte. Ein Karussell, das sich immer schneller drehte.

»Wer ist Herr Albertz?«, fragte Santos beiläufig, ohne sich ihre Gedanken anmerken zu lassen. Dass Albertz in unmittelbarer Nachbarschaft von Sarah Schumann wohnte, damit hatten sie nicht gerechnet.

»Wie meinen Sie das?«

»Na ja, wer ist er? Wir haben den Namen nicht auf unserer Liste. Wo wohnt er?«

»Bismarckallee, die Hausnummer weiß ich nicht, aber das dürfte für Sie ja nicht schwer herauszufinden sein, auf jeden Fall hinten am Kreisel. Wie soll ich ihn beschreiben? Er ist ein eher wortkarger, zurückhaltender Mann, ich würde ihn auf Ende fünfzig, Anfang sechzig schätzen. Er betreibt mehrere Galerien, unter anderem hier in Kiel. Viel mehr weiß ich nicht von ihm, ich habe ihn auch lange nicht gesehen. Außerdem«, sie blickte erneut demonstrativ zur Uhr, »wenn es weiter nichts gibt, die Zeit drängt. Ich will wirklich nicht unhöflich erscheinen, aber …«

»Danke, dass Sie sich überhaupt Zeit für uns genommen haben. Wir wünschen Ihnen noch einen schönen Aufenthalt in Kiel. Wie lange werden Sie bleiben?«

»Vielleicht eine Woche, vielleicht auch nur noch zwei oder drei Tage. Ich bin sehr spontan in meinen Entscheidungen. Es ist mir doch ein bisschen zu kalt hier.«

Sarah Schumann begleitete die Beamten zur Tür, wo sie auf einmal sagte: »Wenn Sie zu Herrn Albertz gehen und ihn antreffen, erwähnen Sie bitte nicht meinen Namen. Die Menschen hier sind sehr um Diskretion bemüht …«

»Das ist uns hinlänglich bekannt. Wir werden Ihren Namen nicht nennen.«

»Danke.«

»Keine Ursache. Auf Wiedersehen. Und lassen Sie sich von dem miesen Wetter nicht die Laune verderben«, sagte Santos. »In Südfrankreich ist es jetzt auf jeden Fall schöner.«

»Ich weiß. Deshalb werde ich voraussichtlich bald ans Mittelmeer aufbrechen. Andererseits, warum sich über das Wetter aufregen, zum Glück haben wir noch Jahreszeiten, wer weiß, wie lange noch«, antwortete sie mit einem spöttischen Zug um die Mundwinkel und einem Aufflackern in den Augen, als hätte sie Henning und Santos von der ersten Sekunde an durchschaut. Die Lüge, mit der sie sich Zutritt zum Haus verschafft hatten, war zu transparent gewesen.

Im Auto fragte Henning, während er sich anschnallte: »Und, zufrieden?«

»Ja und nein. Was hältst du von ihr?«

»Was soll ich von ihr halten?«

»Gefällt sie dir?«

»Lisa, die Frau ist sechzig …«

»Was man ihr in keinster Weise ansieht. Sie erinnert mich ein wenig an die Loren, die auch in einen Jungbrunnen gefallen zu sein scheint. Komm, gib zu, dass sie dir gefällt.«

Henning hatte sich mögliche Antworten auf mögliche Fragen bereits zurechtgelegt und sagte: »Sie sieht für ihr Alter ziemlich gut aus, da geb ich dir recht. Aber hast du gemerkt, wie sie uns die ganze Zeit über gemustert hat, auch wenn sie so tat, als wäre unser Besuch das Selbstverständlichste von der Welt?«

»Du lenkst ab, du kannst ruhig zugeben, dass sie dir gefällt, mir gefällt sie nämlich auch. Wenn ich in dem Alter auch nur annähernd so aussehe wie sie, wäre ich mehr als zufrieden. Und du hast recht, ich habe bemerkt, wie sie uns taxiert hat. Doch was hätten wir an ihrer Stelle getan? Sie hat sich und ihr Leben im Griff, sonst könnte sie nicht so selbstbewusst auftreten. Irgendwie bewundernswert. Sie kam nicht unsympathisch oder exaltiert rüber, ganz im Gegenteil. Sie hat ein besonderes Charisma. Ich mag die Frau irgendwie, auch wenn ich sie nur kurz gesehen habe.«

»Aber sie hat einen Auftragskiller angeheuert, um ihren Mann umbringen zu lassen. Das ist kein sehr feiner Zug.«

»Wenn ihr Mann wirklich so ein Verbrecher war, kann ich es ihr nicht verdenken«, erwiderte Santos.

»Du nimmst sie in Schutz? Das heißt also, du billigst, was sie getan hat?«, entgegnete Henning.

»Ich weiß nicht, wie ich an ihrer Stelle gehandelt hätte. Und ehrlich, würde ich die Mistkerle, deretwegen meine Schwester im Pflegeheim ist, in die Finger kriegen, ich … Ja, ja, schon gut, als Polizistin darf ich so was nicht mal denken. Aber ich tu's manchmal trotzdem. Schumann war ein Großkrimineller, der von allen Seiten gedeckt wurde und tun und lassen durfte, was er wollte. Das hat er weidlich ausgenutzt, zumal die Big Bosse auch etwas von ihm wollten, nämlich Kinder und Frauen … Frau Schumann ist keine eiskalte Mörderin, sie musste eine Entscheidung für sich und ihre Töchter treffen und ganz bestimmt auch für andere Menschen, die sonst noch unter ihrem Mann gelitten hätten oder direkt oder indirekt durch ihn gestorben wären. Doch dann kam für sie alles noch viel schlimmer.«

»Ich kann dir nicht ganz folgen.«

»Na ja, sie dachte vielleicht, dadurch würde endlich Ruhe in ihr Leben einkehren. Doch das Gegenteil war der Fall. Albertz hat sie genötigt, für ihn oder für die Organisation zu arbeiten. Sie ist vom Regen in die Traufe gekommen. Sie hatte gedacht, den Mord an ihrem Mann würde allein die Polizei bearbeiten, davon wären wohl die meisten ausgegangen, aber sie hat sich getäuscht. Albertz hatte sie nicht auf ihrer Rechnung, wahrscheinlich dachte sie, die Kontaktleute ihres Mannes würden sich für sie nicht interessieren. Dass der Verfassungsschutz sich an sie halten würde, damit konnte sie nicht rechnen, also hat sie nur den Mordplan geschmiedet, aber nicht vorausschauend geplant. Ist das jetzt deutlich genug?«

Henning sah aus dem Seitenfenster, überlegte und nickte zustimmend. »Klingt logisch. Sie hat unser Phantom engagiert, und das hat so hervorragende Arbeit geleistet, dass der Verfassungsschutz Interesse an ihm hatte. Apropos Albertz. Wieso hat sie ausgerechnet seinen Namen genannt? Kalkül oder Naivität? Wollte sie uns austesten und sehen, wie wir auf den Namen reagieren? Was meinst du?«

»Keine Ahnung. Aus dem Bauch heraus würde ich sagen, sie wollte uns auf die Probe stellen. Hast du ihren Blick bemerkt, als sie sich von uns verabschiedet hat? Das war

Spott pur, nein, ich verbessere mich, sie wirkte belustigt, das ist der richtige Ausdruck. Je länger ich darüber nachdenke, desto mehr bin ich davon überzeugt, sie wusste von Anfang an, dass wir nicht wegen Bruhns gekommen sind. Sie hat sich außerordentlich gut unter Kontrolle. Fragt sich nur, warum sie in Kiel ist, gerade jetzt, wo gleich mehrere Menschen umgebracht wurden. Warum ausgerechnet jetzt?«

»Immerhin wissen wir nun ungefähr, wo Albertz wohnt. Bismarckallee, den Kreisel kenn ich«, sagte Henning. »Der werte Herr hat nicht damit gerechnet, dass wir Frau Schumann einen Besuch abstatten würden.«

»Kann schon sein.«

Santos gab Gas, sie wurde auf einmal immer wütender, je weiter sie sich von Sarah Schumanns Haus entfernten, ohne genau sagen zu können, was sie so wütend machte. Ihr war auf einmal alles zu viel, die Dinge schienen ihr über den Kopf zu wachsen, dazu kamen die verwirrenden Fakten, von denen sie nicht wusste, welche davon stimmten und welche nicht.

»Warum rast du so?«, fragte Henning.

»Ich rase doch überhaupt nicht«, antwortete sie kurz angebunden.

»Doch, tust du. Was ist auf einmal los mit dir?«

»Nichts«, fauchte sie.

»Alles klar. Wieso bist du so gereizt, wenn nichts ist?«

»Es kotzt mich alles an.«

»Mich auch, Lisa, mich auch, ich versuche aber, mich zu beherrschen …«

»Ich beherrsche mich ja«, sagte sie und blickte stur geradeaus auf die Straße, um im nächsten Augenblick an den Straßenrand zu fahren und anzuhalten. Sie legte die Stirn auf das Lenkrad und fing an zu weinen.

Henning beugte sich zu ihr und legte einen Arm um sie. »Du bist fertig, das ist alles zu viel …«

»Ich kann nicht mehr«, schluchzte sie und wischte sich die Tränen mit dem Handrücken ab. »Andauernd dieser Druck, dieser verdammte Druck! Die ganze Zeit musst du stark sein und darfst dir möglichst nichts anmerken lassen, es könnte ja als Schwäche ausgelegt werden …«

»Glaubst du, mir geht das anders? Aber du kannst dich auf mich verlassen, ich bin für dich da. So ist es doch immer bei uns, wenn einer down ist, ist der andere für ihn da. Das macht letztendlich unsere Beziehung aus. Ich liebe dich und kann dich nur zu gut verstehen.«

»Ehrlich?«, fragte sie und sah ihn mit verweinten Augen an.

»Na klar doch. Wir beide sind ein eingeschworenes Team, nur gemeinsam sind wir stark. Wenn's dem einen schlechtgeht, baut der andere ihn wieder auf«, sagte er lächelnd und streichelte ihr sanft über das Haar.

»Ich weiß, und es tut mir leid, dass ich …«

»Nein, du brauchst dich nicht zu entschuldigen, wofür denn? Wir sind doch keine Roboter, sondern Menschen. Wir sind nur Menschen, auch wenn gerade von uns oft sehr viel verlangt wird. Soll ich weiterfahren?«

»Hm. Ich liebe dich auch«, sagte Santos, bevor beide ausstiegen und um den Wagen herumgingen. Henning setzte sich hinters Steuer und fuhr los.

»Geht's wieder?«, fragte er.

»Ja, es war nur … Es kam wie aus heiterem Himmel.«

»Ich kenne das.«

Sie schwiegen eine Zeitlang. Dann sagte Santos: »Ich wünschte mir, Albertz würde anrufen und uns um ein Treffen bitten.«

»Und dann?«

»Dann würde ich versuchen, ein für alle Mal Klarheit zu schaffen. Die unzähligen offenen Fragen stinken mir. Ich will endlich wissen, was wirklich gespielt wird und welche Rolle wir einnehmen. Ich will Klarheit.«

Nach einer kurzen Pause sagte Henning: »Lass uns was essen, ich brauch was Anständiges im Magen.«

»Restaurant oder Imbiss?«

»Restaurant. Wir nehmen uns was zu schreiben mit und gehen alle Punkte durch, hinter denen ein Fragezeichen steht ...«

Santos' Handy klingelte, auf dem Display erschien die Nummer von Claudia Bartels.

»Ja?«

»Ich bin's, Klaus. Ganz kurz nur: Ich habe hier jemanden reingekriegt, der gestern Abend im Steigenberger verstorben ist. Laut seinen Papieren ein gewisser Dieter Uhlig, aber so heißt er nicht, denn ich kenne diesen Typen persönlich, weshalb ich ihm auch eine Vorzugsbehandlung zuteilwerden lasse. Sein Name ist Bernhard Freier, und er arbeitet beziehungsweise arbeitete beim Verfassungsschutz. Er war schon etliche Male in meinen heiligen Hallen. Mehr habe ich nicht zu sagen ...«

»Augenblick, nicht so schnell. Woran ist er gestorben?«

»Keine Ahnung. Er wurde mitten in der Nacht in seinem Auto gefunden, es sieht alles nach Herzinfarkt aus, aber irgendwie glaube ich das nicht. Ich wollte es euch nur mitteilen. Außerdem habe ich *die* DNA gefunden, was ich aber niemandem außer euch mitteilen werde. Ihr behaltet das bitte auch für euch.«

»Klar. Kennst du einen Karl Albertz, ebenfalls Verfassungsschutz?«

»Nein, nie gehört. Warum?«

»Erzählen wir dir, wenn wir mal unter uns sind, vielleicht bei einem Essen oder bei Murphy's. Danke für die Info, und gib mir Bescheid, solltest du eine unnatürliche Todesursache feststellen.«

»Mach ich, ich muss aber vorsichtig sein, ich habe auch extra von Claudias Telefon aus angerufen.«

Jürgens legte auf, ohne eine Erwiderung abzuwarten.

»War das Klaus?«

»Hm. Letzte Nacht wurde ein Mann vom Verfassungsschutz tot im Steigenberger aufgefunden. Rate mal, um wen es sich handelt?«

»Keine Ahnung.«

»Bernhard Freier. Aber er hatte falsche Papiere bei sich, das heißt für mich, er war in geheimer Mission unterwegs. Klaus sagt, es sieht nach einem Herzinfarkt aus ...«

»Wer's glaubt, wird selig«, stieß Henning hervor und parkte den Wagen vor einem Restaurant in der Eckernförder Straße. »Was hat Klaus noch gesagt?«

»Er hat die Fremd-DNA bei Freier gefunden. Also war es Mord, aber ein sehr raffinierter, wenn keine andere Todesursache als Herzinfarkt festgestellt werden kann. Da räumt jemand auf, und ob du's glaubst oder nicht, ich bin davon überzeugt, die Schumann weiß tatsächlich als Einzige, wer dieser ominöse Killer ist.«

»Und Albertz?«

»Ich glaube fast, dass er uns in diesem Punkt die Wahrheit gesagt hat. Wenn er wüsste, wer das Phantom ist, hätte er schon längst seine Bluthunde Friedmann und Müller auf es angesetzt. Der tappt im Dunkeln, ich habe aber keine Ahnung, was er vorhat. Ich lass mich überraschen, denn er wird definitiv wieder Kontakt zu uns aufnehmen, weil er uns für irgendwas braucht. Gehen wir rein, mir knurrt der Magen.«

Alles in Santos' Kopf drehte sich. Sie sah sich nicht mehr in der Lage, einen klaren Gedanken zu fassen. Ich bin bestimmt unterzuckert, dachte sie, während sie hinter Henning das Restaurant betrat, in dem etwa die Hälfte der Tische besetzt war. Sie wählten einen Tisch in einer ruhigen Ecke und bestellten jeweils eine Cola und Wiener Schnitzel mit Pommes frites und Salat.

»Lisa, mir ist da gerade ein Gedanke gekommen. Hörst du mir zu?«, fragte Henning, da Santos nur auf die Tischdecke starrte.

»Ja, klar«, murmelte sie.

»Gut. Warum sucht Albertz nicht die Schumann auf und versucht mit aller Macht, den Namen und Aufenthaltsort von dem Auftragskiller rauszukriegen? Er könnte es auch unter Gewaltandrohung machen oder die Bluthunde als Verstärkung mitnehmen. Warum tut er es nicht?«

»Weil er sie liebt und vielleicht noch hofft, wer weiß.«

»Albertz ist es gewohnt, Macht über andere auszuüben. Bei uns hat er's auch versucht, und zwar mittels Manipulation. Ein paar fiese Geschichten über andere, er selbst gaukelt uns den Saubermann vor, der ein paar kleinere Verfehlungen zugibt, um nicht zu sauber zu wirken, aber ansonsten steht er laut eigener Aussage auf der Seite des Gesetzes. Soll ich dir was sagen: Das kauf ich ihm nicht ab. Er steht so weit im illegalen Bereich, dass ihm keiner was anhaben kann. Ich sage nur: rechtsfreier Raum. Ich habe da immer so ein Bild vor Augen, hier die Erde und dort die endlose Weite des Weltraums. Wir stehen hier auf der Erdkugel, und er und seine Helfer und Helfershelfer schweben weit entfernt im Weltraum, und wir kommen niemals an sie heran. Sie verfügen über alle Mittel, um jeden zu täuschen, beobachten uns von oben und lachen sich ins Fäustchen.«

»Sören, lass mich erst was essen, ich bin im Augenblick nicht sonderlich aufnahmefähig.«

»Nur eins noch: Was hältst du davon, wenn wir uns unauffällig vor Albertz' Haus postieren und ihn abfangen, sobald er nach Hause kommt?«

»Was soll das bringen?«

»Es geht um das Überraschungsmoment, denn noch weiß er ja nicht, was wir über ihn wissen.«

»Einverstanden.«

Während sie aßen, unterhielten sie sich über Alltägliches. Ablenkung. Sie spürten, dass bald wieder Ruhe in Kiel einkehren würde, aber erst mussten sie einen Sturm überstehen. Doch wie heftig der werden würde, ahnten sie nicht.

DONNERSTAG, 11.25 UHR

Albertz parkte fünfzig Meter von Sarah Schumanns Haus entfernt. Er blieb ein paar Minuten im Wagen sitzen und überlegte, ob er umkehren sollte. Schließlich zog er entschlossen den Zündschlüssel ab, stieg aus und ging mit langsamen Schritten auf das Haus zu.

Sie würde sich wundern, wenn er mit einem Mal vor ihrer Tür stand, nachdem sie sich zuletzt an Weihnachten in Frankfurt gesehen hatten. Sie würde erstaunt sein, woher er ihre Adresse hatte. Doch das war ihm gleich, er würde von nun an keine Rücksicht mehr auf sie nehmen.

Er wollte gerade die Klingel betätigen, als sie aus dem Haus trat, schön und elegant wie eh und je. Aber die

Zeiten, in denen er sich nach ihr verzehrt hatte, waren lange vorbei, zu Hause wartete eine rassige, fast dreißig Jahre jüngere Brasilianerin auf ihn, die ihm jeden Wunsch von den Augen ablas. Und doch war Sarah für ihn nach wie vor eine der aufregendsten Frauen, denen er je begegnet war. Vielleicht sogar die aufregendste überhaupt. Schön, sinnlich, erotisch, verführerisch.

»Sarah«, rief er ihr durch das Tor zu.

Sie war auf dem Weg zur Garage und drehte sich um, ihre Miene zeigte keine Regung.

»Ich habe keine Zeit.«

»Oh, oh, du hast sogar eine Menge Zeit. Komm ans Tor, oder willst du, dass halb Kiel mithört?«, sagte er leise und dennoch scharf.

Sarah Schumann trat zu ihm und musterte ihn kühl. »Was gibt es so Wichtiges?«

»Lass mich rein, und ich werde es dir erklären.«

»Ich sagte doch, ich habe keine Zeit. Ich dachte, wir hätten schon vor geraumer Zeit ein für alle Mal alles bereinigt. Oder war das nur wieder eine Lüge von dir?« Sarah Schumann war aufgewühlt, gab sich jedoch kämpferisch.

Albertz ging nicht auf ihre Bemerkung ein. »Nur zehn Minuten, dann siehst du mich nie wieder. Ich muss etwas extrem Wichtiges mit dir besprechen. Oder soll ich vielleicht mit einem Durchsuchungsbeschluss wiederkommen mit ein paar nicht sehr netten Bullen an meiner Seite? Du weißt, ich habe die Macht dazu. Ein Anruf genügt.«

»Zehn Minuten«, sagte Sarah Schumann und öffnete das Tor, auch wenn eine innere Stimme sie warnte, es nicht zu tun. »Mein Hausmädchen ist aber da.«

»Dann sag ihr bitte, dass du ungestört sein möchtest. Sie soll von mir aus die Flaschen im Weinkeller zählen, dir wird schon was einfallen.«

Schweigend ging sie vor ihm ins Wohnzimmer, wo sie das Hausmädchen gemäß Albertz' Anweisungen instruierte.

Sie setzte sich ihm gegenüber.

»Ich will es kurz machen«, sagte er geschäftsmäßig. »Ich brauche den Namen und Aufenthaltsort von unserem Mann.«

»Wen meinst du?«

»Sarah, tu mir einen Gefallen und verkauf mich nicht für blöd. Wie heißt er, und wo finde ich ihn?«

»Wir hatten eine Abmachung, und die gilt nach wie vor. Du bekommst den Namen nicht. Wo er sich aufhält, weiß ich sowieso nicht, weil ich seit langem keinen Kontakt mehr zu ihm hatte.«

Albertz beugte sich vor und zischte: »Du kannst andere belügen, mich aber nicht. Ich sage dir jetzt eins: Dein Killer dezimiert meine Truppe gewaltig. Seit Samstag hat er sechs Menschen über die Klinge springen lassen ...«

Sarah Schumann lachte auf. »Und weiter? Wie viele gehen denn auf dein beziehungsweise euer Konto? Ich habe mich schon seit langem zurückgezogen und dachte, ich hätte endlich Ruhe vor euch Bastarden ...«

»Ach ja? Warum bist du ausgerechnet jetzt in Kiel? Rein zufällig, nur so zum Spaß oder weil du Abwechslung brauchst? Dieses Märchen kannst du jemand anderem auftischen. Ich weiß, dass du hier bist, weil *er* hier ist. Also, seinen Namen, und ich bin weg, und du wirst mich nie wiedersehen. Dann sind wir endgültig quitt.«

»Ich dachte, das wären wir schon gewesen, nachdem du mich mehrfach vergewaltigt hast. Oder hast du das ausgeblendet?«

»Na, na, na. Ich kann mich erinnern, dass alles in beiderseitigem Einverständnis geschehen ist ... Außerdem tut das jetzt nichts zur Sache, meine liebe Sarah. Ich wäre nie zu dir gekommen, gäbe es dafür nicht einen triftigen Grund. Gestern Abend wurde Bernhard Freier von ihm umgebracht, sein vorerst letzter Coup, und ich bin sicher, dass er noch nicht vorhat aufzuhören.« Albertz hielt inne, fixierte Sarah Schumann, die seinem Blick beinahe regungslos standhielt, und fuhr fort: »Warum wildert er in unseren Reihen? Warum stellt er sich gegen uns, wo er doch erst durch uns zu dem wurde, was er ist? Wir haben ihn zu einem gefragten Auftragskiller gemacht und ihm zu einem Vermögen verholfen. Du weißt es, das sehe ich dir an.«

Sarah Schumann verzog den Mund zu einem eisigen Lächeln und schüttelte den Kopf. »Du glaubst allen Ernstes, dass der Mann, der von euch die besten Aufträge bekommen hat, sich jetzt gegen euch wendet? Das ist hirnrissig! Denk mal drüber nach, ihr habt euch so viele Feinde geschaffen, da braucht es nicht diesen einen. Ihr seid doch ständig in irgendwelche Revierkämpfe verwickelt, ich würde mich nicht auf einen versteifen, sondern auch mal den Kopf drehen. Ganz abgesehen davon, du kannst dich noch so sehr abstrampeln, den Namen kriegst du nicht, das habe ich ihm versprochen. Wenn du ihn unbedingt finden willst, dann such ihn. Ihr seid doch so clever, technologisch auf dem höchsten Stand ... Ihr braucht keine Verräterin, strengt lieber euren Kopf an und lasst die Computer laufen. Noch etwas – und das meine ich verdammt ernst: Eher würde ich sterben, als dir den Namen zu verraten. Ich habe nichts mehr zu verlieren, auch wenn du vielleicht der Meinung bist, ich würde an meinem Leben oder meinem Reichtum hängen. Da täuschst du dich. Für mich gilt der Deal immer noch, und damit basta.«

Albertz schürzte die Lippen und zog die Brauen hoch. »Ich gebe dir noch genau eine halbe Stunde, dann habe ich den Namen.«

»Tut mir leid, ich habe eine Verabredung ...«

»Und mir tut es leid, dass du diese Verabredung verpassen wirst. Du bleibst hier, bis du eingesehen hast, dass du gegen mich keine Chance hast.«

»Raus!«, fuhr sie ihn an, kurz davor, ihre Beherrschung zu verlieren, aber diesen Triumph wollte sie ihm nicht gönnen. »Lass dich nie wieder hier blicken ... Wenn du glaubst, dass er in der Stadt ist, bist du auf dem falschen Dampfer.«

»Ach ja, woher willst du das wissen, wenn du doch schon lange keinen Kontakt mehr zu ihm hattest?«

Sarah Schumann seufzte auf. »Also gut, was das angeht, habe ich nicht ganz die Wahrheit gesagt. Ich habe Kontakt zu ihm und weiß deshalb, dass er nicht in Kiel ist. Er befindet sich auf der anderen Seite des Globus, wo genau, hat er mir nicht verraten. Er ist in einem Auftrag unterwegs, den er nicht von euch erhalten hat, aber das ist für dich ja nichts Neues.«

Albertz verzog den Mund zu einem diabolischen Lächeln. »Netter Versuch, aber vergebliche Liebesmüh. Ich frage mich, warum du ihn schützt. Habt ihr ein Verhältnis? Hat meine süße Sarah etwa ein Verhältnis mit einem Auftragskiller? Meine liebe, liebe Sarah? Du kannst es mir ruhig sagen, ich bin nicht mehr scharf auf dich. Inzwischen bist du mir zu alt, auch wenn du für deine sechzig Jahre noch recht passabel aussiehst. Nein, du siehst nicht nur passabel, du siehst geradezu phantastisch aus. Ich könnte mir tatsächlich vorstellen, dass ihr ein Verhältnis habt. Ihr trefft euch, lasst es im Bett so richtig krachen, und dann trennen sich eure Wege wieder. Oder auch nicht. Aber auch das werde ich noch herauskriegen.«

»Und wenn, es würde dich nicht das Geringste angehen. Aber lass dir gesagt sein: Ich habe weder ein Verhältnis mit einem Killer noch mit dir. Du bist nur eine miese kleine Ratte, die alles und jeden manipuliert.« Sie hielt kurz inne, denn sie merkte, dass sie einen Schritt zu weit gegangen war. Doch bereits im nächsten Augenblick fuhr sie entschlossen und mutig fort: »Ich weiß nicht, warum das Leben mich so behandelt hat, aber ich finde, ich habe das nicht verdient. Erst mein werter Göttergatte, dann du und dein verfluchter Verein. Ihr seid der Abschaum dieser Welt. Ihr herrscht aus dem Dunkeln heraus, wie die Kanalratten«, stieß sie bitter hervor in dem Versuch, ihre Angst mit Worten zu überspielen, die sie normalerweise nicht benutzte.

Denn sie hatte Angst, seit Albertz tatsächlich bei ihr aufgetaucht war, wie Hans Schmidt erst vor wenigen Stunden prophezeit hatte. Sie sah keine Möglichkeit, sich gegen ihn zu wehren, sie hatte nie eine Chance gegen ihn gehabt. Er war ein Teufel in Menschengestalt.

Mit einem Mal kamen ihr Träume aus den letzten Tagen und Wochen wieder in den Sinn, in denen sie sich ständig mit dem Sterben konfrontiert gesehen hatte, auch wenn es hieß, Todesträume bedeuteten nie den Tod, sondern einen Neuanfang. Aber die Träume waren düster und deprimierend gewesen, ohne einen Hauch von Hoffnung. Dazu kam, dass in ihrer Familie niemand alt geworden war: Ihr Vater war mit achtundfünfzig einem Herzinfarkt erlegen, ihre Mutter mit einundsechzig bei einem Autounfall ums Leben gekommen, ihre Tante war mit siebzig einem brutalen Verbrechen zum Opfer gefallen, ihr Onkel kurz darauf qualvoll an Krebs gestorben. Auch sie würde diesen Teufelskreis des Jungsterbens nicht durchbrechen, da war sie sich sicher, jetzt mehr denn je. Und doch hatte sie Angst, denn das Leben war vor allem in den letzten zehn Jahren auch schön gewesen, ganz speziell die letzte Nacht mit Hans Schmidt. Aber jetzt war sie mit Albertz in ihrem orientalisch eingerichteten Wohnzimmer, und eine unerträgliche Spannung lag über ihnen.

Albertz saß lässig auf dem Sofa, die Augen starr auf Sarah Schumann gerichtet. Er hatte scheinbar geduldig zugehört, bis er sagte: »Bist du fertig?«

»Noch längst nicht, aber ich habe nicht vor, mich länger mit dir abzugeben. Ich werde jetzt aufstehen und gehen, und du wirst mich nicht daran hindern. Oder willst du mich umbringen?«

»Ich weiß es nicht, liebe Sarah. Ich weiß es wirklich nicht. Gib mir noch ein wenig Zeit, damit ich es mir überlegen kann«, antwortete er wieder mit diesem diabolischen Lächeln, wobei er sich mit der Zunge über die Unterlippe fuhr.

»Du bist so ein elender, zynischer Menschenverachter, wie ich noch keinen getroffen habe. Dagegen war Manfred geradezu ein Lamm. Wie wird man so wie du? Erklär's mir. Ist es das Geld, ist es Macht oder eine Kombination aus beidem? Was ist es?«

»Sarah, meine Liebe, selbst wenn ich es dir erklären könnte, du würdest es niemals verstehen. Ich diene meinem Land, und das ist die Wahrheit. Wir sind dazu da, Geschäfte reibungslos über die Bühne zu bringen.«

Sarah Schumann lachte bitter auf. »Du willst mir doch nicht erzählen, dass es bei euch allein um Geschäfte geht ...«

»Lass mich gefälligst ausreden. Es geht ums Geschäft, nur ums Geschäft und sonst nichts. Es geht um Milliarden und Abermilliarden, Summen, von denen selbst du dir keine Vorstellung machen kannst. Du hast keine Ahnung, welche Geschäfte in diesem Land abgewickelt werden, und das alles unter dem Schutzmantel der Politik. Wir sind das Bindeglied zwischen Politik und Wirtschaft, denn wir machen den Weg frei, wie es in dem Slogan einer Bank so schön heißt. Übrigens, ich habe es mir überlegt, ich werde dich am Leben lassen. Solltest du deinen Lover, unseren Killer, zufällig treffen oder mit ihm telefonieren, dann richte ihm aus, dass ich ihn unbedingt sprechen möchte. Er hat nichts zu befürchten, wenn er sich ausschließlich an mich hält. Hast du das verstanden?«

»Ich bin ja nicht taub. Aber ich werde ihn in nächster Zeit weder treffen noch mit ihm telefonieren, das hatten wir so ausgemacht. Er ist nicht in Kiel, und falls doch, so hat er mir das verschwiegen. Das ist die Wahrheit«, sagte sie und hoffte, dass Albertz ihr diesmal die Lüge abkaufen würde, denn mit seiner Zusicherung, sie am Leben zu lassen, war ihre Selbstsicherheit zurückgekehrt.

Albertz erhob sich, ging auf Sarah Schumann zu, packte sie blitzschnell mit kräftigem Griff am Handgelenk und riss sie hoch, worauf sie aufschrie. Sein Gesicht war nur wenige Zentimeter von ihrem entfernt, Zigaretten- und Whiskeyatem schlug ihr entgegen. Mit der anderen Hand fasste er ihr an die linke Brust und drückte zu, so dass ihr das Wasser in die Augen schoss.

»Hör mir gut zu, meine liebe Sarah. Solltest du mich angelogen haben, hast du damit dein Todesurteil unterschrieben. Kapiert?«

Als sie nur nickte und nichts sagte, quetschte er ihr die Brust noch fester zusammen und drückte mit geübtem Griff auf das Handgelenk, dass sie glaubte, es würde gleich brechen. »Ob du das kapiert hast, will ich wissen! Hast du?«

»Ja«, stieß sie mit schmerzverzerrtem Gesicht hervor.

»Gut. Wir werden jetzt nach oben gehen und das tun, was ich schon ewig nicht mehr mit dir getan habe. Wir besiegeln damit deine Unterschrift, wie wir es früher schon getan haben. Ein kleiner Fick zur Mittagsstunde ist doch was Wunderbares, oder?«

Sarah Schumann schloss die Augen, sie ekelte sich allein bei dem Gedanken, von Albertz angefasst zu werden, aber sie hatte keine Wahl, wollte sie am Leben bleiben.

»Ich habe dich etwas gefragt. Du riechst gut, weißt du das? Nein, ›riechen‹ ist das falsche Wort, du duftest wie eine Blume des Orients. Ich habe eine heiße Frau zu Hause, sie ist Ende zwanzig und feurig wie ein Vulkan, ihr kann es nie zu hart sein, sie will immer mehr und mehr und mehr, eine Brasilianerin mit richtig viel Pfeffer im Arsch. Du bist der Gegenpol zu ihr, unterkühlt, fast frigide, aber ich liebe dieses Gegensätzliche. Auf geht's, einen Stock höher.«

»Warum mit mir? Lass mich doch einfach in Ruhe«, stöhnte sie. »Oder gibt dir deine rassige Brasilianerin doch nicht genug? Bist du ihr vielleicht zu alt?«

»Diese Schläge unter die Gürtellinie bin ich von dir gar nicht gewohnt. Das ist ja eine ganz andere Sarah als die, die ich bisher kannte. Trotzdem, dieser Zynismus steht dir nicht. Und um deine Frage nach dem Warum zu beantworten: Weil ich den Kurs bestimme und nicht du. Wenn du einwilligst, bist du mich in spätestens einer Stunde los und siehst mich vorläufig nicht wieder. Also, was ist, gehst du freiwillig mit nach oben, oder muss ich noch gröber werden?«

»Spar es dir, ich komme mit.«

»Na also, geht doch. Wie gefällt dir übrigens die Pistole, die ich dir zu Weihnachten geschenkt habe? Sie liegt gut in der Hand, oder?«

»Ich habe sie noch nicht ausprobiert, ich hasse Waffen.«

»Oho, was für hehre Grundsätze – aber den eigenen Mann umbringen lassen ... Dazu noch ein Mädchen, das gerade in die Pubertät gekommen war. Tz, tz, tz, du solltest dir überlegen, was du sagst. Du hasst keine Waffen, du hasst es nur, die Arbeit selbst zu erledigen. Das ist übrigens eine Gemeinsamkeit von uns. Tatsächlich bin ich davon überzeugt, dass wir so etwas wie Seelenverwandte sind – mit tiefen Abgründen in der Seele. Unsere Seelen sind so schwarz wie eine sternenlose Nacht. Wenn du dich mit diesem Gedanken endlich anfreunden könntest, wäre dein Leben sehr viel einfacher. So, genug geredet. Wo ist das Hausmädchen?«

»Im Weinkeller, wie du geraten hast. Würdest du mich jetzt bitte loslassen? Ich laufe dir schon nicht davon.«

»Oh, entschuldige, ich wollte dir nicht weh tun«, sagte Albertz maliziös lächelnd und lockerte seinen Griff.

»Gehen wir nach oben«, sagte Sarah Schumann mit schwerer Stimme, ihre linke Brust schmerzte, es fühlte sich an, als würden tausend Nadeln darinstecken, und gleichzeitig war da ein dumpfes Pochen, dagegen war der Schmerz in ihrem Handgelenk eine Nichtigkeit. Aber sie wusste, es war noch nicht vorbei. Das Schlimmste stand ihr noch bevor.

Vielleicht würde sie Hans Schmidt davon berichten, vielleicht würde sie es aber auch für sich behalten, um zu verhindern, dass Schmidt noch mehr Menschen tötete, auch wenn es um Albertz nicht schade gewesen wäre. Er war ein Monster, eine reißende Bestie und doch unantastbar.

Aber das Morden musste ein Ende haben, und sie war bereit, Opfer dafür zu bringen.

Oben angelangt, fragte Sarah Schumann: »Woher weißt du überhaupt, dass ich hier wohne?«

»Ich bitte dich, Sarahschatz, ich weiß alles, wenn ich es wissen will. Na ja, fast alles, und es ärgert mich gewaltig, dass ich zum Beispiel bis heute nicht weiß, wem wir unsere Aufträge geben. Es macht mich geradezu rasend, ich möchte wissen, was für ein Mensch das ist, der in unserem Auftrag unliebsame Personen liquidiert ... Genug der Worte, lass uns zum vergnüglichen Teil übergehen. Nach dir, meine Liebe«, sagte er mit einer gespielt devoten, verhöhnenden Verbeugung, woraufhin Sarah Schumann die Schlafzimmertür öffnete. Er machte sie leise zu, schloss ab und steckte den Schlüssel ein.

»Zieh dich aus!«, befahl er. Seine Stimme klang ruhig, doch der Ausdruck in seinen Augen zeigte die Gier, die in ihm brodelte. Die Gier nach Sarah Schumann, die sich ihm seit über zwanzig Jahren verweigert hatte, doch heute würde er sie bekommen, sie demütigen für ihr beharrliches Schweigen und vor allem für die Zurückweisung, die er durch sie erfahren hatte. Sie war der Traum seines Lebens gewesen, aber sie hatte nie das Geringste für ihn empfunden.

Sarah Schumann zog sich bis auf die Unterwäsche aus und sah ihn an.

»Du bist tatsächlich immer noch so schön wie früher«, sagte er anerkennend. »Ich würde sagen, du bist sogar noch schöner, der Vergleich sei gestattet, du bist wie ein ganz besonderer Wein oder Whiskey, alt, aber dafür umso begehrenswerter.«

»Komm endlich zur Sache, ich will es hinter mich bringen.«

»Sarah, Sarah, Sarah, warum bist du immer so brüsk zu mir? Was habe ich dir getan? Ich habe dich geschützt damals, ich hätte genauso gut Beweise vorlegen können, nach denen du den Auftrag erteilt hast, deinen Mann um die Ecke zu bringen. Ich habe es aber unterlassen, weil ich dich geliebt habe. Das ist die Wahrheit, ich habe dich geliebt, doch du hast meine Liebe mit Füßen getreten ... Schöne Unterwäsche. La Perla?«

»Du redest zu viel.« Sarah setzte sich auf die Bettkante. »Willst du reden oder ...«

»Beides. Fang an, du weißt ja sicher noch, worauf ich stehe, so etwas vergisst man nie, es ist wie Radfahren.«

Es dauerte kaum eine halbe Stunde, bis Albertz sich wieder ankleidete, während Sarah die Bettdecke bis zum Kinn hochzog und jede seiner Bewegungen verfolgte, als fürchtete sie, er könnte noch einmal über sie herfallen. Ihr Unterleib brannte, der Darm schmerzte, das Brennen schien den gesamten Körper zu durchfluten. Sie verwarf den Gedanken, Schmidt nichts von dem Geschehenen zu berichten. Sie würde es ihm erzählen, und vielleicht würde er Albertz zur Strecke bringen und sie endgültig von ihm befreien.

»Du sagst ja gar nichts, Liebling.« Albertz zog sich die Jacke an. »Hat es dir etwa nicht gefallen? Nun, das macht nichts, Hauptsache mir hat es gutgetan. Noch mal zur Erinnerung: Solltest du unseren Mann zufällig treffen oder mit ihm telefonieren, vergiss nicht, ihm auszurichten, dass er mich unbedingt kontaktieren soll. Am besten noch im Laufe dieser Woche. Du hast ja meine Telefonnummern, wenn nicht, hier ist meine Karte.« Er zog eine Visitenkarte aus der Jacke und warf sie aufs Bett. »Richte ihm aus, sollte er sich nicht bei mir melden, dann werden wir ihn jagen. Bis jetzt haben wir noch jeden gekriegt, den wir kriegen wollten. Bruhns und Klein verzeihe ich ihm ja noch, aber Bernhard, das war einer zu viel. Bernhard war für mich wie ein Bruder, und er war ein logistisches Genie, das kaum zu ersetzen sein wird. So etwas macht niemand ungestraft, auch wenn es unser bester Mann ist.«

»Das ist euer Problem und nicht meins. Ich wiederhole – er hat keinen Grund, sich gegen euch zu stellen, ihr habt so schon mehr als genug Feinde.«

»Tja, ich muss dich enttäuschen, ich habe Beweise, die eindeutig belegen, dass *er* meine Leute umgebracht hat. Nicht, dass ich um sie weinen würde, aber ich fühle mich persönlich angegriffen …«

»Was für Beweise?«

»Er hat seine Visitenkarte an den Tatorten hinterlassen, und diese Visitenkarte gibt es nur ein einziges Mal auf dieser Welt. So, jetzt weißt du's. Also, sprich mit ihm und richte ihm meine Botschaft aus.«

An der Tür drehte er sich noch einmal um. »Ach ja, das hätte ich über all dem Vergnügen doch beinahe vergessen: Du hast bis morgen Abend Zeit, danach wirst du dich gut vor mir verstecken müssen. Ich hasse Zeitdruck, aber in diesem Fall ist er notwendig. Noch was – du bist im Bett nicht mehr das, was du mal warst. Ist wohl doch das Alter, liebe Sarah. Wir hören voneinander.«

»Warte. Die beiden Polizisten, die vorhin hier waren, hast du die als Vorhut geschickt, um zu sehen, ob ich zu Hause bin?«

»Welche Bullen?«

»Ich bitte dich, du wirst doch wohl wissen, wen du schickst. Eine Frau Santos und ein Herr Henning. Klingelt's jetzt?«

»Ach, die beiden. Nein, die habe ich nicht geschickt, die

arbeiten bei der Mordkommission. Was wollten sie von dir?«

»Informationen über Bruhns.«

»Die haben mit mir nichts zu tun und umgekehrt«, log er. »Das war Zufall. Adieu oder auf Wiedersehen, es liegt ganz bei dir. Nun mach dir einen schönen Tag und lass es dir gutgehen.«

Nachdem Sarah gehört hatte, wie die Haustür ins Schloss fiel, stand sie auf. Sie ging ins Bad und stellte sich unter die Dusche, sie fühlte sich schmutzig wie seit Ewigkeiten nicht mehr. Tränen flossen ihr über das Gesicht und vermischten sich mit dem Wasser, sie kauerte sich in die Ecke der Duschkabine, die Beine angezogen, die Arme um die Knie geschlungen. Sie weinte oft, aber nie in Gegenwart anderer. Alle sollten denken, dass sie die starke Sarah Schumann war, die nichts und niemand aus der Bahn werfen konnte. Dabei war sie unendlich verletzlich, doch sobald jemand bei ihr war, zeigte sie Stärke, Durchsetzungsvermögen und einen Stolz, den manche als Arroganz deuteten, dabei war es nur ein Schutzschild gegen mögliche Angriffe von außen, von denen sie schon so viele erlebt hatte. In Wahrheit war sie nicht stolz, sie war es nie gewesen und würde es nie sein, denn es gab nichts, worauf sie stolz sein konnte. Es gab einiges, woran sie sich freute, allen voran ihre Töchter, die sie bis an ihr Lebensende mit Zähnen und Klauen verteidigen würde, genau wie ihre Enkelkinder, in denen sie sowohl sich als auch deren Mütter sah.

Der Einzige, der von ihrer Verletzbarkeit und ihrer Einsamkeit wusste, war Hans Schmidt, auch wenn er es nie ausgesprochen hatte. Doch sie spürte es, sie meinte, seine Gedanken lesen zu können – zumindest, was sie betraf.

Sie weinte minutenlang, während das sehr warme, fast

heiße Wasser über ihren Körper rann. Schließlich erhob sie sich, stellte das Wasser aus. Das Brennen in ihrem Unterleib hatte ein wenig nachgelassen, sie trocknete sich ab, warf die sündhaft teure Unterwäsche in den Papierkorb, föhnte sich das Haar und legte Make-up auf.

Nachdem sie sich angezogen hatte, ging sie hinunter in den Weinkeller und sagte: »Sabine, Sie können aufhören. Nehmen Sie sich für den Rest des Tages frei, und morgen brauche ich Sie auch nicht. Es ist ein bezahlter Urlaub, ich möchte heute und morgen alleine sein.«

»Frau Schumann, ich freue mich natürlich darüber, aber ...«

»Stellen Sie keine Fragen! Am Samstag erwarte ich Sie wieder hier. Danke.«

Sarah Schumann wandte sich um und ging ins Wohnzimmer, setzte sich in ihren Sessel und überlegte. Nach einigen Minuten griff sie zum Telefon, das ausschließlich für Gespräche mit Hans Schmidt bestimmt war. Sie wählte seine Handynummer, nach dem zweiten Läuten nahm er ab.

»Ich muss dich sehen. Dringend.«

»Was ist passiert?«

»Nicht am Telefon. Komm her, aber sei vorsichtig. Ruf mich an, wenn du hier bist, ich mache dann das hintere Tor auf und die Kellertür. Ich werde über sämtliche Kameras prüfen, ob mein Haus überwacht wird. Falls ja, geb ich dir rechtzeitig Bescheid.«

»Soll ich nicht lieber warten, bis es dunkel ist?«

»Nein, komm sofort. Es ist etwas passiert.«

»Ich bin zu Hause, ich, ähm, ich bin wieder umgekehrt. Bis gleich. Sollte ich irgendetwas Auffälliges bemerken, werde ich aber nicht kommen. Dann treffen wir uns irgendwo in der Stadt. Okay?«

»Einverstanden.«

Sarah Schumann erhob sich mühsam, die Schmerzen in der linken Brust, am Handgelenk und vor allem am Anus waren wieder stärker geworden und machten jede Bewegung zur Qual. Außer ihrem toten Mann gab es niemanden, den sie so sehr hasste und verabscheute wie Karl Albertz, diesen eiskalten, gewissenlosen Teufel, der direkt aus der Hölle emporgestiegen war, der so viel Macht und Einfluss besaß und dennoch stets im Hintergrund blieb. Bis vor ein paar Stunden hatte sie nicht einmal gewusst, dass er in ihrer unmittelbaren Nachbarschaft wohnte. Niemals hätte sie für möglich gehalten, nach einer solch langen Zeit wieder von ihm vergewaltigt zu werden. Ihm hatte es Spaß bereitet, sie fühlte nur Schmerz, Ekel, Wut und eine tiefe Leere in ihrem Innern.

Sie setzte sich vor den Monitor und schaltete eine Überwachungskamera nach der anderen ein, insgesamt waren es neun, die das Grundstück und die Straße erfassten, es gab nicht einen toten Winkel. Nach zehn Minuten war sie zufrieden, es parkte kein Auto in der näheren Umgebung, das nicht hierhergehörte, kein Mensch war zu sehen, der sich auffällig verhielt.

Sie rief erneut bei Schmidt an. »Du kannst kommen.«

»Ich habe auch eben die Lage gecheckt, es ist alles sauber. Bis gleich.«

Sarah Schumann legte auf und stellte sich ans Fenster. Sie hatte nicht damit gerechnet, in Kiel mit Albertz konfrontiert zu werden. Sie hatte niemals mit den Schmerzen gerechnet, mit der Demütigung, ihm zu Willen sein zu müssen. Tja, dachte sie, ich wäre wohl doch besser zu Hause geblieben. Jetzt ist es zu spät. Sie hörte, wie der Schlüssel, den sie Schmidt gegeben hatte, ins Schloss gesteckt und die Tür aufgemacht wurde.

Hans Schmidt ging auf sie zu und nahm sie in den Arm, sie legte ihren Kopf auf seine Schulter und fühlte sich geborgen.

»Was ist passiert? Hat es mit Albertz zu tun?«

»Woher weißt du ...«

»Ich habe es doch geahnt. Sarah, warum bist du nicht zurück nach Frankfurt gefahren? Warum? Was wollte er?«

»Komm, setzen wir uns, mir tut alles weh.«

»Wieso?«, fragte Schmidt mit düsterem Blick. Sie ließen sich nebeneinander auf der breiten Couch nieder.

»Er hat mich zum Sex gezwungen. Zuletzt hat er das vor vielleicht zwanzig Jahren getan, und ich hätte niemals damit gerechnet, aber ...«

»Moment. Der Reihe nach. Was wollte Albertz hier? Er wollte doch nicht nur Sex. Was war der eigentliche Grund?«

»Er wollte deinen Namen. Ich habe ihm gesagt, eher würde ich sterben, als dass ich dich verraten würde«

»Du bist sehr, sehr mutig. Ich danke dir. Und weiter?«

»Hier.« Sie zeigte ihm ihr angeschwollenes, blutunterlaufenes rechtes Handgelenk. »Da hat er mich gepackt und hochgerissen. Dann hat er meine linke Brust zugedrückt, es hat so höllisch weh getan, dass ich kaum noch klar denken konnte. Er hat auch gedroht, mich umzubringen, wenn ich ihm nicht bis morgen Abend deinen Namen liefere.«

»Und dann hat er dich vergewaltigt. Wo? Hier oder im Schlafzimmer?«

»Im Schlafzimmer. Hans, was soll ich jetzt tun? Die ganze Sache ist außer Kontrolle geraten.«

»Gar nichts ist außer Kontrolle geraten, ganz im Gegenteil. Ich war heute Vormittag eigentlich auf dem Weg zu jemand anderem, habe es mir aber anders überlegt. Erst ist Albertz fällig.«

»Zu wem warst du unterwegs?«

»Das verrate ich erst, wenn ich es hinter mich gebracht habe. Nur das mit Albertz darfst du vorher wissen.«

»Hans, bitte, lass es«, flehte Sarah Schumann und fasste ihn am Arm. »Du hast keine Chance gegen ihn, der hat eine übermächtige Organisation im Rücken. Du könntest genauso gut Selbstmord begehen. Bitte, lass es.«

Er nahm ihre Hand und sagte mit fester Stimme: »Dann wird er dich umbringen, und das werde ich niemals zulassen. Vertrau mir, ich weiß, was ich tue. Ich habe auch schon einen Plan, wie ich an Albertz rankomme, ohne dass er Verdacht schöpft.«

»Er ist ein Teufel. Ich kenne niemanden, der den Teufel austricksen könnte. Ich habe Angst um dich.«

»Ich habe etwas angefangen, und ich werde es zu Ende bringen. Albertz ist ein Schwein, das sich gerne im Dreck suhlt. Ich werde ihn in seinem eigenen Dreck untergehen lassen. Ich kenne ihn, aber er kennt nicht meine wahre Identität. Das ist der größte Vorteil, den ich habe. Ich bin es nicht nur dir, sondern auch mir schuldig, dass diese Organisation zumindest für eine Weile ihre Struktur verliert.«

»Wie willst du an ihn rankommen?«

»Damit will ich dich gar nicht belasten. Ich garantiere dir: Er wird nie wieder einem Menschen Schmerzen zufügen.«

»Du kannst dir nicht vorstellen, was für eine Angst ich habe. Erst die beiden Polizisten, dann Albertz …«

»Was für Polizisten?«

»Sie waren von der Mordkommission und haben mir Fragen über Bruhns gestellt. Als Albertz kam, dachte ich, sie wären in seinem Auftrag geschickt worden, um die Lage zu sondieren, denn es war ein höchst merkwürdiger Besuch. Ich habe ihn darauf angesprochen, doch Albertz meinte, das müsse Zufall gewesen sein, er habe sie nicht geschickt …«

»Haben die sich ausgewiesen? Wie heißen sie?«

»Eine Frau Santos und ein Herr Henning …«

»Verdammte Scheiße!«, fluchte Schmidt und sprang auf. Er stellte sich ans Fenster und sah hinaus in die düstere Landschaft, es hatte wieder geregnet, und die Wolken hingen tief. »Warum haben die das getan? Das war nicht meine Absicht.«

»Wovon sprichst du?« Sarah runzelte die Stirn, stellte sich neben ihn und legte ihm einen Arm um die Hüfte.

»Ich habe die beiden ein paarmal anonym angerufen und sie zu den Tatorten bestellt. Ich wusste, dass sie die besten Ermittler weit und breit sind, und dachte mir, sie wären in der Lage, die Sache zu durchschauen. Aber ich habe niemals damit gerechnet, dass sie zu dir kommen würden.«

»Ja und? Ich kann dir immer noch nicht folgen.«

»Wenn sie von dir wissen, wissen sie vermutlich auch von Albertz und den anderen Sauereien. Die sind klug, aber ich schätze, Albertz wird nicht zulassen, dass sie weiter ermitteln. Er wird versuchen, alles aus dem Weg zu räumen, was seine Machenschaften aufdecken könnte. Ich muss mir dringend was einfallen lassen. Die sind verdammt weit gegangen, wenn sie es schon bis zu dir geschafft haben. Mit Sicherheit kennen sie deine Vita und wissen, was mit deinem Mann passiert ist. Die kamen nicht wegen Bruhns zu dir, sondern um dich kennenzulernen. Damit haben sie sich in Gefahr gebracht, ohne es zu wissen.«

»Du hast sie angerufen?«, sagte sie beinahe erschrocken.

»Ja, ich wollte nicht, dass die Morde an Bruhns und Klein in der Versenkung verschwinden und keiner erfährt, was wirklich passiert ist. Und jetzt das! Als du Albertz von ihnen erzählt hast, wie hat er reagiert? Hattest du das Gefühl, dass er sie kennt?«

»Ja, er sagte, sie wären bei der Mordkommission.«

»Okay, Sarah, bitte höre auf meinen Rat: Du bleibst hier und verbarrikadierst dich und lässt niemanden, und zwar wirklich niemanden hier rein, du schaltest sämtliche Sicherheitssysteme ein, schließt alles ab und wartest auf mich. Ich muss mich jetzt beeilen und zusehen, dass ich Albertz erwische. Ich bin Hans Schmidt und erstelle Gutachten alter Handschriften und Bücher und habe auch hin und wieder ein paar bibliophile Preziosen anzubieten. Genau das werde ich tun. Ich habe Albertz am Samstagabend auf dem Fest beim Grafen getroffen und mit ihm ein paar Worte gewechselt. Da ahnte ich allerdings noch nicht, was für eine verdammte Drecksau er ist. Kann ich dich jetzt allein lassen?«

»Ja, ich komme zurecht. Und bitte, melde dich zwischendurch bei mir, damit ich weiß, dass es dir gutgeht. Bitte.«

»Werde ich, sofern keiner sonst zuhört. Ruf du nicht bei mir an, es sei denn, es handelt sich um einen Notfall. Abgemacht?«

»Abgemacht. Ich bin so froh, dass es dich gibt, gleichzeitig habe ich Angst, dass ich dich jetzt verlieren könnte. Versprich mir, dass du vorsichtig bist.«

»Heiliges Ehrenwort.«

Schmidt umarmte Sarah, küsste sie und streichelte ihr über Haar und Gesicht. Sie hatte Tränen in den Augen, als sie sagte: »Geh schon und bring's hinter dich, aber bitte, komm lebend wieder.«

»Lenk dich ab, schwimm ein paar Runden, mach Yoga oder Sport, schau Fernsehen oder telefonier mit einer Freundin oder deinen Töchtern, tu etwas, tu etwas, tu etwas! Sitz nicht einfach nur rum und beobachte den Sekundenzeiger. Okay?«

»Okay«, sagte sie, doch es klang nicht überzeugend.

»Ich melde mich, sobald ich kann. Auf jeden Fall sehen wir uns heute noch. Albertz ist ein toter Mann, er weiß es nur noch nicht.«

»Geh, ich will nichts mehr hören, ich verkrafte das alles nicht mehr. Geh und pass auf dich auf.« Sie machte eine besorgte Miene und legte ihm die Hand auf die Wange. »Ich liebe dich, auch wenn du eine andere Frau mehr liebst. Aber du kannst mir meine Liebe nicht nehmen. Niemals, das sollst du noch wissen.«

Hans Schmidt nickte, gab ihr einen Kuss, ging in den kleinen Raum, wo der Überwachungsmonitor stand, vergewisserte sich, dass rings um das Haus die Luft rein war, und ging nach draußen. Es war kurz nach halb zwei. Gemäßigten Schrittes ging er auf sein Haus zu. Er hatte einen Plan.

DONNERSTAG, 13.50 UHR

Albertz kehrte in die Zentrale zurück und ging zu Friedmann und Müller, die sich die Überwachungsbänder vom Hotel ansahen, auf dem Tisch zwei leere Pizzakartons, zwei Flaschen Cola und Gläser.

»Wie weit seid ihr?«

»Zwei Bänder haben wir schon durchlaufen lassen, das heißt, von gestern siebzehn Uhr bis Mitternacht, aber Fehlanzeige. Man kann sehen, wie Bernhard sich in der Lobby aufhält, man sieht ihn an der Bar, an der Rezeption und in der Tiefgarage. Man sieht sogar, wie er in seinen BMW einsteigt, von da an ist kaum noch was zu erkennen, weil die Scheiben getönt sind. Jetzt kommt's – etwa zwei Minuten nachdem er in den Wagen gestiegen ist, ist ein Unbekannter auf der Beifahrerseite eingestiegen. Er blieb dort etwa fünf Minuten und stieg dann wieder aus. Er ist nicht zu erkennen, er wusste offenbar, wo die Kameras installiert sind und wie er sein Gesicht vor ihnen verbirgt. Das Problem ist, dass Jürgens von der Rechtsmedizin nur einen Herzinfarkt diagnostizieren konnte. Keine Stichverletzung, keine Schusswunde, kein Gift. Jetzt schau mal hier: Nachdem der Fremde ausgestiegen ist, geht er um den Wagen rum und wischt den Griff an der Fahrertür ab. Das lässt den Schluss zu, dass Bernhard mit einem Kontaktgift in Berührung gekommen ist, das vermutlich schon nach kurzer Zeit nicht mehr nachweisbar ist.«

»Habt ihr Jürgens darauf angesprochen?«

»Haben wir, und er hat auch schon zurückgerufen und gemeint, er könne weder an Bernhards Händen noch im Blut irgendetwas feststellen. Er wird noch weitere Untersuchungen durchführen, die jedoch mehrere Tage dauern. Ich habe ihm natürlich unmissverständlich klargemacht, dass er sein Maul halten soll und ausschließlich uns seine Ergebnisse mitteilen darf. Das war doch richtig so, oder?«

»Natürlich, aber ich hoffe doch sehr, dass du deine Worte etwas anders gewählt hast.«

»Ja, ich habe ihm gesagt, dass er mit niemandem darüber sprechen darf und …«

»Ist ja gut.«

»Ich für meinen Teil bin überzeugt, dass der Mann, der zu Bernhard ins Auto gestiegen ist, auch sein Mörder ist. Der Typ ist gerissen. Selbst die Aufnahmen aus der Lobby zeigen nicht sein Gesicht.«

»Okay, gute Arbeit. Ihr könnt morgen oder übermorgen weitermachen. Jetzt habe ich was anderes für euch zu tun. Ihr kennt ja Henning und Santos. Die beiden stecken ihre Nase in Dinge, die sie nichts angehen, und ich kann unter keinen Umständen Wühlmäuse in unserem Territorium gebrauchen. Kümmert euch um sie.«

»Und wie?«, fragte Müller mit ernstem Blick, dem dieser Auftrag nicht ganz geheuer war.

»Kannst du dir das nicht denken? Die müssen von der Bildfläche verschwinden. Sie hatten bereits die offizielle Anweisung, sich aus den Fällen Bruhns und Klein rauszuhalten, aber sie machen trotzdem weiter. Über kurz oder lang werden sie auf uns stoßen, und das ist das Letzte, was wir gebrauchen können.«

»Wir sollen sie kaltmachen?«

»Ja. Es muss aber so aussehen, als wären sie in einen Bandenkrieg geraten oder als hätte das Phantom zugeschlagen. Die Spur darf unter gar keinen Umständen zu uns führen. Habt ihr mich verstanden? Zwanzigtausend für jeden von euch, wenn ihr Vollzug melden könnt. Nehmt die Sache nicht auf die leichte Schulter, die beiden sind mit allen Wassern gewaschen. Ich verlasse mich auf euch.«

»Wie viel Zeit haben wir?«

»Spätestens ab morgen Abend sollten sie mir nicht mehr lästig werden können. Habe ich mich deutlich genug ausgedrückt?«

»Klar doch.«

»Dann bewegt euren Arsch raus hier, fahrt ins Präsidium und macht Drogenfahndung. Dabei lasst ihr euch etwas ganz Besonderes für eure lieben Kollegen vom K 1 einfallen. Sollte ich eine Idee haben, werde ich euch anrufen. Bevor ihr etwas unternehmt, lasst es mich in jedem Fall vorher wissen.«

»Sonst noch was?«

»Nein, ihr könnt gehen. Aber wie gesagt, vor einer Aktion will ich informiert werden. Und nehmt diesen Müll mit«, sagte er barsch, deutete auf die Pizzakartons und die Colaflaschen und machte kehrt. Er war unsäglich zornig.

Albertz fuhr früh nach Hause. Unterwegs kaufte er einen großen Strauß rote Rosen mit Schleierkraut. Er hatte Roberta in der letzten Zeit vernachlässigt, und er wollte nicht riskieren, dass sie sich über kurz oder lang einen Liebhaber zulegen würde, temperamentvoll, wie sie war. Andererseits hatte er dafür gesorgt, dass, wenn sie ihn betröge, dies bittere Konsequenzen für sie hätte. Schon oft, sehr oft sogar hatte er sie mit körperlichen Mitteln zur Räson bringen müssen, mittlerweile hatte sie wohl verstanden, dass sie ihm bedingungslos zu gehorchen hatte. Er hatte sie aus Brasilien in ein Leben voller Luxus geholt – und er verlangte Gegenleistungen. Wenn sie sich ihm nicht unterwarf, blieb ihm keine andere Wahl, als sie zu züchtigen. Er war kein Weichei, keiner von jenen, die zu Hause kuschten und im Beruf den harten Mann gaben. Er war immer hart und kompromisslos. Aber er war auch großzügig, solange jeder das tat, was er befahl.

Als er in die Bismarckallee einbog, sah er ein ihm gut bekanntes Gesicht auf der anderen Straßenseite. Hans Schmidt. Er ging gemäßigten Schrittes den Bürgersteig entlang, den Kopf gesenkt, schien in Gedanken versunken. Ein Spaziergang im trüben und tristen Kiel, das hier in Düsternbrook noch am erträglichsten war. Es war, als bemerkte er Albertz gar nicht, bis dieser kurz hupte, das Fenster herunterließ und ihn ansprach.

»Tag, Herr Schmidt«, sagte Albertz mit einem Lächeln, auch wenn er diesen unscheinbaren, etwas kleinkarierten Mann nicht ausstehen konnte. Sicher, er war ein wohlhabender Mann, hatte aber etwas von einem weltfremden Buchhalter, auch wenn ihm drei Restaurants gehörten, die sogar im Guide Michelin und Gault Millau aufgeführt waren. Obwohl Albertz in zwei dieser Restaurants schon gespeist hatte, hatte er Schmidt nie angetroffen. Es gab Geschäftsführer, Köche, doch der Besitzer hielt sich, wie auch bei feierlichen Anlässen und Empfängen, bei Festen und Partys, stets im Hintergrund. Schmidt wirkte stets eher verträumt als mit beiden Beinen auf dem Boden stehend, ein Eigenbrötler, der nur schwer zugänglich war. Eines jedoch beeindruckte Albertz – Schmidts unglaubliche Fähigkeit, alte Bücher auf deren Echtheit hin zu überprüfen. Das aber war das Einzige, was er an ihm bewunderte, den Mann selbst hätte er auf offener Straße nie wahrgenommen, ein Gesicht in der Menge, an dem man achtlos vorüberging. Hier, auf der fast menschenleeren Straße, war selbst dieser farblose Bücherwurm nicht zu übersehen.

Hans Schmidt hob erschrocken den Kopf und sah Albertz an. »Hallo. Verzeihung, ich war mit meinen Gedanken woanders. Wie geht es Ihnen?«, fragte er mit einem entschuldigenden Lächeln, wobei er lediglich die Mundwinkel etwas verzog.

»Danke, gut. Und Ihnen?«

»Ich kann nicht klagen«, antwortete Schmidt leise, fast schüchtern.

»Aber wo ich Sie schon hier treffe, Sie haben am Samstag angedeutet, Sie hätten mal wieder etwas für mich, wollten mir aber nicht verraten, was. Vielleicht können wir uns demnächst mal sehen, natürlich ganz unverbindlich.«

»Gerne.« Schmidt trat dicht an den Mercedes heran und flüsterte: »Ich wollte am Samstag nicht darüber reden, zu viele Ohren, wenn Sie verstehen. Ich habe einen Swift mit handschriftlichen Anmerkungen, garantiert echt, dafür verbürge ich mich. Ich dachte mir, das wäre was für Sie, da Sie mich ja schon mal vor drei oder vier Jahren auf eine Originalausgabe von *The travels into several remote nations of the world by Lemuel Gulliver* oder auf Deutsch *Gullivers Reisen* angesprochen haben. Jetzt habe ich eine von einem Klienten aus Edinburgh erhalten. Das Buch stammt aus dem Jahr 1726 und ist offenbar die erste gedruckte Ausgabe dieses Werkes. Swift hat auf vielen Seiten handschriftliche Korrekturen vorgenommen, die in den darauffolgenden Ausgaben übernommen wurden. Das Buch ist hervorragend ausgestattet, der Umschlag besteht aus feinstem grünem Leder und ist in einem Zustand, den man bei einem über zweihundertachtzig Jahre alten Buch niemals erwarten würde, was darauf schließen lässt, dass es die ganze Zeit über äußerst pfleglich behandelt wurde. Mein Klient sagte mir, dass es sich seit zweihundertfünfzig Jahren in Familienbesitz befindet und immer wie ein Schatz behandelt wurde. Man kann förmlich die Zeit riechen, in der es verfasst wurde.«

»Quanto costa?«, fragte Albertz mit einem leichten Schmunzeln, denn er witterte ein ganz besonderes Geschäft.

»Nicht ganz billig, das können Sie sich ja vorstellen, aber mein Kunde hat mir einen großen Verhandlungsspielraum eingeräumt, da er in finanziellen Schwierigkeiten ist. Natürlich gibt es eine Untergrenze, unter die ich auf gar keinen Fall gehen kann. Jetzt will ich Sie aber nicht länger aufhalten ...«

»Nein, nein, Sie halten mich nicht auf, Sie wissen doch, dass ich schon lange auf der Suche nach einem Swift bin. Haben Sie das Buch zufällig hier?«, fragte Albertz mit jenem gierigen Funkeln in den Augen, das Schmidt schon ein paarmal bei ihm gesehen hatte, doch nie so ausgeprägt wie jetzt, vor allem da er wusste, wer Albertz wirklich war.

»Ich muss es aus dem Banktresor holen. Es würde ungefähr eine halbe Stunde dauern.«

»Gut, dann kommen Sie doch in einer halben Stunde vorbei. Ich sage meiner Frau, dass sie uns Kaffee und Gebäck servieren soll, und dabei habe ich dann genug Gelegenheit, mir den Swift anzusehen.«

»Sie werden es nicht bereuen. In einer halben Stunde. Ich habe übrigens noch einen zweiten Swift von meinem Klienten, *A Modest Proposal.* Möglicherweise interessiert Sie das ja auch.«

»Selbstverständlich«, stieß Albertz hervor. »Auch ein Original?«

»Herr Albertz, ich verkaufe nur Originale, wie Sie doch auch in Ihren Galerien. Ich persönlich würde *A Modest Proposal* sogar noch als etwas wertvoller einstufen, aber Sie sollten sich selbst ein Bild davon machen, Sie sind ja ein Kenner.«

»Bringen Sie's mit. Ich bin sehr gespannt.«

Schmidt ging nach Hause und steckte zwei gut verpackte Bücher in eine braune Lederaktentasche, die er vor zwanzig Jahren von Sarah Schumann zu seinem Geburtstag geschenkt bekommen hatte, ein sehr wertvolles Stück, das er wie seinen Augapfel hütete.

Er wartete noch ein paar Minuten, legte ein dezentes Eau de Toilette auf, das seine Unscheinbarkeit noch unterstrich, bürstete sich noch einmal durchs Haar, überprüfte seine Waffe, zog seine Jacke wieder an und machte sich auf den Weg zu Albertz. Es würde ihre letzte Begegnung sein, es würden überhaupt der letzte Tag, die letzten Stunden oder auch nur Minuten für Albertz sein.

DONNERSTAG, 13.55 UHR

Sören Henning und Lisa Santos hatten sich gut zwei Stunden in dem Restaurant aufgehalten, sie hatten nach dem Essen über Albertz und Sarah Schumann gesprochen, über den Anruf von Professor Jürgens und all die offenen Fragen, die mit ihrem Fall, der streng genommen gar nicht mehr ihr Fall war, zusammenhingen. Sie hatten vergeblich versucht, Verbindungen herzustellen.

Lisa Santos ging es wieder besser, sie hatte gut gegessen, das kurzzeitige Tief war überwunden.

Um halb zwei hatten sie das Restaurant verlassen und waren in die Bismarckallee gefahren und parkten an einer Stelle, von der aus sie sämtliche Häuser rings um den Kreisel gut im Blick hatten. Sie suchten sich eine Stelle, von der aus sie die Einfahrt und das Tor beobachten konnten, ohne selbst gesehen zu werden. Sie beschlossen jedoch schon nach wenigen Minuten, mit der Observierung noch nicht zu beginnen, er würde ohnehin noch nicht zu Hause sein, sondern erst noch einmal ins Präsidium zu fahren und mit Harms zu sprechen.

Harms war nicht in seinem Büro, und keiner konnte ihnen sagen, wo er sich aufhielt. Da sein Schreibtisch aufgeräumt und das Fenster geschlossen war, vermuteten Henning und Santos, dass er sich in der Klinik bei seiner todkranken Frau befand und heute auch nicht mehr an seinen Arbeitsplatz zurückkehren würde. Sie wollten ihn auch nicht anrufen, er hatte wahrlich andere Sorgen als seine Arbeit.

»Wir schaffen es auch ohne ihn«, sagte Santos. »Da dachten wir, er hätte sich verändert, dabei muss er sich auf den Tod seiner Frau vorbereiten. Ich stelle mir das entsetzlich vor.«

»Ich möchte gar nicht darüber nachdenken, solche Sachen machen mir Angst.«

»Hast du Angst vor dem Tod? Darüber haben wir noch nie gesprochen.«

»Ich weiß es nicht. Nicht vor dem Tod, eher vor dem Sterben. Ich will nicht dahinsiechen, es soll schnell gehen. Ach Scheiße, lass uns über was anderes reden. Ich bin heute sowieso mit den Nerven am Ende.«

»Vorhin war ich es, jetzt bist es du …«

»Ist schon wieder vorbei. Wir sind doch beide stark, oder?«

»Sind wir. Was hältst du davon: Wir arbeiten noch bis zum Wochenende an dem Fall, wenn wir dann immer noch auf der Stelle treten, ziehen wir uns zurück. Okay?«

»Der Vorschlag hätte von mir stammen können. Aber seit Volker uns von seiner Frau erzählt hat, ist in mir irgendwas passiert. Es hat mich umgehauen.«

»Mich doch auch. Lass uns nun unseren Job machen und alles andere ausblenden. Wann fahren wir wieder nach Düsternbrook?«

»Vier, halb fünf, vorher wird Albertz wohl kaum nach Hause kommen.«

»Dann lass uns vorher noch einen Abstecher zu Klaus machen«, schlug Santos vor.

»Er wird nicht mit uns reden wollen.«

»Vielleicht ja doch. Komm, einen Versuch ist es allemal wert.«

»Na ja, hier haben wir sowieso nichts zu tun, und die Akten erledigen wir ab nächster Woche.«

Jürgens war allein im Sektionssaal und obduzierte eine jugendliche männliche Leiche. Er hob nur kurz den Kopf, als er Henning und Santos erblickte, und wandte sich wieder dem Toten zu, dessen Torso geöffnet war, die Organe waren zum größten Teil entnommen worden und lagen in mehreren Schüsseln, das Gewicht von Lunge, Leber, Herz, Nieren und Gehirn hatte Jürgens auf einer Tafel vermerkt.

»Was wollt ihr?«, fragte er, ohne den Blick zu heben.

»Nichts weiter, nur einen freundschaftlichen Besuch abstatten«, sagte Santos und stellte sich neben Jürgens. »Sind wir ungestört?«

»Seit ihr da seid, nicht mehr. Der hier quatscht mich jedenfalls nicht voll.«

»Ist das Freier?«, wollte Henning wissen.

»Und wenn?«

»Jetzt sei doch nicht so gereizt«, sagte Santos. »Du hast doch gar keinen Grund dazu.«

Jürgens legte seine Instrumente beiseite und wandte sich ihnen endlich zu.

»Das denkt ihr, aber ihr liegt falsch. Ich hatte vorhin wieder einen nicht besonders netten Anruf vom Verfassungsschutz, einer von den Typen, die mich hier schon mal aufgesucht haben. Ergebnisse ausschließlich an sie.«

»Wer sind die Typen? Kennst du sie?«

Jürgens senkte den Blick und nickte kaum merklich.

»Ja. Die Schweinebacken arbeiten für zwei Seiten, zum einen für das LKA, zum anderen für den VS. Ich habe keinen Bock, mich mit denen anzulegen.«

»Friedmann und Müller«, konstatierte Santos.

»Woher wisst ihr …«

»Wir wissen viel mehr, als du glaubst. Die beiden sind gefährlich, aber uns kannst du bedingungslos vertrauen, alles, was du uns sagst, bleibt bei uns. Heiliges Ehrenwort. Hast du bei Freier irgendwas rausgefunden?«

»Bis jetzt nicht, ich kann nur Vermutungen anstellen. Er ist einem Herzinfarkt erlegen, aber ich glaube, da wurde nachgeholfen. Möglicherweise wurde ein Gift benutzt, das schon nach sehr kurzer Zeit nicht mehr nachweisbar ist. Eine andere Erklärung habe ich noch nicht gefunden.«

»Gibt es Einstichstellen?«, fragte Henning.

»Nein, ich habe jeden Millimeter mit der Lupe abgesucht, keine Einstiche. Das lässt die Vermutung zu, dass er das Gift entweder oral oder durch Berührung aufgenommen hat. Ich gehe ganz stark davon aus, dass es sich um ein Kontaktgift handelt. Da gibt es mittlerweile sehr viele, auch chemische. Früher hätte man ein tierisches Gift verwendet, doch manche chemischen bauen sich sehr schnell ab und machen eine Bestimmung fast unmöglich. Ich schätze, darauf wird es auch bei Freier hinauslaufen, am Ende wird die Diagnose Herzinfarkt lauten, obwohl er vergiftet wurde.«

»Was für ein Typ war er? Du hast gesagt, du kanntest ihn persönlich«, sagte Henning.

»Lass es mich so ausdrücken: nach außen hin nett und freundlich, aber wenn du mehr mit ihm zu tun hattest, merktest du schnell, dass er ein eiskalter Hund war. Das war jedenfalls mein Eindruck von ihm. Das heißt aber nicht, dass ich mit ihm nicht ausgekommen wäre.«

»Sag mal, ist das nicht ungewöhnlich, dass Leute vom VS zu dir kommen?«, wollte Santos wissen.

»Ich fand's auch befremdlich, aber ich konnte ihn ja schlecht rausschmeißen.«

»Bei was für Fällen war er hier?«

»Unfallopfer, ein Mordopfer und zwei Suizide, bei denen ich meine Zweifel hatte, ob es sich wirklich um Selbstmord handelte. Zweimal ging es auch um eigentlich natürliche Todesfälle, die er verifiziert haben wollte. Was mich damals schon irritierte, war seine Aufforderung, mit niemandem über die Ergebnisse zu sprechen. Ich sage euch, das war keine Bitte, sondern ein Befehl.«

»Hast du noch die Unterlagen der Fälle?«

»Lisa, nimm's mir nicht übel, aber dafür fehlt mir jetzt wirklich die Zeit. Weißt du eigentlich, wie viele Obduktionen ich pro Woche durchführe? Das letzte Mal ist er etwa vor einem Dreivierteljahr hier gewesen … Irgendwann, wenn wieder Ruhe eingekehrt ist, vielleicht, aber ganz bestimmt nicht jetzt. Die vom VS wollen schnellstmöglich Ergebnisse haben. Ich habe keine Lust, mich mit denen anzulegen, das könnt ihr bestimmt verstehen. So, jetzt lasst mich bitte allein.«

»Nur noch eins: Du hast vorhin am Telefon gesagt, dass du die DNA gefunden hast.«

»Ja, und das macht es für mich definitiv zu einem Mord. Bruhns, Steinbauer, Klein und jetzt Freier, alles dieselbe Handschrift. Euer Täter hat sich nicht auf eine Tötungsart spezialisiert, ich würde fast behaupten, er beherrscht alle Formen des kunstvollen Tötens.«

»Kunstvoll?«, stieß Santos entsetzt hervor.

»Ja, kunstvoll«, entgegnete Jürgens ungerührt. »Gut, nehmen wir Klein mal raus, dann bleiben immer noch Bruhns, Steinbauer und Freier. Er ist auf seinem Gebiet ein Künstler, der sein Handwerk aus dem Effeff beherrscht. Wenn ihr mich jetzt bitte entschuldigen würdet.«

»Klar. Danke, dass du überhaupt mit uns gesprochen hast.«

»Gern geschehen.«

Auf dem Weg zu ihrem Wagen sagte Santos mit nachdenklicher Miene: »Warum lichtet jemand die Reihen des VS oder bringt Leute um, die für den VS tätig waren? Was ist sein Motiv?«

»Lisa, darüber zerbrechen wir uns doch schon die ganze Zeit den Kopf. WIR WISSEN ES NICHT! Vielleicht erfahren wir ja von Albertz mehr, wenn wir ihn mal so richtig durch die Mangel drehen.«

»Dann auf zu ihm. Aber wir lassen die Standheizung laufen, ich habe keine Lust, mir den Hintern abzufrieren. Scheißwetter! Können wir nicht noch wenigstens eine Stunde warten? Wir haben gerade mal kurz vor halb drei.«

»Klar doch.«

DONNERSTAG, 14.35 UHR

Hans Schmidt hatte sich vier Minuten länger Zeit genommen, er wollte nicht auf die Sekunde genau bei Albertz erscheinen. Die Straße lag wie ausgestorben, als er den Zeigefinger auf den Klingelknopf legte. Das Tor ging auf, ohne dass sich jemand gemeldet hätte. Kurz bevor er die

Haustür erreichte, wurde diese geöffnet, und Albertz stand mit einem jovialen und erwartungsfrohen Lächeln in der Tür.

»Treten Sie ein und präsentieren Sie mir Ihre Schätze, oder, besser gesagt, öffnen Sie Ihre Schatztruhe!« Er deutete auf die Aktentasche.

»Es tut mir leid, dass ich mich verspätet habe, aber ich musste an einigen Ampeln doch etwas länger warten.«

»Herr Schmidt, ich bitte Sie, ich habe das überhaupt nicht gemerkt. An manchen Tagen ist das tatsächlich wie verhext, man kommt einfach nicht durch«, erwiderte Albertz und dachte: Was für ein Trottel, der hätte wirklich Buchhalter werden sollen. Möchte nicht wissen, wie das bei ihm zu Hause aussieht, wahrscheinlich bügelt der auch seine Unterhosen und Socken oder lässt sie bügeln. »Nun kommen Sie schon, Sie kennen sich doch hier drinnen aus. Gehen wir dorthin, wo sich ein kostbares Buch am wohlsten fühlt, in die Bibliothek.«

Schmidt sah Albertz' Frau Roberta in der Küche hantieren, ein Rasseweib, keine Frage, auch wenn sie nicht seinem Geschmack entsprach. Sie hatte nicht die elegante, feine Ausstrahlung Marias oder Sarahs, sie war ihm etwas zu laut, vielleicht ein wenig ordinär, was jedoch täuschen konnte, denn er hatte schon einige Brasilianerinnen kennengelernt, die in ihrem Herzen anders waren, als sie sich nach außen hin gaben: liebevoll, sanft, voller Gefühl und Wärme. Wahrscheinlich ist Roberta auch so, dachte er.

»Nehmen Sie Platz.« Albertz deutete auf die kleine Sitzgruppe mit dem runden Holztisch aus dem neunzehnten Jahrhundert. »Meine Frau wird uns gleich den Kaffee servieren.«

»Danke, für mich keinen Kaffee, davon werde ich immer

sehr unruhig. Ein Glas Wasser oder ein Pfefferminztee wären mir lieber, falls es Ihnen keine Mühe macht.«

»Kein Problem, wir haben sowohl das eine als auch das andere. Einen Moment, bitte.«

Albertz verließ den Raum und kehrte wenig später zurück.

»Meine Frau wird gleich kommen, wenn der Pfefferminztee fertig ist. Kann ich sonst noch etwas für Sie tun, bevor wir zum interessanten Teil des Nachmittags kommen?«

»Nein danke, ich möchte Ihre Zeit nicht über Gebühr in Anspruch nehmen«, antwortete Schmidt zurückhaltend und klammerte sich an seine Aktentasche, als wäre darin der Heilige Gral versteckt.

Es klopfte, und Roberta Albertz trat mit einem Silbertablett ein, auf dem ein Kännchen Kaffee, ein Kännchen Tee sowie zwei Tassen und eine Schale mit Gebäck waren. Sie begrüßte Schmidt freundlich mit gedämpfter Stimme, stellte die Sachen ab und wollte mit dem Tablett wieder nach draußen gehen, als ihr Mann sie zurückhielt.

»Schatz, wir wollen ungestört bleiben, sollte also jemand anrufen, dann sag ihm, dass ich nicht zu erreichen bin, ich rufe zurück. Verstanden?«

»Ja, natürlich.«

Sie machte so leise und vorsichtig die Tür hinter sich zu, als wäre es ihr von Albertz so befohlen worden. Sie hatte Angst vor ihm, das war Schmidt schon bei seinem letzten Besuch aufgefallen, nicht lange nachdem Albertz sie geheiratet hatte. Eine junge, hübsche Frau, die in Angst vor ihrem eigenen Mann in einem goldenen Käfig gefangen gehalten wurde. Er kannte solche Ehen, Sarah Schumann hatte auch Höllenqualen gelitten.

»Sie haben eine sehr nette Frau«, sagte Schmidt, ohne Albertz anzusehen.

»Ja, ich kann mich nicht beklagen. Also, ich bin neugierig, was haben Sie mir Schönes mitgebracht?«

»Wie ich schon sagte, Jonathan Swifts *Gullivers Reisen* und *A Modest Proposal*, falls Ihnen Letzteres etwas sagt.«

»Natürlich, ich habe mich eingehend mit Swift auseinandergesetzt und finde diesen Mann schlichtweg faszinierend. Nun machen Sie's nicht so spannend, zeigen Sie mir Ihre Schätze, ich bin sicher, wir werden uns beim Preis einig.«

»Wie Sie wünschen, Herr Albertz«, sagte Schmidt, öffnete die Tasche und legte eines der beiden in Papier eingewickelten Bücher auf den Tisch. »*Gullivers Reisen*. Packen Sie es bitte vorsichtig aus, es ist äußerst wertvoll.«

Albertz griff nach dem Buch, als handelte es sich um einen ganz besonderen Schatz, sein Blick war ausschließlich auf das Papier gerichtet, das er langsam entfaltete, er merkte nicht, dass Schmidt wie aus dem Nichts eine Pistole mit aufgesetztem Schalldämpfer in der Hand hielt.

Albertz, der noch immer den Blick gesenkt hatte, runzelte die Stirn. »Ich glaube, Sie haben sich da vertan, ich ...«

»Falsch, ich glaube, Sie haben sich vertan«, sagte Schmidt kalt, die Pistole auf Albertz gerichtet.

Albertz ließ sich zurückfallen und sah Schmidt mit zusammengekniffenen Augen an. »Was soll das? Was wollen Sie von mir? Tun Sie das Ding runter, Herr Schmidt«, fuhr er ihn an.

»Daraus wird leider nichts. Darf ich mich vorstellen, Hans Schmidt, seit vierundzwanzig Jahren in Ihrem Auftrag unterwegs ...«

»Sie wollen mich auf den Arm nehmen«, quetschte Albertz hervor, seine Selbstsicherheit war innerhalb weniger Sekunden verschwunden.

»Nein, keineswegs. Sie haben einen großen Fehler begangen, Herr Albertz, Sie haben Frau Schumann belästigt. Das war der letzte und größte Fehler Ihres Lebens. Ich warne Sie, eine falsche Bewegung, und zwei kleine Löcher zieren Ihren Kopf und Ihre Brust. Es geht ganz schnell. Und jetzt hören Sie mir gut zu. Ich …«

»Warten Sie, warten Sie, ich bin etwas verwirrt. Sie sind also unser Mann für schwierige Fälle? Das kann ich mir so gar nicht vorstellen.«

»Ich bin ein ziemlich guter Schauspieler. Immer, wenn ich in Kiel bin, spiele ich den Schüchternen, und wie es aussieht, sind Sie, wie alle anderen auch, auf dieses Spiel hereingefallen. Sie hätten niemals für möglich gehalten, dass ich Ihr Auftragskiller sein könnte. Nun, auch ich hätte niemals gedacht, dass Sie der Kopf der Organisation sein würden, ich war immer überzeugt, Freier wäre einer der Entscheider. Freier und noch jemand, den ich eigentlich heute töten wollte. Bis Frau Schumann mir letzte Nacht von Ihnen erzählte. Sie werden Ihren Fehler bitter bereuen …«

»Herr Schmidt, lassen Sie mich Ihnen erklären …«

»Ich will von Ihnen keine Erklärung, Sie werden mir ab sofort nur noch zuhören. Danach dürfen Sie sprechen. Bewegen Sie sich nicht einen Millimeter, ich bin garantiert schneller als Sie … Bis vor nicht allzu langer Zeit hatte ich keine Ahnung, welche schmutzigen Geschäfte bei Ihnen getätigt werden, ich dachte immer, ich würde im Dienst der Politik schwierige Aufträge erfüllen. Es gibt nur zwei Tote, die ich bedaure getötet zu haben, Julianne Cummings und das Mädchen, das bei Manfred Schumann war und dessen Namen ich nicht einmal weiß.

Nun, geschehen ist geschehen. Dann aber erzählte mir Frau Schumann vor knapp einem Jahr eine geradezu unglaubliche Geschichte, die Geschichte ihrer Schwester, die mit Robert Klein verheiratet gewesen war. Sie kennen diesen Klein ja, diesen verfluchten Sadisten. Ich habe am Montag unter falschem Namen mit verändertem Äußeren an einer Auktion teilgenommen. Niemals werde ich vergessen, was Klein mit einer gewissen Svenja aus der Ukraine gemacht hat. Weil sie ihm nicht bedingungslos zu Willen war, hat er sie erst halb totgeprügelt, bevor er ihrem Leiden mit einem Schnitt durch die Kehle ein Ende bereitete. Mädchen zwischen sechzehn und Anfang zwanzig wurden wie Vieh versteigert. Dann fragte einer der Käufer, wie es denn mit ganz frischem, zartem Fleisch aussähe. Was er damit meinte, brauche ich Ihnen nicht zu erklären, Sie kennen die Auktionen, da bin ich mir sicher. Wissen Sie, was Klein geantwortet hat? Natürlich wissen Sie's, Sie kennen das Geschäft ja in- und auswendig, und es gibt wahrlich genügend perverse Kunden, die ihre verdammten Schwänze am liebsten in kleine Kinder stecken. Ich hatte mich mit eigenen Augen überzeugen wollen, ob das, was Frau Schumann mir berichtet hatte, auch wirklich stimmt. Es stimmt …

Und nun zurück zu Sarahs Geschichte, ich werde sie nur noch Sarah nennen, das tun Sie ja auch. Sie hat mir von Klein und ihrer neunjährigen Nichte mit dem wunderschönen Namen Jasmin erzählt. Wie Klein das Mädchen mit zu Auktionen geschleppt hat, er hat es mit den Händen und einer Halskrause aus Eisen an die Heizung gekettet, so dass es mit ansehen musste, wie sein Stiefvater Kinder, Teenager und junge Frauen verhökert hat. Dieses neunjährige, unschuldige Mädchen hat dasselbe Grauen gesehen wie ich. Vor ihren Augen hat Klein mehrere junge Frauen umgebracht – mit einer unfassbaren Brutalität. Als die Mutter, die von Klein fast täglich mit dem Tod bedroht wurde, von den Vergewaltigungen und Misshandlungen ganz zu schweigen, schließlich davon erfuhr, brach sie zusammen. Anfang der neunziger Jahre kam Klein nach Kiel und ließ sich scheiden, nicht ohne die Mutter und das mittlerweile vierzehnjährige Mädchen mit weiteren massiven Drohungen zum Schweigen zu verdonnern. Jasmins Mutter wurde zur Alkoholikerin und ist vor einem Jahr an Leberzirrhose gestorben. Sie hat nie mit ihrer Schwester Sarah über diesen Alptraum gesprochen, die Angst war zu groß. Aber in einem lichten Moment kurz vor ihrem Tod hat sie alles niedergeschrieben, was ihr und ihrer Tochter zwischen 1985 und 1990 angetan worden war. Kein Detail hat sie ausgelassen … Das Mädchen wandert seit seinem fünfzehnten Lebensjahr von einer Psychiatrie in die nächste. Sie ist drogenabhängig, kann Realität und Fiktion nicht mehr voneinander unterscheiden, hat mehrere Selbstmordversuche hinter sich und leidet unter einer dissoziativen Identitätsstörung, bedingt durch traumatische Kindheitserlebnisse. Sie wird nie ein normales Leben führen können. Sie ist jetzt Anfang dreißig und wie tot. Drogen, Alkohol und Psychiatrie bestimmen ihr Leben.

Dann habe ich recherchiert und herausgefunden, was Klein jetzt so treibt, dass er eine große Spedition in Kiel übernommen hat und Menschen ins Land holt, damit sie hier missbraucht oder gar getötet werden. Ich stellte fest, dass es im Auftrag Ihrer Organisation geschieht, dem Verfassungsschutz. Aber, und jetzt kommt das große Aber, ich glaube nicht, dass es der Verfassungsschutz ist, sondern dass Sie Ihr eigenes Ding durchziehen. Sie haben eine Organisation innerhalb der Organisation aufgebaut, wovon die Bosse beim VS nichts wissen. Sie sind dabei unglaublich geschickt vorgegangen, das ist das einzige Kompliment, das ich Ihnen machen kann. Ansonsten empfinde ich nur Abscheu und Ekel. Bruhns und die Steinbauer standen auf Ihrer Lohnliste, dazu noch Klein, Freier und einige andere. Sie selbst haben sich eine goldene Nase verdient, denn ein normaler Beamter beim Verfassungsschutz könnte sich eine solche Luxusvilla niemals leisten. Ich weiß, ich habe Ihre Organisation bereits empfindlich getroffen, und ich frage mich nun, was machen die anderen, wenn Sie nicht mehr sind?« Schmidt lächelte kalt.

»Da haben Sie sich ja etwas zusammengereimt, was vorne und hinten nicht stimmt. Außerdem, wer gibt ausgerechnet Ihnen das Recht, über mich zu urteilen, wo Sie doch selbst unzählige Menschen ins Jenseits befördert haben?«

»Ich nehme mir dieses Recht, weil ich bis auf zwei Ausnahmen nur Menschen umgebracht habe, die es verdient hatten. Bis auf Julianne Cummings und das Mädchen bei Manfred Schumann waren sie alle entweder direkt oder indirekt in Morde oder andere unsäglich schmutzige Geschäfte verstrickt. Sie kommen aus dieser Nummer nicht mehr raus, das sollten Sie endlich begreifen.«

»Wenn Sie mich töten, wird man Sie jagen, und wenn es bis zum Mittelpunkt der Erde sein muss. Sie werden keine ruhige Minute mehr haben, denn Sie werden an jedem Ort der Welt mit der Angst leben müssen, dass mit einem Mal jemand vor Ihnen steht und Sie umlegt. Ich selbst habe keine Angst vor dem Tod«, sagte Albertz mit schwerem Atem und Schweiß auf der Stirn, ein untrügliches Zeichen für Angst und Panik.

»Wieso schwitzen Sie dann so? Wissen Sie, ich habe genug Opfer vor ihrem Tod beobachtet und weiß, wann jemand Angst hat und wann nicht. Es gab tatsächlich welche, die sich in ihr Schicksal ergeben haben, weil sie in dieser Minute der Wahrheit erkannten, dass sie nur Unheil über andere brachten. Aber die meisten haben genauso geschwitzt wie Sie. Machen Sie mir also nicht weis, Sie hätten keine Angst.«

»Okay, ich gebe zu, ich habe Angst. Wie können wir das Problem zu unserer beider Zufriedenheit lösen? Geld?«

»Tja, da bin ich in der glücklichen Lage, sagen zu können, dass Sie mich in der Vergangenheit so gut entlohnt haben, dass ich auf Geld nun wahrlich nicht mehr angewiesen bin. Ich habe ausgesorgt, und Ihre Drohung, man würde mich jagen, verbuche ich mal unter ›heiße Luft‹. Jetzt meine Frage an Sie, und davon hängt ab, ob ich Sie am Leben lasse oder hier in diesem Zimmer erschieße: Sind Sie der Chef der Organisation? Wenn nicht, dann nennen Sie mir seinen Namen.«

Albertz' Gedanken rasten, immer mehr Schweiß bildete sich auf seiner Stirn und rann ihm über das Gesicht. Normalerweise hatte er alles unter Kontrolle, doch diesmal war er an einen stärkeren Gegner geraten. Er schluckte schwer.

»Darf ich mir einen Whiskey nehmen?«, fragte er.

»Nein, erst antworten Sie auf meine Frage. Sie sollten sich daran gewöhnen, dass ich hier das Sagen habe. Also, Sie oder ein anderer? Und wenn, wer?«

»Was ist mit einer Zigarette?«

»Abgelehnt. Ich zähle bis zehn, dann habe ich eine Antwort, oder ich zerschieße Ihnen das rechte Knie, was in etwa so weh tun wird wie das, was Sie mit Sarahs Brust gemacht haben. Sie hat wahnsinnige Schmerzen, wissen Sie das? Natürlich, Sie wissen genau, wie man Menschen mit geringstmöglichem Aufwand die größtmöglichen Schmerzen zufügt. Das lernt man beim Verfassungsschutz. Jetzt fange ich an zu zählen ...«

»Warten Sie, ich zeige mich kooperativ. Ich bin nicht der Boss, ich bin auch nur ein Befehlsempfänger. Es gibt noch Leute über mir«, presste er durch die schmalen Lippen.

»Und wen?«

»Was werden Sie tun, wenn ich es Ihnen sage?«

»Was glauben Sie denn, was ich tun werde?«

»Sie werden mich erschießen und meine Frau auch, denn sie kennt Sie ja, sie weiß ja, dass Sie hier sind.«

»Falsch. Ich werde Sie nicht erschießen. Und machen Sie schon, ich habe meine Zeit nicht gestohlen.«

»Rüter ist der Boss für Norddeutschland, sein Vater stellt die Verbindungen von Berlin aus her. Die bringen mich um ...«

»Oder ich sie. Staatsanwalt Rüter. Ja, das klingt logisch, und danke, dass Sie die Wahrheit gesagt haben, denn Rüter ist der Mann, den ich eigentlich heute Vormittag hatte töten wollen. Ich bin aber noch nicht fertig. Erzählen Sie etwas über Hauptkommissar Henning und seine reizende Kollegin Lisa Santos. Sie kennen sie doch, oder?«

»Woher wissen Sie ...«

»Ich habe die beiden ein paarmal angerufen und sie zu Tatorten bestellt. Natürlich wissen sie nicht, wer ich bin, aber sie sind die besten Polizisten, die ich mir vorstellen kann, zumindest geht das aus den Erkundigungen hervor, die ich über sie eingeholt habe. Sie waren heute Vormittag bei Sarah und haben ihr Fragen gestellt. Wissen Sie davon?«

Albertz sah Schmidt mit flackerndem Blick an und schüttelte den Kopf, ohne etwas zu sagen.

»Sie lügen. Hören Sie auf, mit mir zu spielen, die Zeit

der Spiele ist endgültig vorbei. Sarah hat mir gesagt, dass sie Ihnen davon erzählt hat. Ich habe eine leise Ahnung, dass Sie Ihre Lakaien auf Henning und Santos hetzen werden oder es sogar schon getan haben. Korrigieren Sie mich, wenn ich etwas Falsches sage, aber ich kann mir nur schwer vorstellen, dass Sie die beiden in Ruhe lassen.«

»Mein Gott, was hätte ich denn tun sollen? Henning und Santos hatten von Rüter die Order erhalten, sich aus den Fällen zurückzuziehen, ansonsten würde dies ernsthafte Konsequenzen für sie haben. Sie ermitteln aber trotzdem weiter. Sie sind zu einer Gefahr für uns geworden ...«

»Das heißt, Sie haben Ihre Bluthunde auf sie gehetzt. Sind sie schon tot?«

»Nein, vor einer Aktion sollten sie mich unbedingt anrufen, damit ich ihnen mein Okay gebe. Sie haben bis morgen Abend Zeit, sich etwas einfallen zu lassen«, antwortete Albertz mit zittriger Stimme, während er, wie Schmidt leicht belustigt merkte, krampfhaft nach einer Lösung suchte, sein Leben zu retten.

»Gut. Namen?«

»Hauptkommissar Friedmann und sein Kollege Müller vom LKA, Drogenfahndung«, sagte Albertz mit stockender Stimme.

»Mein Gott, ich hätte es niemals für möglich gehalten, dass Sie sich so kooperativ zeigen«, sagte Schmidt anerkennend. »Ich hätte erwartet, dass Sie mich in die Irre zu führen versuchen, aber Chapeau, ich weiß Ihre Ehrlichkeit zu schätzen. Vorausgesetzt, Sie sagen mir tatsächlich die Wahrheit. Sagen Sie die Wahrheit?«

»Ja, verdammt noch mal. Glauben Sie, ich würde Sie anlügen? Ausgerechnet Sie mit der Kanone vor meinem Gesicht?«

»Nun gut. Haben Sie Ihr Handy hier?«

»Ja.«

»Dann rufen Sie Friedmann und Müller an und sagen Sie ihnen, dass sie heute Abend um neun in Kleins Haus in Mönkeberg sein sollen. Henning und Santos werden ebenfalls dort sein.«

»Wie soll ich das begründen? Sie werden Fragen stellen.«

»Sagen Sie ihnen, dass Sie die beiden angerufen haben. Weitere Fragen beantworten Sie nicht.«

»Wie Sie wünschen. Friedmann und Müller sollen also um neun in Kleins Haus in Mönkeberg sein.«

»Kennen Sie Henning und Santos persönlich? Oder anders gefragt: Hatten Sie in letzter Zeit mit ihnen zu tun?«

Albertz kaute auf der Unterlippe, er hielt Schmidts Blick nicht stand. Keine Antwort.

»Jetzt wird mir einiges klar. Natürlich kennen Sie sie. Rüter hat Ihnen von den beiden erzählt, und Sie haben Kontakt zu ihnen aufgenommen, um herauszufinden, wie weit ihre Ermittlungen gediehen sind. Sehen Sie mich an. Habe ich recht?«

»Ja.«

»Ein perfides Spiel, das Sie da gestartet haben. Sie sind sogar bereit, ein paar unbescholtene Polizeibeamte über den Jordan zu schicken. So, und nun rufen Sie zuerst Friedmann und Müller an, danach Henning und Santos. Ich warne Sie, ein falsches Wort, und Sie sind ein toter Mann. Und klingen Sie einfach wie immer.«

Albertz holte sein Handy aus der Sakkotasche und wählte Friedmanns Nummer.

»Ich bin's, Karl. Seid heute Abend um neun im Haus von Klein in Mönkeberg, die Zielpersonen werden auch dort sein. Ich habe sie unter einem falschen Vorwand dorthin bestellt. Aber hinterlasst keine Sauerei, ich verlass mich auf euch. Und vor allem keine Spuren ... Nein, ich habe ihnen gesagt, dass sie mit niemandem darüber sprechen dürfen ... Jetzt stell keine blöden Fragen, seid einfach dort und macht eure Arbeit ... Ja, wir sehen uns morgen.«

Albertz drückte die Aus-Taste und legte das Handy auf den Tisch.

»Sie sind noch nicht fertig. Henning und Santos, zack, zack!«

Albertz rief Santos an: »Albertz hier. Können wir uns heute Abend treffen? Ich hätte noch ein paar interessante Informationen für Sie ... In Kleins Haus in Mönkeberg um neun ... Bitte, ich verlasse mich auf Ihre Diskretion ... Ja, Wiederhören.«

Diesmal steckte er das Handy in seine Hemdtasche. »Zufrieden?«, fragte er mit müder Stimme, als würde er resignieren.

»Noch nicht ganz. Angenommen, Sie sterben, wer erbt das alles hier? Ihre Frau?«

»Ja, aber ...«

»Mehr wollte ich nicht wissen. Ich werde gleich aufbrechen, allerdings muss ich Sie zuvor noch darüber informieren, dass ich Sie angelogen habe. Ich hatte nicht vor, Sie am Leben zu lassen, Sie sind nämlich eine Gefahr für die Menschheit. Wissen Sie was? Es tut mir nicht im Geringsten leid ...«

»Hey, warten Sie«, stammelte Albertz mit vor Angst geweiteten Augen. »Ich will noch nicht sterben, meine Frau ist schwanger und ...«

»Andere wollten auch nicht sterben, aber Sie haben sie umgebracht oder umbringen lassen oder es zumindest einfach hingenommen. Ich sehe nicht einen Grund, Sie am Leben zu lassen. Keinen einzigen. Es ist vorbei, das war's. Boa noite, Senhor Albertz.«

Albertz wollte schreien, doch er brachte keinen Ton mehr hervor, als die beiden Schüsse kaum hörbar in seine Stirn und seine Brust drangen. Er war auf der Stelle tot. Schmidt schenkte ihm noch einen kurzen Blick, packte seine Tasche und ging nach draußen. Im Wohnzimmer fand er Roberta Albertz. Sie sah eine Gerichtsshow im Fernsehen und drehte sich um, als Schmidt den Raum betrat.

»Frau Albertz«, sagte Schmidt und trat näher. »Es tut mir leid, ich habe soeben Ihren Mann erschossen.«

»Was?«, kam es ungläubig über ihre Lippen, und die Augen waren unnatürlich geweitet. »Sind Sie wahnsinnig? Das glaube ich Ihnen nicht!«

»Doch, es musste sein …«

»Warum? Was hat er getan?«, schrie sie und wollte aufspringen, doch Schmidt richtete die Pistole auf sie und bat sie mit freundlicher Stimme, sitzen zu bleiben.

»Bleiben Sie ganz ruhig, dann wird Ihnen nichts geschehen. Ihr Mann war ein Schwerverbrecher, er hat unzählige Menschenleben auf dem Gewissen. Ich musste ihn töten, sonst hätte er ungehindert weitergemacht.«

»Was hat er getan? Er hat doch nur eine Galerie …«

»Falsch. Ihr Mann hat für den Verfassungsschutz gearbeitet und zahllose Verbrechen begangen, für die er in manch anderem Land zum Tode verurteilt worden wäre. Heute Vormittag noch hat er eine Freundin von mir auf brutalste Weise vergewaltigt und geschlagen. Es war eine seiner Spezialitäten, Schwächeren Schmerzen zuzufügen. Hat er Sie auch geschlagen und vergewaltigt?«

Roberta Albertz nickte. »Was für Verbrechen hat er begangen?«, fragte sie kaum hörbar.

»Er hat Kinder, Jugendliche und Frauen ins Land gebracht, damit sie von sogenannten Geschäftspartnern und anderen, die das nötige Kleingeld hatten, missbraucht werden konnten. Ich war am Montag auf einer solchen Auktion, die einer seiner Partner durchgeführt hat. Dieser hat vor meinen Augen eine junge Frau auf grausame Weise umgebracht«, sagte Schmidt ruhig.

»Das ist zu viel für mich. Wie soll ich Ihnen das glauben? Mein Mann war doch kein Mörder. Er hat mich geschlagen, aber das hat er schon von Anfang an getan …«

»Er hat Ihnen sicher auch gedroht, Sie zu töten, sollten Sie mit irgendjemandem darüber sprechen oder ihn verlassen. Habe ich recht?«

»Ja.«

»Und Sie sind geblieben, weil Sie Angst vor ihm hatten. Stimmt's?«

»Ja.«

»Nun sind Sie frei, machen Sie sich das bewusst! Rufen Sie die Polizei nicht vor einundzwanzig Uhr an. Sagen Sie den Beamten, dass Ihr Mann sich am Nachmittag mit einem Geschäftspartner getroffen habe, den Sie jedoch nicht zu Gesicht bekommen hätten. Sie sind früh schlafen gegangen. Als Sie gegen einundzwanzig Uhr aufwachten, sind Sie nach unten gegangen, um nach ihm zu sehen, und haben ihn in der Bibliothek gefunden. Haben Sie das verstanden?«

»Ja«, sagte sie ängstlich.

»Gut. Sollten Sie der Polizei von mir erzählen, werde ich nicht zögern, Sie zu töten. Wiederholen Sie, was ich Ihnen gesagt habe.«

»Ich rufe die Polizei um einundzwanzig Uhr an und sage, dass mein Mann tot ist. Er hat sich am Nachmittag mit einem Geschäftspartner getroffen, den ich aber nicht zu

Gesicht bekommen habe. Ich bin sehr früh schlafen gegangen, weil ich mich nicht gut fühlte, ich bin nämlich schwanger und muss mich andauernd übergeben ...«

»Das mit der Schwangerschaft und dem Unwohlsein ist sehr gut, das werden die Beamten verstehen. Fahren Sie fort.«

»Ich bin nach unten gegangen, um nach ihm zu sehen, und habe ihn in der Bibliothek gefunden. War das richtig so?«

»Völlig richtig. Bis dahin wird die Leichenstarre eingesetzt haben, und man wird von Ihnen wissen wollen, wo Sie zum Zeitpunkt des Todes Ihres Mannes waren. Schreiben Sie am besten die Sätze auf und lernen Sie sie auswendig. Dann wird Sie niemand verdächtigen.«

»Hoffentlich.«

»Keine Angst. Ihr Mann hatte unzählige Geheimnisse, und die Polizei wird auf viele Schweinereien stoßen. Irgendjemand, den Sie nicht kennen, hat ihn umgebracht. Schwangere Frauen töten ihre Männer gewöhnlich nicht. Bitte, erzählen Sie nichts von der häuslichen Gewalt, Sie haben eine vorbildliche Ehe geführt.«

»Ich schreibe es mir auf«, sagte sie, holte einen Block und notierte in Windeseile die von Schmidt vorgegebenen Sätze. Sie reichte ihm den Block, und Schmidt nickte.

»Perfekt. Damit stehen Sie nicht unter Verdacht. Außerdem wird man feststellen, dass ein Schalldämpfer benutzt wurde, und woher hätten Sie an einen solchen kommen sollen?«, sagte Schmidt lächelnd. »Sie sprechen übrigens perfekt Deutsch, mein Kompliment. Wie haben Sie das so schnell gelernt?«

»Mein Mann hat von mir verlangt, spätestens nach einem halben Jahr in Deutschland die Sprache zu beherrschen. Ich habe monatelang jeden Tag acht bis zehn Stunden gelernt. Manchmal ging es ihm nicht schnell genug, und dann … Nun, Sie wissen, wie er war, Sie wissen es wahrscheinlich noch besser als ich. Ich kannte ihn nicht, ich habe ihn nie gekannt.«

»Schon möglich. Denken Sie daran, alles, was Ihr Mann besessen hat, gehört ab sofort Ihnen, wie er mir kurz vor seinem Ableben gesagt hat. Er hat sicher mehrere Millionen Euro auf dem Konto, damit können Sie sorgenfrei leben.«

»Ist das wirklich wahr? War mein Mann wirklich ein Verbrecher?«, fragte sie noch einmal. Die Zweifel standen ihr noch immer deutlich ins Gesicht geschrieben.

»Sie haben mein Wort darauf. Als Zeichen meines Vertrauens lasse ich Sie am Leben. Enttäuschen Sie mich nicht, ich hätte Sie genauso gut auch töten können. Doch ich töte keine unschuldigen Menschen, es sei denn, sie lassen mir keine Wahl. Sie wollen doch leben, oder? Vor allem jetzt, da Sie schwanger sind.«

»Ich werde Sie nicht verraten, das verspreche ich. Wenn es stimmt, was Sie mir gesagt haben, bin ich sogar froh, dass er tot ist. Auf einmal ergibt vieles einen Sinn: seine Heimlichtuerei, dass er mir nie einen seiner Geschäftspartner namentlich vorgestellt hat … Er hat mich oft geschlagen, beinahe täglich, manchmal nur wegen Kleinigkeiten. Erst kurz bevor Sie gekommen sind, hat er mich wieder geohrfeigt, weil ich etwas gesagt habe, was ich besser für mich behalten hätte. Er verlangte bedingungslosen Gehorsam. Ich solle immer daran denken, dass er mich aus dem dreckigen Manaus ins saubere Deutschland geholt hat. Ich sollte ihm jeden Tag dankbar sein für das, was er für mich getan hat.«

»Wie haben Sie ihn kennengelernt?«

»Ich habe in einer Bar in Manaus gearbeitet … Kennen Sie Manaus?«

»Ich war schon dort, ja.«

»Er kam an mehreren Tagen hintereinander, dann lud er mich zum Essen ein und fragte mich, ob ich nicht Lust habe, in Deutschland zu leben ...« Sie schloss für einen Moment die Augen. »Deutschland, ich habe immer von Deutschland und den USA geträumt. Eines Tages wollte ich weg aus Manaus, auch wenn ich meine große Familie verlassen musste. Aber ich war jung ...«

»Das sind Sie immer noch. Sie können Ihre Familie jetzt so oft sehen, wie Sie möchten, Geld genug haben Sie.«

»Ja, das stimmt wohl. Er war kein guter Mensch, er hat mich zu Sachen gezwungen, die ich nie tun wollte. Er war brutal. Nicht nur körperlich, auch mit Worten.«

»Ich weiß. Ich wünsche Ihnen alles Gute. Ach ja, tun Sie mir und sich einen Gefallen, gehen Sie noch nicht in die Bibliothek, es ist kein schöner Anblick. Ich werde gleich verschwinden, doch vorher möchte ich noch einen Blick auf den Überwachungsmonitor werfen. Würden Sie mir zeigen, wo er sich befindet?«

»Ja. Haben Sie noch mehr Menschen umgebracht?«

»Ja. Mehr brauchen Sie nicht zu wissen. Frau Albertz, machen Sie sich keine Gedanken darüber, fangen Sie an zu leben, Sie sind noch so jung.«

Roberta Albertz führte Schmidt zu einem kleinen Raum, in dem sich zwei große Plasmamonitore befanden, die mit den Kameras am Haus und um das Grundstück verbunden waren und jeden Zentimeter bis zur anderen Straßenseite zeigten. Es war nichts Ungewöhnliches zu erkennen, die Straße lag wie ausgestorben.

»Wird alles aufgezeichnet, was wir auf den Monitoren sehen?«

»Ja.«

»Dann geben Sie mir bitte die DVDs und legen Sie keine

neuen ein, die Polizei soll denken, der Täter hat sie mitgenommen, was im Prinzip ja auch stimmt«, sagte Schmidt lächelnd.

Roberta Albertz entnahm aus neun kleinen Aufnahmegeräten die DVDs und reichte sie Schmidt.

»Danke. Machen Sie's gut, Sie haben nichts zu befürchten, wenn Sie sich an meine Anweisungen halten. Bitte, rufen Sie die Polizei nicht vor einundzwanzig Uhr an – lieber noch eine halbe Stunde später. Ja, es wäre besser, wenn Sie erst so gegen halb zehn anrufen würden.«

»Und warum?«

»Das hat einen bestimmten Grund, der Sie nicht zu interessieren braucht. Ich verlasse mich auf Sie.«

Er ging nach draußen, trat durch das Tor, blickte unauffällig nach links und nach rechts, kein Mensch und kein Auto weit und breit. Er ging gemächlichen Schrittes die Straße entlang, ein dunkelroter BMW bog um die Kurve. Er erkannte nach kurzem Hinsehen Henning und Santos und fragte sich, was sie hier machten. Egal, dachte er, ganz egal. Nur noch eine Sache, danach würde er sich zur Ruhe setzen. Er hatte genug von diesem rastlosen Leben, ein Leben, das mit so viel Tod verbunden war. Er wollte nur noch Ruhe, Ruhe, Ruhe.

DONNERSTAG, 16.10 UHR

Henning und Santos parkten in der Bismarckallee, sieben Häuser lagen in ihrem Blickfeld, und in einem davon wohnte Albertz.

»Ist schon komisch, was? Erst trifft er sich mit uns in Bruhns' Haus in Schönberg, jetzt will er, dass wir zu Klein nach Mönkeberg kommen. Der hat ein Rad ab, wenn du mich fragst. Oder er hat einen extrem schrägen Humor. Lauter Todeshäuser«, sagte Henning.

»Ich werde ihm heute mal richtig auf den Zahn fühlen. Weißt du was, Sören? Ich habe doch keinen Bock, hier rumzuhängen und auf das Haus zu stieren, das kann ich genauso gut bei uns mit der Wand machen. Komm, lass uns nach Hause fahren und die Füße hochlegen, die Nacht wird noch lang genug.«

»Einverstanden. Wahrscheinlich kommt der gar nicht nach Hause, sondern fährt gleich nach Mönkeberg. Hast du die Kombination noch im Kopf?«

»Klar, mein fotografisches Gedächtnis funktioniert noch immer. Eins, neun, zwei, acht.«

»Perfekt, vielleicht sind wir ja vor ihm dort.«

»Das ist mir gleich. Ruhen wir uns noch ein bisschen aus, ich bin ziemlich müde. Hat wohl mit den letzten Tagen zu tun. Manchmal hasse ich meinen Job.«

»Nicht nur du«, entgegnete Henning.

»Warum werden immer wir in diese Sümpfe gezogen? Warum nicht auch mal irgendwelche Kollegen? Immer nur wir.«

»Klose watet doch seit Jahren nur noch durch Sumpf. Wir werden auch wieder bessere und ruhigere Zeiten erleben.«

»Was sind bessere oder ruhigere Zeiten? Ein Mann, der seine Frau aus Eifersucht totprügelt? Ein Pärchen, das sein Kind verhungern lässt? Ein Serienkiller, der die Stadt in Angst und Schrecken versetzt? Ein …«

»Hör auf«, wurde sie von Henning unterbrochen. »Wir haben uns diesen Beruf ausgesucht, und wir werden ihn weitermachen. Wenn das hier alles vorbei ist, nehmen wir uns ein paar Tage frei und fliegen irgendwohin.«

Lisa Santos lachte auf. »Wann, glaubst du, ist es vorbei? Das kann noch Wochen oder Monate so weitergehen.«

»Normalerweise bin ich ja der Pessimist von uns beiden, aber nun denke ich mal positiv: Wir werden Albertz nachher klipp und klar unsere Meinung sagen und fertig. Wir ziehen uns zurück, und keiner kann uns zum Weitermachen zwingen. Nicht einmal Albertz. Wir sind bei der Mordkommission und haben weder etwas mit dem Verfassungsschutz noch mit irgendeiner anderen dubiosen Organisation etwas zu tun. Okay?«

Santos antwortete nichts, schweigend fuhren sie nach Hause.

Dort tranken sie Tee, aßen ein paar Plätzchen und ruhten sich aus. Um halb acht ging Lisa ins Bad, um zu duschen und sich umzuziehen. Nach zwanzig Minuten kam sie wieder heraus, Henning duschte ebenfalls. Nach dem Abendessen überprüften sie ihre Waffen. Sie waren bereit für das Treffen mit Albertz.

Um zwei Minuten nach neun erreichten sie Kleins Haus in Mönkeberg. Das Tor war nur angelehnt, so wie tags zuvor bei Bruhns. Sie gingen auf das Haus zu und durch die ebenfalls nur angelehnte Tür. Sie stiegen die Treppe hinauf und gelangten in den Raum, in dem sie Kleins Leiche vorgefunden hatten. Sie waren allein.

Hans Schmidt rief Sarah an.

»Ich bin's«, sagte er nur.

»Wie geht es dir?«

»Gut. Ich habe heute noch etwas vor, werde aber am späteren Abend vorbeikommen …«

»Hast du mit Albertz gesprochen?«, fragte sie aufgeregt.

»Nicht nur gesprochen. Albertz weilt nicht mehr unter den Lebenden. Er wird dir nie wieder etwas antun.«

»Du bist wahnsinnig. Was hast du mit seiner Frau gemacht?«

»Sie lebt. Ich habe lange mit ihr gesprochen, sie ist keine Gefahr, aber das erzähle ich dir alles nachher. Nur so viel – du brauchst dir keine Sorgen zu machen.«

»Das sagst du so. Ich mache mir aber welche.«

»Dann lenk dich ab, wie ich es dir geraten habe. Wenn ich keine Angst habe, brauchst du erst recht keine zu haben. Wir sehen uns später, wann genau, kann ich nicht sagen.«

»Pass auf dich auf, bitte.«

»Das tu ich immer. Nur so konnte ich die letzten fünfundzwanzig Jahre überleben. Ich habe schon schwierigere Situationen durchgestanden. Bis nachher.«

Er legte auf, besah sich im Spiegel und sagte leise: »Nach heute Abend hörst du endgültig auf. Endgültig.«

Schmidt legte sich auf das Bett und schloss die Augen. Um Punkt acht fuhr er als Pierre Doux verkleidet nach Mönkeberg, er wollte als Erster auf dem Grundstück sein.

Henning und Santos standen in dem großen, kalten Raum und sahen sich fragend an. Es war, als würden sie beobachtet, aber sie wussten nicht, von wo.

»Herr Albertz?«, rief Santos, keine Antwort.

»Herr Albertz?«, rief sie noch einmal, wieder keine Antwort.

Sie fröstelte und legte die Hand an die Waffe, ohne sie zu ziehen. Henning tat es ihr gleich, sie drehten sich einmal im Kreis – niemand.

»Irgendetwas stimmt hier nicht«, flüsterte Santos. »Wir sollten so schnell wie möglich von hier verschwinden.«

»Keine Chance«, sagte mit einem Mal eine Stimme hinter ihr, die sie kannte, aber nicht zuordnen konnte. »Die Hände schön hinter den Kopf und ganz langsam umdrehen.«

Henning und Santos blickten in die Gesichter und Pistolenläufe von Friedmann und Müller.

»Was soll das?«, fragte Henning und versuchte, so ruhig wie möglich zu klingen.

»Tja, was soll das?«, wiederholte Friedmann grinsend. »Was glaubt ihr wohl, was das soll? Wir haben den Auftrag, euch von der Bildfläche verschwinden zu lassen. Ihr habt eure Nase in Dinge gesteckt, die euch nichts angehen, und dafür zahlt ihr jetzt den Preis. Ihr hättet aufhören sollen, als noch Zeit dafür war.«

»Hat Albertz euch beauftragt?«

»Und wenn?«

»Dann lasst euch gesagt sein, dass wir uns gestern Abend mit ihm getroffen haben und er uns Folgendes gesagt hat: Ihr seid Schmeißfliegen, ihr habt schon mehrere Morde begangen, und wir sollen euch beseitigen«, sagte Henning ruhig, auch wenn die Angst ihm fast die Kehle zuschnürte. Er wollte noch nicht sterben, er wollte nicht erschossen werden, schon gar nicht von Kollegen, nicht von Kameradenschweinen.

»Schön«, erwiderte Friedmann immer noch grinsend, »dann hat er sich's eben anders überlegt. Außerdem, ihr kennt Albertz nicht, er würde uns niemals über die Klinge springen lassen, wir sind sein Team. Albertz spielt gerne, man sollte seine Worte nicht auf die Goldwaage legen. Was glaubt ihr, wie viele er schon reingelegt hat? Oder wieso glaubt ihr, hat er uns geschickt und ist nicht selbst gekommen? Hm, warum wohl? Weil er sich nicht selbst die Hände schmutzig macht, dafür hat er ja uns. Schließlich gibt es auch Seife. Aber wir sind nicht hier, um nett zu plauschen, mein Partner und ich haben einen langen und anstrengenden Tag hinter uns und wollen nur noch nach Hause.«

»Wie viel bekommt ihr dafür?«

»Wofür?«

»Dass ihr uns umlegt?«, fragte Santos, die zwar den schwarzen Gürtel in Karate besaß und eine ausgezeichnete Nahkampfausbildung genossen hatte, aber zu weit weg von Friedmann und Müller stand, um etwas unternehmen zu können. Seltsamerweise hatte sie keine Angst, sie fixierte die gut drei Meter entfernt stehenden Männer und versuchte, in ihren Gesichtern zu lesen und eine Taktik anzuwenden, die sie bei ihrer Ausbildung gelernt hatte – sich so zu nähern, dass die Angreifer es nicht merkten.

»Was geht euch das an?«

»Ihr könnt's uns doch sagen, wir werden es ja niemandem mehr verraten. Uns hat er jeweils fünfzigtausend angeboten, wenn wir euch das Licht ausblasen.«

»Du spinnst, Schnucki. So viel würde er nie springen lassen, außer für …«

»Für was? Oder wen?«, hakte Santos nach.

»Einen richtig guten Auftragskiller. Zufrieden?«

»Dann hat er seine Meinung eben geändert. Fragt ihn doch, oder fehlt euch dazu der Mut?«

»Nee, nee«, sagte Friedmann, der auf Santos' Taktik nicht hereinfiel, »ich brauch ihn nicht anzurufen, wir arbeiten seit zehn Jahren für ihn und kennen ihn garantiert besser als ihr.«

»Okay, wie viel kriegt ihr denn jetzt?«

»Zwanzigtausend für jeden, Schnuckiputz«, antwortete Müller mit einem noch breiteren Grinsen als Friedmann.

»Zwanzigtausend, mein Gott, das ist ja ein Spottpreis. Ihr hättet wenigstens handeln sollen. Ich denke, Sören und ich sind mindestens das Doppelte, wenn nicht das Dreifache wert. Für zwanzigtausend hätte ich euch nicht umgebracht. Aber ihr scheint bescheiden zu sein. Nun, wie heißt es doch so schön – Bescheidenheit ist eine Zier, doch weiter kommt man ohne ihr.«

Henning wunderte sich über die Gelassenheit, die Santos an den Tag legte, und bewunderte sie dafür. Das Einzige, was ihn ein wenig versöhnte, war, dass sie gemeinsam in den Tod gingen, denn er sah nicht die geringste Möglichkeit, lebend aus dieser Situation herauszukommen.

»Liebe Lisa, du kannst noch so viel reden, wir werden dich und deinen Stecher trotzdem ins Jenseits befördern. Aber um ganz ehrlich zu sein, ich hätte dich auch gerne mal so richtig durchgenudelt«, sagte Müller.

»Das hättest du nicht überlebt«, erwiderte sie kühl.

»Ich weiß, dass du eine hervorragende Ausbildung genossen hast, wie wir auch. Was glaubt ihr, wieso wir schon so lange in dem Geschäft sind? Weil wir schlauer sind als die meisten. Warum habt ihr euch nicht aus dem Fall rausgehalten, wie Rüter angeordnet hat? Ihr könntet ein sorgenfreies Leben führen. Jetzt ist es zu spät ...«

»Für wen?«, kam eine Stimme aus dem Nichts, Friedmann drehte sich abrupt um, während Müller weiterhin die Waffe auf Henning und Santos gerichtet hatte.

»Wer ist da?«, fragte Friedmann nervös, der niemanden erkennen konnte.

»Ich!« Bevor Friedmann etwas erwidern konnte, trafen ihn zwei Kugeln in Kopf und Brust, woraufhin Müller sich umdrehte und nur Sekunden später neben Friedmann zu Boden fiel, die Augen weit aufgerissen.

»Machen Sie jetzt keinen Fehler«, sagte Hans Schmidt alias Pierre Doux, »und nehmen Sie die Hände von Ihren Waffen. Ich bin gekommen, um Ihnen zu helfen. Albertz ist tot, ich habe ihn vorhin erschossen. Seine Frau weiß nichts davon, er sitzt wahrscheinlich noch immer in seiner Bibliothek, während seine schwangere Frau im Bett liegt. Sie hat mit der ganzen Sache nichts zu tun.«

»Sie sind der anonyme Anrufer«, sagte Santos mit zusammengekniffenen Augen. Es war keine Frage, sondern eine Feststellung, denn sie hatte den Fremden an der Stimme erkannt.

»Ja. Ich wollte, dass Sie erfahren, was in diesem Land vor sich geht. Ich denke, nun wissen Sie Bescheid. Nehmen Sie Ihre Pistolen ganz vorsichtig aus dem Halfter, legen Sie sie auf den Boden und schieben Sie sie zu mir. Bleiben Sie noch fünf Minuten hier, Ihre Waffen lege ich draußen ans Tor.«

Henning und Santos folgten der Aufforderung, Schmidt

nahm die Pistolen an sich und steckte sie in seine Mantel-taschen.

»Noch etwas sollten Sie wissen. Oberstaatsanwalt Rüter ist einer der Köpfe der Organisation. Machen Sie ihn fertig, denn dies hier war mein letzter Auftritt …«

»Wie sollen wir das anstellen?«, fragte Santos.

»Jemanden wie Rüter kann man nur mit seinen eigenen Waffen schlagen. Denken Sie darüber nach, dass Rüter nur auf den Sessel seines Vorgängers gelangen konnte, weil dieser wegen eines Verbrechens, das er nicht begangen hat, nicht nur seines Amtes, sondern auch seiner Würde beraubt wurde. Er hat alles verloren durch Rüter … Ich denke, das sollte reichen. Manchmal muss man Grenzen überschreiten, um ans Ziel zu gelangen. Und auch mal das Gesetz Gesetz sein lassen. Rüter junior ist allerdings nicht das einzige Problem, sein Vater ist ein noch größeres. Nur, der sitzt in Berlin und an den ist kein Rankommen. Es sei denn, Sie haben Kollegen, die … Aber ich will Ihnen keine Vorschläge machen, Sie wissen bestimmt selbst, was zu tun ist. Es war mir eine Ehre, Sie kennengelernt zu haben, von nun an werden Sie nie wieder von mir hören. Alles Gute.«

»Sie sind ein Auftragskiller …«

»Ja, aber glauben Sie mir, ich habe nur Menschen getötet, die selbst Blut an den Händen hatten, leider gibt es zwei Ausnahmen, um die es mir sehr leidtut. Ich bin nicht stolz auf das, was ich getan habe, das versichere ich Ihnen, aber ich kann die Zeit nicht zurückdrehen. Jetzt muss ich gehen. In fünf Minuten dürfen Sie rauskommen, dann bin ich über alle Berge. Adios.«

»Eine Frage noch, wenn Sie sich schon so gut auskennen …«

»Machen Sie schnell.«

»Der Verfassungsschutz, ist das wirklich so übel bei denen?«

»Nein. Albertz und Konsorten haben sich hinter dem Verfassungsschutz versteckt. Natürlich läuft da nicht alles koscher ab, aber im Grunde ist es eine notwendige und auch saubere Institution. Schwarze Schafe finden Sie überall, siehe Friedmann und Müller. Lassen Sie die beiden hier liegen, irgendwer wird sie irgendwann finden. Sagen Sie niemandem, dass Sie heute Abend hier waren, oder haben Sie es schon getan?«

»Nein, nicht einmal unser Vorgesetzter weiß davon«, beeilte sich Santos zu versichern.

»Gut, dann belassen Sie's auch dabei.«

»Bitte, noch eine einzige Frage, dann lasse ich Sie in Ruhe«, sagte Santos.

»Schießen Sie los.«

»Die Fremd-DNA, woher haben Sie die?«

Schmidt lächelte. »Sie stammt von einer Frau, die ich sehr gut kannte. Sie ist leider vor einigen Jahren auf recht grausame Weise ums Leben gekommen. Die Worte Ihres Innenministers waren nur heiße Luft, wie das meiste, was Politiker so von sich geben.«

Er ließ weder Henning noch Santos die Gelegenheit, etwas zu erwidern, und tauchte so lautlos im Dunkeln unter, wie er gekommen war.

Henning und Santos fielen sich in die Arme, beide hatten Tränen in den Augen, die Anspannung der letzten Minuten löste sich. Sie hielten sich lange umarmt, bis Henning das Schweigen durchbrach. »Ist dir klar, was hier eben abgelaufen ist? Der Auftragskiller, hinter dem wir her waren, hat uns das Leben gerettet. Ich glaube, das werde ich bis ans Ende meines Lebens nicht begreifen.«

Santos wischte sich die Tränen ab. »Es ist ein Alptraum. Wir wären beinahe erschossen worden, wenn der Typ nicht aufgetaucht wäre. Ausgerechnet der!«

»Weißt du was, mir ist scheißegal, wer uns das Leben gerettet hat, Hauptsache, wir leben. Sind die fünf Minuten um?«

»Keine Ahnung, lass uns gehen. Der ist sowieso längst über alle Berge. Ich sollte mal wieder in die Kirche gehen und eine Kerze anzünden«, fügte Santos hinzu, während sie an Friedmann und Müller vorbeigingen, die in ihrem Blut auf dem kalten Marmorboden lagen.

»Uns ist das Leben noch einmal geschenkt worden, wir sind Glückskinder.«

»Das sind wir. Gehen wir noch was trinken? Einen feinen Wein?«

»Was immer du willst.«

»Dann weiß ich schon, wohin wir fahren. Ich hatte solche Angst, mir zittern jetzt noch die Knie«, sagte Santos.

»Das hat man dir aber nicht angemerkt.«

»Das ist die Ausbildung. Angst haben, sie aber andere nicht spüren lassen. Kein Wort darüber zu Volker.«

»Sowieso nicht, der hat wahrlich andere Sorgen. Glückskinder, mein Gott, was hatten wir für ein Glück.«

Sie fanden ihre Pistolen vor dem Tor, wie Schmidt ihnen versprochen hatte. Henning zog das Tor hinter sich zu, und sie stiegen in den roten BMW. Santos fuhr nach Kiel und hielt vor einem Restaurant, wo es nicht nur gutes Essen, sondern auch Weinspezialitäten aus aller Welt gab.

Sie bestellten sich jeder einen Teller Spaghetti mit Scampi und einen französischen Rotwein, von dem eine Flasche fast hundert Euro kostete, doch an diesem Abend achteten sie nicht auf den Preis. Sie feierten, obwohl ein schaler Beigeschmack blieb, wenn sie an den Auftragskiller, das

Phantom, dachten, der ihnen in einer ausweglosen Situation beigestanden hatte. Letztlich war es unwichtig. Es ging ihnen gut, und das war die Hauptsache.

Wieder zu Hause, lag Santos lange in Hennings Arm, sie konnten beide nicht einschlafen. Sie unterhielten sich über vieles, nur nicht über das, was sie in den letzten Stunden erlebt hatten. Ein andermal vielleicht, wenn sie das Geschehene besser würden einordnen können. Sie hörten Musik, tranken einen aromatischen Früchtetee und wollten nur noch abschalten.

Irgendwann würde wieder der normale Alltag einkehren, die Suche nach Vermissten, die Jagd nach einem Mörder, der seine Frau oder ein Kind umgebracht hatte, ein Metier, in dem sie sich besser auskannten als im Bereich der organisierten Kriminalität und den Machenschaften von Wirtschaft und Politik. Und sie hofften, nie wieder ein solches Phantom jagen zu müssen.

Jetzt blieb nur noch eins zu tun: Rüter zu kippen.

DONNERSTAG, 22.50 UHR

Hans Schmidt betrat Sarah Schumanns Haus, ohne sie vorher angerufen zu haben. Er hatte eine halbe Stunde mit Maria telefoniert und ihr mitgeteilt, dass er spätestens am Montag wieder in Lissabon sein werde.

»Du lebst!« Sarah küsste und umarmte ihn herzlich. Sie hatte Tränen in den Augen.

»Warum sollte ich nicht? Es ist alles vorbei, ich habe getan, was getan werden musste, und jetzt ist die Polizei am Zuge. Du hast ja die Kommissare Santos und Henning kennengelernt. Sie sollten heute Abend in eine Falle laufen, die Albertz ihnen gestellt hat. Ich habe ihre gedungenen Killer rechtzeitig und ein für alle Mal zum Schweigen gebracht. Jetzt gibt es nur noch einen, dem der Kopf abgeschlagen werden muss – Oberstaatsanwalt Rüter. Nun, eigentlich müsste auch sein alter Herr dran glauben, aber der sitzt in Berlin im Bundestag. Doch das alles ist jetzt Sache der Polizei, obwohl ich Rüter junior eigentlich heute Vormittag übernehmen wollte.«

»Komm rein und erzähl mir alles in Ruhe.«

Hans Schmidt berichtete ihr vom Nachmittag und Abend und sagte schließlich: »Du brauchst vor niemandem mehr Angst zu haben, alle, die dir etwas antun könnten, sind tot oder bald ihres Amtes enthoben. Du bist frei und kannst tun und lassen, was du willst.«

»Schön, wirklich schön«, sagte sie, doch ihr Blick war traurig.

»Du freust dich ja gar nicht.«

»Doch, schon, aber was soll ich mit dieser neuen Freiheit anfangen? Ich habe niemanden, nicht einmal eine beste Freundin.«

»Du hast deine Töchter und deine Enkel. Sie sind jetzt genauso frei wie du. Keiner braucht sich mehr zu verstecken.«

»Und du gehst zurück zu Maria und wirst mich allmählich vergessen.«

»Nein, ich werde dich nie vergessen. Ich habe dir auch schon gesagt, dass du jederzeit herzlich willkommen bist. Wir werden uns noch oft sehen.«

»Werde ich dich auch spüren?«, fragte sie und legte den Kopf an seine Schulter.

»Ich weiß es nicht, vielleicht. Ich will Maria nicht weh

tun, aber mein Leben wird sowieso nie gerade verlaufen …
Ich liebe sie über alles, aber ich liebe auch dich.«

»Ehrlich?«, fragte sie etwas ungläubig, und doch war da
ein Funkeln in ihren Augen.

»Ehrlich. Du weißt, ich mag kein Pathos, aber ich kenne
dich zu lange, als dass ich jetzt einen radikalen Schnitt
machen könnte. Versuch jedoch nie, mich für dich allein
zu gewinnen, dann bin ich weg.«

»Das würde ich nie tun. Danke, dass du mir das gesagt
hast, es gibt mir Hoffnung. Wie lange wirst du noch in
Kiel bleiben?«

»Sonntag, vielleicht Montag.«

»Ich würde mich freuen, wenn wir die Zeit gemeinsam
verbringen könnten. Danach werde ich für eine längere
Zeit unterwegs sein, Atlanta und Auckland. Was hält
mich hier? Anschließend komme ich nach Lissabon,
einen guten alten Freund besuchen. Ich will schließlich
seine Angebetete kennenlernen.«

»Ich bete sie nicht an, ich liebe sie. Und ich werde sie
heiraten.«

»Ich weiß. Und doch wirst du immer ein Teil von mir
sein. Bleibst du heute Nacht?«

»Wenn du nichts dagegen hast«, antwortete Schmidt
schmunzelnd.

»Schön. Ich bin so froh, dass alles vorbei ist.«

»Ich auch. Ich habe mir geschworen, nie wieder eine Waffe anzurühren. Ich werde sie alle wegschließen und nur
noch für meine Restaurants da sein und Expertisen erstellen. Ich mag und kann so nicht mehr weiterleben.«

»Das klingt wunderbar. Du hast noch so viele Jahre vor dir
… Weißt du was, ich koche uns einen Tee, und wir reden
einfach. Einfach nur so über dies und das. Einverstanden?«

»Einverstanden.«

FREITAG

Die Meldung vom KDD traf um Viertel nach acht ein. Ein gewisser Karl Albertz war am Abend zuvor um kurz vor halb zehn von seiner Frau tot in der Bibliothek gefunden worden. Zwei Einschüsse in Kopf und Brust. Er war laut Arzt sofort tot gewesen.

»Sollen wir uns darum kümmern?«, fragte Henning.

»Aber nur kurz. Wir vernehmen die Frau und damit basta. Wir wissen ja, was abgelaufen ist. Vorher will ich bei Klose und bei Noll vorbeischauen.«

»Was willst du von denen?«

»Erinnerst du dich nicht an die Worte unseres Unbekannten von gestern Abend?«, fragte Santos und lächelte vielsagend.

»Ich frage mich, wie wir das anstellen sollen.«

»Das werden andere für uns erledigen. Rüter darf nicht ungestraft davonkommen. Wenn der Kopf abgeschlagen ist, kehrt zumindest für eine Weile Ruhe ein. Denk daran, es geht um Kinder und Frauen. Nur werden wir bei den Aktionen nicht in Erscheinung treten. Unsere Namen werden nicht einmal erwähnt werden. Rüter wird mit seinen eigenen Waffen geschlagen, das Letzte, womit er rechnet. Ein Bauerntrick.«

»Wenn du meinst, dass das funktioniert«, sagte Henning zweifelnd.

»Es wird funktionieren. Ich kann mir nicht vorstellen, dass Noll und Klose uns ihre Hilfe verweigern. Lass es uns wenigstens versuchen.«

Sie verbrachten den Vormittag erst bei Noll, dann bei Klose, die beide ihre Kooperation zusicherten. Letzterer verlangte, dass Henning und Santos sich aus allem heraushalten sollten. Sie versprachen es, denn sie wollten nichts, als Rüter die Macht zu nehmen. Er sollte sehen, wie es ist, wenn man alles verliert. Sie hofften, dass alles so laufen würde, wie es von den anderen geplant wurde. Denn wie sagte Henning vor nicht allzu langer Zeit: Die Hoffnung stirbt zuletzt.

Am Abend desselben Tages standen sechs Beamte vor Rüters Tür. Sie hielten ihm den richterlichen Beschluss vor die Nase und begannen mit der Durchsuchung seines Privathauses. Der Oberstaatsanwalt gab sich anfangs ruhig, dann wurde er hektisch und lief wie ein hungriger Tiger durchs Haus, schließlich brüllte er die Beamten an, die ungerührt ihre Arbeit verrichteten. Klose versteckte in einem unbemerkten Augenblick mehrere Tütchen Kokain und bat anschließend darum, den Drogenspürhund aus dem Einsatzwagen zu holen.

Die Aktion war ein voller Erfolg: Sowohl in Rüters Haus als auch in seinem Büro wurden zwölf Tütchen Kokain gefunden, auf seinem Bürocomputer zudem mehrere hundert Fotos mit kinderpornografischem Inhalt. Er hatte keine Erklärung dafür und beschimpfte die Beamten aufs Übelste. Er wurde umgehend vom Dienst suspendiert und in Untersuchungshaft genommen, wo er drei Wochen verbrachte.

Im August fand der Prozess statt, ihm wurde das Recht auf jegliche juristische Tätigkeit auf Lebenszeit aberkannt, zudem wurde er zu zwei Jahren Haft auf Bewährung verurteilt. Nach der Urteilsverkündung stieß

Rüter wüste Drohungen aus, die ungehört verhallten. Der Kopf der Organisation in Schleswig-Holstein war abgeschlagen worden, und es war fraglich, ob es in naher Zukunft einen neuen geben würde. Doch da war noch ein anderer, mächtigerer Kopf, und der wurde nicht einmal angetastet – Rüter senior.

Bruhns, Steinbauer, Klein, Freier und Albertz waren tot, Rüter unschädlich gemacht. Aber alle beteiligten Beamten wussten, es würde einen neuen Bruhns, eine neue Steinbauer, einen neuen Klein, einen neuen Freier und einen neuen Albertz geben. Und es würde auch einen neuen Rüter geben – irgendwann. Das organisierte Verbrechen war wie eine Hydra, der stets neue Köpfe nachwuchsen, wie viele man auch abschlug. Und Rüter junior hatte nach dem milden Urteil genügend Zeit, die Organisation neu zu strukturieren. Man würde ihn im Auge behalten.

Hans Schmidt verließ Kiel am Montag, den 16. März, um zurück nach Lissabon zu fliegen. Der Abschied war lang und von Sarahs Seite aus hoch emotional, als sich Sarah Schumanns und sein Weg am Hamburger Flughafen trennten. Sie flog nach Frankfurt, um nur zwei Tage später zu ihrer älteren Tochter nach Atlanta aufzubrechen und dort vier Wochen im Kreis ihrer Familie zu verbringen. Anschließend führte sie ihr Weg zu ihrer zweiten Tochter nach Auckland in Neuseeland. Es war eine schöne Zeit, die viel zu schnell zu Ende ging.

Von Auckland reiste sie nach Lissabon, um endlich die Frau an Hans Schmidts Seite kennenzulernen. Eine bildhübsche junge Frau, für die sie nur Bewunderung übrighatte. Sie verstand auf den ersten Blick, warum Hans Schmidt sich in sie verliebt hatte. Frauen wie Maria gab es nur wenige auf der Welt.

Sarah Schumann wohnte im Sheraton, sah Hans Schmidt aber jeden Tag, zwei Wochen lang. Er war noch immer ein Wanderer zwischen den Welten, eine Eigenschaft, die er niemals ablegen würde. Er liebte zwei Frauen, und keiner von ihnen wollte er weh tun.

Er hatte seinen »Job« endgültig an den Nagel gehängt und alle Dinge, die mit Töten zu tun hatten – Pistolen, Gewehre, Messer, Gifte –, weggeschlossen. Die Vergangenheit ließ sich nicht wegschieben, aber er hatte kein schlechtes Gewissen. Er hatte doch nur Aufträge ausgeführt, Aufträge, nichts als Aufträge. Er schämte sich nicht, ausgenommen für die Morde an Julianne Cummings und dem Mädchen, das bei Manfred Schumann gewesen war. Hans Schmidt war ein reicher Mann geworden. Und er war erst siebenundvierzig Jahre alt. Doch ab sofort wollte und würde er nur noch das tun, was ihm wahre Freude bereitete, auch wenn er viele Jahre nicht gewusst hatte, wie wahre Freude aussah, bis er Maria kennenlernte.

Er wollte anderen Freude bereiten, in allererster Linie Maria, seiner Maria, die er am ersten August heiraten würde. So hatten sie es abgesprochen. Als Schmidt ihr unmittelbar nach seiner Rückkehr aus Kiel den Antrag machte – auf Knien, wie es sich gehörte – und ihr den Verlobungsring an den Finger steckte, weinte sie vor Glück, umarmte ihn und sagte, dies sei der schönste Tag ihres Lebens. Ein noch schönerer Tag würde der erste August werden, wenn sie nicht mehr nur Gonzalez, ein Name, auf den sie stolz war, sondern Schmidt-Gonzalez heißen würde – Maria Schmidt-Gonzalez, darauf hatte Schmidt bestanden. Und er würde sich Hans Schmidt-Gonzalez nennen.

Er wollte auch Sarah Schumann nicht vernachlässigen, denn er kannte sie schon viel zu lange, als dass er sie aus seinem Leben hätte streichen können. Ohne sie wäre er nie geworden, was er war. Ohne sie hätte er es nie zu diesem materiellen Wohlstand gebracht, ohne sie wäre sein Leben ganz anders verlaufen. Wahrscheinlich langweilig, eintönig, dumpf. Maria durfte von ihr wissen, doch sie würde nie erfahren, welch bedeutende Stellung Sarah Schumann seit dem 12. Oktober 1984 in seinem Leben einnahm. Eine Frau wie Sarah hatte es nicht verdient, fallengelassen zu werden.

Am 6. Juli 2009 betrat Maria ein exklusives Brautmodengeschäft, um sich ein Hochzeitskleid anfertigen zu lassen. Sie wurde von ihrer Mutter und ihrer drei Jahre älteren Schwester, die schon seit zwölf Jahren verheiratet war und vier Kinder hatte, begleitet. Nach langen Beratungen fanden sie ein Modell, das allen gleichermaßen gut gefiel, züchtig und doch ein wenig frivol. Über fünf Stunden hatten sie sich dort aufgehalten, und als sie sich voneinander verabschiedeten, wurde Maria von ihrer Mutter und ihrer Schwester herzlich umarmt.

Sie war glücklich, als sie sich auf den Weg nach Hause machte, denn sie konnte sich nichts Schöneres vorstellen, als den Rest ihres Lebens mit Hans Schmidt zu verbringen, obwohl sie wusste, die Wahrscheinlichkeit, dass er vor ihr sterben würde, war groß. Sehr groß. Doch darüber wollte sie jetzt nicht nachdenken.

Es war noch früher Nachmittag und sie nur noch wenige hundert Meter von zu Hause entfernt, als sie beschloss, einen Ausflug nach Estoril zu machen, einem mondänen und doch pittoresken Küstenort etwa fünfundzwanzig Kilometer westlich von Lissabon. Sie wollte sich das Haus ansehen, das Hans Schmidt erst vor einem Monat gekauft hatte und das er gerade umbauen ließ. Sie hatte die Musik im Auto laut aufgedreht, das Schiebedach und beide Seitenfenster waren geöffnet, ihre Haare wehten im Fahrtwind. Sie fuhr schnell, schneller als erlaubt, denn sie wollte spätestens um achtzehn Uhr wieder zu Hause sein, um den Abend mit ihrem zukünftigen Mann zu verbringen. Das Ortsschild war bereits in Sichtweite, als wie aus dem Nichts ein Lkw aus einer Seitenstraße kam. Der Fahrer missachtete die Vorfahrt, Maria trat mit aller Kraft auf das Bremspedal und versuchte auszuweichen, doch es war zu spät. Sie raste unter die Ladefläche, der obere Teil des Wagens wurde bis zur Motorhaube abgerissen. Sie hatte keine Chance gehabt.

Laut Polizei war Maria auf der Stelle tot gewesen. Der Fahrer, ein älterer Mann, war angetrunken und wurde noch an der Unfallstelle festgenommen.

Als Hans Schmidt von Marias Tod erfuhr, wurde alles in ihm zu Eis. Erst als die Polizisten, die ihm die Nachricht überbracht hatten, gegangen waren, sank er zu Boden, vergrub das Gesicht in den Händen und schluchzte.

Er war nie in der Lage gewesen, Emotionen offen zu zeigen, sein Leben war von Disziplin und Selbstbeherrschung geprägt gewesen. Er hatte unzählige Masken getragen, daran würde sich auch in Zukunft nichts ändern. Er trauerte still und klagte stumm Gott und die Welt an: »Warum Maria? Warum ausgerechnet sie? Warum nicht ich? Sie hat doch niemals auch nur einem Menschen weh getan! Warum sie, warum sie, warum sie? Warum nicht ich? Warum Maria und nicht ich? Warum, warum, warum?«

Auf all diese Fragen erhielt er keine Antwort. War es Schicksal, Zufall oder Fügung, dass ausgerechnet die Frau, die er am meisten liebte, so früh sterben musste? War es die Strafe für das, was er anderen Menschen über so viele Jahre hinweg angetan hatte? Warum wurde er ausgerechnet jetzt, da er sich von seinem alten Leben verabschiedet hatte, so hart bestraft? Warum war Maria so bestraft worden? Warum ihre Eltern und Geschwister? Warum hatte Maria sich überhaupt zu dem Ausflug nach Estoril entschlossen? Sie hatten doch vorgehabt, am nächsten Tag zusammen dorthin zu fahren, um zu sehen, wie weit die Bauarbeiten gediehen waren. Warum war sie gefahren, warum hatte sie nicht warten können? Er wusste, er würde es nie herausfinden. Eins war gewiss: Er würde für den Rest seines Lebens unter diesem Verlust leiden, still und unbemerkt, wie er seit dem Tod seiner Eltern gelebt hatte.

Den Abend und die Nacht nach Marias Tod verharrte er beinahe regungslos vor dem Kamin, der nie in Betrieb genommen worden war, ein wunderschöner Kamin, so, wie Maria ihn sich gewünscht hatte. Leise Fado-Musik, traurig und melancholisch, spielte, während Hans Schmidt die vergangenen Jahre mit Maria Revue passieren ließ und sich immer wieder die quälende Frage nach dem Warum stellte. Warum hatten sie sich kennengelernt, warum hatte er sich in sie verliebt, warum musste sie so früh sterben?

Mitten in der Nacht machte er Feuer. Er zog sich nackt aus, legte sich vor den Kamin und starrte in die Flammen. Als der Morgen anbrach, nickte er ein und wachte bereits zwei Stunden später wieder auf. Er trank eine Tasse Pfefferminztee und aß eine Banane, mehr brachte er nicht hinunter. Danach rief er Sarah Schumann an und berichtete ihr von dem Unglück.

Sie setzte sich in den nächsten Flieger, um ihm in dieser schweren Zeit zur Seite zu stehen, auch wenn es heimlich geschehen musste, weshalb sie wieder im Sheraton-Hotel abstieg. Er war froh, sie an seiner Seite zu wissen, obwohl auch Marias Eltern für ihn da waren und mit ihm litten, weinten und klagten und er ihnen nicht zeigen durfte, dass es noch eine andere Frau in seinem Leben gab. Es war ein unsichtbares, unzertrennliches Band, das ihn und Sarah Schumann seit fünfundzwanzig Jahren verband und das jetzt noch fester zu werden schien. Und doch verfluchte er seit Marias Tod sein Leben. Er verfluchte sich und seine Herkunft, er verfluchte alles, sogar Gott. Nur Sarah nicht.

Er ließ die Bauarbeiten in Estoril einstellen und verkaufte das Haus am Meer ebenso wie seine Villa in Lissabon. Zusammen mit Sarah Schumann zog er im September nach Nizza, wo sie beide ein Haus besaßen. Auch dort hatte er einen geheimen Raum, in dem er sämtliche Waffen und Unterlagen unterbrachte. Vielleicht würde der Tag kommen, an dem er die Waffen wieder herausholte. Vielleicht würde aus Hans Schmidt wieder Pierre Doux, Henry Jones, Martin Sanchez oder Michail Petrow werden.

Er schwor sich, niemals wieder einen Fuß auf portugiesischen Boden zu setzen. Er würde ein neues Leben beginnen, doch der Schmerz würde bleiben, solange er lebte. Schmerz, Hass, Wut und Zorn. Maria war die einzige wahrhaft große Liebe in seinem Leben gewesen, und es gab niemanden, der sie jemals würde ersetzen können, auch nicht Sarah Schumann.

Für Lisa Santos und Sören Henning hatte schon bald wieder der normale Alltag begonnen. Einzig der Tod von Marion Harms riss sie aus dieser Routine heraus. Anfang Mai schlief sie friedlich ein, vollgepumpt mit Medikamenten und in den letzten Wochen ihres Dahinsiechens nicht mehr ansprechbar. Volker hatte die meiste Zeit bei ihr verbracht, zweiunddreißig Jahre Ehe konnte er nicht einfach ausblenden. Er hatte sie geliebt, und nun trauerte er. Nach ihrem Tod und ihrer Beerdigung nahm er sich zwei Monate Urlaub und flog ans andere Ende der Welt, nach Australien. Abschalten, nachdenken, sich besinnen und zur Ruhe kommen.

Lisa Santos besuchte wieder regelmäßig ihre Schwester im Pflegeheim, diese immer noch so hübsche Frau, die ein solch grausames Schicksal erlitten hatte. Vergewaltigt von mehreren Männern, fast zu Tode geprügelt und erst im letzten Augenblick gerettet. Doch es war zu spät gewesen, ihr Gehirn war zu lange ohne Sauerstoff gewesen.

Im Juli flogen Lisa Santos und Sören Henning nach Spanien, wo Lisas Wurzeln lagen. In dem wunderschönen Haus ihrer Eltern am Meer verbrachten sie vier traumhafte Wochen. Sie mussten Kraft tanken, denn irgendwann würden sie in die brutale Wirklichkeit zurückkehren. Daran dachten sie jedoch nicht, wenn sie abends auf der Terrasse saßen und auf das Meer blickten. Manchmal unterhielten sie sich über den unbekannten Mann, der ihnen das Leben gerettet hatte, ein Auftragsmörder, der zu ihrem Schutzengel geworden war. Sie würden nie begreifen, was in diesem Mann vorging, sie wussten nur, er war ein Mensch und doch ein Phantom, unbegreiflich und unfassbar. Sie würden nie erfahren, von wem die DNA stammte, die an so vielen Tatorten gefunden worden war, auch noch, nachdem der Innenminister vor die Mikrofone und Kameras getreten war, um zu bekunden, sie stamme von kontaminierten Wattestäbchen.

Und sie unterhielten sich über Karl Albertz. Warum hatte er ihnen so viele Informationen zukommen lassen über die Strukturen seiner kriminellen Vereinigung? Warum hatte er so viel Persönliches preisgegeben? Warum wollte er, dass sie Friedmann und Müller töteten? Warum wollte er, dass Friedmann und Müller sie töteten? Hatte er Sarah Schumann wirklich geliebt, oder wollte er sie nur besitzen, diese schöne, charismatische Frau? Es gab viele Fragen zu Albertz, doch auf keine fanden sie eine befriedigende Antwort. Ihn würden sie nicht mehr fragen können. Sie kamen zu dem Schluss, dass er ein Spieler gewesen war, doch das Spiel selbst hatten sie nicht verstanden und würden es wohl nie verstehen.

Henning und Santos waren kaum noch in der Lage, Lüge und Wahrheit zu unterscheiden, weshalb sie sich in Zukunft nur noch ihrem eigentlichen Beruf, der Jagd nach Vermissten, Totschlägern und Mördern widmen wollten. Sofern man sie ließ. Doch erst würden sie sich erholen und nicht über die Zukunft nachdenken, die kam noch früh genug. Viel zu früh.

NACHWORT

Manche, vielleicht sogar viele werden sich fragen, ob das, was sie gelesen haben, auch im wahren Leben vorkommt. Natürlich ist *Eisige Nähe* kein Sachbuch, sondern ein Roman. Allerdings habe ich wie in zahlreichen Büchern zuvor wahre Fälle und Begebenheiten einfließen lassen. Ich habe lange mit mir gerungen, ob ich eine bestimmte Szene, in der eine junge Zwangsprostituierte auf höchst brutale und grausame Weise misshandelt und ermordet wird, in dieser Form schildern soll. Doch die Szene ist ein wesentlicher Bestandteil der Handlung, und sie hat sich in dieser Form vor mehr als zwanzig Jahren tatsächlich zugetragen, wie mir glaubhaft von einer beteiligten und nach wie vor traumatisierten Frau berichtet und von zwei weiteren Personen bestätigt wurde. Ihre Namen werde ich zu ihrem Schutz geheim halten.

Dies zeigt einmal mehr, dass manche Menschen zu allem fähig sind. Furchtbare Verbrechen geschehen in allen Bereichen der Gesellschaft, ganz gleich, ob in den besten Kreisen oder beim »einfachen Mann« nebenan.

Ein weiterer Punkt ist der Handel mit Kindern. In zahlreichen Ländern kann man für ein paar Euro Babys, Kleinkinder, Kinder und Jugendliche »kaufen«. Hier beschränke ich mich auf Andeutungen und schildere keine Details, dennoch weise ich auf diese Verbrechen hin, über die noch immer viel zu wenig in den Medien berichtet wird.

Mir ist bewusst, dass viele so etwas nicht lesen wollen, doch wir dürfen die Augen nicht vor der Realität verschließen, denn sie ist da, brutaler und grausamer, als ich sie schildern könnte. Ich bin immer noch der Überzeugung, dass sich etwas verändern lässt, sofern wir den Mut aufbringen, gegen die Täter vorzugehen und die Opfer zu schützen.

Hinzu kommen Manipulationen seitens der Politik und der Wirtschaft. Die Medien werden mit Informationen gefüttert, die sie häufig kritiklos veröffentlichen, wobei kaum jemand nachfragt, wie viel Wahrheit darin steckt. Viele Lügen sind als solche nicht zu erkennen, weil sie zu gut verpackt sind.

Letztlich geht es in diesem Roman einmal mehr um das organisierte Verbrechen, das mittlerweile in sämtliche Bereiche der Gesellschaft vorgedrungen ist – weltweit. Der Kampf gegen diese Form der Kriminalität ist zwar nicht sinnlos, aber doch fast aussichtslos, da – wie ein Oberstaatsanwalt in einer Fernsehdokumentation betonte – man immer nur an die Bauern, aber nie an die Dame oder den König herankomme. Mir ist es wichtig, die Machenschaften dieser Kriminellen aufzuzeigen. Das organisierte Verbrechen macht vor nichts und niemandem halt, ein Menschenleben zählt nichts, es dreht sich alles um Geld, das in den Wirtschaftskreislauf gepumpt wird. Lange schon geht es nicht mehr um Milliardenbeträge, sondern um Billionen, die Jahr für Jahr mit unvorstellbarer krimineller Energie erwirtschaftet werden.

Ich bin kein und war nie ein Verschwörungstheoretiker, ich habe mich stets auf Fakten und Berichte von unmittelbar Beteiligten, von Fachleuten und Polizeibeamten gestützt, Menschen, denen ich unendlich dankbar für ihre Offenheit, Kooperation und vor allem für ihr Vertrauen bin.

Die in dem Buch agierenden Personen sind allesamt erfunden, jede Ähnlichkeit mit lebenden oder verstorbenen Personen wäre rein zufällig.

Andreas Franz
im November 2009

ANDREAS FRANZ

Unsichtbare Spuren

Kriminalroman

1999 – tiefster Winter in Norddeutschland. Am Straßenrand steht die siebzehnjährige Sabine, die darauf wartet, als Anhalterin mitgenommen zu werden. Ein Wagen hält an. Kurz darauf ist das Mädchen tot ...

Fünf Jahre später. Wieder wird ein junges Mädchen brutal ermordet aufgefunden. Und es mehren sich die Hinweise darauf, dass der Täter noch für weitere grausame Morde verantwortlich ist. Sören Henning, Hauptkommissar bei der Kripo Kiel, wird zum Leiter einer Sonderkommission ernannt. Im Zuge seiner Ermittlungen macht er eine beklemmende Entdeckung: Offenbar greift sich der Mörder wahllos seine Opfer heraus und kann jederzeit wieder zuschlagen. Ein Täter, der nach dem Zufallsprinzip mordet? Da passiert ein neuer Mord – und Henning erhält ein Gedicht und einen kurzen Brief, die offenbar vom Täter stammen. Dem Kommissar wird klar, dass er selbst ins Visier des Serienkillers geraten ist ...

»Andreas Franz ist der deutsche Henning Mankell. Nur hat er dem Schweden eins voraus – er ist besser!«

Bild am Sonntag, Alex Dengler

KNAUR TASCHENBUCH VERLAG

ANDREAS FRANZ

Spiel der Teufel

Kriminalroman

In einem Kieler Vorort wird die Leiche von Oberkommissar Gerd Wegner in seinem Auto gefunden. Die Fenster sind abgedichtet, ein Schlauch führt vom Auspuff ins Wageninnere, das Garagentor ist geschlossen, der Motor läuft. Kommissar Sören Henning und seine Kollegin Lisa Santos sind fassungslos: Kann es sein, dass sich ihr langjähriger Freund und Kollege umgebracht hat? Die schöne Witwe Nina glaubt jedoch nicht an den Selbstmord ihres Mannes, und Sören und Lisa beginnen zu ermitteln. Die Spur führt in eine Schönheitsklinik, in der nicht nur kosmetische Operationen vorgenommen werden ...

KNAUR TASCHENBUCH VERLAG

Der beste Spannungsautor Deutschlands

ANDREAS FRANZ

*Die Frankfurt-Krimis
mit Julia Durant*

KNAUR TASCHENBUCH VERLAG

Ein neues Ermittler-Duo
von Deutschlands bestem Spannungsautor

ANDREAS FRANZ

Die Offenbach-Krimis
mit Peter Brandt

Tod eines Lehrers
Mord auf Raten
Schrei der Nachtigall
Teufelsleib

KNAUR TASCHENBUCH VERLAG

FESSELND
BRISANT
TEMPOREICH
>>>